BIOGRAPHIE

HELMUT SCHEUER

Biographie

Studien zur Funktion und zum Wandel
einer literarischen Gattung
vom 18. Jahrhundert bis zur Gegenwart

J.B. METZLERSCHE VERLAGSBUCHHANDLUNG
STUTTGART

CIP-Kurztitelaufnahme der Deutschen Bibliothek

Scheuer, Helmut:
Biographie: Studien zur Funktion u. zum
Wandel e. literar. Gattung vom 18. Jh. bis
zur Gegenwart / Helmut Scheuer. –
Stuttgart: Metzler, 1979.
    ISBN 3-476-00433-3

ISBN 3 476 00433 3

© 1979 J. B. Metzlersche Verlagsbuchhandlung
und Carl Ernst Poeschel Verlag GmbH, Stuttgart
Satz und Druck: Gulde-Druck, Tübingen
Printed in Germany

FÜR BIRGITT

VORWORT

Diese Untersuchung zur Biographik ist als Habilitationsschrift verfaßt und im Sommer 1978 vom Fachbereich Sprach- und Literaturwissenschaften der Gesamthochschule Siegen angenommen worden. Der vorgegebene Zeitrahmen hat zwar einerseits nur erlaubt, Studien vorzulegen, andererseits aber auch für eine notwendige Straffung und stete Weiterführung gesorgt. Für den Druck wurden neben den üblichen Detailkorrekturen und Überarbeitungen die Kapitel »Macht und Geist – Die politische Biographik im Dienste Preußens« und »Kunst und Wissenschaft. Die literarische Biographie der Gegenwart« neu geschrieben.

Die bestehenden Disproportionen in meiner Arbeit lassen sich aus ihrer Genese erklären. Wenn jetzt der Eindruck entsteht, mir sei es um eine Geschichte der Biographik gegangen, so entspricht das keineswegs der ursprünglichen Absicht, die eher auf Eingrenzung und exemplarische Analyse ausgerichtet war. Angeregt durch die Diskussion um die sogenannte ›historische Belletristik‹ am Ausgang der Weimarer Republik und den ungewöhnlichen Erfolg der Biographien von Emil Ludwig und Stefan Zweig, ja der anhaltenden Popularität dieses Genres bis in unsere Gegenwart, schien es mir auch wissenschaftlich lohnend, dieses Phänomen der ›modernen‹ Biographie zu untersuchen. Dabei braucht es für die Literaturwissenschaft keiner besonderen Begründung mehr, wenn sie sich literarischen ›Zweckformen‹ zuwendet, sind diese doch inzwischen als legitimer Forschungsgegenstand anerkannt. (Als einer der ersten hat Friedrich Sengle in seiner *Literarischen Formenlehre* 1967 eine Untersuchung der Biographien gefordert.) Gedacht war zunächst an einen Vergleich mit dem historischen Roman, der ebenfalls in der Weimarer Republik eine Blütezeit erlebte. Es stellte sich jedoch heraus, daß die literarische Situation der 20er Jahre nicht ohne Rückgriff auf die Tradition historischer Erzählkunst beschrieben werden konnte. Die Analyse der geistesgeschichtlichen Biographik, in deren Tradition Ludwig und Zweig stehen, weckte die Neugier, auch den Blick ins 18. Jahrhundert zu lenken, wo wir für die Biographik einen starken Neuansatz ausmachen können. Um die Darstellung nicht ungebührlich ausufern zu lassen und um die von mir vermutete Entwicklungslinie nachzeichnen zu können, habe ich Einzel- und Strukturanalysen gemischt.

Ist eine Detailkritik aus unterschiedlicher Fachkompetenz und -perspektive an meinen Forschungsergebnissen notwendig und wünschenswert, so erhoffe ich mir doch eine verstärkte Auseinandersetzung mit den von mir skizzierten literar-, geistes- und sozialgeschichtlichen Zusammenhängen. Denn auf dieses Beziehungsgeflecht und auf die Entwicklungslinie kommt es mir an; der Wert der einzelnen Kapitel liegt für mich vor allem in ihrer Beziehung zum Gesamtentwurf. Das Ziel meiner Darstellung war keineswegs eine systematische Erfassung der Gattung ›Biographie‹, wie sie z.B. Roy Pascal für die Autobiographie angestrebt hat, denn damit wäre der zweite Schritt vor dem ersten getan worden. Es galt zunächst, sich auf die historische Entfaltung zu konzentrieren und aus der Fülle des Materials auszuwählen, also mehr deskriptiv vorzugehen als normative Festlegungen zu suchen.

Ich habe mich dabei für eine Biographik entschieden, die sich bewußt im Grenzraum zwischen Kunst und Wissenschaft angesiedelt hat. Wenn für die Biographie der Antike von Albrecht Dihle der Versuch unternommen wurde, eine Gattungsbestimmung zu erreichen, indem die Biographie vom ›Enkomion‹ und ›literarischen Porträt‹ abgegrenzt wurde, da in diesen jeweils nur den charakteristischen Einzelleistungen und nicht dem gesamten Lebenslauf die Aufmerksamkeit gilt, so habe ich mich gerade einer solchen Gattungsbeschränkung entzogen. Es schien mir durchaus aufschlußreich zu sein, ob sich das Interesse auf die Person oder die Taten bzw. die Werke gerichtet hat. So kann der biographische Essay des 18. Jahrhunderts, der mit Herder die Neugier auf die Leistungen (»Denkart«) der Porträtierten lenkte, als Vorform der großen, das ganze Leben umfassenden geistesgeschichtlichen Darstellung des 19. Jahrhunderts verstanden werden. Auch die mehr monographischen Arbeiten des George-Kreises fügen sich in den Untersuchungsrahmen, da sie mit ihrer eigenwilligen Gestaltphilosophie, die die harmonische Verbindung von Person und Werk behauptet, eine Variante geistesgeschichtlicher Biographik darstellen. Ähnliches gilt für die ›Individualbiographie‹ des 20. Jahrhunderts, der es vor allem um ein ›Seelenporträt‹ geht und die nur aus dieser Traditionslinie richtig gedeutet und bewertet werden kann. Die Kenntnis dieser historischen Entwicklung erleichtert nicht zuletzt auch den Zugang zu biographischen Gegenentwürfen, wie wir sie z.B. von Heinrich Mann oder von gegenwärtigen Biographen vorliegen haben.

Ich habe ›Biographie‹ also im weitesten Sinne als jede Annäherung und Bemühung um eine Person und deren Leistungen und die anschließende literarische Aufarbeitung für Dritte verstanden. Erst nach dieser von mir entworfenen historischen Skizze, die zunächst noch ergänzt werden müßte durch Einzelanalysen zu bestimmten Epochen und Autoren, könnte der Versuch gewagt werden, eine Gattungstypologie zu erstellen. Um erste Ansätze dazu bemühen sich die Kapitel zur Biographik von Ludwig und Zweig. Daß diese beiden Biographen quantitativ meine Untersuchung beherrschen, ist einmal durch den geschilderten Arbeitsprozeß zu erklären, findet aber auch seine Rechtfertigung darin, daß beide Autoren zugleich theoretische Reflexionen ihrer schriftstellerischen Arbeit geboten haben. Gerade aus ihrer Verteidigerposition heraus haben sie manche gattungsspezifischen Eigenarten konturenschärfer aufscheinen lassen, die zudem im Blick auf ihre Werke überprüft werden konnten.

Auch wenn in dieser Arbeit ein interdisziplinäres Verfahren erprobt wurde und Erkenntnisse und Forschungsmethoden der Soziologie, der Psychologie und besonders der Geschichtswissenschaft eingebracht wurden, so ist sie doch eine literaturwissenschaftliche Analyse. Ich fühle mich dabei einem literatursoziologischen Ansatz verpflichtet, dem es auf die Erscheinungsweisen der Kunst, d.h. auf ihre Inhalte und Formen, ankommt und der Literatur nicht nur aus dem Blickwinkel der Sozialgeschichte anvisiert. Meine Fragestellungen richteten sich auf die inhaltlichen und formalen Veränderungen, die die Biographik vom 18. Jahrhundert bis zur Gegenwart erfahren hat. Als Erklärungshilfen für die erkennbaren Umformungen habe ich die historisch-politische und die sozial-ökonomische Situation des Bürgertums herangezogen.

Eine im wesentlichen auf literarhistorische Phänomene ausgerichtete Betrachtung wird sich immer der Gefährdung bewußt sein müssen, sozialhistorische und politische Phänomene unzulänglich, idealtypisch und mit ungleicher Gewichtung einzuarbeiten, doch scheitert eine gleichwertige Berücksichtigung aller Forschungsaspekte – zumal, wenn die Untersuchungen drei Jahrhunderte umspannen – an der individuellen Leistungskraft. (Auch ein Team kann diesem Mangel nur bedingt abhelfen, da sich dann andere Probleme, z. B. bei der Stringenz der Darstellung und Argumentation, einstellen.) Ich bin mir bewußt, daß z. B. der Begriff des Bürgertums eine konsolidierte Klassenstruktur suggeriert, die es so in Deutschland nicht gegeben hat. Auch um Differenzierung bemühte Kennzeichnungen wie ›Kleinbürger‹ oder ›Bildungsbürger‹ tragen den Makel idealtypischer Konstrukte. Dennoch erscheinen mir die historischen und soziologischen Forschungen zu diesen Schichten hilfreich, um die Struktur der Literatur und deren jeweilige Funktion verständlicher werden zu lassen. Andererseits kann gerade die Analyse von Literatur einen Beitrag zur Erforschung dieser Schichten und vor allem zur Rolle der Intellektuellen liefern, gerät doch die sozialhistorische Forschung meistens bei der Rollen- und Funktionsbestimmung der bürgerlichen Intelligenz in Schwierigkeiten, weil sie deren Ideen und geistige Leistungen nur unzulänglich in ihr Schichtenmodell zu integrieren vermag. Mir scheint, daß gerade eine so didaktisch ausgerichtete Literaturgattung wie die Biographie sich mit der Aufstiegs- und Krisengeschichte des Bürgertums korrelieren läßt. Literatur wird damit auch auf ihren Beitrag zum bürgerlichen Bewußtseinsprozeß befragt und es wird von ihr Auskunft erwartet über eine bürgerliche Identitätsbildung, wie sie so nur schwer aus anderen Quellen zu belegen ist.

Eine so weitgespannte Darstellung kann wohl kaum gelingen, wenn sie nicht durch starkes Engagement vorangetrieben wird. Auswahl und erkenntnisleitende Fragestellungen waren bei mir durch eine sehr subjektive Neugier bestimmt, die nicht zuletzt durch den Blick auf den florierenden Biographienmarkt der Gegenwart stimuliert worden war. Meine Sympathie gilt denjenigen Biographen, die für Aufklärung, Öffentlichkeit und Demokratisierung gestritten haben – und streiten. Mag diese Zuneigung zuweilen eine gewisse stilistische Emphase bewirkt haben, so war ich dennoch bemüht, auch den anderen Autoren – das gilt besonders für Ludwig und Zweig, für deren persönliches Verhalten und Absichten ich Hochachtung und Verständnis empfinde – Gerechtigkeit widerfahren zu lassen, selbst wenn ich ihre Positionen aus ideologiekritischer Sicht in Frage gestellt habe.

Die vorliegende Untersuchung entstand in Bonn und Siegen. Den jeweiligen Bibliotheken habe ich für die bereitwillige Unterstützung zu danken. Die Abfassung der Arbeit wurde durch ein einjähriges Stipendium der Deutschen Forschungsgemeinschaft erheblich erleichtert. Helmut Kreuzer, der an ihrem Entstehen Anteil genommen und sie durch eine kritisch-aufmunternde Haltung gefördert hat, bin ich zu großem Dank verpflichtet. Weiterhin verdanke ich der kritischen Lektüre von Karl Riha, Jörn Rüsen und Renate Werner manche wertvolle Ergänzung und Korrektur.

Siegen, im Herbst 1979 Helmut Scheuer

INHALT

rationalismus und Wissenschaft – Heilssehnsucht – Suche nach dem Göttlichen –
Gundolfs ›Seher‹ und ›Täter‹ –Selbsttäuschungsprozeß – Kunst, Bildung und Tugend: Umformung klassischer Ideale – Fluchtreaktionen – Elite und Masse – Enthistorisierung der Geschichte – Das ›Ewige‹ – Sein und Werden – Heldenglauben als Sicherheit im Sein – Bertrams Legendenbegriff – »Entgegenwärtigung« – Typus – Der
Weg in den Mythos – Auswahl der Helden: Das Übergewicht der ›Seher‹

Dramatische Konzeption – Tragik – Subjektivismus und Individualismus – Jacob
Burckhardts und Friedrich Gundolfs Sicht – Tragische Kollision von ›Selbst‹ und
›Sache‹ – Kantorowicz' antibürgerliches Modell – Die schrankenlose Selbstverwirklichung – Entelechie – Schicksal und Tragik – Freiheit und Notwendigkeit –
Idee und Wirklichkeit – Anspruch und Idee – Gemeinschaft – Verlust der Heroen-
sicherheit durch aufkommende Herrschaft der ›Teilkönner‹: Friedrich und Inno-
zenz IV. – Leidenschaft und Schöpfertum gegen Kühle und Sachlichkeit – End-
kampf und ›Sendung‹ – »Geschichtsschreibung als politische Poesie« (Peter Gay)
– Die Ideologie des Mittelstandes – Hoffnung und Trost – Fatalismus – Warten
auf ›Täter‹ – Idee, Anspruch, Wille zur Tat – Reflexion statt Handlung – Der
Übergang vom heroischen zum prosaischen Zustand (Hegel) – Der bürgerliche
Ausweg: Idee und Geist – Gegenwartsbezüge – Elite, Gemeinschaft, Masse – Max
Webers Charisma-Theorie – Heidnisches und Christliches – Trost – Sehnsucht
nach heroischer Zeit – Volksbegriff – Kantorowicz' Führerbild – Bezug zum Na-
tionalsozialismus

George-Kreis und 1. Weltkrieg – Die große Tat als schöne Geste – Rückzug ins
Geistige – Neigung zu ›Sehern‹: Hölderlin, Jean Paul, Nietzsche – Unzeitgemäße
und Scheiternde – Die Kategorie des Glücks – Bürgerliche Melancholie – Die Tat-
gehemmten – Geisteswelt gegen Realwelt – Emanation des Geistes – Sein und
Werden – Gundolfs Vorstellung von der Entelechie: Goethes »Ureigenschaften« –
Milieu – Werkdeutung und symbolische Auslegung – Entsagung und Vollendung
bei Goethe – Die Ganzheitsideologie – Kompositabildung mit ›Selbst-‹, ›Gesamt-‹,
›All-‹ – Biographie als Mikrokosmos – Kugel-, Kreissymbolik – Bertrams Vorstel-
lung von Tragik – Verlust der Welt – Mystik – Gefährdung auch der ›höheren
Welt‹ – Geistiger Rausch und Ekstase als Ersatz – Bild aus »Stücken« – Polyper-
spektive – Der Zerrissene – Die monadologische Biographie – Die Helden als
›Führer‹ und ›Erzieher‹ – Der Weg ins Mysterium – Der Kampf des Geistes um die
Macht – Konzentration auf das Ewige und Typische – Dynamisierung durch
Sprache – Heroischer Fatalismus – Gottfried Benn – Entsagung als Phänomen der
modernen Gesellschaft – Max Weber – Blinde Seher und heroische Unzeitgemäße
– Aktiver Fatalismus

Täter – Hutten als Abenteurer – Die Einmündung der Tat in die geistige Welt –
Enthistorisierung Huttens – Manns perspektivenreiches Panorama – Vergleich
der Stil- und Sprachebene – Statik gegen Expressivität – Gundolfs Vogelperspektive – Gundolfs Scheu vor der Volkstümlichkeit – Perspektivische Variabilität bei
Mann – Subjektivierung des Erzählerstandpunktes – Manns Begeisterung für die
›Masse‹ – Bemühung um Alternativen – Verlagerung der Dialogsituation in den
Text – Überzeugungstechniken – Bemühung um Mündigkeit des Lesers – Gegenwartsbezüge – Resignation und Pessimismus bei Gundolf – Tragik und Melancholie – Ideale des 18. Jahrhunderts bei Gundolf und Mann – Die Vorstellung
vom Glück – Gefahren bei Mann: Ästhetisierung der politischen Welt und Über-

der Kunst – Das neue Selbstbewußtsein der Künstler im 20. Jahrhundert – Der moderne Roman – Preisgabe der ästhetischen Harmonie – Alfred Döblins Wendung gegen die »Mischgattung« – Narrativik und Geschichtswissenschaft – Jauß' Vorschlag für eine Änderung der Historiographie – Die zeitgenössischen Biographen: de Bruyn, Enzensberger, Fröhlich, Härtling, Harig, Hildesheimer, Kühn – Gattungsbezeichnung: Roman oder Biographie? – Wissenschaftsverständnis der Autoren – Umgang mit historischem Material – Faktizität und Fiktion – Subjektivität und Objektivität – »Roman des diskursiven Denkens« – Biographie und Essay – Wissenschaftliche Arbeit der Biographen – Erzählereinschaltung – Analogiebeziehungen – Biographie und Autobiographie – Identifizierung – Adresse an den Leser – Die Zerstörung der traditionellen Erzählweise – Die »Vielheit der Möglichkeiten« in der Geschichte (C. Meier) – Verzicht auf eine teleologische Geschichtsstruktur – ›Offene‹ Erzählformen – Collage – Nähe und Distanz – Möglichkeitsdimensionen – Moderne Geschichtstheorie – Hedinger, Lucien Sève – Lepenies – Konjunktivisches Schreiben: Kühns »N« – Potentialität als Grundzug der modernen Dichtung – Habermas' »Bewußtsein der Fragwürdigkeit« – Wissenschaftliche Hypothese und literarische Fiktion – Fiktionsversuche als Zerstörung der epischen Illusion – Vergleich mit dem historischen Roman – Individuum und Welt – Sozialbiographie – de Bruyns »Jean Paul« – Mischung von Deskription und Fiktion – Vorrang des Erkenntnis*prozesses* – Didaktik – Die Wissenschaftlichkeit der Schriftsteller – Kunst und Wissenschaft als parallel verlaufende Tätigkeiten der menschlichen Aufklärung (Heißenbüttel) – Literatur als »Para-Disziplin« (Lepenies) – Phantasie – Der Mensch als »Inbegriff seiner Möglichkeiten« (Musil) – Blochs ›konkrete Utopie‹

I. ZUR FORSCHUNGSSITUATION

1. Untersuchungen und Überlegungen zur Biographik

Die vorliegende Arbeit ist die erste zusammenfassende Darstellung zur Geschichte der deutschen Biographik. Während zur Autobiographie, besonders des 18. Jahrhunderts, eine Reihe von Untersuchungen in jüngster Zeit erschienen ist – es seien, neben dem großen Lebenswerk von Georg Misch, nur die Arbeiten von Klaus-Detlef Müller, Bernd Neumann, Günter Niggl, Ralph-Rainer Wuthenow genannt[1] –, fehlen uns zur Geschichte der deutschen Biographie selbst solche Untersuchungen, die sich auf einzelne Epochen beschränken. Allenfalls Friedrich Sengles knapper Überblick in seiner Literaturgeschichte der Biedermeierzeit (Bd. 2, S. 306–321) könnte hier genannt werden. Für das 20. Jahrhundert haben Michael Kienzle mit seinem Aufsatz über Emil Ludwig und Bernd Neumann mit seinem Abriß der Biographie-Debatte eine erste Aufarbeitung geleistet. Da die hier aufgeführten Analysen meist in die folgende historische Darstellung integriert und jeweils an passender Stelle mit ihren Positionen berücksichtigt worden sind, so soll dieser Forschungsabriß mehr die Quantität als die Qualität der Untersuchungen einschätzen helfen.

Wir haben von literaturwissenschaftlicher Seite einige Arbeiten vorliegen, die sich dem Problem der wissenschaftlichen Dichterbiographie zuwenden: Dazu gehört Walter Muschgs *Das Dichterporträt in der Literaturgeschichte,* ein Beitrag zu Emil Ermatingers *Philosophie der Literaturwissenschaft* (1930), der einem existenzphilosophischen Ansatz verpflichtet ist (»die Gestaltungsfragen der Biographie« seien als »ein Ausdruck des Kampfes um die neue Sinngebung der menschlichen Existenz« zu verstehen, S. 313). Horst Oppel ist 1940 in der *Deutschen Vierteljahrsschrift für Literaturwissenschaft und Geistesgeschichte* (S. 139–172) den *Grundfragen der literarhistorischen Biographie,* so der Titel, nachgegangen und hat dabei einen Bogen von der Romantik bis zum George-Kreis geschlagen, um daran anschließend sich gegen den vordrängenden Subjektivismus zu wenden und für eine »strenge Werkanalyse« (S. 161) zu plädieren. 1952 hat Friedrich Sengle in der *Deutschen Vierteljahrsschrift* (S. 100–111) einen Neuansatz der Diskussion mit seinem Aufsatz *Zum Problem der modernen Dichterbiographie* versucht, der nicht zuletzt durch die Erfahrungen mit der Arbeit an seinem *Wieland* bestimmt ist. Sengle macht sich stark für eine »Umweltsbiographie« (S. 107) und damit für eine geschichtliche Betrachtung, andererseits kann er sich aber auch auf eine so eigenwillige Formulierung festlegen, daß bei der Biographie »eine neue Begegnung von Seele und Realität« stattfinden müsse (S. 109). Im gleichen Jahr hat Sengle noch im *Euphorion* (S. 100–106) *Bemerkungen zu Technik und Geist der populären Biographie. Am Beispiel von Otto Heuscheles ›Herzogin Anna Amalia‹* veröffentlicht.

Erst 1963 wird das Thema der Biographik erneut aufgegriffen. Günter Blöcker veröffentlicht seine essayistisch gehaltene Betrachtung *Biographie – Kunst oder Wissenschaft?*, gibt darin einige Beispiele aus der europäischen Biographietradition und macht sich Gedanken über den Wert der Lebensbeschreibungen in Zeiten zunehmender Entindividualisierung. 1970 hat Friedrich Hiebel ein Buch publiziert, das in einer losen »Folge von Essays« (S. 7) sich mit dem Thema *Biographik und Essayistik. Zur Geschichte der schönen Wissenschaften* beschäftigt. Zwar äußert sich Hiebel zur Biographik vom Mittelalter über die Renaissance zur Moderne, aber dennoch finden wir kaum Ansätze, die der Forschung Impulse geben könnten. Entsprechend seinen anthroposophischen Ansichten ist das 20. Jahrhundert allein mit *Rudolf Steiner als Biograph* und mit den Werken Albert Steffens vertreten.

In jüngster Zeit hat Michael Kienzle mit seinem Aufsatz *Biographie als Ritual. Am Fall Emil Ludwig* (1976) eine ideologiekritische Wertung dieser bürgerlichen Erfolgsliteratur vorgelegt, wie sie z. T. schon von Siegfried Kracauer und Leo Löwenthal erfolgt ist. Auch Bernd Neumanns Forschungsüberblick in seiner Habilitationsschrift über Uwe Johnson (1978), die nach Abschluß der vorliegenden Untersuchung erschienen ist, geht von einem literatursoziologischen und ideologiekritischen Ansatz aus. Im Zusammenhang mit der biographischen Schreibweise Johnsons referiert Neumann eingehend die Diskussion der 20er Jahre zwischen ›Legitimen‹ und ›Illegitimen‹ und die Nachkriegspositionen in der Bundesrepublik und der DDR. Dem gewählten Thema entsprechend zieht Neumann auch Arbeiten zum historischen Roman wie z. B. Lukács' *Die biographische Form und ihre Problematik* aus dessen großer Betrachtung des historischen Romans oder auch Hermann Böschensteins *Der neue Mensch. Die Biographie im deutschen Nachkriegsroman* (1958) heran.

Die Vermutung, daß die historische Fachwissenschaft sich dem Thema der Biographik intensiver zugewandt hat, finden wir leider nicht bestätigt. Zwar blieb die Biographik immer wichtiger Teil aller Arbeiten, die sich mit der Historik beschäftigten, zwar wurde 1970 auf dem Historikertag in Moskau über die Biographie diskutiert, aber in der Konzentration auf eine Sozial- und Strukturgeschichte rückte die Biographik an den Rand des Interesses.[2] So stammt die einzige umfangreichere Darstellung zur Geschichte der politisch-historischen Biographie noch aus den 60er Jahren: Eckhart Janders *Untersuchungen zur Theorie und Praxis der deutschen historischen Biographie im 19. Jahrhundert* (1965) gibt nicht nur einen Forschungsbericht und einen Abriß der Geschichte der Biographie von der Antike bis zum 19. Jahrhundert, sondern widmet sich vor allem der Frage *Ist die Biographie eine mögliche Form legitimer Geschichtsschreibung?* In zwei umfangreichen Kapiteln faßt Jander die »theoretischen Äußerungen« zur Biographie im 19. Jahrhundert und eine Reihe von Biographien, die er allerdings meist nur inhaltlich umreißt, zusammen.

In jüngster Zeit scheint jedoch eine Belebung der Diskussion zu erfolgen. 1974 erschien von Jürgen Oelkers ein Forschungsüberblick, der sich zugleich um neue Impulse bemüht. In kritisch-engagierter Weise versucht Oelkers eine Bestandsaufnahme der bisherigen Praxis und Theorie zu geben. Für ihn ist Biographie nur als Teil einer sozialwissenschaftlich fundierten Geschichtsschreibung möglich, deshalb stellt sich für ihn »die Alternative Individuum versus Gesellschaft« nicht (S. 298), ist ihm gute Biographik doch nur als

»Rekonstruktion der sozialen Entwicklungsgeschichte historischer Subjekte« vorstellbar (S. 302). Mit einer solchen Definition glaubt Oelkers die alte Biographik, die er in drei große Richtungen aufteilt: »Rankes episch-dokumentaristische, Droysens politisch-pädagogische und Diltheys ästhetisierende Biographik« (S. 300), überwinden zu können.

Auch die Auseinandersetzung um die *Personalisierung im Geschichtsunterricht,* die durch Klaus Bergmanns 1972 engagiert vorgetragene Kritik an der traditionell personenzentrierten Geschichtspräsentation belebt wurde, hatte ihre Auswirkung auf die Biographiedebatte. Die Evangelische Akademie Loccum hat 1976 zu zwei Tagungen unter dem Thema *Persönlichkeit und Struktur in der Geschichte* eingeladen. 1977 hat der Tagungsleiter Michael Bosch einen Sammelband mit dem gleichen Titel herausgegeben, der die dort gehaltenen Referate zusammenfaßt. Neben einigen Beiträgen zur Methodologie von Imanuel Geiss, Jürgen Kocka, Rudolf von Thadden und Bernhard Unckel finden wir Fallstudien zu Bismarck (Annette Kuhn), zum Großen Kurfürsten (Ernst Opgenoorth) und zur Streitfrage »Nationalsozialismus oder Hitlerismus?« (Klaus Hildebrand, Hans Mommsen). Für unseren Zusammenhang ist der Beitrag von Dieter Riesenberger *Biographie als historiographisches Problem* am wichtigsten, da der Verfasser nicht nur einen Forschungsüberblick gibt, sondern auch eine eigene Stellungnahme versucht. Eingehend und kritisch setzt sich Riesenberger nicht nur mit den Vorstellungen von Hans-Walter Hedinger, sondern auch mit der anregungsreichen Theorie von Lucien Sève auseinander, wie sie in *Marxismus und Theorie der Persönlichkeit* (1973) entwickelt wurde. Riesenberger bekennt sich zur »politisch-pädagogische[n] Funktion« der Biographik und weist ihr wie Oelkers die »Aufgabe in der Erforschung der Problematik des Verhältnisses von Individuellem und Allgemeinem« zu (S. 37). Zu ähnlichen Ergebnissen wie Oelkers und Riesenberger kommt auch Hagen Schulze in seiner Antrittsvorlesung *Die Biographie in der ›Krise der Geschichtswissenschaft‹* (1978). Mit fast den gleichen Worten wie Oelkers will auch Schulze »die grobe Alternative ›Individuum‹ versus ›Gesellschaft‹ oder ›Struktur‹« nicht gelten lassen (S. 513) und plädiert für eine Biographik, die »Schwächen der strukturalen Historie« beheben helfen könnte (S. 515): »Die strukturelle Darstellungsweise besitzt nämlich die immanente Tendenz, Geschichte als Wirkung bestimmender Umstände, also als weitgehend determiniert zu erfassen und damit der Gefahr des Fatalismus zu verfallen.« (S. 516) Es ist hier nicht der Ort, sich mit dieser pointiert-eigenwilligen These auseinanderzusetzen, aber es soll noch der Hinweis auf die von Schulze befürwortete ›Gruppenbiographie‹ erfolgen. Gemeint ist damit eine prosopographische Methode, wie sie besonders in der Altertumswissenschaft, aber auch von englischen und französischen Historikern für die Moderne angewendet wird. Mit Hilfe von genauen Personenverzeichnissen zu einzelnen Epochen oder auch Institutionen – Schulze führt als Beispiel »Führungsgruppen und Eliten von Parteien, Interessengruppen, militärische[n] Organisationen, revolutionäre[n] Bewegungen« an – lassen sich ›Gruppenprofile‹ erstellen, die über Strukturen und Zusammensetzungen Aufschluß geben und »gemeinsame emotionale Nenner bei den Mitgliedern der untersuchten Gruppe« erschließen (S. 514).

Die vermutete Belebung der Biographiedebatte wird zuletzt noch gestützt durch den für 1979 angekündigten Forschungsband *Biographie und Geschichtswissenschaft,* den Grete Klingenstein, Heinrich Lutz und Gerald Stourzh als 6. Band der *Wiener Beiträge zur Geschichte der Neuzeit* vorgesehen haben. In drei Kapiteln – »Voraussetzungen und Methodenfragen«, »Fallstudien« und »Beobachtungen zur biographischen Arbeit« – soll die Diskussion um den Wert biographischer Geschichtsschreibung geführt werden.

Mit dem Plädoyer des Kölner Historikers Peter Berglar für eine »›Wiederkehr der Menschen‹ in der Geschichtsschreibung«, das verbunden ist mit einer polemischen Attacke gegen die »›relevanz‹-versessenen Hinterfragungsrituale[n]« (S. 233) wird 1978 nicht nur ein Schritt hinter einmal erreichte Positionen in der Diskussion um die Biographie gefordert, sondern auch die wichtigste Streitfrage wieder aufgeworfen, ob Biographien vom Schriftsteller oder vom Wissenschaftler geschrieben werden sollten. Berglar bricht eine Lanze für die »Dichter und Bildner«, »die ihren Zeitgenossen und ihren Nachfahren die Fülle des Seins [...] zum beglückenden oder beklemmenden, zum stärkenden oder lähmenden, auf alle Fälle zum mit Bewegung und Phantasie Aufnehmbaren, Anverwandelbaren ›zubereitet‹ haben.« (S. 231) Verständlich, daß auch in den theoretischen Beiträgen von Schriftstellern, die Biographien verfaßt haben, dieses Thema meist im Vordergrund steht. Das gilt für Golo Manns Aufsätze *Pro domo sua oder Gedanken über Geschichtsschreibung* (1972) und *Geschichtsschreibung als Literatur* (1973) ebenso wie für die knappen Skizzen von Peter de Mendelsohn (*Einige Schwierigkeiten beim Schreiben von Biographien*) und Richard Friedenthal (*Zum Thema Biographie*), die 1971 vor der »Deutschen Akademie für Sprache und Dichtung Darmstadt« vorgetragen wurden. Dazu gehören aber auch die Beiträge von Werner Richter (*Über das Schreiben von Biographien,* 1949), Valeriu Marcu (*Biographie und Biographen,* 1930) und vor allem von Emil Ludwig und Stefan Zweig, deren Vorstellungen wir jedoch in den folgenden Kapiteln zum 20. Jahrhundert eingehend analysieren werden.

Nehmen wir einen auch im Deutschen vorliegenden Aufsatz wie *Die Kunst der Biographie* von Harold Nicolson (dt. 1958), so wechseln wir damit in die außerdeutschen Beiträge über, deren Vielzahl – besonders im anglo-amerikanischen Raum – hier nicht referiert werden kann, sondern die nur mit einigen wichtigen Arbeiten vertreten sein soll, um den Einstieg in die Diskussion im Ausland zu erleichtern.

Über die Situation der Biographik in den 20er Jahren in Frankreich unterrichtet uns die Arbeit von Karl Nitsche, *Biographie und Kulturproblematik im gegenwärtigen Frankreich. Ein Beitrag zu dem Problem der Denkformen* (1932). Ist der Ansatz Nitsches, die Biographien über den von Hans Leisegang (*Denkformen,* 1928) übernommenen Begriff der ›Geisteshaltungen‹ und ›Denkformen‹ zu verstehen, mehr als fragwürdig, so bleibt dennoch der Wert der Arbeit darin bestehen, daß hier eine Fülle von Biographien, z. T. sehr ausführlich behandelt, vorgestellt wird. Die wichtigen theoretischen Arbeiten André Maurois' zur Biographik werden wir, da sie so viele Berührungspunkte mit Ludwigs und Zweigs Vorstellungen aufweisen, jeweils in den entsprechenden Kapiteln mitbehandeln.

Für den anglo-amerikanischen Bereich liegt uns eine Reihe von Untersuchungen vor, von denen zwei verdienen, besonders herausgehoben zu werden, weil sie sich um Typologien in der Biographik bemühen, aber zugleich auch historische Entwicklungen nachzeichnen. (Und nicht zuletzt, besonders bei Garraty, einen guten Überblick über die Forschungssituation geben.) Einmal ist es die gründliche Darstellung des amerikanischen Historikers John A. Garraty, *The Nature of Biography* (1958) und die Arbeit eines Biographen: Paul Murray Kendall, *The Art of Biography* (1965). Kendall wendet sich gegen

Garratys Festlegung der Biographie als Teil der Geschichtsschreibung, er sieht – ähnlich wie Golo Mann – auch den Dichter an der Abfassung beteiligt. Als eine wichtige Veröffentlichung erweist sich auch die Quellensammlung *Biography as an Art. Selected Criticism 1560–1960* von James L. Clifford (1962), weil wir hier eine Fülle theoretischer Äußerungen zur Biographik – allerdings fast nur aus dem englischen Sprachbereich –, die sonst nur schwer zugänglich sind, gesammelt finden.

Zum Schluß sei die Veröffentlichung genannt, die für die folgende Arbeit von größtem Nutzen gewesen ist: Jan Romein, *Die Biographie. Einführung in ihre Geschichte und ihre Problematik* (niederländisch 1946, dt. 1948). In einem komprimierenden Verfahren ist es Romein gelungen, nicht nur die historische Entwicklung von der Antike zur Moderne zu umreißen, sondern auch noch seine eigene Theorie zu entwickeln. Er steht mit Engagement hinter der modernen psychologisierenden Biographik, wie sie sich für ihn besonders in den Werken von Maurois, Strachey oder Zweig verwirklicht hat. Trotz gegenteiliger Meinung hat diese Arbeit in vielen Punkten ihren Ausgang genommen von den vielfältigen Positionsbeschreibungen in diesem kleinen Werk.

2. GEGENWARTSINTERESSE UND DIDAKTIK

Brockhaus' *Konversationslexikon* von 1894 fordert für die gute Biographie »strenge Wahrheitsliebe« und einen »völlig parteilose[n] Standpunkt«. Spiegelt sich hier zwar die durch den Positivismus geprägte Vorstellung von einer objektiven und ohne Beeinflussung geschriebenen Geschichte wider, so gilt andererseits auch heute noch, daß eine herausgestellte Intention der wissenschaftlichen Reputation abträglich sei.

Nicht erst seit den jüngsten Diskussionen um hermeneutische Probleme in den Geisteswissenschaften ist jedoch bekannt, wie stark auch Wissenschaftler vom Gegenwartsinteresse geleitet sein können. Daß die Forderung des Historismus, jede Epoche aus sich selbst verstehen zu sollen, eine idealistische Forderung sei, die einem historischen Relativismus das Wort rede und Objektivität nur vortäusche, haben kritische Historiker des 20. Jahrhunderts frühzeitig erkannt und die »voraussetzungslose Wissenschaft« als »Utopie des 19. Jahrhunderts« bezeichnet (E. Kehr).[1] Ernst Troeltsch hat in seiner Auseinandersetzung mit dem Historismus darauf verwiesen, daß der Historiker nicht anders könne, als »seine eigene Gegenwart und Zukunft in diese Zusammenhänge einzustellen« und im »Verständnis der Gegenwart immer das letzte Ziel aller Historie« gesehen[2]; Benedetto Croce hat für eine ›Zeitgeschichte‹ plädiert. Ihn und Robert George Collingwood nennt Siegfried Kracauer als Hauptvertreter der »Theorie des ›Gegenwart-Interesses‹«.[3]

Kracauer selbst hat in seinen jüngsten geschichtsphilosophischen Überlegungen (1969) Bedenken gegen die Ansicht angemeldet, daß »einen nur das Interesse am Leben der Gegenwart dazu bewegen kann, vergangene Fakten aufzuspüren«, wie Croce behauptete. Es hat sich in Deutschland in der Auseinandersetzung mit Hans-Georg Gadamer die Auffassung durchgesetzt, daß Objektivität in Frage gestellt sei, wenn sich die »historische Wahrheit [als] eine Veränderliche von Gegenwart-Interesse« (Kracauer) ergeben soll.[4] Damit wird keineswegs die Situationsbedingtheit des Erkenntnis- und Ver-

stehensprozesses geleugnet, sondern nur gegen eine Überschätzung dieser These argumentiert.

»Würde nun andererseits historische Erkenntnis ausschließlich durch den Gegenwartscharakter
von Geschichte bestimmt«, schreibt der Historiker Jörn Rüsen 1975, »so daß ihr Aggregatzustand
der Tatsächlichkeit eine bloße Funktion des anderen, des lebensweltlichen, wäre, dann könnte sie
nicht mehr in Form von intersubjektiv gültigen Tatsachenbehauptungen auftreten. Solche ›präsenti-
stische‹ Unterordnung der als erkennbarer Tatbestand gegebenen Geschichte unter die als Hand-
lungsvollzug sich ereignende Geschichte würde Geschichtswissenschaft grundsätzlich um ihre Wissenschaftlichkeit bringen. Zwar wird die Perspektive, in der Vergangenheit erscheint, und insofern
auch die Art und Weise, wie sich vergangene Geschichte dem Historiker darstellt, geprägt von der
lebensweltlich durch Handeln und Leiden vollzogenen gegenwärtigen Geschichte; aber die Inhalte
der sich auf diese Weise bedingt darstellenden Vergangenheit können nicht durch Geschichte als
Gegenwart gesetzt werden.« [5]

Wenn so einerseits die Gefahren eines Gegenwartsinteresses benannt worden sind,
aber andererseits auch anerkannt wird, daß der Umgang mit der Geschichte durch Gegenwartsinteressen beeinflußt wird, so bleibt die Frage nach der Funktion der Geschichte
für diese Gegenwart. Denn es ist z. B. ein Unterschied, ob wir »mit der Kenntnis des Ur-
sprungs, des Zusammenhangs, des Gewordenseins einen Code in die Hand [zu] bekommen, der uns die Geheimschrift der Gegenwart auflösen hilft« (R. Wittram) [6], oder ob
den aus der Geschichte gewonnenen Erkenntnissen die Macht zugesprochen wird, »aus
der Vergangenheit heraus der Gegenwart bei der Bewältigung ihrer Probleme [zu] helfen« (H.-U. Wehler). [7] Einmal wird ein mehr kontemplatives Element – die Geschichte
als Beitrag zur eigenen Bildung und zur Erkenntnis der lebensweltlichen Situation – betont, im zweiten Fall die aktivierende Funktion, die durchaus auch utopische Elemente
tragen kann.

Wie die folgende historische Skizze zur Biographik zeigen wird, sind das historisch be-
dingte Positionen, die mit dem Selbstverständnis des Bürgertums und seiner politisch-sozialen Einordnung verknüpft sind. Auf der einen Seite finden wir die ohne direkte bzw.
bewußte Gegenwartsbezüge operierenden Historiker wie Ranke oder Burckhardt, bei
dem sogar von Flucht aus der Gegenwart gesprochen werden kann (was natürlich auch
einen starken Gegenwartsbezug verrät), auf der anderen Seite die Vertreter der These ›hi-
storia magistra vitae‹, zu der so unterschiedliche Historiker wie die Liberalen Georg
Gottfried Gervinus und Theodor Mommsen – er hat dem Historiker die »Pflicht politischer Pädagogik« auferlegt [8], – und die Vertreter der ›preußischen Schule‹, wie Erich
Marcks, Heinrich von Sybel und vor allem Heinrich von Treitschke, gehören. Wenn moderne Historiker erneut betonen, »daß die Geschichtswissenschaft im Kern eine didaktische Aufgabe hat, nämlich die Aufgabe, zu politischem Handeln zu disponieren« (Rüsen), und so Droysens »didaktische Macht der Geschichte« wieder aufleben lassen [9], so
muß die Betrachtung einer literarischen Gattung, der es wie der Biographie seit ihrem Bestehen vor allem um die didaktische Funktion geht, nicht so sehr von der Diskrepanz,
sondern mehr von der Übereinstimmung mit der Geschichtsschreibung ausgehen.

Der Streit zwischen Literaten und Historikern, zwischen Kunst und Wissenschaft,
würde auf einem falschen Platz ausgetragen, wenn es allein um die *Funktion* der Geschichtsschreibung geht, denn gerade darin sind die deutlichsten Übereinstimmungen zu

finden. Mit gutem Recht konnte Emil Ludwig, als er in der Weimarer Republik von Historikern attackiert wurde, replizieren: »Heut werfen die Forscher den Künstlern vor, sie trieben in ihren historischen Werken Politik; merkwürdig, daß dieser Einwand nur gegen Republikaner und Sozialisten erhoben wird. Hat Treitschke sein Leben lang etwas anderes getan?«[10] Mit dem gewollten Gegenwartsbezug allein – »politische Tendenz« ist ein gern benutzter Vorwurf von Wissenschaftlern gegen Literaten[11] – kann also keine Verurteilung einer Geschichtsschreibung erfolgen. Ein so kritischer und heftiger Gegner Emil Ludwigs wie Otto Westphal hat eingestehen müssen: »Ich glaube, daß an und für sich auch ein ziemlich hoher Grad von Objektivität mit der prinzipiellen Bejahung der Parteipolitik vereinbar wäre«.[12]

Auch in modernsten geschichtstheoretischen Überlegungen[13] ist immer wieder betont worden, daß Interessengebundenheit Objektivierbarkeit nicht ausschließe, wenn die Wahl des Bezugsrahmens für die Urteilsfindung erkennbar, die Aussagen selbst und die Bedingungen, unter denen sie entstanden sind, überprüfbar und nachvollziehbar sind. Karl-Georg Faber hat das mit einem anschaulichen Beispiel belegt: »Die ideologische Einschätzung des Nationalstaates oder der klassenlosen Gesellschaft als Ziel der Geschichte verhindert nicht notwendig, daß Untersuchungen der deutschen Geschichte im 19. Jahrhundert unter dem Aspekt der nationalen Einigung oder des Klassenkampfes objektive Ergebnisse liefern, die auch für Historiker verbindlich sind, die jene Einschätzung nicht teilen.«[14] Kann Wissenschaftlichkeit also durchaus mit Instrumentalisierung einhergehen, so wäre vor allem nach dem jeweiligen erkenntnisleitenden Interesse bei einer Analyse der Geschichtsschreibung zu fragen. Wenn Erkenntnisinteressen durch bestimmte Anliegen gesteuert werden, besteht allerdings auch die Gefahr der Blickverengung: »Historiker, die unvermittelt vom Gegenwart-Interesse ausgehen, sind fähig, die Evidenz zu verdunkeln und selbst zu unterdrücken.« (Kracauer)[15]

Solche Erkenntnisse müssen bei einem literarischen Genre, das zudem im Grenzbereich zwischen Kunst und Wissenschaft angesiedelt ist, die historische Analyse beeinflussen: Denn zum Gegenwartsinteresse haben sich seit der Antike immer wieder Vertreter der Biographik bekannt. Dabei geht es vor allem um ein allgemeines didaktisches Anliegen, indem die Biographie vorbildliche oder abschreckende Beispiele von Lebensverwirklichungen vorführen will. Plutarch hat in seinen »Lebensbeschreibungen« beide Typen vorgestellt. In der einleitenden Passage zu »Demetrios«, der für ihn ein warnendes Exempel darstellt, heißt es: »so bin auch ich der Meinung, daß man desto eifriger und bereitwilliger sein wird, die schöneren und trefflicheren Lebensläufe nicht nur zu betrachten, sondern auch nachzuahmen, wenn man auch mit den schlechten und tadelnswürdigen nicht unbekannt ist.«[16] Daß es vor allem um Nachahmung geht, wird vielleicht am eindrucksvollsten durch die Heiligenlegenden und -viten des Mittelalters belegt, für die André Jolles in seinen *Einfachen Formen* die »Geistesbeschäftigung« der »imitatio« als Grundlage heraushebt:

»Der Heilige, in dem als Person die Tugend sich vergegenständlicht, ist eine Figur, in der seine engere und seine weitere Umgebung die imitatio erfährt. Er stellt tatsächlich denjenigen dar, dem wir nacheifern können, und er liefert zugleich den Beweis, daß sich, indem wir ihn nachahmen, die Tätigkeit der Tugend tatsächlich vollzieht. Er ist als höchste Stufe der Tugend unerreichbar und liegt in seiner Gegenständlichkeit doch wieder in unserem Bereiche. Er ist eine Gestalt, an der wir etwas,

was uns allseitig erstrebenswert erscheint, wahrnehmen, erleben und erkennen und die uns zugleich die Möglichkeit der Betätigung veranschaulicht – kurz, er ist im Sinne der Form ein *imitabile*.«[17]

Ein gutes Beispiel für eine erwünschte abschreckende Wirkung sind Boccaccios *De casibus virorum illustrium libri novem* (1355–60), wo er in der Einleitung von Gier, Gewalt, Faulheit, Habgier, Feindschaft, Haß, Neid und Rachgier spricht, die ihn bei Beobachtung der Fürsten erschreckt hätten. Deshalb wolle er nun darüber schreiben, um »die Irrenden durch solche Lehre zur Besserung ihres Lebens zu weisen«.[18] Ähnliche Überlegungen lassen sich in La Bruyères *Les Caractères* (1688) finden, wo auf die notwendige Funktion von Kritikern hingewiesen wird, die den Menschen immer wieder ihre Untugenden vorzuhalten hätten (»mais comme les hommes ne se dégoûtent point du vice, il ne faut pas aussi se lasser de leur reprocher«).[19]

Wir werden in der folgenden historischen Darstellung der Biographik am Beispiel der deutschen Entwicklung vom 18. zum 20. Jahrhundert das jeweilige Gegenwartsinteresse aufzudecken versuchen und immer wieder die starke moralische Intention bei den Autoren feststellen können. Zuvor ist noch eine These Jan Romeins anzuführen, die eine Erklärung für die Funktion der Biographie zu geben versucht und die wir bei der folgenden Darstellung überprüfen können: »immer dann, wenn der Mensch zu zweifeln beginnt, d. h. wenn alte Werte wanken, neue aber erst noch gebildet werden müssen, ist die Regsamkeit im biographischen Bereich besonders groß«.[20] Daß die Biographie einen entscheidenden Beitrag zur Persönlichkeitsausbildung gerade in Krisenzeiten leisten soll, gehört beinahe schon zu den theoretischen Gemeinplätzen. 1963 schreibt Günter Blökker:

> »Je mehr ein Zeitalter an menschlicher Farbe einbüßt, desto unabweisbarer wird das Verlangen nach der großen, blutvollen Persönlichkeit. Das ist die Chance der Biographie. Der entmächtigte Mensch bedarf, um seiner selbst inne zu werden, des Vorbildes, er braucht Darstellungen von Menschen, die sich noch frei und allseitig gegen alle Widerstände und Hemnisse entfalten konnten und entfaltet haben – beglaubigte Darstellungen wirklicher Menschen.«[21]

Es ist allerdings nicht zu übersehen, daß im 20. Jahrhundert immer mehr die Trostfunktion der Biographie zum Zuge kommt. Friedrich Sengle schreibt 1952: »Der junge Mensch findet durch sie Vorahnungen und Leitbilder seiner eigenen Bestimmung, der alte sieht, zur Vertiefung seiner Erfahrung und zu seinem Trost, wie es die andern anders und doch auch wieder gleich getrieben haben.«[22] Nehmen wir den Vergleich der unterschiedlichen Funktionen für Jugend und Alter auf und übertragen ihn auf die hier zu behandelnde Geschichte der Biographik, so gilt es, für die ›Jugend‹ dieser Gattung eine starke optimistische und für das ›Alter‹ eine zunehmende resignativ-pessimistische Grundstimmung zu konstatieren, der erst in unserer Gegenwart eine neue Art von Biographik opponiert. Bedingt ist ein solcher Wandel durch die Entwicklung des Bürgertums, dessen widerspruchsvolle und krisenhafte Entwicklung die Biographik begleitet. Da sie sich vor allem als eine didaktische Literatur verstanden hat (und versteht), spiegelt sich in ihr besonders gut das sich verändernde bürgerliche Bewußtsein und damit auch die Veränderung politisch-sozialer Zustände.

II. BIOGRAPHIK IM 18. JAHRHUNDERT

1. DIE ERZIEHUNG DES MENSCHENGESCHLECHTS

Daß die Beschäftigung mit der Geschichte einen wesentlichen Beitrag zum bürgerlichen Selbstfindungsprozeß geliefert hat, beweist ein Blick in die historiographischen und geschichtstheoretischen und -philosophischen Werke des 18. Jahrhunderts. In der Geschichte suchte man Legitimation für ein aufkeimendes bürgerliches Selbstbewußtsein, mit der Geschichte und der Geschichtsschreibung versuchte man – wenn auch zunächst mehr unbewußt und vor allem unausgesprochen – eine Befreiung von den feudalistischen Fesseln. Die Schriften künden vom bürgerlichen Fortschrittsoptimismus, vom Glauben an die Vernunft und von der bürgerlichen Utopie einer fortschreitenden Vervollkommung (Perfektibilität) des Menschen. Lessings *Erziehung des Menschengeschlechts* (1780), Kants *Idee zu einer allgemeinen Geschichte in weltbürgerlicher Absicht* (1784) und Herders *Ideen zur Philosophie der Geschichte der Menschheit* (1784–91) zeugen von dem neuen Geist, der schon zum Teil in den Schriften von Thomas Abbt, Justus Möser, Friedrich Carl Moser aufscheint und auch die Geschichtsschreibung der Schröckh, Schlözer, Gatterer, Heeren, Iselin beeinflußt hat.[1]

Hatte sich bürgerliches Selbstbewußtsein bei den Humanisten noch im wesentlichen über eine Partizipation an der feudalistischen Geschichte aufgebaut – der Maximiliankult kann als zeitgenössischer Abglanz solchen Denkens gelten –, indem sie Herrschergestalten wie Karl den Großen, Otto I., Friedrich I., Heinrich II. und Heinrich IV. zu nationalen Vorbildfiguren erhoben[2], so kennt auch das 18. Jahrhundert noch solche Anteilnahme an der feudalistischen Geschichte – der Maximilianverehrung der Humanisten korrespondiert die Joseph II.-Verklärung[3] –, aber zugleich kann Herder in seiner kleinen provokativen Überlegung *Warum wir noch keine Geschichte der Deutschen haben?* am Ausgang des Jahrhunderts (1795)[4] fragen: »Sollen wir *Karls des großen* und seiner unglücklichen Nachfolger Geschichte *unsre* Geschichte nennen? [...] Bei dem allen aber wo ist die *Geschichte der Deutschen?* Nicht Deutscher Kaiser, nicht Deutscher Fürsten und Fürstenhäuser, sondern der Deutschen Nation, ihrer Verfaßung, Wohlfahrt und Sprache?«

Nachdem Herder dann »*eine Geschichte der Nationen Deutschlands*« – der Plural deckt noch einen partikularistischen Nationenbegriff auf –, »*der Meinungen dieser Nationen*« und »*der einzelnen und der Zusammenbeherrschung dieser Nationen*« gewünscht hat, hebt die vierte Forderung auf die ›Menschheit‹ ab: »4. *Eine Geschichte der Stände in diesen verschiedenen Völkern, des gemeinen Mannes, der Geistlichkeit und des Adels,* ohne Rücksicht auf den Gesichtskreis unsrer Zeiten; treu und ganz. Der obere Stand gelte wie der untere, und allenthalben spreche nur der *Mensch*.«

Hier war ein Umdenkungsprozeß zu einem Abschluß gelangt, der seinen Ausgang von der Renaissance genommen hatte. Jacob Burckhardt meint in *Die Kultur der Renaissance in Italien*, im Mittelalter habe der Mensch »sich nur als Rasse, Volk, Partei, Korporation, Familie oder sonst in irgendeiner Form im Allgemeinen« erkannt; in der Renaissance habe »sich mit voller Macht das *Subjektive*« erhoben: »der Mensch wird geistiges *Individuum* und erkennt sich als solches.«[5] Der ›uomo unico‹ bzw. der ›uomo singolare‹ war geboren. Allerdings hat es noch eines langen Prozesses bedurft, der entscheidend durch die soziale und ökonomische Entwicklung – auf der einen Seite die politische Herrschaft des Adels und auf der anderen der ökonomische Machtzuwachs des Bürgertums – bestimmt wurde, ehe dieser ›neue Mensch‹ auch soziale und vor allem politische Rechte einzufordern sich in der Lage sah. (Außerdem wird er noch lange die korporative Bindung schätzen, wie wir noch sehen werden.) Erst im 18. Jahrhundert – im Vorfeld der Französischen Revolution – erkennen wir einen deutlichen Umbruch: Hatte das Bürgertum sich bis dahin Freiräume vor allem über ethische und geistige Forderungen erobert, so treten nun auch soziale und politische hinzu. Da dieser Prozeß für das Verständnis der Biographik von großer Wichtigkeit ist, sei er hier kurz skizziert.

Es mutet zunächst spielerisch an und steht anscheinend ganz in der Tradition eines christlichen Gleichheitsanspruchs, wenn Boccaccio um 1350 im *Dekameron* (4. Tag, 1. Geschichte) dem Adel der Geburt einen Adel der Seele konfrontiert (»Der also beweist unwiderleglich seinen Adel, der tugendhaft handelt«) oder wenn ein spätmittelalterlicher Spruchdichter wie Süßkind von Trimberg dichtet:

»Wer adellichen tuot, den will ich han vür edel,
swie man sins adels ahtet niht gen eime zedel«
(»Wer adlig sich beträgt, den will ich edel nennen,
Bloß an der Urkund läßt sich Adel nicht erkennen«)[6]

Das Spiel wird variiert und nimmt zugleich festere Konturen an, wenn sich neben den herausgehobenen ethischen Maßstäben ein neues geistiges Selbstbewußtsein im Bürgertum bildet. Auch hier wird ein Privileg des Adels, war doch geistige Bildung im Mittelalter der Geistlichkeit und dem Adel vorbehalten, verbürgerlicht. Im 16. Jahrhundert stellt sich in Deutschland der ›res publica christiana‹ die ›res publica literaria‹ zur Seite. (In der Eindeutschung wird in den folgenden Jahrhunderten dann von der ›Gelehrtenrepublik‹ die Rede sein.) Der Greifswalder Jurist M. Stephani kann schon 1617 in seinem *Tractatus de nobilitate* festhalten, daß die »nobilitas literaria« bzw. die »nobilitas scientiae« der »nobilitas generis« »rechtlich völlig gleichgestellt« sei (Trunz).[7]

Dieses doppelbödige und beziehungsvolle Spiel mit dem Adelsbegriff wird selbst von Adligen mitgespielt; das ist nicht unwichtig, weil sich damit bürgerliche Wertungen auf den Adel übertragen. Eleonore von Österreich (1433–1480) läßt in ihrem Volksbuch *Pontus und Sidonia* den schottischen König in Erinnerung rufen, daß alle Menschen von Adam und Eva abstammen, und Ulrich von Hutten läßt den Ritter Sickingen einem Kaufmann erklären, daß allein aus der ›virtus‹ die ›nobilitas‹ entstehe.[8] Zu welchem sozialen Sprengsatz solche Vorstellungen geraten können, beweist der unter den Bauern am Ausgang des Mittelalters kursierende Spruch: »Als Adam grub und Eva spann, wo war denn da der Edelmann.«[9]

Bis zum 18. Jahrhundert wird eine Vorbildlichkeit für die Herrschenden verbindlich, die sich auch auf bürgerliche Tugendbegriffe stützt und das Bild des ›aufgeklärten Absolutismus‹ prägt. Ob ein Historiker wie Johann Burckhard Mencke (1674–1732) Fürstenübermut und -willkür anprangert (an anderer Stelle fordert er auch mehr Bildung bei den Fürsten) [10] oder ein Staatsrechtler wie Friedrich Carl Moser 1759 Landesfürst und Landesvater konfrontiert (»Jenes wird man durch die Ordnung und Rechte der Geburt, dieses durch Tugend, und Ausübung seiner Pflichten.«) [11] oder Johann Michael von Loen 1759 in seiner Schrift *Der Adel* über die Tugend »alle fromme[n] und weise[n] Leute« adlig sein läßt [12] oder Justus Möser den untätigen Adligen, »die niemals wieder zum Pfluge zurückkehren«, ein landständisches Selbstbewußtsein entgegensetzt [13] oder ob in der empfindsamen Dichtung ›Seele‹ und ›Herz‹ zu Leitbegriffen einer bürgerlichen Tugendvorstellung werden – überall spüren wir, wie Standesprivilegien durch die Forderung nach moralischer und menschlicher Gleichstellung in Frage gestellt werden. Damit ist nicht unbedingt ein sozialrevolutionärer Prozeß in Gang gesetzt, aber über die intendierte personale Identitätsbildung, d. h. über die Erzeugung eines Ich-Bewußtseins, konnte sich auch eine soziale Selbstsicherheit und damit ein bürgerliches Selbstbewußtsein einstellen. [14]

Reinhart Koselleck hat davon gesprochen, daß der »Aufbruch der bürgerlichen Intelligenz« erfolgt sei »aus dem privaten Innenraum« [15], der sich allmählich zur »Öffentlichkeit« ausgeweitet und so das Moralische ins Politische und Soziale übergeleitet habe. Jürgen Habermas ist ihm in dieser Einschätzung gefolgt und hat im *Strukturwandel der Öffentlichkeit* aufgewiesen, wie sich unter der »Öffentlichkeit der öffentlichen Gewalt« – repräsentiert durch den Feudaladel – eine zunächst unpolitische Gegengewalt formiert: »die literarische Vorform der politisch fungierenden Öffentlichkeit. Sie ist das Übungsfeld eines öffentlichen Räsonnements, das noch in sich selbst kreist – ein Prozeß der Selbstaufklärung der Privatleute über die genuinen Erfahrungen ihrer neuen Privatheit.« [16]

Wenn er dann zugespitzt behauptet: »Die politische Öffentlichkeit geht aus der literarischen hervor« [17], dann führt das unmittelbar zum eigentlichen Thema, der Biographik, wie sie sich in dieser Zeit präsentiert. In ihr spiegeln sich in der zweiten Hälfte des 18. Jahrhunderts jene »privaten Erfahrungen«, »die aus der publikumsbezogenen Subjektivität der kleinfamilialen Intimsphäre stammen« (Habermas). [18] Unser bester Zeuge – sowohl für die Theorie als auch für die literarische Praxis – wird in der folgenden Darstellung Johann Gottfried Herder sein. Ehe wir die Entwicklung der Biographik skizzieren, sei ein Endpunkt der Entwicklung aufgezeigt, um die Richtung der historischen Entfaltung besser zu erkennen.

Günter Niggl hat in seiner *Geschichte der deutschen Autobiographie im 18. Jahrhundert* (1977) nicht nur die theoretischen Positionen in der Selbstbeschreibung, sondern auch in der Biographik allgemein dargelegt. (Seinen gründlichen Untersuchungen verdankt die folgende Darstellung viele wertvolle Hinweise.) Dabei hat er auf eine von Herder im Mai 1890 vorgenommene Typologie der Lebensbeschreibungen hingewiesen. Herder verwirft 1. »andächtige oder religiöse Confessionen« und 2. »menschliche philosophische Confessionen«, weil sie ein »Gefühl des Nichts, der äussersten Schwachheit« vermitteln bzw. die Seele des anderen »muthlos niederschlagen«. Er tritt für »Lebensbe-

schreibungen« ein: »Ein Vater will seinen Kindern, ein Bürger seinen Mitbürgern, ein Gelehrter, ein Held, ein Staatsmann will denen, die seines Berufs sind, ein *Erbtheil an seinem
Leben* hinterlassen«. »Erstmals wird damit«, konstatiert Niggl, »theoretisch die Polari-
tät von Ich und Welt, Ich und Zeit als erstrebenswertes Gleichgewicht für eine autobiographische Darstellung genannt«. [19] Daß Herder auch praktisch diesen Öffentlich-
keitsbezug in seiner biographischen Arbeit herzustellen versucht, werden wir im nächsten Kapitel sehen.

Erkennbar ist an Herders Äußerung der Drang zur öffentlichen Wirksamkeit und eine
Abwehr bisheriger Innerlichkeit: »Nur deren Leben gehörte in diese Sammlung, *die zum
Besten der Menschheit wirklich beigetragen haben*«, heißt es im 5. Humanitätsbrief
(1. Slg., 1793). [19 a] Es scheint, daß damit – nach Habermas – jenes »Übungsfeld« des literarischen Räsonnnements verlassen wird und der Übertritt in die politisch-soziale Öffentlichkeit erfolgt. Es sei hier schon angemerkt, daß tatsächlich Herder diesen Weg am
konsequentesten eingeschlagen, aber erst Georg Forster ihn in die Biographik ausgeschritten hat.

Die Wendung gegen eine (religiöse) Innerlichkeit zielt auf jene autobiographische Literatur, wie sie durch Pietismus und Empfindsamkeit angeregt wurde und die in Johann
Jung-Stillings *Lebensgeschichte* ihre bekannteste und wirkungsvollste Ausprägung erhielt. Aber bei Herder ist auch eine Kritik an der fiktionalen Literatur enthalten, wie
Niggl belegt hat[20]; hatte doch z. B. der Roman im 18. Jahrhundert eine neue Dimension von Innerlichkeit erschlossen. Für die Geschichte der Biographik sind dabei die fließenden Übergänge zwischen Biographie und Roman wichtig.

Wenn Johann Karl Wezel in seiner Vorrede zu *Herrmann und Ulrike* (1780) davon
spricht, er habe »die wahre *bürgerliche Epopee*« und zugleich eine »Biographie« geben
wollen, die dann von Merck in seiner Rezension auch als »räsonnierende Biographie«
angesprochen wird, so korrespondiert das mit Karl Philipp Moritz' Bekenntnis im ersten
Satz seines *Anton Reiser* (1785–90): »Dieser psychologische Roman könnte auch allenfalls eine Biographie genannt werden«. Offensichtlich will der Romanautor damit am
(psychologischen) Wahrheitsanspruch partizipieren, wie er der Biographie, die – nach
Blanckenburg – einzig der Realität verpflichtet sei, zugesprochen wird. [21] Neben dem
autobiographischen Roman, der das Biographieverständnis also auf Innerlichkeit festlegt, demonstriert auch die beliebte Form des Briefromans – als europäisches Phänomen
mit den Namen Richardsons, Rousseaus und Goethes verbunden – jenes Interesse an einer psychologischen Schau einer biographischen Entwicklung. Es ist in der Forschung
zum 18. Jahrhundert von unterschiedlicher Seite der Drang zur biographischen Darstellung in der Romanliteratur betont worden: Jan Romein weist auf Defoe, Fielding und Ri-
chardson und auf den Wechsel vom Schelmenroman zur »Schurkenbiographie« hin,
Niggl auf die Reiseautobiographie und die Defoe-Wirkung in Deutschland (*Das Leben
und die gantz ungemeine Begebenheiten . . . des Robinson Crusoe*, Hamburg 1720), und
Wuthenow erinnert an Theodor Gottlieb von Hippels *Lebensläufe nach aufsteigender
Linie* (1778–81). [21 a] Es muß im Rahmen dieser Darstellung bei der bloßen Nennung
bleiben, geht doch vor allem darum, die verschwimmende Trennlinie zwischen Biographie und Roman, Authentizität und Fiktionalität, zu erkennen. Bei Niggl finden wir dann
auch Belege für eine – eigentlich zu erwartende – unterschiedliche Wertung und Tren-

nung beider Gattungen. Schubart z. B. hat eine Höherwertung der authentischen Lebensgeschichte vorgenommen, die mit Herders Forderung nach pädagogischer Absicht zusammengeht: »Wirkliche Beispiele müssen doch mehr würken, als die Zeichnungen in Romanen, von welchen alle Welt weiß, daß sie Fiktion sind.« (Schubart) [22]

Ganz offensichtlich wird hier ein Manko konstatiert. Ein Blick in die Geschichte der Biographik im 18. Jahrhundert, die allerdings zusammenfassend noch nicht geschrieben worden ist, belehrt uns, daß wir zwar ausgeführte Autobiographien haben, die sich dem chronologisch-teleologischen Prinzip beugen, wie es durch einen Glauben an die ›Vorsehung‹ nahegelegt wird, aber keine Beschreibung fremden Lebens im Sinne unserer (heutigen) Biographievorstellung. Es scheint, daß Autobiographie und Roman die Funktion übernommen haben, Lebensverwirklichungen als Vorbild bzw. Warnung – wie es dem didaktischen Anliegen der Biographik entspricht – dem Leser vorzuführen. Sie leiten die Selbstvergewisserung über jene »privaten Erfahrungen« ein, von denen Habermas spricht und die er als Vorläufer eines sich konstituierenden öffentlichen Bewußtseins ansieht.

Bedeutet aber Öffentlichkeit auch das Heraustreten aus der Introspektion, der ›Seelenschau‹, und die Anerkennung eines Weltbezugs und vor allem auch die Neugier auf und die Aufgeschlossenheit für andere Menschen, dann muß die Biographie an Wert und Reiz gewinnen. Neben die Hochschätzung der Autobiographie als Instrument eines pädagogischen Anliegens, wie es Herder mit dem Begriff der »Lebensbeschreibungen« bekundet, mußte mit zunehmendem bürgerlichem Selbstbewußtsein auch der Blick auf die Biographie als Beschreibung fremden Lebens fallen. Auch hier ist Herder der wichtigste Gewährsmann für ein sich änderndes Biographieverständnis. Er hat nicht nur selbst eine neue Art von Biographik eingeleitet, sondern sich auch – wenn auch nicht zusammenhängend – um theoretische Klärung bemüht. Als Ausgangspunkt sei seine eigene Begründung für die besondere Art seiner Winckelmann-Lobschrift – *Denkmahl Johann Winkelmanns* – genommen, die er 1777 den Juroren der Kasseler »Akademie der Altertümer« gegeben hat:

> »*Historisch* darf diese nicht seyn: denn die wenigen merkwürdigen Lebensumstände Winkelmanns sind schon so oft gesagt und wieder gesagt, auch bereits vom neuesten Herausgeber seiner ›Geschichte der Kunst‹ so aufgestutzt worden, daß hinter solchem *Eloge* noch ein neues zu schreiben Beleidigung Winkelmanns in seinem Grabe wäre. Vollends dasselbe mit den gewöhnlichen *Lieux communs* französischer Lobschriften auszuzieren, *la patrie devant Winkelmann et la postérité derrière lui* zu pflanzen, seinen Geist in den *vastes espaces de l'antiquité promeniren* und daselbst das immense *édifice de l'histoire de l'art* umfassen und gar umfassend *aufführen* zu lassen – eine solche Lobschrift zu schreiben, ist zwar sehr leicht, man bedarf zu ihr weder das Alterthum noch selbst Winkelmanns Schriften und Geist zu kennen, sondern nur eine Anzahl Redarten im Vorrath zu haben und sie hervorwürfeln zu können, daß sie sich in eine Spitze endigen; allein sie ist auch zu leicht und nichtswürdig und wäre für Winkelmann noch in seiner Asche schimpflich.« [22 a]

Der zeitgenössische Leser wird die Anspielungen und Vorwürfe, die Ironie und den selbstbewußten Anspruch des Autors einzuordnen gewußt haben, während wir mancher Erklärung bedürfen.

Für ironisch muß Herders Lob der Eloge des Herausgebers von Winckelmanns Schriften gehalten werden, weil damit gerade das gängige Verfahren einer biographischen

Würdigung erfaßt wird, das er überwinden will. Es war üblich, den nach dem Tode des
Autors herausgegebenen Schriften eine Charakteristik voranzuschicken – diesem Verfahren entsprechen auch noch Goethe mit seinem *Winckelmann* und *Philipp Hackert*
und auch Gervinus mit seinem *Georg Forster* – und dabei den äußeren Lebensgang in
formelhafter Darstellung zu geben – »ein magres Skelett seiner Lebensumstände« (Herder) – und ihn eventuell durch eine mit ebenso formelhaften Wendungen operierende
Panegyrik zu ergänzen. [23] Gegen diese Art von ›Lobschriften‹ hat sich Herder vielfach
und an unterschiedlichster Stelle gewendet: Wie er hier die »französische[n] Lobschriften« geißelt, so zielt er in den Humanitätsbriefen (1793, 1. Slg., 5. Brief) gegen die Nekrologliteratur, wo er ebenfalls die »allgemeinen Ausdrücke[n]« und »Trübsinn« herrschen sieht. (Goethe hat ähnlich geurteilt und gemeint, solche Nekrologe zerstörten die
»Personalität«.) [24] Hiermit wendet er sich gegen jene Flut von Nekrologen und Lobschriften – »Elogia Lobreden und Leichengedichte« [25] – die seit der Renaissance und
dem Humanismus sich über die gebildete Welt ergoß. Georg Misch hat für das 16. Jahrhundert Varianten solcher Panegyrik benannt und auf die in lateinischer, griechischer
oder gar hebräischer Sprache abgefaßten ›Apotheosen‹, Lob- und Preisgedichte, aufmerksam gemacht und auch noch auf die Briefliteratur – als herausragendes Beispiel
nennt er Erasmus' Charakteristik des Morus – hingewiesen: »Maßlose Verherrlichung
oder bodenloseste Verlästerung und Invektiven waren der gewöhnliche Ton«
(Misch). [26] Die Ausrichtung an antiken rhetorischen Mustern, die Übernahme der
klassischen Temperaments- und Charakterlehre und auch ihre Umformung in eine moderne Anthropologie auf der Basis der Affektenlehre, wie sie Dilthey 1904 in seiner Abhandlung *Die Funktion der Anthropologie in der Kultur des 16. und 17. Jahrhunderts*
nachgezeichnet hat, mußte jene von Herder so verachtete Erstarrung in ›Gemeinplätzen‹
begünstigen. [27]

Hatte Wieland 1778, worauf Niggl aufmerksam macht, »eine Klimax vom biographischen ›Schattenriß‹ über die ›Plutarchische Biographie‹ zur Selbstbiographie« gezeichnet,
»was für ihn gleichbedeutend ist mit der Steigerung von ›allgemeinen Formeln‹ über
›kleine individuelle Züge und Geschichtchen‹ zur ›Offenheit‹« (Niggl) [28], so läßt sich
bei Herder ebenfalls der Zug zur ›Wahrheit‹ und vor allem zur Öffentlichkeit in seinem
Biographieverständnis feststellen. In dem schon angesprochenen 5. Humanitätsbrief
(1793) entwickelt er seine Vorstellung:

> »Der Name Todtenregister ist schon ein trauriger Name. *Laß Todte ihre Todten begraben;* wir
> wollen die Gestorbnen als Lebende betrachten, uns ihres Lebens, ihres auch nach dem Hingange
> noch fortwirkenden Lebens freuen, und eben deßhalb ihr bleibendes Verdienst dankbar für die
> Nachwelt aufzeichnen. Hiemit verwandelt sich auf einmal das Nekrologium in ein *Athanasium*, in
> ein *Mnemeion*«. [29]

Damit gewinnt Herders Bezeichnung »*Denkmal* Johann Winckelmanns« – auch
Thomas Abbt und *Hutten* tragen diese Überschrift – eine nach unserem heutigen Sprach-
verständnis andere Bedeutung: nicht die pietätvolle ›Erinnerung‹, die die Totenruhe nicht
stören will, sondern mehr die ›Gedächtnishilfe‹ im Sinne der ursprünglichen Lehnüber-
tragung aus dem Griechischen (mnemósynon) ist gemeint und damit etwas Belebendes.
Indem Herder den Nekrolog als »Grabstätte« auffaßt und dagegen für die Unsterblich-
keit der ›Großen‹ plädiert: *»sie sind nicht gestorben,* unsre Wohlthäter und Freunde:

denn ihre Seelen, ihre Verdienste ums Menschengeschlecht, ihr Andenken lebet«[30], schafft er eine Vorstellung von der Gemeinschaft der Toten und Lebenden über die geistige Anteilnahme, die zum Topos in der Biographik wird und sich in unserer Darstellung sowohl bei Schlegel als auch bei Herman Grimm als auch im George-Kreis finden läßt. Aber nur bei Herder ist eine dynamische und hoffnungsvolle Funktion erkennbar, wenn er von den großen historischen Individuen der Vergangenheit spricht; für die anderen werden die Helden der Geschichte zu Fluchthelfern aus der Gegenwart.

Herder führt die bürgerliche Biographik auf eine neue Stufe, indem er für Lebendigkeit und Gegenwartsbezug, für öffentliche Vorbildlichkeit und Optimismus plädiert: Dieses Neue wird verständlicher, wenn wir einen Blick zurück in die Geschichte der Biographik werfen.

Seit der Renaissance besitzen wir Zeugnisse, wie der Bürger sich danach sehnt, seiner Individualität Ausdruck zu verleihen und sich für die Nachwelt aufgehoben zu sehen. Jacob Burckhardt weist in seiner *Kultur der Renaissance* im Kapitel »Der moderne Ruhm« auf die Neigung der Stadtbürger hin, sich durch Panegyristen verewigen zu lassen:

»Neben solchen lokalen Ruhmeshallen, bei deren Ausstattung Mythus, Legende, literarisch hervorgebrachtes Renommee und populäres Erstaunen zusammenwirken, bauen die Poeten-Philologen an einem allgemeinen Pantheon des Weltruhmes; sie schreiben Sammelwerke: von berühmten Männern, von berühmten Frauen, oft in unmittelbarer Abhängigkeit von Corn. Nepos, Pseudo-Sueton, Valerius Maximus, Plutarch (Mulierum virtutes), Hieronymus (de viris illustribus) usw.«[31]

Diese bürgerliche Ruhmsucht – für die Gelehrten des 16. und 17. Jahrhunderts hat Erich Trunz uns eine anschauliche Schilderung gegeben[32] – ist dafür verantwortlich, daß nun eine Fülle von Nekrologkompendien, biographischen Gelehrtenlexika, berufsständischen Biographiensammlungen (Ärzte, Maler, Musiker, Juristen und vor allem Schriftsteller) entstehen, die so klangvolle Titel wie »Grundlage einer Ehren-Pforte« tragen. Zur gleichen Zeit, als in England Samuel Johnsons *The Lives of the English Poets* (1779/81) die Leser fesseln, entstehen in Deutschland die beliebten ›Charakteristiken‹, die wir als Vorformen einer Literaturgeschichtsschreibung bezeichnen können; wenn auch immer noch die stark typisiert-schematische Darstellung sich behauptet.[33]

So berechtigt Herders Kritik an den Nekrologen und biographischen Mustern ist, die er vorfand, so darf darüber nicht vergessen werden, daß diese auch einmal eine progressive Funktion innerhalb der bürgerlichen Emanzipationsbewegung gespielt haben dürften. Ähnlich wie in der Geschichtsschreibung, wo die Humanisten im 16. Jahrhundert die feudalistische Vergangenheit für ihre (bürgerliche) Nationalvorstellung eroberten, sah sich der Bürger auch durch die biographischen Sammlungen bestätigt, gaben sie ihm doch das Gefühl, sich ein ›Nachleben‹ zu sichern, das sonst nur dem Adel (und einigen wenigen ihm verbundenen Bürgerlichen) möglich war. Wie er seinen Namen als Stifter und Spender für Kirchen und Kunstsammlungen oder als Bauherr für öffentliche Gebäude der Nachwelt überlieferte[34], so schien er nun auch noch aufgehoben in der literarischen Ewigkeit. (Eine andere Form der Verewigung schafft die malerische Porträtkunst, wo wir neben dem Einzelporträt auch – z. B. in der niederländischen Schule – gerade das berufsständische Gruppenbild kennen.) Selbst die von Herder so attackierten ›Gemeinplätze‹ – Übernahmen und Abwandlungen antiker Topik und rhetorischer Muster – zeugen von der Macht des Bürgers, hatte er sich doch Beschreibungskategorien erobert, die sonst nur den feudalen Helden reserviert waren, und sich so mit aristokrati-schem Ornat geschmückt. (Burckhardt gibt Beispiele, wie sehr auch die Nähe zu mytho-logischen Helden, Heiligen, christlichen Kaisern gesucht wurde.)[35] Daß hierbei bür-gerliche Aneignungs- und Umformungsprozesse zu beachten sind – ähnlich wie beim Übergang vom mittelalterlichen Heldenepos zum frühbürgerlichen Ritterroman –, sei hier nur angemerkt.

Aber gerade diese Aneignung fremder Kategorien und die Vernachlässigung eigener Bewertungs- und Urteilskriterien mußten jene Erstarrung hervorrufen, die Herder besei-tigt sehen wollte. Die wachsende Zahl biographischer Sammlungen – gerade in der Intel-ligenz war die Sehnsucht groß, Zeugnis vom irdischen Dasein abzulegen [36] – beein-trächtigte notwendigerweise die Exzeptionalität solcher Verewigung. Der gleichblei-bende rhetorische Schmuck sorgte für eine Entindividualisierung und Vereinheitlichung. (Jan Romein spricht von einer »deduktiven Methode«.[37])

Die biographischen Beiträge wurden zu Grabstätten, wie sie Herder verächtlich nennt, und die Sammlungen zum literarischen Friedhof des Bürgertums, wo das einzelne Grab den Toten allenfalls aus der Anonymität herausreißt, wenn es bewußt gesucht oder zufäl-lig gefunden und damit Gegenstand individueller Anteilnahme wird und so für Momente jene ersehnte Individualität aufscheint. In diesem Sinne entdeckt zwar der Historiker manche Individualität, aber für die von Herder gewünschte öffentliche Vorbildfunktion waren solche Biographien verloren. Um aus dem Gräberfeld herauszustechen, bedurfte es eines anderen Grabtypus – eben eines ›Denkmals‹ bzw. einer »Ehrensäule«.[38] Wo-bei sich nun auch die moderne Vorstellung eines Monuments als nützlich für die Charak-terisierung der neuen Biographik erweist. Herders Schrift *Ueber Thomas Abbts Schrif-ten. Der Torso von einem Denkmahl, an seinem Grabe errichtet* läßt schon im Titel er-kennen, wie sehr er sich um Unterscheidung bemüht.

Zeugen die Gräberfelder der biographischen Sammlungen von der noch unsicheren und unentwickelten bürgerlichen Individualität, da auch in ihnen der Bürger die Gebor-genheit korporativer Bindungen sucht – Niggl hat z. B. für die »Ehren-Pforte« der Musi-ker festgestellt, daß die Beiträge »ihr Hauptaugenmerk auf die Darstellung der musikali-schen Ausbildung«, also auf die Berufslaufbahn, richten [39] –, so schafft die im 18. Jahrhundert sich verstärkende Stellung des Bürgertums eine zunehmende Selbstsi-cherheit in der Wahl eigener Urteilskriterien, wie die europäische Bewegung der Aufklä-rung beweist. Das erfordert neue Vorbildfiguren, erlaubt aber auch, Einzelne nun als Muster und Vorbild herauszuheben; frei von den korporativen Krücken. Der Einzelne unternimmt seine Gehversuche in die Welt: Nachdem er sich zuvor um eine Stabilisie-rung seiner Ich-Identität bemüht, indem er sich selbst und sein Inneres erforscht hat, setzt er sein Vertrauen auf die Wirkung der Sittlichkeit und Tugend, der Vernunft und der Idee einer fortschreitenden Vervollkommnung. Bei Herder können wir gerade in seinen Über-legungen zur Lebensbeschreibung jenen Übergang von der weltabgeschlossenen Inner-lichkeit zur weltoffenen Selbständigkeit erkennen.

Sein »Credo«: »Speremus atque agamus« (»Laßt uns hoffen und handeln«)[40] und sein Traum von »philosophische[n] Zeiten«, wo man nicht mehr »sich und Alle Men-schengeschichte in allgemeine Formeln und Wortnebel einhüllet«[41], entspricht einmal noch der traditionellen Forderung nach Wahrheit und Aufrichtigkeit, wie sie z. B. auch für die pietistische Selbsterforschung gilt, aber sie trägt außerdem schon den Keim sozialer und politischer Ansprüche in sich. Denn in der Polemik gegen »jedes allgemeine Wortgekram« [42], wie es an anderer Stelle bei ihm heißt, steckt die Spitze gegen jene Gelehrtentypen, die Kant als »Geschäftsleute der Gelehrsamkeit« apostrophiert hat, weil sie nur Wissenschaft vermitteln und anwenden, aber nicht nach Erkenntnis streben und sich nicht durch die Vernunft leiten lassen. [43] Für Herder sind sie schuld – ebenso wie jene verachteten ›Zeremonienmeister‹ im *Shakespeare*-Aufsatz von 1773 – an der Erstarrung, sowohl der literarisch-künstlerischen als auch (so müssen wir schlußfolgern) der politischen. In der ihm eigenen Vorsicht, die wir nochmals zur Sprache bringen werden, unterlegt er Winckelmann seine Abneigung: »Welch ein Haß und Abscheu, den er gegen die neuere Wortkrämerei, gegen die barbarische, kriechendstolze und sich in satter Dummheit blähende Fakultäten- und Magisterkünste äussert!« [44]

Immer wieder fordert Herder für den von ihm als Vorbild hingestellten geistigen Bürger eine bewußte und kritische Haltung. (Den Beweis werden wir im nächsten Kapitel liefern.) Zwar bleibt er in der traditionellen Bahn, indem er wiederum die Intelligenz zum bewegenden Faktor eines zu konstituierenden bürgerlichen Selbstbewußtseins macht, aber er zeigt neue Funktionen auf. So akzeptiert er die bürgerliche Innerlichkeit, löst sie jedoch aus dem Refugium der Seele, indem er sie zur Welt öffnet. Hatte er schon mit der Forderung nach der nützlichen Lebensbeschreibung als Autobiographie diesen Schritt getan, so führt er in seiner Schrift *Vom Erkennen und Empfinden der menschlichen Seele* (2. Versuch), wo schon im Titel emotionale und kognitive Ebenen, Gefühl und Verstand, ineinander verschränkt werden, ein Plädoyer für eine neue Sachlichkeit:

> »Beinah zu lange haben wir uns in Allgemeinörtern aufhalten müssen, hinter denen mancher, der an die liebe Abstraktion nicht gewöhnt ist, vielleicht so klug ist, als er war; lasset uns, um einigermaßen nützlich zu werden, die Philosophie vom Wolkenhimmel auf die Erde rufen und unsern Satz in bestimmten einzelnen Fällen und Klassen betrachten«. [45]

Und wenn Herder dann das nächste Kapitel überschreibt: »Unser Denken hängt ab vom Empfinden«, so erhält das Seelische seine ›vernünftige‹ und die Vernunft ihre ›seelische‹ Legitimation. Das Seelische ist nicht mehr nur Selbstzweck, sondern vor allem auch Funktion. [46] Wie Kant die Befreiung des Menschen aus seiner Unmündigkeit wünscht, die das Ziel der Aufklärung markiert, ruft auch Herder den Einzelnen auf, sich zu sich selbst zu bekennen und selbst zu *denken*. Ob damit auch der Schritt zur Tat gefordert wird – bei Kant und bei Herder –, ist in diesem Zusammenhang weniger wichtig als die Zusammenführung der bisher im wesentlichen getrennten Gefühls- und Geisteswelt: Aus einem inneren Selbstbewußtsein können Sittlichkeit und Tugend, Vernunft und Bildung auf eine politisch-soziale Öffentlichkeit wirken. Die von Kant geforderte Freiheit des Denkens und des Willens konnte sich eben nicht auf den privaten Raum allein beschränken lassen, sondern mußte ihre politische Dimension gewinnen. Das schließt nicht aus, wie Jürgen Habermas im Zusammenhang mit Kant ausführt, daß bei den Vertretern eines Öffentlichkeitsbezuges sich die subjektive Überzeugung behaupten konnte, ihr Anspruch sei unpolitisch und einzig moralisch zu verstehen. [47]

Wie wichtig für Herder die *Verbindung* von innen und außen, von Seele und Welt, ist, zeigt seine erste zusammenhängende Überlegung zur Biographik, »die von der Kunst redet, die Seele des andern abzubilden«, die er in der »Vorrede« und »Einleitung« zu *Ueber*

Thomas Abbts Schriften (1768) anstellt: »so hat der Geschichtschreiber seinen Autor desto mehr von *außen* zu studiren, um die Seele desselben in Worten und Handlungen aufzuspähen.«[48] (Für die Autobiographie hat Niggl einen ähnlichen Ausspruch angeführt: » *Wie einer ist, so thut er:* wie er denkt, so schreibt er; am meisten, wenn er *von sich selbst* schreibt.«[49]) Wenn Herder seine Aufgabe damit umreißt, daß er sich »bescheide«, »über einen Schriftsteller« zu schreiben[50], dann steckt dahinter auch der Anspruch, die öffentliche Leistung des Bürgers zu würdigen. Zeichnen den antiken oder auch noch den mittelalterlichen Helden Taten und Handlungen aus, so treten beim bürgerlichen Schriftsteller die literarischen Werke in diese Funktion. Wie die antike Biographik die Taten vorführt, »die bis auf die kleinsten Nüancen, Verräther seiner Seele sind«[51], so sucht Herder konsequenterweise die Seele seines Helden in den Schriften, sie sind ihm »Abdruck seines Geistes« und Spiegelbild seiner Seele, »da alles Aeußere nur Abglanz der innern Seele ist«, wie es in *Vom Erkennen und Empfinden* heißt.[52] Das Hauptaugenmerk auf die ›Denkart‹ zu richten, macht Herder geradezu zum Kennzeichen der neuen deutschen Biographik, die sich dadurch von den ›Elogen‹ der Franzosen, den minuziösen Chronologien der Engländer und den ›Elegien‹ der Italiener unterscheide. Der Schriftsteller müsse zum »Biographen der Seele« werden, wie es in der Antike üblich war.[53]

Daß wir es allerdings nicht mit einer einlinigen Wirkung, von innen nach außen, sondern mit einem wechselnden Kraftfeld von Einflüssen zu tun haben, beweist Herders Ansicht, sein Held trage »die Fesseln seines Zeitalters«: »er steht in seinem Jahrhundert, wie ein Baum in dem Erdreich, in das er sich gewurzelt, aus welchem er Säfte ziehet, mit welchem er seine Gliedmaassen der Entstehung decket.«[54]

Was das für die Entwicklung der Biographik bedeutet, läßt sich wiederum nur in einem Rekurs auf die theoretischen Positionen *vor* Herder erfassen. Wir können uns hier auf Niggls Arbeit stützen, denn in seiner Untersuchung sind eine Fülle heute schwer zugänglicher Quellen zitiert, die es uns erleichtern, Herders Neuansatz deutlicher zu erkennen.

Einer der frühen Zeugen für die Diskussion um die Biographie im 18. Jahrhundert ist Thomas Abbt. In seinem 161. Literaturbrief (1761) reduziert er die Aufgabe des Biographen – ähnlich wie Plutarch, der auch »mehr die inneren Charakterzüge aufsuchen« will[55] – auf das Privatleben, auf die »niedriger[e] Sphäre«. Dabei erkennt er die didaktische Funktion an – »ein näheres Muster für eine große Menge« –, beschränkt sie aber auf die sittliche Vorbildfunktion und die Erschließung der Seele.[56] Das verbindet ihn, wie Niggl zeigt, mit Vorstellungen Samuel Johnsons und Rousseaus. Historie und Biographie treten notwendigerweise auseinander. (Noch im 19. Jahrhundert, bei Ranke und Droysen, wird diese Trennung erkennbar sein.)

Wird die Biographik auf Typik und Konstanz charakterlicher Eigenschaften festgelegt und bleibt sie noch der oben aufgezeigten voraufklärerischen Biographik mit ihrer Temperaments- und Charakterlehre verpflichtet, wie es besonders »dem ›portrait‹ der Franzosen« (Niggl) eignet[57], so erfolgt mit Christoph Gatterer eine Belebung der Diskussion: Zwar ist auch er ein Vertreter der Trennungstheorie, aber er will die bisher geltende, über die Antike vermittelte, systematische Gliederung durch eine chronologische Entfaltung ersetzt haben. (Als Beispiel für eine systematische Gliederung werden wir noch Goethes *Winckelmann* kennenlernen.) Bei seinem Historikerkollegen Matthias Schröckh, von dem wir eine achtbändige *Allgemeine Biographie* (1767–1791) besitzen, wird dann »die privat-anekdotische Form der Lebensbeschreibung« (Niggl) verworfen, das ganze Leben gewünscht und vor allem gefordert, »seinen Antheil an der allgemeinen Geschichte seiner Zeit« zu berücksichtigen.[58] Ausdrücklich wehrt Schröckh sich gegen die französischen Charakterbilder, die an eine Lebensbeschreibung angehängt werden – ein Verfahren, das wir noch bei Varnhagen von Ense beobachten können und gegen das im 20. Jahrhundert noch Emil Ludwig polemisiert[59] –, »statt die allmähliche Ausbildung dieses Charakters schon in der Biographie selbst zu zeichnen« (Niggl).[60]

Kehren wir nach diesem Exkurs zu Herder zurück, so steht er auf Schröckhs Seite und verweigert sich der Abbtschen Festlegung auf die reine Privatsphäre; diese zeitigt allerdings ihre Wirkung in der Autobiographik und dem biographischen Roman, die sich um Aufschlüsselung seelischer Vorgänge bemühen. Auch Justus Mösers *Aufmunterung und Vorschlag zu einer westfälischen Biographie* entspricht dieser Einstellung, fordert sie doch regionale Vorbildfiguren für die »Frommen und Redlichen im Lande als Muster zur Nachahmung«.[61] Ist hier also die Festlegung der Biographik auf die Innerlichkeit bzw. Privatwelt erfolgt, so will Herder, wie schon gezeigt wurde, diese Einengung überwinden. Er kann sich deshalb mehr mit Abbts *Geschichts*verständnis anfreunden: Will Abbt keine Regentengeschichte mehr, »sondern Geschichte der Zustände und der inneren Entwicklung, lebendige Wechselwirkung von Politik, Gesellschaft, Sitte und Bildung« (Hettner«) [62], so setzt sich Herder in der zu Anfang dieses Kapitels zitierten Überlegung *Warum wir noch keine Geschichte der Deutschen haben?* ebenfalls von den »ältern und neuern Chronikschreibern, und diplomatisch-statistischen Kirchen- Staats- Lehn- und sonstigen Geschichtsforschern« ab und erhebt zu den schon zitierten vier Forderungen noch eine fünfte: »Eine Geschichte des Deutschen Nationalgeistes.«[63] Seine biographische Essayistik wird dann die praktischen Beispiele für diese theoretische Forderung liefern.

Diese neue Geistes- und Menschheitsgeschichte ist das Ergebnis des bürgerlichen Selbstfindungsversuches, der auch über die soziale Aufwertung mit Hilfe der Tugend- und Bildungsidee erfolgt ist. Hier wird erstmals eine Geschichte gefordert, mit der sich der Bürger identifizieren und für die er sich engagieren kann. Neben die politischen Haupt- und Staatsaktionen treten die Darstellungen zur Geistes- und Sittengeschichte. So hat in Frankreich schon 1756 Voltaire in seinem *Le siècle de Louis XIV* Kapitel über Kunst, Wissenschaft und Religion eingefügt. Geschichte wird von ihm aus dem Blickwinkel der Humanität und der aufgeklärten Ethik beurteilt. Sie wird als Therapeutikum für den noch unsicheren Bürger verstanden, indem auf das Vorbildhafte abgehoben wird: »à ce qui peut servir d'instruction et conseiller l'amour de la vertu, des arts et de la patrie« (Introduction). Die Verbindung von Tugend (vertu) und Vaterland (patrie) deckt hier schon einen Ansatz zur Überwindung jenes Dualismus auf, wo Moral dem Bürger und Politik dem herrschenden Adel zugerechnet wird. Herder hat auch hier eine Zusammenführung gefordert: »Der Politik ist der Mensch ein *Mittel*; der Moral ist er *Zweck*. Beide Wissenschaften müssen Eins werden, oder sie sind schädlich wider einander.«[64]

Auch Winckelmanns Eroberung der griechischen Antike schafft einmal ihm selbst die gewünschte Identität, aber zugleich auch der bürgerlichen Intelligenz die Möglichkeit, sich mit den Idealen vom schönen und vollkommenen Menschen zu identifizieren. Es ist deshalb nur konsequent, daß in vielen biographischen Arbeiten Winckelmann für diese Tat gedankt wird. [65] Zugleich scheint aber auch die Gefahr auf, die dann im 19. Jahrhundert virulent wird, ferne Vergangenheiten als Zuflucht zu suchen, um gegen die ungeliebte Gegenwart ein ideales Bild halten zu können.

Herder hat diese Gefährdung frühzeitig erkannt und auf sie zielt wahrscheinlich jene Bemerkung aus dem Zitat der Winckelmann-Lobschrift, das den Ausgang für die bisherigen Darlegungen abgegeben hatte: Der Typus der traditionellen Lobschriften würde Winckelmanns Geist »in den vastes espaces de l'antiquité promeniren« »und daselbst das immense édifice de l'historie de l'art umfassen und gar umfassend *aufführen*« lassen. Verurteilt ist damit eine Auffassung, die der Antike und ihrer Kunst einen normativen Charakter zuspricht und sie noch für die Gegenwart als verbindlich ansieht. Entsprechend der Herderschen Auffassung, daß »jeder Nation und Zeit ihr Recht widerfahren« muß [66], d. h. jede Nation ihre eigene Individualität besitzt und je besondere Entfaltung erlebt, hat er, wie Hans Robert Jauß aufgezeigt hat, zu der »Querelle des anciens et des modernes«, wie sie sich am Ausgang des 17. Jahrhunderts in Frankreich abgespielt hat, eine eindeutige Stellung bezogen und »auf der alten Lösung der *Querelle* beharrt«, d. h., »daß die Werke der Alten wie der Neueren als Hervorbringung verschiedener geschichtlicher Epochen, also nach einem relativen Maß des Schönen und nicht mehr nach einem absoluten Begriff des Vollkommenen zu beurteilen seien.« (Jauß) [67]

Manfred Fuhrmann hat in seiner Untersuchung über die Winckelmann-Darstellung vom 18. zum 20. Jahrhundert deshalb über Herder gemeint:

»Die folgenschwere Formel vom ›ädlen Griechen unsres Vaterlands‹ war – welch Paradox – gar nicht so gemeint, wie sie einem späteren, von den Vorstellungen der deutschen Klassik beeinflußten Verständnis erscheinen möchte: sie war ein gemessenes Lob, sie war beinahe schon ein Tadel; sie wollte Winckelmann nicht nur anerkennen, sondern auch auf seine Grenzen hinweisen.« [68]

Herder hat in seiner Lobschrift von Winckelmanns »Traum«, von seinen »romantische[n] Ideen« gesprochen [69] und stellt diese Illusionserzeugung 1781 im *Teutschen Merkur* in seinem *Winkelmann, Leßing, Sulzer* noch deutlicher heraus:

»Wo bist du hin, Kindheit der alten Welt [...] Du bist hinweg mit deinem Traum voll angenehmer Wahrheit; und keine Stimme, kein heißer Wunsch des Liebhabers kann dich erwecken aus deinem Staube. Aufs Rad der Zeiten geflochten, rollen wir unaufhörlich weiter – wohin? wohin? – und kommen nie an die vorige Stelle wieder. Auch dein Traum, lieber Winkelmann, von schönen Menschengestalten, von edler Jugendfreundschaft und Erdenweisheit ist verlebt hienieden.« [70]

Für das Geschichtsverständnis im allgemeinen und für die Biographik im besonderen hat Herders Ablehnung der Antike – »In die Zeiten Griechenlands oder Roms sich zurückzuwünschen, wäre thöricht«, heißt es in seiner Überlegung *Haben wir noch das Vaterland der Alten?* (1795) [71] – die Besinnung auf die eigene nationale Geschichte, eben auf jene *Geschichte des Deutschen Nationalgeistes,* zur Folge. Eindeutig bekennt er sich in der Auseinandersetzung über das »Vaterland der Alten« zu einem nationalpädagogischen Anliegen:

»Sollte also ausser der Tapfer- und Ehrlichkeit unserm Vaterlande nicht noch etwas anders noth seyn? Licht, Aufklärung, Gemeinsinn; edler Stolz, sich nicht von andern einrichten zu lassen, sondern sich selbst einzurichten, wie andre Nationen es von jeher thaten; Deutsche zu seyn auf eignem, *wohlbeschützten* Grund' und Boden.« [72]

Wollte man sich nicht nur mit allgemeinen Idealen zufriedengeben, wie es ja auch Winckelmann tat, sondern den eigenen »Grund und Boden« auch bevölkern, dann lag es nahe, nach vorbildlichen Menschen Ausschau zu halten, die in sich jene von Herder gerühmten Ideale verkörperten. Allerdings war die Auswahl – bedingt durch die kurze Periode bürgerlicher Geschichte – gering. Da sich Herder nicht den Ausweg Winckelmanns zu eigen machen konnte, die Antike und einzig die *Kunst*geschichte als Menschheitsgeschichte und damit auch als bürgerliche Geschichte anzusehen, mußte er zur gleichen Schlußfolgerung gelangen, die 1847 noch Karl Rosenkranz in seinen Vorlesungen über *Goethe und seine Werke* formulierte: »Wir haben keine fürstlichen Dynastien, welche uns die Geschichte der Deutschen Nation überhaupt reflectiren. An ihre Stelle treten bei uns die Helden der Intelligenz. Wir orientiren uns an einem Luther, Hutten, Kepler, Herder, Schiller, Pestalozzi, Fichte usw.«[73] Konnte Herder zwar noch keine so stattliche *Ahnen*galerie zusammenstellen wie Rosenkranz, weil einige der Genannten ja noch seine lebenden Zeitgenossen waren, so hat er doch die Vorbilder in den gleichen zeitlichen Perioden gesucht wie Rosenkranz: Im 16. Jahrhundert und in der zweiten Hälfte des 18. Jahrhunderts, also in seiner Gegenwart. Diese Wahl erfolgte aus bestimmten Überlegungen, die wir im folgenden Kapitel aufzeigen wollen.

2. Herders biographische Essayistik

Von Herder liegen uns recht unterschiedliche Beiträge zur Biographik vor. Neben den schon erwähnten umfangreicheren Einzelwerken, wie *Ueber Thomas Abbts Schriften* (1768), *Hutten* (1776) und *Denkmahl Johann Winkelmanns* (1778), finden wir kleine Porträts, die er 1777 in Wielands *Teutschem Merkur* veröffentlicht hat: *Etwas zu Nikolaus Kopernikus Leben, zu seinem Bilde, Zu Reuchlins Bilde, Zu Hieronymus Savonarola Bildniß*.[1] Angeregt worden sind diese Porträts wahrscheinlich durch Wielands eigene biographische Skizzen, die dieser seit 1776 im *Teutschen Merkur* publizierte. Zu einem monatlich erscheinenden Kupferstich »eines merkwürdigen Mannes aus dem XVI. und XVII. Jahrhundert« verfaßte Wieland eine »Nachricht von dem Leben und den Werken oder Thaten des denkwürdigen Mannes.«[2] Herder läßt 1781 ebenfalls im *Teutschen Merkur* eine Betrachtung dreier Gestalten folgen, »auf die der Weg *meines* Denkens näher traf«: *Winkelmann, Leßing, Sulzer*.[3] In seinen *Briefen zur Beförderung der Humanität* stehen mehrfach historische oder zeitgenössische Personen im Mittelpunkt, z. B. Homer, Seneca, Boileau, Luther, Kant, Franklin. Nicht zuletzt gehört auch der berühmte Shakespeare-Aufsatz in den Rahmen biographischer Darstellungen.[4] (Am Beispiel der Shakespeare-Rezeption, die wissenschaftlich gut aufgearbeitet ist, ließe sich exemplarisch eine Geschichte der biographischen Essayistik im 18. und 19. Jahrhundert schreiben.)

Die Annäherung an die Personen erfolgt bei Herder, wie schon im vorhergehenden Kapitel angedeutet wurde, über die Werke: »Das Leben eines Geistes ist in seinen Gedanken wie des Mannes in seinen Thaten«, so rechtfertigt er seine Winckelmann-Lobschrift.[5] Wie sehr er damit zeitgenössische Vorstellungen enttäuschte, beweist die Vergabe des Preises an den Göttinger Altphilologen Heyne, dessen *Lobschrift* »mehr ein

Schulmeister- als ein Meisterstück« ist: »Sie erscheint bis zur Dürftigkeit nüchtern, bis zur Armseligkeit matt im Vergleich mit der schönen und warmen Herderschen Lobrede«, meint Rudolf Haym in seinem *Herder*. [6]

Herder hat nicht die strengen Konventionen eingehalten und allein den äußeren Lebensweg geschildert, sondern Lebhaftigkeit angestrebt: So bringt er in den biographischen Arbeiten gern sich selbst ins Spiel und berichtet z. B. über seine Homerlektüre »in jungen Jahren« [7]; bekennt, daß Abbt ein »Schriftsteller meiner schönsten Stunden« war [8] und Winkelmanns Schriften »auf einen schönen und freien Zeitraum meines Lebens« fielen. [9] Freimütig gesteht er sein didaktisches Anliegen ein: »meine Schrift soll unsrer Zeit nützen« und wendet sich außerdem an seinen Leser: »Leser! setze dich neben mich und lies mit mir«. [10]

Diese offene und dialogische Form ist das hervorstechende Zeichen der Herderschen Biographik. Der Leser wird als gleichberechtigter Gesprächspartner akzeptiert, dem er Angebote zur Identifizierung unterbreitet und mit dem er gemeinsam den Lebensweg des Helden bzw. dessen Werke erobert.

Wenn Habermas in dem zitierten Ausspruch im vorhergehenden Kapitel von der Literatur als »Übungsfeld eines öffentlichen Räsonnements« spricht, dann sind Herders biographische Arbeiten ein gutes Beispiel dafür: zeigen sie doch Offenheit und Experimentierfreude, assoziative und ungezwungen erscheinende Technik, Ansprache des Intellekts und nicht zuletzt eine didaktische Intention, die sie immer wieder als Einübungen in bürgerliches Selbstbewußtsein ausweisen und uns zudem berechtigen, hier vom Essay zu sprechen – Klaus Günther Just räumt in seiner Darstellung der deutschen Essayistik Herder einen wichtigen Platz ein [11] –, auch wenn Herder dieser Begriff fremd war, spricht er doch von ›Abhandlung‹, ›Aufsatz‹ oder ›Versuch‹. [12] (Noch Goethe nennt seinen *Winckelmann* »Skizzen«.) Wir werden die biographische Essayistik zusammenfassend im Rahmen des 19. Jahrhunderts behandeln, weil dann die erkennbaren Veränderungen eine einprägsamere Darstellung ermöglichen. Hier soll vor allem der Funktion des Essays Beachtung geschenkt werden, denn ohne Zweifel gehört dieser zu den wichtigsten politisch-operativen Literaturformen in der zweiten Hälfte des 18. Jahrhunderts.

Im neuen Essay überwindet Herder die so heftig attackierten ›Gemeinplätze‹ der traditionellen Biographik und erobert eine literarische Form, in der sich eine allmähliche politische und soziale Selbstvergewisserung der literarischen Intelligenz vollziehen kann: Seine biographischen Essays zeigen Neugier und Selbstbewußtsein, die sich in wechselnder Perspektive und in Kritik und Anspruch niederschlagen; sie demonstrieren Optimismus und Dynamik, die zur Emphase und zur sprunghaften und assoziativen Themenbehandlung drängen.

Neu und wichtig in der Biographik ist nicht nur die formale Offenheit, sondern die mit ihr verbundene Infragestellung bisheriger Positionen. »In einer Gesellschaft muß man fragen, wünschen, verlangen können«, heißt es in seiner Vorlesung *Franklin's Fragen* (1792). [13] In allen biographischen Essays finden wir deshalb das Lob der »offenen Beurtheilung« und des »Gebrauch[s] der Vernunft« (*Luther*) [14]; da wird der »Beobachter, Prüfer, Arbeiter« Kopernikus gerühmt, der »dem allgemeinen Vorurtheil« entgegentrat [15], und Lessings »Schärfe des Urtheils« [16]; Franklin zeichnet »gesunde Vernunft, Ueberlegung, Rechnung« aus [17] und Kants Schriften sind »als Untersuchungen, als

Prüfungen, als Diskurse geschrieben«.[18] Das gleiche gilt für Herders Essays, in denen offensichtlich die Erkenntnis*suche* wichtiger ist als die Erkenntnis selbst. Mit gutem Gespür hat Herder in Lessing die verwandte Natur erkannt, ging es doch auch diesem vor allem um den Prozeß der Wahrheitserschließung.

Der Intellekt erscheint als Machtinstrument einer bürgerlichen Selbstbefreiung. Immer wieder werden »Gelehrsamkeit«, »Vernunft«, »Weisheit« und vor allem auch die »Kritik« herausgehoben; wobei Herder zunächst vorsichtig von einer »philosophische[n] Kritik« (*Lessing*)[19] bzw. »kritische[n] Philosophie« (*Kant*)[20] spricht. Der »*Schatz von Kenntnißen*« sichert z. B. Reuchlin den Einfluß auf seine Zeitgenossen und trägt ihm von Herder Heldenlob ein: »eine außerordentliche Mischung tiefer Stärke und Heldenmässiger Bescheidenheit«.[21]

Daß Herder auch sonst die »Bescheidenheit« oder »Wohlanständigkeit« lobt, dabei gern »Sittlichkeit, Gründlichkeit« (*Lessing*)[22], »Einfalt«, »Armuth und Mäßigkeit« (*Winckelmann*)[23], »Fleiß[es]« (*Franklin*)[24], »Eifer« und »Strenge des Lebens« (*Savonarola*) lobt[25], läßt sich als »Katalog bürgerlicher Tugenden« auffassen, den Hannelore Schlaffer ebenfalls in Herders *Auch eine Philosophie der Geschichte zur Bildung der Menschheit* gefunden hat.[26] In einer »unangestrengten Art geschäftig, fleißig, vorsichtig und thätig« zu sein, so umreißt Herder im *Franklin* diese bürgerliche Welt.[27]

Wenn Hannelore Schlaffer meint, »den weiten Raum der Geschichte drängt Herder zusammen in einen Katalog bürgerlicher Tugenden«, und hinzufügt: »Aus dem Bedürfnis, in der Geschichte wiederzufinden, was bislang als gesellschaftliche Wirklichkeit nicht anerkannt war, nämlich das private Leben, entspringt die bürgerliche Neigung zur Kulturgeschichte«[28], so kann daraus leicht das Mißverständnis entstehen, hier habe eine Reduktion stattgefunden. In Wirklichkeit ist hier eine Privatheit bzw. Bürgerlichkeit ›mit Perspektive‹ entworfen worden. Das Private bedeutet nicht Selbstzweck und Zuflucht, sondern Funktion und Sammlung: »praktisches Verdienst, gesunder Verstand und sittliche Tugend« sind Herder »die Basis des menschlichen Geschlechts«.[29]

So richtig es ist, die Neigung zur Kulturgeschichte hervorzuheben und eine Linie von Herder über die Romantik bis zu Dilthey und Burckhardt zu ziehen[30], so ist damit jedoch nur *ein* Wirkungsstrang beschrieben und außerdem wird dabei allzuleicht übersehen, daß im 19. Jarhundert eine Verengung des Kulturbegriffs erfolgt ist: zu »einem elitären, an Kunst und Wissenschaft orientierten Kulturbegriff« (Thomas Nipperdey).[31] Im 18. Jahrhundert ist die Kulturgeschichte zwar »Oppositonswissenschaft zur politischen Geschichte«, aber dennoch ist ein universaler Anspruch dahinter spürbar, »das Ganze der menschlichen Welt« zu erfassen (Nipperdey).[32] Dem haben in Deutschland z. B. Thomas Abbt und Herder mit ihrer Wendung gegen die traditionelle Geschichtsschreibung und mit der Forderung nach Berücksichtigung der »Wechselwirkung von Politik, Gesellschaft, Sitte und Bildung« (Hettner) Rechnung getragen, wie wir im vorhergehenden Kapitel gesehen haben (S. 19).

Wird im partikularen Kulturbegriff des 19. Jahrhunderts die politisch-soziale Welt ins Abseits gedrängt, so negiert zwar auch die Kulturgeschichte des 18. Jahrhunderts eine politische Geschichtsschreibung, verwirft aber damit eben nur die anachronistische Erstarrung in einer Kirchen-, Rechts- oder Chronikgeschichte, die ja immer *nicht*bürgerliche Geschichte sein mußte, und erobert zugleich eine neue politisch-soziale Dimension:

Als deren Kernenergie erweisen sich die ästhetisch-geistigen und sittlich-charakterlichen Forderungen an den ›neuen‹ Menschen und die aus diesem Selbstbewußtsein entstehende Kritik an den ›unvollkommenen‹ Zuständen dieser Welt. Wir müssen Herder keineswegs sozialrevolutionäre Absichten unterstellen, sondern brauchen nur die Auswahl der Epochen und der Helden anzuschauen, um zu merken, wie sehr alles zum Politischen und Gesellschaftlichen drängt, wie sehr Herder schon im Vorhof des »öffentlichen Räsonnements« (Habermas) steht.

Z. B. mußte die Wahl des 16. Jahrhunderts, das für Herder »das wichtigste Seculum und die Quelle der neueren Geschichte« darstellte[33], auch politische Dimension gewinnen. Damit ist Herder nicht zum Vorläufer einer materialistisch-dialektischen Geschichtsauffassung gemacht, wie es Claus Träger 1964 getan hat, aber die These Hans-Günther Thalheims doch im wesentlichen akzeptiert, daß gerade in der Auffassung des 16. Jahrhunderts bei Herder starke soziale und politische Momente zum Tragen kommen.[34] (Ob allerdings Herder so sehr von den Bauernunruhen sich angesprochen fühlte, sei hier nicht entschieden.) Ohne Zweifel hat Herder mit der Wahl seiner Helden ein revolutionäres Potential für die Gegenwart belebt: In Luther und Savonarola stellt er die Rebellen gegen ein dogmatisch erstarrtes und verweltlichtes Christentum vor, in Kopernikus und Reuchlin die Rebellen wider ein orthodoxes Welt- und Wissenschaftsverständnis. Bei einer Figur schießen diese Aspekte zusammen und erhalten auch eine politische Färbung: bei Ulrich von Hutten.

Im Essay von 1776 ist Hutten für Herder »der Sprecher für die Deutsche Nation und Freiheit und Wahrheit«, er ist der »*Demosthenes* unsrer Nation«, ein »Mann fürs Vaterland«.[35] Herder bleibt scheinbar ganz im Rahmen sittlicher und ästhetischer Forderungen, wenn er Hutten »Stand, Güter, Ruhe, Leben, Ehre« aufopfern läßt und ihn mit seinen Schriften als großen Dichter vorstellt.[36] Auch ein Satz wie: »Die Finsterniß ist aber stärker als das Licht« scheint sich einzig im Bereich aufklärerischer Bildwelt zu bewegen, und tatsächlich findet sich die Licht-Metaphorik häufiger bei Herder.[37] Zugleich wird aber eine Verdeutlichung vorgenommen – wenn auch immer noch kein radikaler Schluß erfolgt – und von »Sklaverei« und »Freiheit« gesprochen oder Sickingen als »ein Ritter gegen die Fürsten des ganzen Rheins« vorgeführt.[38]

Im Vergleich mit Demosthenes, den Herder im Hutten mehrfach zieht, wird einmal der Rhetor gerühmt – »Macht seiner Sprache« zeichnet auch Luther und »Beredsamkeit« Savonarola aus[39] –, aber es wird auch der griechische Staatsmann, der gegen die Makedonier und für die Freiheit Griechenlands stritt, ins Gedächtnis gerufen. Da ist nicht nur Herders Hochschätzung der Sprache spürbar, sondern zugleich auch ihre Funktion markiert: »Sie traf so scharf«, heißt es über Huttens (und Crotus Rubeanus') Schrift *Epistolae obscurorum virorum,* »schied Mark und Bein, zeichnete so genau«.[40]

Herder selbst hat sich und seine Schriften solcher Eindeutigkeit entzogen und es lieber bei einem schillernden Spiel von Andeutungen und Halbausgesprochenem gelassen. Gern benutzt er dafür die Frageform: »Nun ist es eine unendliche Frage: welche Parthei die beste gewesen, sei oder seyn werde? ob Freiheit des Volks, oder Regiment der Edeln, oder Monarchie?«, heißt es im *Savonarola.*[41]

Stellt er so Alternativen vor, die den Lesern zur Entscheidungsfindung nur offeriert erscheinen, so hat er in den biographischen Essays auch eine Reihe klarer Gegensatzpositionen aufgebaut, die seine Stellungnahme bekunden: Vor allem geschieht das mit den schon aufgezeigten bürgerlichen Tugenden, die ein Gegenbild erzeugen müssen, das sich unschwer auf die müßige, ungeistige und wenig tugendhafte Lebensweise des Adels projizieren läßt. Wenn im *Hutten* Sickingen gegen den hohen Klerus polemisiert: »sie leben im Saus, verthun das Eure mit Huren, Hoffart, Vollerey, Büberey« [42], so wird der Herdersche Zeitgenosse auch gegenwärtige Beispiele vor Augen gehabt haben.

Darüber hinaus findet sich bei Herder immer wieder die Wendung gegen eine dogmatische Theologie und Philosophie – Philosophaster und Theologaster schimpft er im *Hutten* ihre Vertreter [43] –, die schon im vorhergehenden Kapitel angesprochen und in ihrer Übereinstimmung mit Kant gezeigt wurde. Wenn wir dort den Aufbruch aus dem Privaten ins Öffentliche und ins Politische in Anlehnung an Koselleck und Habermas behaupteten, so können wir gerade am Beispiele der theologischen Auseinandersetzung in den biographischen Essays diesen Vorgang vorzüglich illustrieren.

Herder hat wie Lessing – wenn auch vorsichtiger und weniger direkt – die protestantische Orthodoxie, eine angepaßte und am feudalistischen Staat ausgerichtete Theologie, treffen wollen [44], indem er eine Belebung des Lutherbildes und der Lutherschen Theologie versucht. Dabei stellt er Luther in einen größeren Rahmen:

> »Luther war ein patriotischer großer Mann. Als Lehrer der Deutschen Nation, ja als Mitreformator des ganzen jetzt aufgeklärten Europa ist er längst anerkannt […] Er griff den geistlichen Despotismus, der alles freie gesunde Denken aufhebt oder untergräbt, als ein wahrer Herkules an, und gab ganzen Völkern, und zwar zuerst in den schwersten, den *geistlichen* Dingen den Gebrauch der Vernunft wieder.« [45]

Hatte Wieland für seine Porträts merkwürdiger Männer des 16. und 17. Jahrhunderts noch 1776 im *Teutschen Merkur* die Maxime aufgestellt, mehr zu bestimmen, »was ein Mann *seiner Zeit* gewesen, als was er *der unsrigen ist*« [46], so hat der Herder des Jahres 1793 solche Zurückhaltung aufgegeben und im Zusammenhang mit Luther festgestellt: »Doch was nützt es, vergangne Zeiten zu lehren oder zu tadeln? Laßet uns seine Denkart, selbst seine deutlichen Winke, und die von ihm eben so stark als naiv gesagten Wahrheiten für unsre Zeit nutzen und anwenden!« [47] Aber nicht erst 1793, sondern schon in den vorhergehenden Porträts läßt sich der neue Gegenwartsbezug bei Herder feststellen. In seinem *Lessing* (1781) rühmt er immer wieder dessen Kampf für die Wahrheit – »Wahrheitsucher, Wahrheitkenner, Wahrheitverfechter« – und fügt verdeutlichend hinzu: »und warst keinem Laster so feind, als der unbestimmten, kriechenden Heuchelei, unsrer gewohnten, täglichen *Halb-Lüge* und *Halb-Wahrheit,* der falschen Höflichkeit«. [48] Im Angriff auf das Kriechertum, das er auch im *Winckelmann* geißelt, eröffnet sich eine gesellschaftlich-politische Dimension, die z. B. im Freiheitsbegriff, der in allen Porträts eine wichtige Rolle spielt (besonders jedoch im *Hutten*), ebenfalls manifest wird.

Geistlicher Despotismus und politische Unterdrückung rücken damit notwendigerweise in enge Nachbarschaft. Herder selbst ist allerdings zu vorsichtig gewesen, solche Parallelen zu ziehen, aber wir dürfen vermuten, daß er sie doch gesehen hat. In seinen biographischen Essays können wir immer wieder beobachten, wie er sich selbst absichert: »Ich maasse mir eigentlich gar kein Urtheil über ihn an«, heißt es z. B. im *Lessing.* [49] Lieber benutzt er eine Zitattechnik, die er nicht nur als Theologe beherrscht, sondern deren funktionalen Einsatz er wahrscheinlich auch bei den Autoren des 16. Jahrhunderts kennengelernt hat. Wie diese sich auf Autoritäten berufen – fast immer sind sie der Bibel entnommen –, so hat auch Herder gern seine Helden im direkten Zitat sprechen lassen: »denn wenn Lebendige schweigen«, heißt es im 5. Humanitätsbrief (1. Slg., 1793), der sich mit der Lebensbeschreibung befaßt, »so mögen aus ihren Gräbern die Todten aufstehn und zeugen.«[50]

Die Toten zeugen vor allem für Herders Einstellung: Mit Huttens Gedichten führt er den Kampf gegen die Lügner und mit Lessings *Nathan* relativiert er die Großen (»Nur muß ein Gipfelchen sich nicht vermessen, / daß es allein der Erde nicht entschoßen.«)[51] Aber auch politische Aspekte werden von Herder gerade durch die Zitate ins Spiel gebracht. Das beste Beispiel dafür bietet der Entwurf *Luther, ein Lehrer der Deutschen Nation* (1792).[52] Herder projektiert dort nach einer knappen Einleitung eine systematische Gliederung unter Rubriken wie »Adel«, »Deutsche, Deutschland«, »Fürsten«, »Gemeine Wesen«, »Hof«, »Krieg«, »Regimentsänderung«, »Tyrannei, Wuth, Pöbelwuth«. Im Vorspann spricht er unzweideutig sein Anliegen aus und zieht sich selbst wieder auf die Vermittlertätigkeit zurück: »Ich fange ein kleines goldnes A.B.C. seiner Sprüche und Lehren an, in denen er sich als *Ecclesiastes,* als Prediger der Deutschen Nation, wie er sich selbst mehrmals nannte, darstellte; andre mögen es fortsetzen, erweitern, commentiren, beherzigen und anwenden. Nicht ich spreche, sondern Luther.«[53]

Zwar hat Herder diese Idee nicht verwirklicht – ebenso nicht wie seine geplante Geschichte Luthers[54] –, aber dennoch können wir einen Eindruck erhalten, welche Dynamik solchen Zitaten eigen ist, hat Herder doch im folgenden Jahr im 18. und 19. Humanitätsbrief (2. Slg., 1793) Beispiele geliefert.[55] (Der 18. Brief enthält die Einleitung des Entwurfes von 1792). Unter den Überschriften »Luthers Gedanken vom Pöbel und von den Tyrannen« (18. Brief) und »Deutsche, Deutschland« gibt er dem Leser Luthers Meinungen wieder, die unschwer auf die Gegenwart bezogen werden können. Im 18. Brief lautet ein Luther-Zitat z. B.:

> »Denn unmöglich ists, daß Deutschland sollte stehen bleiben, auch unträglich und unleidlich, wo solche Tyrannei, Wucher, Geiz, Muthwille des Adels, Bürgers, Bauers und aller Stände so sollten bleiben und zunehmen; es behielte zuletzt der arme Mann keine Rinde vom Brot im Hause, und möchte lieber oder ja so gern unter den Türken sitzen, als unter solchen Christen. Es stellen und zieren sich fast der mehrere Theil des Adels so lästerlich und so schändlich, daß sie damit dem gemeinen Mann böses Blut und argen Wahn machen, als sei der ganze Adel durch und durch kein Nutze.«[56]

Wollten wir eine Beurteilung der politischen Einstellung Herders aus diesen Lutherzitaten ableiten, so bedürfte es einer sehr gründlichen Überprüfung sowohl der Zitate selbst als auch der Herderschen Position um 1792/93; für unser Anliegen reicht es jedoch, daß wir fließende Übergänge von der philosophisch-theologischen in die politisch-gesellschaftliche Diskussion aufweisen können. (Auch Suphan spricht in seinem Kommentar von Herders »social-politische[m] Cento«, und auch für Rudolf Haym steht die politische Tendenz außer Zweifel.[57]) Daß Herder Luther tatsächlich auch *politisch* gesehen hat, beweist nicht zuletzt sein Entwurf *Welchen Einfluß hat die Reformation Luthers auf die politische Lage der verschiedenen Staaten Europa's und auf die Fortschritte der Aufklärung gehabt?,* der 1808 posthum veröffentlicht wurde und in dem es im ersten Satz heißt: »Die politische Lage der Staaten überhaupt, und der Zustand der Aufklärung vor der Reformation forderte eine Reformation.«[58]

Daß Herder sich bei seinen Arbeiten auch der möglichen politischen Schlüsse bewußt gewesen sein muß, dafür spricht vor allem auch dasjenige biographische Werk, das die deutlichsten politischen Bezüge herstellt: sein Porträt des Ritters und Humanisten Ulrich von Hutten.[59] Zwar wehrt Herder ausdrücklich im Text das Politische ab, indem er für Huttens Kampfgefährten Sickingen feststellt: »Er war und fiel wie *Brutus,* der letzte Deutsche. Und nicht um ein Phantom politischer Freiheit fiel er, sondern um Wahrheit, Licht, Recht und Billigkeit, Religion, Christus.« (S. 492) Dennoch lassen sich die politischen Bezüge nicht übersehen, die Herder z. B. mit dem Hinweis auf Brutus wiederum selbst thematisiert. Gerade die Figur des rebellischen Humanisten und Streiters für ein neues Nationalbewußtsein mußte auch politische Regungen erzeugen. (Im 19. Jahrhundert ist Hutten dann nur noch politisch: bei Lassalle, D. F. Strauß oder auch beim Arbeiterdichter Manfred Wittich.) Es spricht vieles dafür, daß Herder noch nicht gewagt hat, sich zu einer politischen Diskussion zu bekennen, sondern eher die verdeckte Argumentation bevorzugt hat.

Das Fehlen der direkten politischen Argumentation und gerade auch die Distanzierung von jeder Politik muß bei uns zumindest die Frage nach den Gründen solchen Verhaltens aufkommen lassen. Für die hier vertretene These, daß bei Herder in den biographischen Essays sich *auch* eine politische Dimension erkennen läßt, kann eine Analyse des *Hutten* uns weiterhelfen. Es ist in der jüngsten Forschung, z. B. bei Thalheim, auf die politischsoziale Argumentation in diesem Essay verwiesen worden, dabei als Stützung dieser These jedoch noch nicht, soweit ich es sehe, ein Vergleich der beiden Hutten-Fassungen von 1776 im *Teutschen Merkur* und von 1793 in den *Zerstreuten Blättern* herangezogen worden.[60] Dieser Vergleich beweist für die erste Fassung eine verblüffende Radikalität, die dann 1793 zurückgenommen wird.

In der Vorrede zur fünften Sammlung der *Zerstreuten Blätter* distanziert sich Herder recht eindeutig von seinem »etwas wilden Gewächse« des Jahres 1776:

> »Ueber ihn urtheilen kann sodann ein Jeder, und Jeder nach seiner Weise: denn Huttens Fehler sind unverborgen, und über den Erfolg seines Unternehmens hat die Zeit entschieden. In einen politischen Plan ist, so wie *Sickingen,* so auch *Hutten* nie verflochten gewesen; *Hutten* war kein Politicus, und that, was er that, für die gute Sache des Vaterlandes, für Religion und Wahrheit. Andre wirkten dazu auf ihre Weise; und ich bin so weit entfernt, Huttens persönlicher Anfeindung wegen, des großen, weit- und breit verdienten *Erasmus* Verdienste zu verkennen, daß in anderm Betracht *Er* und *Grotius* vielmehr seit vielen Jahren meine Idole gewesen. Jeder werde auf seiner Stelle erkannt und geachtet. Weimar, den 14. Jun. 1793.«[61]

Diese von Herder herausgestellte Unverbindlichkeit des Urteilens (»jeder nach seiner Weise«), das Betonen der »Fehler« Huttens und die Hochschätzung Erasmus' passen keineswegs auf den *Hutten* des *Teutschen Merkur*. Bei einem Vergleich der beiden Fassungen müssen wir feststellen, daß Herder oft nur geringfügige, aber letztlich doch entscheidende Änderungen vorgenommen hat. Der drängende und anklagende Ton wird 1793 deutlich moderiert. Gleich in dem zweiten Absatz, der mit der eigentlichen Biographie beginnt, können wir dieses Verfahren erkennen: Nicht so gravierend erscheint es zunächst, wenn Herder eine Wendung wie »ein junger, edler, feuriger Mann« (S. 476) um das Adjektiv ›edel‹ (S. 273) verkürzt, doch wenn sich dann »der Edle« [= Hutten] (S. 477) in »der Arme« (S. 274) verwandelt, so dürfen wir wohl mehr als eine stilistische Überarbeitung vermuten. Diese Annahme wird bestätigt, wenn wir sehen, daß aus »bis ans Ende seines jungen stürmischen Lebens« (S. 476) die schwächere – und wohl auch resignative – Wendung »bis ans Ende seiner kurzen Laufbahn« (S. 274) wird. Auch die Gegner Huttens werden 1793 eher allgemein und verharmlosend umschrieben: statt der »Blutsauger« von 1776 (S. 477) sind es jetzt die »Unedlen« (S. 274), statt der »Lügner und Verkleisterer der Wahrheit« (S. 477) sind es nur noch die »Verkleisterer der Wahrheit« (S. 274). Entscheidende Umformungen nimmt Herder am Schluß der Passage vor, wo es 1776 heißt: »Jünglinge, wallfahret zu seinem Grabe, und zu seinem Leben als einem Spiegel aller Zeiten! Und du, Mutter Deutschland, das diesen Mann nicht verkannte, aber kalt hinwarf, so wie es jetzt ihn kalt lobet und seine Schriften, nicht einmal hat und kennet, durch die er doch Alles that, lerne!« (S. 477)

Den starken appellativen Ton und die selbstbewußt herausgestellte Vorbildlichkeit nimmt Herder 1793 zurück, indem er Huttens Leben nicht mehr als »Spiegel *aller* Zeiten«, sondern nur noch »*mehrerer* Zeiten« (S. 274) gelten lassen will, und den Schlußsatz (»Und du, Mutter Deutschland«) streicht.

Der weitere Vergleich beider Fassungen bestätigt nur diesen Eindruck. Zur Verdeutlichung seien deshalb einige Beispiele für die vorgenommenen Veränderungen gegeben:

1776	1793
»daß er das Deutschland, für welches er nachher *Demosthen* war und mehr als *Demosthen* seyn wollte« (S. 480)	»daß er das Deutschland, für welches er nachher mehr als *Demosthenes* seyn wollte« (S. 277)
»Schon sein Tyrannengespräch« (S. 481)	»Schon sein Gespräch« (S. 279)
»Hier ist Deutschlands *Demosthenes* in all seiner Größe. Wahrheit, Freiheit, Stand, Ruhm, Nothdurft, Vaterland, Alles spricht, Alles ruft und klaget in ihm.« (S. 487)	»Hier erscheint Deutschlands *Demosthenes* in seiner Größe. Wahrheit, Freiheit, Stand, Ruhm, Noth, Vaterland, Alle läßt er sprechen, rufen, klagen.« (S. 284)
»Und so must es seyn! Auf kein Grabmal, und marmorn Denkmal müßen die Guten und Edlen des Deutschen Vaterlandes rechnen.« (S. 493)	»Das unbekannte Grab wäre nun zwar ein so grosses Uebel nicht; vielmehr ist dieses in der Ordnung. Auf marmorne Denkmale müssen die Guten und Edeln keiner Nation rechnen.« (S. 292)
»Und so sind unsres *Landmannes, Reformators, Aufklärers, Freiheitsredners*, des *einzigen Demosthenes* unsrer Nation Schriften, sind im Staube.« (S. 494)	»Und so sind unsres *Landsmannes, Mitreformators, Freiheitsredners*, des Demosthenes unsrer Nation Schriften grossenteils im Staube geblieben.« (S. 292)

»Ihr Deutsche, was fehlet Euch? Was fehlet Huttens Schriften, daß ihr sie nicht sammlet, aufleben laßet und erhaltet?« (S. 494)

»Wollt ihr endlich Männer *von Genie*« (S. 495)

»Und was fehlte Huttens Schriften, daß man sie nicht aufleben ließe und erhielte?« (S. 292)

»Will man endlich einen Mann *von Genie*« (S. 293)

Diese wenigen Beispiele vermitteln schon einen Eindruck, wie die ursprünglich zupak-kende und mitreißende Diktion in eine ruhig-distanzierte Darstellung verändert, wie auch die Ansprache des Lesers und damit die dialogische Form in unpersönlich-allge-meine Aussagen umgebogen wird. Ohne Zweifel hat eine Abwertung des Helden stattge-funden, der eben nur noch ›*Mit*reformator‹ und vor allem kein ›Aufklärer‹ mehr ist. Nähmen wir noch die zahlreichen Auslassungen hinzu, so würde sich dieser Eindruck nur noch verstärken. Aber außerdem wird dabei erkennbar, wie sich Herder bemüht, zu deutliche politische bzw. gesellschaftliche Aspekte auszumerzen und seiner Schrift den eindeutigen Aufforderungscharakter zu nehmen. Außer dem schon zitierten Beispiel aus dem zweiten Abschnitt (»Und du, Mutter Deutschland«) können wir eine Reihe von Streichungen feststellen, die 1793 dem Essay den aufsässigen Ton nehmen.

Vor allem ist, wie schon angedeutet wurde, die Rolle Erasmus' verändert worden. Hatte Wieland in seinem Nachwort zum *Hutten* von 1776, auf das wir noch ausführli-cher eingehen werden, schon beklagt, hier sei »das Andenken des sanftern, schwächern, aber wahrlich [...] nicht minder guten, edeln, verdienstvollen« Erasmus ›angeschmitzt‹ worden[62], so schwenkt 1793 auch Herder auf diese Linie ein, wobei er allerdings durchaus kritisch gegenüber Erasmus bleibt (s. S. 291). Er bricht die schärfsten Spitzen gegen den Mann ab, der für ihn 1776 die Verkörperung des unentschlossenen Schriftstel-lers (»der immer auf Land und Waßer zugleich lebte«)[63] und »klaßischen Schöngei-stes«[64] war.

Scheint sich hier schon die Wendung zur vita contemplativa und der Rückzug aus der (politisch-sozialen) Welt anzudeuten, die wir dann bei Schlegel so deutlich erkennen werden, so hat Herder jedoch auch noch 1793 mit Hutten das Ideal der vita activa hoch-gehalten, indem er den Geist mit der Tat verband: »Alles *lebt* in seinen Schriften, nichts steht *geschrieben,* daß es nur also dastehe.«[65] Aber nicht zu übersehen sind die Zwei-fel, die sich nun einstellen: Das Lob der streitbarsten Schrift Huttens, der *Epistolae ob-scurorum virorum,* wird reduziert, indem folgender Satz gestrichen wird: »sie ist für Deutschland unendlich mehr worden, als der *Hudibras* für England und *Gargantua* für Frankreich, und viel etwas nützlichers geworden, als der Junker von Mancha für Spanien seyn konnte.« [66] Bei den Versen Huttens wird weiterhin die Volkstümlichkeit heraus-gestellt, aber der Zusatz von 1776: »Sie kamen bald in den Mund vieler, und blieben, und thaten große Würkung« fehlt 1793.[67]

Wird damit das Lob der unnachsichtigen Kritik an Mißständen des Klerus und die Wirkungsmacht Huttens gemindert, so fehlt auch in der Fassung von 1793 ein Briefzitat Sickingens, in dem sich der Ritter in machtvollem und drohendem Ton gegen Reuchlins

Feinde wendet. [68] Entscheidend wird der Tenor des Essays jedoch durch das Fehlen des 1776 bewußt hergestellten Gegenwartsbezuges verändert. 1776 hatte es geheißen: »Aber so handelt jedesmal das Genie und der Gottberuffene zu etwas Außerordentlichem: iacta est alea! *ich habs gewagt,* ist sein Wahlspruch; nicht: ›darf ich? kann ich? wer steht mir bei? wirds auch werden?‹ Sonst geschähe in der Welt selten Etwas: denn bei jedem Schritte wagen wir ja und zertreten Mücken.« [69]

Ob sich Herders Meinung geändert hat oder er nun, da er mit eignem Namen zeichnet, mehr Vorsicht walten läßt, könnte nur nach einer gründlicheren Analyse seiner Entwicklung beantwortet werden. Jedenfalls hat er 1776 noch durchaus aus der Niederlage der Humanisten einen Optimismus für die Gegenwart ziehen können, wie auch andere Stellen belegen. [70] Die Veränderung des Schlußsatzes 1793 scheint diese Zuversicht eher wieder in Frage zu stellen:

1776	*1793*
»Das kräftige *Bild, Wort* und *That,* dessen was sie *wollten, strebten* und nicht ausführen *sollten.* Liegt in ihrem Untergange, der Katastrophe deutscher Freiheit, nicht eben die größte *Lehre?*« (S. 495 f.)	»Liegt in ihrem Untergange sammt Dem, Was sie und Wie sie es wollten, nicht eben die größte Lehre?« (S. 293)

Es liegt die Vermutung nahe, daß diese Veränderungen bei Herder durch die Französische Revolution bedingt wurden, die ihn, wie wir wissen, erschreckt hat. In dem unterdrückten 16. Humanitätsbrief von 1792, der sich mit Deutschland und der Französischen Revolution beschäftigt, haben wir einen Beleg für die Berührungsangst vieler Intellektueller vor dem Politischen, die wir zu Beginn des Abschnittes zum 19. Jahrhundert nochmals thematisieren werden. Herder spricht von »Scenen der Unmenschlichkeit, des Betruges, der Unordnung« und fragt, ob durch diese »Eindrücke vielleicht auf mehrere Generationen hin alle Spuren der Humanität aus den Gemüthern der Menschen vertilgt werden«. [71] Auch hier sichert er sich wieder ab, indem er seine Fragen nicht »juristisch oder politisch«, sondern »nur philosophisch, historisch und vor allen Dingen aber human« verstanden haben will. [72]

Gerade der durchgeführte Vergleich der *Hutten*-Fassungen von 1776 und 1793 und diese immer wieder betonte *un*politische Haltung berechtigen uns, dennoch von einem politischen Interesse bei Herder zu sprechen, das ohne Zweifel sich 1776 mit mehr Optimismus verband. Wobei wir den Begriff des Politischen nicht so eng fassen dürfen, daß wir darunter nur die aktive und bewußt herausgestellte öffentliche Tätigkeit subsumieren, sondern auch das verdeckte Argumentieren – Schulte-Sasse hat treffend von »Unterwanderung« gesprochen [73] – als politisch auffassen.

Daß sich der Herder des Jahres 1776 wahrscheinlich auch der politischen Brisanz seines *Hutten* bewußt gewesen sein muß, dürfen wir einmal aus dem anonymen Erscheinen und zum anderen aus Wielands Nachwort zu Herders Essay schließen. Sicherlich wird dabei auch die Vorsicht des *Theologen* Herder eine Rolle gespielt haben, aber gerade Wielands »Zusatz« kann uns in unserer Vermutung bestärken. [74]

Wieland erinnert zunächst an seine eigene *Nachricht von Ulrich von Hutten,* die ebenfalls 1776 im *Teutschen Merkur* erschienen war[75] und die noch im wesentlichen der gängigen Form der Biographik entsprach: hier herrschen der äußere Lebensgang (»*Ulrich von Hutten* wurde zu *Stackelberg,* ohnweit Fulda, einem seiner Familie zugehörigen Schlosse gebohren«) und die von Herder so verachteten Allgemeinplätze (»Lebhaftigkeit seines Geistes«, »Tapferkeit«, »Geschicklichkeit«, »Heldenmuth«);[76] auch die übliche ›Charakteristik‹ am Schluß fehlt nicht (»*Ulrich* von Hutten war klein von Person«).[77] Wie sehr Wielands *Nachricht* dadurch konventionell und erstarrt wirkt, wird erst im Vergleich mit Herders *Hutten* erkennbar, der eine ungewöhnliche Emphase ausstrahlt und nichts mehr von der gemessen-abgewogenen Diktion des Wielandschen *Hutten* an sich hat.

Daß Wieland zwei Hutten-Porträts in einem Jahr veröffentlicht, daß der zweite Beitrag gar anonym und außerdem mit einem Nachwort erscheint, gibt dem Vorgang ein besonderes Gewicht. In diesem Zusammenhang muß nicht der Frage nachgegangen werden, ob das den Herderschen stürmischen Anspruch relativierende Nachwort Wielands mehr durch dessen eigene Überzeugungen oder mehr durch (politische) Rücksichten gesteuert war, denn für den Leser mußte sich der Eindruck aufdrängen, daß hier ein taktisches Argumentieren erfolgt: Denn auch Wielands ›Zusatz‹ demonstriert das absichernde und verdeckte Operieren mit politischen Kategorien, das wir schon für Herder angesprochen haben. Obwohl Wieland scheinbar jede Politisierung zurückweist, führt er den Leser immer wieder selbst auf die politische Ebene zurück. Oder vorsichtiger ausgedrückt: Indem er Hutten als unpolitisch hinstellt und indem er sich (scheinbar) von Herder distanziert, macht er den Leser gerade auf die mögliche politische Dimension dieses Essays aufmerksam.

Wieland hebt zunächst hervor, daß *er* bei seinem *Hutten* gewußt habe, »*in welcher Zeit,* und *für wen* ich schrieb« und daß er sich jeder »Beleidigung« enthalten habe: »Dies mäßigte an verschiednen Stellen meinen Ausdruck.« (S. 496) Er sieht Hutten auch für den katholischen Leser als vorbildlich an und hebt deshalb auf »den verdienstvollen, rechtschafnen, für Wahrheit und Recht« kämpfenden Helden ab (S. 496). Dann bekennt er sich zum anonymen Verfasser des neuen *Hutten* (»und öffentlich danke ich ihm dafür«), schränkt sein Lob im Blick auf die lesenden Katholiken, die »Hälfte Teutschlands«, ein, die eben einen »*Partheygeist* finden *müssen*«: »Wie er dies vergessen *konnte,* oder warum ers vergessen *wollte,* ist meine Sache nicht zu fragen. Aber öffentlich zu erklären, daß ich in den Ton seines Aufsatzes nicht durchaus einstimmen kann, dies bin ich mir selbst schuldig.« (S. 496)

Wie Wieland schon hier ein schillerndes Argumentationsspiel zwischen Verteidigung und Ablehnung betreibt, so bringt er selbst auch wiederum in diese scheinbar rein konfessionelle Frage das politische Element hinein, indem er Hutten mit Cato und Brutus vergleicht. (Gerade in der Vorliebe des 18. Jahrhunderts für den Caesarmörder deckt sich ja auch eine Parteinahme für die Republik auf.) Wieland sichert sich auch hier sofort mit moralischen Kategorien ab, indem er Brutus »aus Tugend« handeln ließ, Caesar anerkennt und Atticus lobt, der »Partheygeist haßte«. (S. 497) Damit sind in Wirklichkeit aber auch unterschiedliche politische Verhaltensweisen und politische Herrschaftsformen vorgeführt. Darüber hinaus leitet er den Leser auf den Weg des Vergleichs von Gegenwart und Vergangenheit:

»Daß man in Zeiten einer allgemeinen äußersten Gährung, in Zeiten einer allgemeinen Empörung der Geister gegen nicht länger zu duldende Unterdrückung – unfähig ist, so gerecht und billig gegen einander zu seyn, ist natürlich: aber warum sollten *wir*, in Zeiten der Ruhe und des durch geheiligte Grundgesetze befestigten Gleichgewichts, nicht gerecht und billig seyn?« (S. 497)

Auch hier können wir es dahingestellt sein lassen, ob Wieland seine Gegenwart ironisch sieht, ob und wie weit er sich mit dem Verfasser identifiziert, wichtig ist für unsere Argumentation vor allem, daß Wielands »Zusatz« mit scheinbar unpolitischen Argumenten eine politische Information und damit eine gute Illustration für Habermas Wort von der Literatur als »Übungsfeld eines öffentlichen Räsonnements« gibt: Denn gerade mit seiner Ablehnung der Herderschen extremen Position – er könne »*nicht alles* billigen« (S. 497) – konturiert er dessen Meinung nur noch stärker und weist den Leser außerdem noch eindringlich auf die offensichtlich anders gefaßten Gegenwartsbezüge in diesem Essay hin. Daß dieser tatsächlich gefährliche Tendenzen enthalten muß, unterstreicht Wieland nochmals im letzten Satz, wenn er meint, er habe sich distanziert »nicht aus Furcht, sondern gerade darum, weil ich mich nicht fürchte.« (S. 497)

Wichtig sind die hier aufgezeigten politischen Bezüge für die Geschichte der Biographik, weil damit die geistig-ästhetische und moralisch-charakterliche Beschränkung, wie sie z. B. auch noch im biographischen Roman zu erkennen ist, aufgegeben und der Schritt in eine politisch-gesellschaftliche Welt gewagt wird. (Auf der Romanebene käme damit der Bildungsroman ins Spiel.) Daß darin sich ein vorgestelltes Harmoniemodell – Ich und Welt, Geist und Tat, innen und außen – abzeichnet, wird uns im nächsten Kapitel noch beschäftigen, hier wäre mit Herders Biographik am eindruckvollsten die Bemühung um einen Außenbezug markiert – auch wenn letztlich nicht, wie bei Georg Forster, der entscheidende Schritt getan wurde. Die Richtung aber ist unverkennbar.

Korrigiert wird mit dem Blick auf das Verhältnis Herders zum 16. Jahrhundert – es bedürfte einmal einer umfassenderen Darstellung der Beziehungen zwischen dem 16. und 18. Jahrhundert – die zu einseitige Festlegung auf eine Kunst- und Geistesgeschichte. So richtig es ist, Herders und Winckelmanns Geschichtsvorstellungen aus ihrem Kunstverständnis abzuleiten: »Geschichte wird entdeckt als der Erklärungsgrund von Kunst« (H. Schlaffer) [78], so ist im vorhergehenden Kapitel schon im Zusammenhang mit der »Querelle des anciens et des modernes« Herders besonderer Ansatz zur Sprache gekommen; aber vor allem gilt es, was auch schon oben geschehen ist, Herder aus der alleinigen geistes- und kulturgeschichtlichen Festlegung zu befreien. (Darin stimme ich Claus Träger zu, der 1964 in seiner Habilitationsschrift diesen Versuch unternommen hat. [79])

Herders biographische Versuche zu Gestalten des 16. Jahrhunderts mußten eine im wesentlichen auf geistes- und kulturgeschichtliche Fragen ausgerichtete Forschung stören. Schon Rudolf Haym distanziert sich vom *Hutten* und zugleich vom 16. Jahrhundert und dessen »rücksichtsloser, ja zynischer Derbheit« und widmet sich lieber den Porträts von Schriftstellern des 18. Jahrhunderts. [80] Tatsächlich lassen sich in Herders biographischen Arbeiten vorzügliche Belege für den auf Kunst und Ästhetik ausgerichteten Schriftsteller finden. Im *Denkmahl Johann Winkelmanns* heißt es:

»*Winkelmanns* und *Mengs, Leßings* und *Mendelsohns, Sulzers* und *Hagedorns, Kästners* Abhandlung über das Schöne u. f. kamen beinahe zu Einer Zeit ans Licht, veranlaßten und weckten einander. Und da beinah zu eben der Zeit *Hutcheson* und *Home, Burke* und *Gerard* in Britannien schrieben und Frankreich *Diderot* die Ideen *Shaftesburi's, André's* u. a. weckte; so, dünkt mich, werden die Spuren dieses Zeitalters in solcher Materie wohl unverlöscht bleiben und das erbeutete Gute auf die Nachwelt erben.«[81]

Hieraus spricht bürgerlicher Stolz und auch Geschichtsoptimismus. Zugleich ist der neue bürgerliche Heldentypus, der Schriftsteller, vorgestellt. Andererseits ist Herder nicht allein auf diesen Typus fixiert, wie die Wahl der Helden aus dem 16. Jahrhundert beweist. Auffällig ist dabei, daß gerade aus theologischen Positionen die radikalste Gesellschaftskritik erfolgt. So wendet er sich im *Savonarola* gegen Bayle, der es »tres-blamable« findet, »daß ein Geistlicher sich in Geschäfte des Staats mische«. »Er mag sehr recht haben, wenn Savonarola zu unsern Zeiten und etwa gar in Monarchischen Städten lebte; damals aber war leider! noch ein ander Mönchs-Costume; und in einer Republik, zumal in einer Crisis, wie damals Florenz war, wird offenbar die Sache anders.« Etwas später vergleicht Herder Savonarola mit »Demosthenes, Gracchus, Pisistratus« und fügt hinzu, zu deren Zeit hätte er die »Bürgerkrone« erhalten.[82] Ist es da eine Überinterpretation, wenn wir vermuten, daß dem zeitgenössischen Leser auch der Blick für gegenwärtige Zustände geschärft werden sollte?

Will man nicht in die falsche Traditionskette eingegliedert werden, so muß man betonen, daß Herder eben doch die politische Geschichte gesucht hat, »in der der Bürger Untertan gewesen war«, und nicht nur die kulturelle, »in der er Mensch hatte sein dürfen«, wie Hannelore Schlaffer es sieht.[83] Gerade im Blick auf die Geschichte der Biographik dürfen wir bei Herder auch den Ausgang für eine politische Geschichtsschreibung markieren. Daß er sich dabei scheinbar unpolitischer Argumente bedient und sich vor allem auf die Ethik beruft, hat keineswegs seine *politische* Wirkung verhindert. (Wie weit dabei Rücksichten auf die eigene Stellung einerseits und auf die mögliche Zensur andererseits eine Rolle spielen, kann hier nicht beantwortet werden.) »Dieser Seher, der sich der Machtnatur des Staates und der Politik verschloß«, heißt es in Heinrich von Srbiks *Geist und Geschichte*, »ist selbst zu einer Kraft in dem nationalen Machtringen des kommenden Jahrhunderts geworden.«[84] Da auch Srbik nur auf den unpolitischen Herder abhebt, kann er keine Erklärungen für diese Wirkung angeben. Daß Herder so unterschiedliche Auslegungen erfuhr, d. h. einmal von der Geistesgeschichte und zum andern von der politischen Geschichte in Anspruch genommen wurde, liegt in seiner nicht eindeutigen politischen Haltung begründet, die noch nicht den Durchstoß in die politische Artikulation – aus der literarischen zur politischen Öffentlichkeit – fand, wie wir es z. B. bei Georg Forster beobachten können.

Hans Kohn hat diese doppelte Wirkung am Beispiel des Nationalismus konstatiert: »Der deutsche kosmopolitische Liberalismus und der fortschrittliche Nationalismus konnten sich auf Herder genauso berufen wie die deutsche Romantik.«[85] Auch in den biographischen Skizzen finden wir den Nationenbegriff immer wieder – Luther ist Herder »ein Lehrer der Deutschen Nation« und Hutten starb »mit Liebe fürs Vaterland«[86] – mit einem politischen Optimismus verbunden, der aus ethischen Überzeugungen erwächst. (Ein Vergleich mit Thomas Abbts Schrift von 1761 *Vom Tode fürs Vaterland,* wo im wesentlichen auf das Pflichtgefühl abgehoben wird, und Herders Ansicht vom Sterben »mit Liebe fürs Vaterland« würde wahrscheinlich ebenfalls die Veränderung im

Nationalgefühl aufzeigen können. [87]) Herder ist darin mit Schiller zu vergleichen, der in seiner akademischen Antrittsvorlesung 1789 von der »europäische[n] Staatengesellschaft« schwärmt und dabei die Familienmetaphorik ins Spiel bringt (sie »scheint in eine große Familie verwandelt«): »Die Hausgenossen können einander anfeinden, aber nicht mehr zerfleischen.«[88] Herder hat den Vergleich mit der Familie ebenfalls gezogen (»Unser erstes Vaterland ist also das *Vaterhaus,* eine *Vaterflur,* eine *Familie*«) und auch von einer Harmonie geträumt: »Nicht so rücken *Vaterländer* gegen einander; sie liegen ruhig neben einander und stehen sich als Familien bei.«[89]

Die Geschichte des 19. Jahrhunderts hat dann gezeigt, daß sich ethische und ästhetische Erziehung zwar als wichtige Voraussetzung für ein bürgerliches Selbstbewußtsein eignen, aber sich nicht unmittelbar in politische Macht umsetzen lassen. Während z. B. die französische Intelligenz den Schritt von der Moralität zur Politik schon vollzogen hatte, verharrte die deutsche Intelligenz weiterhin bei einer moralischen Argumentation, die aber *nach* der Französischen Revolution, in der das Bürgertum ja seine *politischen* und *sozialen* Forderungen schon offen ausgesprochen hatte, anachronistisch wirken mußte. Zu Recht darf deshalb gefragt werden, ob in Deutschland überhaupt eine bürgerliche Emanzipation stattgefunden und ob sich das Bürgertum je zu einer einheitlichen Klassenstruktur zusammengeschlossen hat. Doch sollte dabei nicht übersehen werden, daß der deutsche ›Sonderweg‹, erzwungen durch staatliche Zersplitterung und geringere ökonomische Entfaltung, die Intelligenz vor eine unlösbare Aufgabe gestellt hat. Anders als in Frankreich vereitelte in Deutschland die historische Situation eine revolutionäre Bewegung, einen Massenaufstand gegen die Feudalherren. Allein durch geistig-ideellen Einsatz und utopische Entwürfe war eine Rebellion nicht zu erzwingen. Hinzu kommt, daß die deutsche Intelligenz selbst nicht so recht an die befreiende Tat glaubte und sich vor allem durch ein »Syndrom von realer Aktionshemmung, Kontemplationsneigung und Vorliebe für absolute Geistkonzeptionen« auszeichnete (Lepenies).[50]

Daraus wird verständlich, warum ein Teil des Bürgertums im 19. Jahrhundert, den wir meist als Bildungsbürgertum bezeichnen, die von Herder und Schiller auch als Mittel verstandene geistige und moralische Vervollkommnung bzw. Erziehung nun zum Selbstzweck erstarren ließ und den Rückschritt aus der Öffentlichkeit außerdem noch mit der Berufung auf die Vertreter eines bürgerlich-progressiven Standpunkts im 18. Jahrhundert zu legitimieren versuchte: damit blieb ihnen das Eingeständnis einer offensichtlichen Resignation erspart. (Wir werden im abschließenden Kapitel für das 19. Jahrhundert diese Zusammenhänge eingehender analysieren.)

Als Folgeerscheinung tritt eine Trübung des Blicks für die ursprünglich optimistischen und dynamischen, die progressiven und utopischen Elemente ein, die z. B. Herders Kultur- und Kunstverständnis in sich bergen. Die gleichen Elemente, die bei Herder zur *Menschheits*geschichte, ins Öffentliche und damit auch ins Politisch-Soziale drängen, lassen sich ebenso zur Legitimation einer nur *bürgerlichen* Geschichte verwenden, die sich im Privaten einzurichten versucht und Zuflucht und Geborgenheit erwartet, während Herder im Privaten Selbstsicherheit gewinnen und aus dem Refugium des Innenraums aufbrechen wollte. Hier steht Herder in der Tradition der Aufklärung, für die Werner Krauss gemeint hat: »Die Aufklärung ist die Epoche der geistigen Sammlung und Bewußtseinsbildung des deutschen Bürgertums«.[91]

Daß Herder anscheinend sich nicht sicher über den einzuschlagenden Weg war – das hat nicht zuletzt der Vergleich der beiden *Hutten*-Essays gezeigt –, rechtfertigt noch nicht, ihn zum Kronzeugen einer Flucht aus der Öffentlichkeit zu machen und ihn damit in das eigene unpolitische Selbstverständnis einzuschließen, wie es die Vertreter einer Geistes- und Kulturgeschichte seit dem 19. Jahrhundert tun.[92]

Wie stark sich bis heute solche Einstellungen behaupten, beweist noch die Arbeit von Joyce Schober zur »Spätaufklärung«, wo das Verhältnis der Schriftsteller des 18. Jahrhunderts zum 16. Jahrhundert auch am Beispiel der biographischen Porträts Wielands und Herders kurz umrissen, aber bei Herder nicht erkannt wird, wie sehr hier alles schon ins Politische drängt.[93] Aber gerade mit der Biographik und Herders besonderem Verhältnis zum 16. Jahrhundert – auch Schober hat den Unterschied zwischen dem Erasmus-Verehrer Wieland und dem Hutten-Enthusiasten Herder nicht übersehen, aber leider keine Schlüsse daraus gezogen[94] – kann eine Korrektur am traditionellen Herder-Bild vorgenommen werden, denn mit der Wiederbelebung der ersten Epoche bürgerlichen Aufbegehrens und der damit angestrebten Gegenwartsfunktion mußten sich Konsequenzen einstellen, die Herder nicht übersehen haben konnte: In einem Mann wie Ulrich von Hutten, der bei Herder nicht nur Schriftsteller, sondern auch öffentlicher Agitator ist, oder einem Kämpfer wie Luther, der für ihn mehr als nur ein revolutionärer Theologe ist[95], *mußte* auch das soziale und politische Moment ins Spiel kommen – auch wenn Herder, aus Vorsicht oder Überzeugung, solche Konsequenzen nicht aussprach. Selbst bei den Porträts der Zeitgenossen, wo bezeichnenderweise die stärkste Sympathie Lessing gilt, gewinnen die geistigen und moralischen Vorstellungen ihre sozial-politische Dimension, sind sie doch als bewußter Beitrag zur bürgerlichen Emanzipation gedacht. Wenn auch Herder nicht selbst den Schritt in die politische Öffentlichkeit getan hat, er lag in der Konsequenz seines Denkens. Ein Mann wie Georg Forster, der seine Ansichten nicht zuletzt mit Herders Schriften festigte[96], demonstriert in der Biographik, welche politische Funktion die Ideen des 18. Jahrhunderts gewinnen konnten.

3. Georg Forsters »Cook der Entdecker« (1787)

Die folgende Darstellung konzentriert sich allein auf Forsters *Cook,* der 1786/87 geschrieben und 1787 im ersten Band der Übersetzung der dritten Cookschen Weltreise publiziert wurde.[1] Über die Schrift selbst sind wir durch das Nachwort Klaus-Georg Popps gut unterrichtet, wobei Popp uns auch über Lichtenbergs *Einige Lebensumstände von Captain James Cook* (1780) informiert.[2] Forsters *Leben Dr. Wilhelm Dodds* (1779) und die biographischen Essays, die 1793 in *Erinnerungen aus dem Jahr 1790* erschienen und die als Kommentar zu zwölf Kupferstichen gedacht waren, bleiben weitgehend unberücksichtigt[3], da es uns hier mehr auf die exemplarische Analyse eines Heldenporträts ankommt, das die bei Herder schon aufgewiesenen Öffentlichkeitsbezüge herstellt und so bürgerliches Selbstbewußtsein demonstriert, indem es die allgemeinen ethischen und geistigen Forderungen an den vorbildlichen Menschen nun auf einen individuellen Fall – auf den Entdecker James Cook – anwendet.

Georg Forster hat selbst die Vorstellungen, die ihn bei der Abfassung des *Cook* leiteten, in einem Brief vom 2. April 1787 an Friedrich Ludwig Wilhelm Meyer dargelegt: »Es war mir, wie Du leicht denken kannst, um keinen Panegyrikus auf Cook zu tun, der doch in der Tat alles und vielleicht mehr, als ich von ihm sage, verdient, sondern was mir die Arbeit einzig angenehm machte, war die Gelegenheit, meine Philosophie auszukramen.«[4] Daß Forster der Essay dennoch zu einem »Panegyrikus« geraten ist, macht ihn für die Geschichte der Biographik so interessant, weil auch Forster sich gegen die von Herder attackierten Gemeinplätze traditioneller Heldenverehrung zu wehren scheint, sie aber dennoch als Legitimationsgrund in den Essay übernimmt, um so die bürgerliche Vorbildlichkeit den traditionellen Heldenmustern gleich- und natürlich auch überzuordnen.

Die Sehnsucht des Bürgers nach ›Ruhm‹ und Verewigung war im ersten Kapitel schon angesprochen worden. An die dort nach Burckhardt zitierten »Ruhmeshallen« der Renaissance erinnert noch Forsters Feststellung, Cook habe sich »einen Namen im Tempel des Ruhms erkauft« (S. 31)[5], und die selbstgestellte Aufgabe, den »Weg zu Ehre, Glück und Ruhm« nachzeichnen zu wollen (S. 17). Zugleich modifiziert Forster diese Vorstellung, indem er seinen Helden sich nicht im Zeitlos-Ewigen verlieren läßt, sondern ihn historisch festlegt: »Nur das gegenwärtige Jahrhundert konnte Cooks brennende Ehrbegierde mit allen Hülfsmitteln ausrüsten, wodurch er zum Entdecker ward; und nur Cook konnte diesem Zeitalter Genüge leisten.« (S. 128) Die Differenz zur Tradition und die Kennzeichnung des modernen (bürgerlichen) Ruhms durchziehen den Essay.

Da erfolgt zunächst der Vergleich mit den großen Entdeckerfiguren vor Cook – u. a. Kolumbus, Magellan, Cortez und Pizarro (S. 16 ff.) – und der mit diesen verbundenen Erschließung einer unbekannten Welt. Letzlich dient der historische Rekurs aber vor allem dazu, die besondere Leistung des Forsterschen Helden herauszustreichen:

> »Dies war die Lage der Geographie, als Cook erschien, dem es vorbehalten war, in kurzer Zeit die Kenntnis der Erde in das hellste Licht zu setzen. Der Geist der Entdeckung beseelte ihn ganz, und seine Eigenschaften waren dem Geschäft, wozu ihn das Schicksal auserkor, so angemessen, daß er allein mehr als alle seine Vorgänger zusammengenommen leistete und als Seemann und Entdecker, unerreichbar und einzig, der Stolz seines Jahrhunderts bleibt.« (S. 23)

Die in diesem Zitat schon erkennbare Bemühung Forsters, den Ruhm seines Helden auch aus dem Vorstellungsbereich der Aufklärung (»hellste Licht«) zu erklären, sei hier zunächst nur angemerkt, da die Begründung des Ruhms im Vergleich mit der Tradition noch weiterverfolgt werden soll. Die Wahl des neuen Helden scheint für Forster noch der Legitimation zu bedürfen, denn mehrfach nutzt er die traditionellen Muster, um den exzeptionellen Wert dieses Lebens zu belegen.

Die Schilderung der Seereise könnte zunächst als Übernahme der Klischees aus dem Abenteuerroman verstanden werden. Forster weist selbst auf diesen möglichen Vergleich hin, indem er zu zweifeln vorgibt, »daß auch der verwegenste Schwung einer romanhaften Einbildungskraft« die »wirklichen Taten« Cooks nachzuzeichnen vermöge. (S. 34) Hier wird ein beliebtes Verfahren der Biographen präludiert, die sich gern der Überlegenheit des Faktischen vor dem Fiktionalen rühmen und dennoch den gleichen Reichtum an Bildern und spannenden Elementen verheißen, wie sie der Leser vom Roman erwartet. So werden auch im Cook am Beispiel der Seereisen die Gefahren eines großen Abenteuers geschildert, die zugleich zur Illustration des Mutes dieses Helden geraten:

»Die Wachsamkeit des Seemannes vermag fast nichts gegen jene plötzlichen Abwechselungen der Tiefe, die er zitternd durch das Senkblei erfährt. Bald ergründet er sie nicht mit mehr als hundert Klaftern; bald schwebt er über Korallenzinken hin, die wie Türme und Ruinen ihre schroffen Spitzen in die Höhe strecken und beinahe den Boden seines Schiffs berühren. Mit Angst und Entsetzen sucht er einen Ausweg, durch den er wieder in die offene See gelangen und sich von furchtbaren Syrten entfernen könne, wo ihn der Tod in tausend Gestalten umringt. Nicht also Cook, der Entdecker!« (S. 33)

Dieses Grundmuster des Abenteuerromans sichert – wie im bürgerlichen Roman auch – dem Helden einen Ruhm, wie er einst nur dem ungestümen Wagemut der Helden des Epos vorbehalten war. Mehr als einmal hebt Forster deshalb Cooks »Unerschrockenheit« hervor.[6] Darüber hinaus sucht er aber auch den Vergleich mit den traditionellen Helden der jüngeren Biographik, wie sie z. B. Friedrich Carl Moser in seinem *Patriotischen Archiv für Deutschland* (1784–86) präsentiert, wo Lebensbilder von Herrschenden und deren unmittelbaren Helfern entworfen werden.[7] Indem Forster Cooks Entdeckungsreisen und deren »wohldurchdachten Plan[e]« rühmt, grenzt er sie zugleich von den Taten eines Politikers ab: »Ich rede nicht von einem Reiseplan, wie ihn der Minister auf der Karte entwirft. Was ist leichter, als dort die unerhörtesten Laufbahnen vorzuzeichnen, wo die goldne Reißfeder an keiner Klippe scheitern kann und der papierne Ozean keine Wellen schlägt!« (S. 56)

Im Anschluß daran erfolgt die beabsichtigte Höherwertung der Cookschen Taten, die selbst den Vergleich mit dem beliebtesten Heldentypus der traditionellen Biographik nicht zu scheuen brauchen. Einige Seiten weiter lesen wir nämlich: »Ich habe das Auge des Seemanns erwähnt; und wer begreift nicht leicht, in wie vielen entscheidenden Fällen auf seinen Blick im Ozean ebensoviel ankommt als auf den Blick des Befehlshabers im Felde, wo sich feindliche Heere begegnen?« (S. 66) Nachdem der bürgerliche Held so seine Legitimation im Vergleich mit den traditionellen Helden erhalten hat, kann sein Ruhm auch auf eine Tat gegründet werden, die wenig zu den alten Heldenmustern paßt:

»Cook hatte den Scharbock, diese Pest der Seefahrenden, welche sonst auf den britischen Flotten mehr Schlachtopfer hinwegzuraffen pflegte als der blutigste Krieg, durch weise Maßregeln besiegt. Ihm also, dem Retter und Befreier von diesem grausenvollen und langsamverzehrenden Tode, dem Erhalter des Lebens vieler Tausende, die künftig gesund und getrost den Ozean beschiffen werden, ihm reichte die Philosophie den Kranz der Ehre dar, den er im alten Rom vom Volk und vom Senat erhalten hätte.« (S. 113)

Nicht nur weil sich mit dem Begriff »Philosophie« ein äußerer Übergang zu dem zweiten Aspekt im Brief von 1787 anbietet, sondern weil sich mit diesem Zitat auch die Selbständigkeit des bürgerlichen Helden ankündigt, der sich freimacht vom traditionellen Heldenornat, kann die Überleitung zu Forsters »Philosophie« erfolgen, die er im *Cook* zu geben verspricht.

Klaus-Georg Popp hat in seinem Nachwort auf »zwei Ebenen« hingewiesen, in denen sich die Darstellung bewegt: »einer beschreibenden sowie einer geschichtsphilosophischen und politischen«.[8] Für die Geschichte der Biographik hätten wir noch zu ergänzen, daß wir es wiederum mit einem Essay zu tun haben, der den Dialog mit dem Leser sucht und sich keineswegs an eine Chronologie hält, sondern mehr dem Typus einer systematischen Biographik entspricht, die sich einzelne Aspekte herausgreift – hier sind es

Cooks Weltreisen – und mit diesen dem Leser eine Vorstellung vom Helden zu vermitteln versucht.

Forsters Essay ist in drei Teile gegliedert: »Geographische Übersicht« (S. 15–55), »Anordnung« (S. 55–107) und »Resultate« (S. 107–137). Wichtig für die behauptete Rationalität ist vor allem der Vorspann (S. 5–14), dem schon das von Horaz entlehnte Motto »Nullius in verba« (auf niemandes Wort schwören) den Tenor einer kritischen Annäherung gibt. Forster legt dem Leser seine Motivation und Ziele dar – ein Verfahren, das den kritischen Biographen bis heute auszeichnet – und entwirft ein Idealmodell einer Darstellung, dem er selbst nicht glaubt entsprechen zu können, das aber dennoch seine Intention beschreibt:

> »der entwerfe jene vollständige beziehende Darstellung von Cooks Verdiensten und lehre uns, wie weit er sein Jahrhundert in Erkenntnis und Aufklärung fortgeführt, welchen Zuwachs die menschliche Glückseligkeit durch sein Bestreben gewonnen und welche neue Aussichten in die goldene Zukunft einer allgemein vollendeten Bildung sein Genius uns eröffnet habe.« (S. 6)

Verworfen ist damit eine Biographie, wie sie der Engländer Andrew Kippis geschrieben hat, bei der Forster bemängelt, sie habe nur die Reise wiedergegeben. [8 a] Es bedürfte nicht mehr der dann mehrfach herausgehobenen »Sittlichkeit«, die einmal wahrscheinlich direkt auf Herder abhebt (»der Philosoph der Menschheit«, S. 8), der »Perfektibilität« und der »Wahrheit«, um uns erkennen zu lassen, wie sehr der Held auf die Ideale der Aufklärung verpflichtet wird. Daß Forster dabei eine differenzierte Auffassung, zum Beispiel zur Perfektibilität oder zur Südseeverklärung der Europäer[9], ins Spiel bringt, kann in diesem Zusammenhang vernachlässigt werden, da es vor allem darum geht, den neuen bürgerlichen Heldentypus zu zeichnen.

Neu – auch gegenüber Herder – ist schon, daß wir es nicht allein mit einem Intellektuellen, z. B. einem Schriftsteller, zu tun haben, sondern vor allem mit einem tätigen Menschen. Mehrfach wird von Forster der »Fleiß« und Cooks »nie ermüdende Tätigkeit« (S. 94) gerühmt. Die dann vorgenommene Präzisierung, es handle sich um einen »gemeinnützigen« Fleiß und um eine »männliche[n] Vernunft« (S. 130) – auch in Herders *Lessing* finden wir das heldische Epitheton ornans »männlich« im Zusammenhang mit »Verstand« und »Gefühl« [10] – demonstriert die gewünschte harmonische Verbindung von Individuellem und Allgemeinem, von Geist und Tat, von Individuum und Welt.

Cook eignet die Vorbildlichkeit des aufgeklärten Menschen: Mit ihm verbindet sich nicht nur der »Sieg für die Wahrheit« (S. 37) und der »Sieg der Vernunft« (S. 129), sondern auch der Sieg über festgefahrene Vorurteile, wie seine von Forster gerühmten Fortschritte in der nautischen Technik, der Hygiene und den Versorgungsleistungen an Bord beweisen sollen. »Beurteilungskraft« und »Scharfblick« bzw. »Scharfsinn« gehen bei Cook eine harmonische Verbindung mit »Beharrlichkeit« und »Unerschrockenheit« ein und sichern dem Unternehmen den Erfolg. [11] Bei Cook hat die geistige Aufklärung ihre praktische Wirkung gezeigt.

Den gesamten Essay durchzieht diese Harmonie von Geist und Tat: geistige »Forschbegier« (S. 55) und »Durst nach Kenntnissen« (S. 54) müssen gerade in der Entdeckung einer terra incognita ihre höchste Befriedigung erhalten, aber geadelt wird Cooks Unternehmen vor allem dadurch, daß er sich dem »Antrieb des Herzens« überläßt und auf diesen »inneren Führer« sein Selbstbewußtsein gründet (S. 53). Gefühls- und Geisteswelt sind, wie Herder es sich für den vorbildlichen Menschen gewünscht hat, in Harmonie vereint und schaffen so die besten Voraussetzungen für ein erfolgreiches Handeln: »Tätigkeit ohne vorzügliche Geisteskräfte kann im Subalternen, Scharfsinn ohne regen Trieb zu handeln, im spekulativen Philosophen brauchbar sein; aber durch die Verbindung beider Eigenschaften ward Cook zum Entdecker.« (S.107) Cook, der *Entdecker,* der Mann, der nach neuen Ufern aufbricht und ins »Dunkel« das »hellste Licht« bringt (S. 22 f.), gerät so zur Symbolfigur der Aufklärung: ihm wächst wie selbstverständlich die Rolle des »großen Lehrers« zu (S. 116), und sein Leben soll allen zum »großen Muster« werden (S. 117). Wie schon Herder in seinem *Hutten* zielt auch Forster mit seinem *Cook* auf den noch bildungsfähigen »Jüngling«. Hat Cooks Tat ihre Rechtfertigung durch die Ethik und den Verstand erfahren, so wirkt sie nun zurück auf Empfindungen und Vernunft des Lesers. In direkter Rede, wie auch schon Herder, wendet sich der Autor an seinen Leser:

> »Sprich! wurdest Du nicht belehrt, aufgeklärt, zum Nachdenken erweckt; jetzt unwillkürlich durch Züge von erhabener Größe erschüttert; dann zu sanftem Mitleid, zur Tugend- und Menschenliebe hingerissen oder zum edlen Selbstgefühl und zum Streben nach nützlicher Betriebsamkeit entflammt und von Dank und Bewundrung für den Entdecker durchdrungen?« (S. 132)

Wäre Forsters Essay bei dem bisher Geschilderten stehengeblieben, so entspräche er den im vorhergehenden Kapitel behandelten Herderschen biographischen Skizzen, die zwar Ausblicke in die politisch-soziale Welt nahelegen, aber doch selbst voller Vorsicht operieren und deshalb eben mehr im Allgemeinen der ethischen und geistigen Erziehung verharren. Auch bei Forster finden wir den »Adel der Seele« angesprochen (S. 134) – Herder liebt die Benennung: der »Edle« für seine Helden –, aber zugleich wird ein klares soziales Umfeld abgesteckt: Cook ist der »Sohn eines Pächters«, den die »Dürftigkeit seiner Umstände« an der Entfaltung hindert, der bittere Lehrzeiten als »gemeiner Matrose und als Steuermann« durchmachen muß (S. 134): »Nichts gibt uns einen anschaulichern Begriff von der Festigkeit seines Charakters als diese lange Prüfungszeit, wo er im eigentlichsten Verstande mit seinem Schicksal kämpfte und dennoch den Sieg davontrug.« (S. 135) Mit Cook hat aber vor allem die Aufklärung gesiegt, ist doch in ihm jener »Grad von Vollkommenheit« erreicht worden (S. 117), der das Streben der Menschen rechtfertigt. Wie geistige und sittliche Vervollkommnung im *Cook* aber auch in die soziale und politische Ebene überwechseln, sei hier am Beispiel der typischen Aufklärungshoffnung auf ›Glück‹ bzw. ›Glückseligkeit‹ demonstriert.

Forster sieht mit Cooks Reisen, wie er es schon im Vorspann angesprochen hat, »die allgemeine Aufklärung aller gesitteten Völker« befördert (S. 121). Er stellt die rhetorische Frage: »wer raubt ihm dann den unsterblichen Ruhm, für das Glück vieler Tausende gearbeitet, ja selbst sich hingeopfert zu haben?« (S. 121). Seinen Leser läßt er nicht im Zweifel, was er unter Glück versteht:

> »Glücklich sein scheint demzufolge, wenigstens in der einzigen Welt, die wir kennen, einen Zustand zu bezeichnen, wo Arbeit und Ruhe, Anstrengung und Ermattung, Begierde und Befriedigung, Wollust und Schmerz, Freude und Leid miteinander wechseln, wo aber die frohen Augenblicke des Genusses kräftig genug zu neuer Tätigkeit reizen und lebenslang die möglichste Entwicklung aller

physischen und sittlichen Kräfte befördern. Die Extreme einer zu heftigen Erschöpfung und einer gänzlichen Befreiung von aller Mühe ersticken beide die Tätigkeit und machen nicht glücklich.« (S. 118)

Was sich hinter dieser allgemeinen Nennung von Extremen verbirgt, kann dem aufmerksamen Leser nicht entgangen sein, da Forster seine Definition des Glücks mit Beispielen vorbereitet. Die »Erschöpfung« zielt auf den geknechteten Menschen, dessen verzweifelte Gefährlichkeit Forster nicht verheimlicht: »Wo hingegen der Unterdrückte noch nicht gänzlich entkräftet ist, da kann ein Funke des Selbstgefühls noch Zunder in ihm finden und eine Flamme erwecken, die seinen Tyrannen verzehrt.« (S. 79) Mit dem »Tyrannen« ist der andere Pol benannt, den Forster am Beispiel des untätigen und ausbeutenden Menschen in Übersee beschreibt. Zugleich haben wir damit eine vorzügliche Illustration der von Forster betriebenen Desillusionierung des Südseekultes seiner Zeitgenossen: »Der gemästete Müßiggänger ist in O-Taheiti, wie in Europa, nur eine Mißgeburt der Regierungsform, die auf Unkosten einer arbeitenden und dienstbaren Klasse von Menschen existiert. Sollte sein Los uns nicht vielmehr ein Gegenstand der Verabscheuung als der Sehnsucht sein?« (S. 112)

Eine solche deutliche Sprache unterscheidet Forster von Herder. Ohne Scheu werden politische und soziale Bezüge hergestellt und unzweideutig wird »Glück« auch als eine politische Kategorie benannt: »Den Menschen zu erhalten und ihn glücklich zu machen, sind die beiden großen Probleme der Staatskunst.« (S. 112) Forster strebt Eindeutigkeit an und rückt dem Leser einen idealen Staat vor Augen, wo »die größte Anzahl glücklicher Menschen« lebt und »wo Freiheit der Person, des Eigentums, des Gewissens und des Denkens jede Art von Betriebsamkeit im höchsten Grade befördert und wo man, ohne sich zu erschöpfen, für alle Bedürfnisse des Staats mit einer Art von Verschwendung sorgt?« Wenn Forster im Anschluß daran hinzufügt: »Diese wenigen Züge sind gewiß hinreichend, jedermann einen Staat ins Gedächtnis zu rufen, der sie alle in sich vereinigt« (S. 119), so wird er dabei an das demokratische Modell der nordamerikanischen Staaten gedacht haben, die 1776 die Unabhängigkeitserklärung abgegeben hatten.

Hatte Herder sich einzig auf das humanistische Modell Benjamin Franklins berufen – »er der Menschheit Lehrer, einer großen Menschengesellschaft Ordner«[12] –, aber wahrscheinlich damit ähnliche Assoziationen beim Leser geweckt, wie sie sich Forster hier wünscht, so hat zwar auch Forster den amerikanischen Staatsmann (und Naturforscher) gerühmt – in den eingangs zitierten *Erinnerungen aus dem Jahr 1790* widmet er Franklin einen hymnischen Beitrag[13] –, aber vor allem war Forster an den politischen Konsequenzen eines humanistischen Denkens gelegen. Im *Cook* lassen sich dafür eindeutige Belege finden.

Die Heldenfigur Cook gewinnt nicht zuletzt deshalb ihre Größe, weil sich in der Figur des Schiffskapitäns auch die Vorstellung des Staatsmannes beleben läßt; die bekannte Metapher vom ›Staatsschiff‹ und seinem ›Steuermann‹ mag hier Pate gestanden haben. (Auch Herder hat im *Journal meiner Reise* diesen Vergleich hergestellt, indem er vom ›Monarchen‹ und seinem ›ersten Minister‹ spricht und das Schiff zum »Urbild« einer besonderen Regierungsform erklärt.) Jedenfalls entwirft Forster am Beispiel des Lebens an Bord eines Schiffes ein ideales Bild einer Gemeinschaft, das ohne Zweifel als Vorbild –

wie in Herders Vorstellung vom »Vaterhaus« und »Vaterland« auch – der (politischen) Gesellschaft dienen soll.

Wie das 18. Jahrhundert im ›Landesvater‹ die Vorstellung eines idealen Herrschers mitschwingen läßt, so greift auch Forster auf die Familienmetaphorik zurück und verknüpft damit zugleich die auf Gefühl gegründete (Familien-)Gemeinschaft:

> »Noch wirksamer war aber das feste Vertrauen des Volks auf die weise Führung seines Befehlshabers und die Ehrfurcht, die man allgemein an Bord für seine Talente und seinen Charakter hegte. Teils jene freiwillige Enthaltsamkeit von allem ausschließenden Genuß, teils unzählige Beispiele von seiner unermüdeten, väterlichen Sorge für das Wohl seiner Untergebenen stärkten ihr Vertrauen auf ihn bis zu einem Grade von Enthusiasmus.« (S. 73)

Wenn Forster 1790 von Franklin schwärmt, der »unumschränktes Zutrauen, treue Folgsamkeit und feste Anhänglichkeit unter Brüdern und ihm an Rechten völlig gleichen Menschen fand«[14], so zeichnet diese ›Brüderlichkeit‹ auch schon Cook aus, der z. B. »keine andre Speise als der gemeine Seemann« zu sich nimmt. Die darauf folgende Sentenz erhebt das individuelle Beispiel zum allgemeinen Vorbild: »Eine Last wird leicht, und die Gefahr verschwindet, wenn man sie mit andern teilt.« (S. 73) Cook unterscheidet sich eben vom »Seedespoten«, weil er »auch im Matrosen die Menschheit ehrt« (S. 74) – der gewünschte Gegenwartsbezug wird beim Leser des 18. Jahrhunderts nicht ausgeblieben sein – und sich selbst nicht auf ererbte bzw. durch ein Amt legitimierte *Rechte beruft,* sondern durch eigene Vorbildlichkeit *überzeugt.* Ihm eignet der von den Aufklärern ersehnte »Zug von Menschlichkeit« (S. 73). Immer wieder rühmt Forster Cooks »milde, väterliche Zucht« und seine »menschenfreundliche Achtung« (S. 117): »Auf diese Art setzte Cook sein Vorhaben durch und erlangte mit Gelindigkeit, was er durch Gewalt gewiß nicht erreicht haben würde.« (S. 101)

Das Plädoyer für die gewaltlose Durchsetzung eines allgemeinen Zustandes der Glückseligkeit – auch im Franklin-Porträt von 1790 wird Forster noch von dieser Hoffnung getragen[15] – verhindert es dennoch nicht, daß Forster auch auf mögliche Rebellionen hinweist, seien sie durch die Verzweiflung des Unterdrückten oder durch die schlechte Staatsführung ausgelöst. Zwar wählt Forster auch hier noch den Vergleich:

> »ein heftiger äußerer Stoß, ein Mißverständnis der Organe, Erschlaffung aus Mangel, Stockung aus Übermaß der Säfte verursachen in ihm [im Ganzen – H. S.], wie im einzelnen Tiere, Gärungen, Erschütterungen, Krankheiten und Zufälle aller Art, ja bisweilen gänzliche Auflösung oder Übergang in andere ähnliche Körper.« (S. 119)

Aber er vergißt nicht auf das »Gleichnis«-hafte selbst hinzuweisen und die gewünschte Parallele zum »Staat« zu ziehen.

Es wird nach dem bisher Ausgeführten wohl deutlich geworden sein, wie sehr Forster über Herder hinausgeht. Aber es ist nicht nur die direkte politische (und geschichtsphilosophische) Ebene, die neben die beschreibende tritt, wie Popp gemeint hat, sondern wir können auch eine Verschränkung beider Bereiche im *Cook* erkennen: In dem Entwurf eines neuen Staates in Übersee werden wir mit einer ›konkreten Utopie‹ konfrontiert. In der Biographik haben wir damit eines der wenigen Beispiele vor uns, wo ein Autor den Versuch unternimmt, einer möglichen Zukunft feste Konturen zu geben. Daß hier wahrscheinlich auch die Tradition des utopischen Modells im Roman gewirkt hat – denken wir nur an Johann Gottfried Schnabels *Die Insel Felsenburg* (1731–43), wo wir ja eine ähnliche Ausgangssituation einer Staatsgründung auf einer ›terra nova‹ vorfinden –, kann hier nur als Vermutung geäußert werden.

Die praktizierte Form der europäischen Kolonialmächte, in Übersee »Pflanzstädte« (Forster) anzulegen, um den Handel oder besser wohl: die Ausbeutung in ihren Kolonien zu steuern, wird von Forster noch sehr optimistisch aufgefaßt und als Chance gesehen, »die Kultur des Menschengeschlechts in allen Weltteilen« zu befördern (S. 111). Hier manifestiert sich der Kultur- und Bildungsoptimismus eines Mannes, dem die Perfektibilität keineswegs »als ein der Natur entgegengesetztes Extrem« erscheint (S. 7), sondern der mit ihr den Zustand einer allgemeinen Glückseligkeit erreichen will. Mit Blick wohl auf die Vorgänge in Nordamerika stellt Forster allerdings auch fest, daß es anscheinend in der »Natur aller Kolonien« liege, »sich [zu] *emanzipieren* und vom alten Stamme los[zu]reißen« (S. 121 f.). Darin erfaßt er die Chance zur Konstituierung »neue[r] Gesellschaften« (S. 122). Ihm kommt dabei die Idee einer idealen Staatsgründung in einer Region, wo nur wenige Eingeborene leben, über die sich die Ankömmlinge nicht zu Herren erheben sollen, weil sie sonst schon im Beginn ihre humanistischen Ideale verrieten, sondern: »wo folglich das Wachstum und Gedeihen der neuen Pflanzstadt bloß von ihren eigenen Kräften abhängen muß« (S. 124).

Von welchem starken Optimismus Forsters Entwurf getragen wird, fällt spätestens dann auf, wenn er von der Rückwirkung solcher idealen Staatsformen, in denen sich die Hoffnungen der Aufklärung erfüllen sollen, spricht:

> »Wie müßte nicht ein Staat in der südlichen Halbkugel, dessen Einwohner so unternehmend, so tätig, so heftig angespornt durch die Menge ihrer Bedürfnisse und so sinnreich in Erfindung der Befriedigungsmittel wären wie die Völker unseres Weltteils und der nordamerikanischen Freistaaten, die Verhältnisse aller nahen und fernen Nationen verändern?« (S. 126)

Daß sich solche Ideen an die Entdeckungsreisen und vor allem an die Person des Entdeckers Cook binden lassen, hebt diese Figur in die Ebene der »Helden des Altertums«, wie es bei Forster am Schluß des Essays heißt, »die auf Adlersschwingen zur Versammlung der seligen Götter emporgestiegen sind« (S. 137). Der bürgerliche Heros hat sich erhoben und Anschluß an die antike Götterwelt gefunden. Aber er hat sich zu legitimieren als »Freund und Wohltäter der Menschheit«, wie auch der englische Arzt und Schriftsteller David Samwell (1751–1798) Cook nennt. [16] Ob und wie sich dieser Typus des bürgerlichen Helden – Forsters Cook repräsentiert in Deutschland die erste überzeugende harmonische Verbindung von Geist und Tat – behaupten wird, kann erst die historische Betrachtung ergeben. [17]

In der jüngsten Forschung ist übereinstimmend festgestellt worden, daß nach anfänglicher breiter Zustimmung zu den Vorgängen in Frankreich in den frühen 90er Jahren eine Distanzierung bei den deutschen Intellektuellen eingesetzt hat: Noch für 1792 sieht Joachim Streisand »die wenigen deutschen Publizisten, die während dieser Jahre den französischen Zuständen feindselig gegenüberstanden« isoliert, für 1793 kann Walter Grab dann behaupten, daß es nur noch wenige Schriftsteller in Deutschland gegeben habe, »die den demokratischen Idealen treu blieben«. [18] Daß die Septembermorde von 1792, die Hinrichtung des Königs zu Beginn des Jahres 1793 und schließlich der Terror des Revolutionstribunals deutsche Schriftsteller erschreckt haben, ist schon im Zusammenhang mit Herders Reaktion erwähnt worden. Bei Georg Forster hingegen bleibt das politische Engagement erhalten, da er nicht mehr allein die geistige Aufklärung, sondern auch politisches Handeln als Voraussetzung für den gewünschten Zustand einer allgemeinen Glückseligkeit fordert. Wie eng beides zusammenwirken soll, zeigt gerade auch eine seiner letzten Schriften mit dem bekenntnishaften und programmatischen Titel *Über die Beziehung der Staatskunst auf das Glück der Menschheit* (1794). Aber nicht seine entschiedene Haltung, die Geist und Tat im politisch-sozialen Raum ansiedeln wollte, setzte sich durch, sondern eher die moderierte Form eines allgemeinen humanistischen Bekenntnisses, wie es in der Biographik am eindeutigsten und mit der nachhaltigsten Wirkung Goethes *Winckelmann* demonstriert.

4. Goethes »Winckelmann« (1805): Ein Harmoniemodell

Goethes *Skizzen zu einer Schilderung Winckelmanns*, [1] die 1804/05 entstanden sind und 1805 publiziert wurden, sind für das Verständnis der folgenden Entwicklung der Biographik im 19. und 20. Jahrhundert von herausragender Bedeutung. [2] Es gehört im Zusammenhang mit Goethes *Winckelmann* beinahe schon zu einem Beschreibungstopos, die Geschichtlichkeit herauszuheben: Die »Verflochtenheit mit den Zeitereignissen« rühmt Helmut Holtzhauer[3]; in einem Ausstellungskatalog zu *Winckelmann und Goethe* (Weimar 1968) wird behauptet, Goethe habe Winckelmann »zum ersten Mal als historische Gestalt gewürdigt und sein Leben aus den Bedingungen seiner Zeit gedeutet«. [4] Der Kommentator der Hamburger Goethe-Ausgabe gibt uns darüber hinaus eine Einordnung in die Goethesche Entwicklung:

> »Goethes Schrift ist der erste Versuch, Winckelmann vor dem Hintergrund der Kultur des 18. Jahrhunderts als geschichtliche Gestalt zu sehen und zu deuten. Die Methode, in aphoristischen Skizzen Umwelt, Bildungskräfte und Lebensstationen aufzuzeigen, hatte Goethe zum ersten Mal im Anhang der Buchausgabe seiner Übersetzung der Selbstbiographie des Florentiner Goldschmiedes Benvenuto Cellini (1500–1572) erprobt.«[5]

Auch Helmut Holtzhauer zieht die Linie vom *Cellini* (1803) aus: »Unverkennbar ist, daß es sich hier um das Präludium für die eigene Lebensbeschreibung handelt und das Thema angeschlagen wurde, das sich über ›Winckelmann‹ (1805) und ›Philipp Hackert‹ (1811) bis zu ›Dichtung und Wahrheit‹ (1. Teil 1811) steigert«. [6] Die enge Verknüpfung von Autobiographie und Biographie einer fremden Person ist ein häufig zu beobachtendes Phänomen, das uns noch mehrfach begegnen wird; hier soll zunächst der herausgestellten Geschichtlichkeit nachgegangen werden.

Tatsächlich hat Goethe sowohl im *Cellini* als auch in *Dichtung und Wahrheit* die Zeitgebundenheit betont. Im *Cellini* entwirft er sein Ideal einer Biographie, die »einen merkwürdigen Menschen als einen Teil eines Ganzen, seiner Zeit oder seines Geburts- und Wohnorts« betrachten soll. [7] Im Vorwort zu *Dichtung und Wahrheit* steht dann die bekannteste Definition:

»Denn dieses scheint die Hauptaufgabe der Biographie zu sein, den Menschen in seinen Zeitverhältnissen darzustellen, und zu zeigen, inwiefern ihm das Ganze widerstrebt, inwiefern es ihn begünstigt, wie er sich seine Welt- und Menschenansicht daraus gebildet und wie er sie, wenn er Künstler,
Dichter, Schriftsteller ist, wieder nach außen abgespiegelt«. [8]

Bildeten wir uns nach den bisher zitierten Charakterisierungen und den theoretischen
Äußerungen eine Vorstellung vom *Winckelmann,* so dürften wir – gerade auch nach der
Lektüre des Forsterschen *Cook* – ein Tableau historischer oder jedenfalls: kulturhistori-
scher Zustände im 18. Jahrhundert erwarten. Bei einem genaueren Blick in die *Skizzen*
müssen wir allerdings feststellen, daß hier ein anderes Geschichtsverständnis herrscht,
denn das Historische begegnet uns allenfalls in einem Zeitrafferstil:

»Eine niedrige Kindheit, unzulänglicher Unterricht in der Jugend, zerrissene, zerstreute Studien
im Jünglingsalter, der Druck eines Schulamtes, und was in einer solchen Laufbahn Ängstliches und
Beschwerliches erfahren wird, hatte er mit vielen andern geduldet. Er war dreißig Jahr alt geworden,
ohne irgendeine Gunst des Schicksals genossen zu haben; aber in ihm selbst lagen die Keime eines
wünschenswerten und möglichen Glücks.« (S. 481)

Diese literarische Raffungstechnik ist ein typisches Verfahren in der Goetheschen Biographik. Bernd Neumann hat in seiner Analyse von *Dichtung und Wahrheit* auf die
ästhetisierende und harmonisierende Darstellung geschichtlicher Ereignisse hingewiesen. [9] Wir werden solche literarischen Verfahren – in der modernen Theorie als ›ästhetische Kohäsion‹ und ›narrative Harmonisierung‹ bezeichnet – gerade in der Biographik
immer wieder aufweisen können. [10] Daß Goethe nicht an den allgemeinen historischen
Zuständen interessiert war, demonstriert im *Cellini*-Anhang die ehrliche und entlarvende
Überschrift des 10. Kapitels: »Flüchtige Schilderung florentinischer Zustände«. Ein Satz
daraus führt uns sein besonderes Geschichtsverständnis vor und gibt uns erneut ein Beispiel für die Raffungstechnik: »Ritter gegen Bürger, Zünfte gegen den Adel, Volk gegen
Oligarchen, Pöbel gegen Volk, Persönlichkeit gegen Menge oder Aristokratie findet man
in beständigem Konflikt.« [11]
Hier deckt sich ein Geschichtsverständnis auf, das nicht so sehr am historisch Einmali-
gen, sondern an dem Gleichbleibenden und Sichwiederholenden (»beständigem Konflikt«) interessiert scheint. Darin manifestiert sich Goethes bekannte Abneigung gegen
eine sich teleologisch entfaltende Geschichte, wie sie dem Aufklärungsoptimismus entsprach, und seine Neigung zu einem geschichtsphilosophischen Kreis- bzw. Spiralmodell
(»Auf diesem Wege wiederholen sich alle wahren Ansichten und alle Irrtümer«). [12] Einem solchen Geschichtsverständnis muß es in der Biographik mehr auf Konstanz und
Typik als auf Varianz und Singularität ankommen: Die Repräsentanz wird damit über
den Einzelfall erhoben. Im *Cellini* hat Goethe das sehr deutlich herausgehoben, indem er
eine ungewöhnliche Erhöhung dieses Künstlers vornimmt, die sich *historisch* nicht rechtfertigen läßt:

»In einer so regsamen Stadt, zu einer so bedeutenden Zeit erschien ein Mann, der als Repräsentant
seines Jahrhunderts und vielleicht als Repräsentant sämtlicher Menschheit gelten dürfte. Solche Naturen können als geistige Flügelmänner angesehen werden, die uns mit heftigen Äußerungen dasjenige andeuten, was durchaus, obgleich oft nur mit schwachen, unkenntlichen Zügen, in jeden
menschlichen Busen eingeschrieben ist.« [13]

Damit ist der Weg zu einer symbolischen Biographik eingeschlagen, die wir im 19. Jahrhundert noch genauer kennzeichnen werden. Manfred Fuhrmann hat dies in seinem Vortrag *Winckelmann, ein deutsches Symbol* (1969) schon beschrieben:

»Seither stand Winckelmann seinen Bewunderern nicht mehr schlechtweg als Gelehrter, als Künder griechischer Schönheit und als erfolgreicher Schriftsteller vor Augen wie einst den Zeitgenossen; er war jetzt eine Totalität von Leben und Werk, war ›Gestalt‹, Muster und erster Repräsentant neuer Menschheit, eingefügt in ein Bezugssystem überhöhender Begriffe.« [14]

Fuhrmann gibt im Anschluß an den Kunsthistoriker Wilhelm Waetzold die Grundmuster der Winckelmann-Biographik wieder:

»Waetzold hat erkannt, daß Winckelmann für etwas stand, daß er zu einem Idealtypus, einem Leitbild erhoben wurde, daß die Nachwelt glaubte, sich in ihm wiederzufinden. Waetzold nennt zwei Gründe, die diese Identifikation von Held und Publikum verursacht haben sollen: einen nationalen – Winckelmann stellte den ›idealistischen‹, den sich durch ›Bildung‹ verwirklichenden Deutschen dar – und einen sozialen Grund – Winckelmann habe zugleich den ›Mann des dritten Standes‹, den ›Bürger‹ repräsentiert, der durch ›Geist‹ auszugleichen suchte, was die Herkunft ihm versagt hatte.« [15]

In Goethes *Winckelmann* finden wir beide Aspekte angesprochen. Schon das Beispiel des gerafften biographischen Abrisses hat die sozialen Probleme – Armut und Entbehrung – in Winckelmanns Leben ins Spiel gebracht. Entscheidend ist allerdings dabei die Schlußwendung, die auf die eigenständige Lebensverwirklichung zielt, werden hier doch feine Fäden zu Goethes eigener Entwicklung gesponnen, die z. B. in der biographischen Skizze *Philipp Hackert* kräftiger gewirkt erscheinen. Dort heißt es über den Künstler am Hofe von Neapel:

»Er gehörte zu den Menschen, die auf eine entschiedene Weise ihres eignen Glücks Schmiede sind. Sein angebornes Talent entwickelte sich bald, und ein ruhiger Fleiß, eine unausgesetzte Bemühung brachte ihn nach und nach auf den Gipfel, wo wir ihn gesehen haben. Er war eine von den glücklichen Naturen, die bei einer großen Selbstbeherrschung jedermann dienen und niemand gehorchen mögen.« [16]

Damit ist einmal der auch Goethe gemachte Vorwurf des ›Fürstendieners‹ abgewehrt [17], zum anderen wird »die Einsicht in die Diskrepanz zwischen dem bürgerlichen Ideal individueller Selbstverwirklichung, wozu auch die Möglichkeit gesellschaftlicher Wirksamkeit gehört, und den durch die realen gesellschaftlichen Verhältnisse eingeschränkten Wirkungsmöglichkeiten der jungen bürgerlichen Intelligenz« erkennbar (Bürger). [18] Als Lebensmaxime wird daraus die Anerkennung einer erstrebenswerten Balance zwischen Selbstentfaltungsdrang und Beschränkung durch äußere Umstände gezogen. Das Spiel zwischen Freiheit und Notwendigkeit wird aber außerdem mehr in die Person verlagert, da bei Goethe ein Entelechieprinzip zur Wirkung kommt, das die Selbstverwirklichung durch die Entfaltung eigener Anlagen im individuellen Bildungsprozeß erreicht sieht. Bernd Neumann hat für *Dichtung und Wahrheit* aufgezeigt, wie die bisherige Berufung auf die Vorsehung der Entelechieerklärung weicht, die den Menschen zum sich selbst bestimmenden Subjekt macht. Aber die damit einhergehende Gefahr hat Neumann auch benannt: »Die Konzeption einer naturhaft bruchlos verlaufenden Individuation geht nicht nur notwendig auf Kosten der Schärfe der historischen, sondern auch der soziologischen Sicht.«[19]

Das soziale Moment bleibt auch im *Winckelmann* blaß. Goethe übt durchaus Kritik – z. B. an der mangelnden Unterstützung Winckelmanns durch den Grafen Bünau (S. 488) oder an dem herrrschenden »orientalische[n] Verhältnis des Herrn zum Knecht« in Italien (S. 511) –, aber insgesamt bemüht er sich um einen ausgleichenden Ton und um Vermeidung direkter sozialer Anklagen. (Herders frühe Arbeiten zu Winckelmann sind da aggressiver und offener.) Dennoch kann man, wie Horst Althaus, daraus eine positive Bewertung ableiten, indem man auf Goethes notwendige Rücksichten gegenüber der Herzogin Anna Amalia, der das gesamte *Winckelmann*-Buch gewidmet ist, verweist[20], aber es ist nicht zu übersehen, daß die zweite Komponente der Winckelmann-Typik bei Goethe stärker zum Zuge kommt: jene Selbstverwirklichung durch ›Bildung‹.

Zwar ist auch diese Form der Lebensverwirklichung, wie wir für die Biographik des 18. Jahrhunderts gesehen haben, eine Reaktion mit politisch-sozialer Perspektive, da sich das bürgerliche Individuum damit seiner Selbständigkeit versichert, aber daß Goethe noch 1805 dieses Konzept so starr vertritt, ja es sogar noch überhöht, gibt einer Gruppe der Intelligenz ein Modell an die Hand, das ihr erlaubt, sich aus dem intendierten sozialen und politischen Bezugssystem herauszuziehen: Während ein Teil des Bürgertums sich der politischen und sozialen Konsequenzen der Französischen Revolution bewußt ist und deshalb auch politisch und sozial argumentiert und die bürgerliche Bewegung in Deutschland zur Revolution von 1848 führt, fällt ein anderer Teil hinter diesen historischen Einschnitt zurück, läßt die Ideale des 18. Jahrhunderts erstarren und negiert die durch die Revolution eingetretenen Veränderungen im bürgerlichen Selbstverständnis. (Diese Vorgänge werden in der zweiten Jahrhunderthälfte, wie wir noch sehen werden, gerade auch die Biographik beeinflussen.) So verliert das Bürgertum allmählich seine Funktion als bewegende Kraft einer gegen den Feudalismus gerichteten Emanzipationsbewegung und erlebt eine Aufsplitterung seiner Interessen. Erst die proletarische Bewegung am Ausgang des 19. Jahrhunderts bringt wieder Dynamik in den Emanzipationsprozeß und deshalb schließen sich ihr auch Teile der Intelligenz an.

Wir sehen in Goethes *Winckelmann* eine letzte große Anstrengung eines bürgerlichen Idealismus, der sich gegen die auseinanderstrebenden und aufsplitternden bürgerlichen Partialinteressen anstemmt und dagegen ein Harmoniemodell entwirft, das in sich die Idealbildung von Freiheit (des Einzelnen) und Notwendigkeit (des Allgemeinen bzw. der Welt) herstellt.

Es ist im *Winckelmann* nicht zu übersehen, wie sehr Goethe die Harmonie thematisiert hat, ist doch das »Ganze« ein zentraler Begriff der *Skizzen*: Da soll »ein Ganzes« gebildet werden (S. 480), da wirkt ein »Ganzes«, und der Mensch soll sich »in einem großen, schönen, würdigen und werten Ganzen« fühlen (S. 482), Winckelmann erscheint »ganz und abgeschlossen« (S. 483), der Mensch der Antike ist der »wahrhaft ganze Mensch« (S. 485), da wird die »ganze Natur« beschworen (S. 487). Hinzu treten stützende Begriffe wie das »Vollständige seiner Persönlichkeit« (S. 484), »die Wonne der Unzertrennlichkeit« (S. 485), die »Vollkommenheiten« (S. 487) und die »Harmonie« (S. 492). Als negative Kontrastbegriffe finden wir: »Zerstückelung der Einheit«, »Zerteilung der Kräfte und Fähigkeiten« (S. 484), eine »kaum heilbare Trennung« (S. 483). Ist es da

moralische, d.h. im Sinne des 18. Jahrhunderts: handlungsorientierte Moment nicht nur in der individuellen Entscheidung sondern auch im Spielraum der generellen Möglichkeiten, welche die geschichtliche Situation zu einer solchen Entscheidung einräumt.

Einige wichtige-Fragen in diesem Konzept stehen zur weiteren Klärung an, etwa: Woher rührt die Wahrheit der poetisch-sinnlichen Erkenntnis, warum vermag gerade die Sinnlichkeit die Widersprüche der Epoche zu transzendieren? Was bedeutet unter materialistischem Blickwinkel jene Harmonie, welche die Widersprüche der Epoche überhaupt erst als solche ausweist? Ist es ohne Bedeutung für den Kunst- und den sich darauf beziehenden Erkenntniszusammenhang, welche Rolle die Intellektuelle in seiner jeweiligen historisch-gesellschaftlichen Formation spielt? Bleiben der "gemeine Mann", das "Volk" im Konzept einer materialistischen Literaturgeschichte immer nur passiv, d.h. Objekt ihres aufgeklärten Advokaten? Ist auch eine materialistische Literaturgeschichte weiterhin eine Literaturgeschichte nach Werken?

Universität Bochum/Universität Bielefeld   *Uwe-K. Ketelsen*

SCHEUER, HELMUT, *Biographie: Studien zur Funktion und zum Wandel einer literarischen Gattung vom 18. Jahrhundert bis zur Gegenwart.* Stuttgart: Metzler (1979). xvi + 312 pp.

The first comprehensive monograph on German biography began as a study of the widely popular biographies of Emil Ludwig and Stefan Zweig and was extended backwards and forwards to a detailed generic history. In the 18th century the key figure is Herder, who exhibits the Enlightenment movement from a private to a public world, opposing religious inwardness in favor of lives of public relevance in the service of mankind. Herder's biographical writings are implicitly political despite his apparent avoidance of political considerations. Georg Forster's biography of Captain Cook draws the political consequences of humanistic thought, treating for the first time a man of action, not a writer, and presenting the sea captain as a model of the enlightened ruler. But Goethe's *Winckelmann* already shows a falling away from these progressive purposes. Goethe abridges historical particularities in favor of the enduring and recurring; he presents the outstanding personality as a general representative of humanity, achieving harmony through *Bildung* and individualistic withdrawal. Goethe is held responsible for the 19th-century reconciliation with the social order and the location of a humanistic ideal in an arcane realm outside it.

In the 19th century biography did not exhibit much advance before 1848. Scheuer dismisses Varnhagen—perhaps a little too cursorily—as a continuator of the Plutarchan mode of praise of the powerful, and while he admires Gervinus' liberal activism, he detects a danger in Gervinus' exile of culture to the periphery. After 1848 biography became more important—it is one of Scheuer's axioms that the genre thrives in times of personal and public insecurity. The disoriented bourgeoisie was in need of consoling and inspiring models. Two strands develop: a politicized biography in the service of German nationalism and Prussian history, and an escapist and allegedly depoliticized intellectual and cultural biography composed from an aesthetic standpoint. The discussion of Treitschke as an example of the first is one of the most interesting and lively parts of the book. Both strands come out in the same place, eschewing rationality,

Motto "Poesie der Demokratie" findet sich auf dem Buchdeckel als pictura Goyas Stich "Der Traum der Vernunft gebiert Ungeheuer"; dieses Paradoxon: daß die Vernunft die Nachtmahre der Unvernunft und des Terrors hervorgebracht hat, daß aus der Aufklärung nicht der Citoyen sondern der Bourgeois hervorging, das versucht Scherpe in den subscriptiones seiner Abhandlungen zu Lenz, Schiller, zu Mainzer Pro- und Antirevolutionsschriften, zu A. Holz, Fontane und H. Mann historisch aufzulösen. Dabei arbeiten seine Studien aus der Literatur die Antinomien heraus, die zwischen bürgerlicher Poesie und historisch-gesellschaftlicher Realität bestehen und deren Grund Scherpe in der sozialen Wirklichkeit der bürgerlichen Epoche liegen sieht; die Werke werden als Formulierungen der Hoffnung auf die (bürgerliche) Emanzipation gelesen und gleichzeitig als Dokumente begriffen, die der Desillusionierung solcher Hoffnungen opponieren. "Widersprüche" (in diesem doppelten Sinn) heißt das immer wiederkehrende Stichwort Scherpes.

Dieser Rahmen muß allgemein bleiben, weil die einzelnen Artikel nicht als Fallstudien innerhalb eines größeren, ausformulierten Zusammenhangs angelegt sind; der gelegentliche Charakter ihrer Entstehung läßt sie als Splitter eines unausgeführten Ansatzes erscheinen, der dem Autor vorschwebt. Insofern mutet Scherpe dem Leser die Mühen Konsistenz stiftender Arbeit zu.

Man würde sich um mögliche Einsichten bringen, wollte man sogleich die "Selbstverständlichkeit" zum Drehpunkt des Urteilens machen, mit der Scherpe "die Erkenntnis der Wirklichkeit auf der Grundlage des wissenschaftlichen Sozialismus" (12) zum Fundament aller Einsichten erklärt, und sich vorschnell an der (Brecht angedichteten) Absicht einer "materialistischen Straffung der deutschen Literaturgeschichte" (13) stoßen. Statt aus Widerspruch gegen solche Widerspruchslosigkeit straks zur neopositivistischen "Literatursoziologie" überzulaufen, sollte man zunächst die Widersprüche in Scherpes Ķonzept aus materialistischen Literaturwissenschaft herausarbeiten und auf ihren Wert überprüfen, etwas zu den Prolegomena einer künftigen Germanistik beizusteuern. Im Gegensatz zur neopositivistischen Literatursoziologie will Scherpe nämlich den *ästhetischen Charakter* der literarischen Werke bewahrt sehen; er bezieht Literatur speziell in ihrer *ästhetischen* Qualität auf die Realität, indem er gerade darin ihr Widerstandspotential gegen den Gang der faktischen Ereignisse erkennt.

Was Scherpes Ansatz von demjenigen aus dem kunstidealistischen Geist der "Frankfurter Schule" vor allem unterscheidet, ist der Umstand, daß er die Widersprüche in den Werken als Widersprüche in den Autoren ausmacht: am überzeugendsten wohl bei Lenz, der den rationalen "Projektemacher", der er in der historischen Realität selbst hätte sein mögen, in der sinnlichen Gegenwart der Bühne eine lächerliche Figur machen ließ angesichts einer unversöhnten Wirklichkeit; beim jungen Schiller, der als Theaterautor sich selbst den idealischen Flug in eine vernünftige Gesellschaft versagte, indem er den Widerstand des aufgeklärten Absolutismus—ins Moralische sublimiert—anerkannte; am oberflächlichsten bei den Mainzer Jakobinern, die für die Idee der republikanischen Freiheit agitierten, welche sie den Mainzern aber nur schwer als die Freiheit für deren eigene Interessen plausibel machen konnten. ... Die Widersprüche der Epoche, ihre Utopien, die doch Illusionen waren, sind tief eingedrungen in die Autoren, die sich aber trotzdem gegen sie auflehnten. Scherpe entgeht der naheliegenden Gefahr eines idealischen Abhebens im Sinne der Dichterästhetik des 19. Jahrhunderts, weil er auf dem Grunde des ästhetischen Scheins das moralische Fundament der klassischen Kunstlehre sichtbar werden läßt: daß der Gedanke an die Freiheit in der Erscheinung als Analogon gebildet worden ist zum Postulat von der Selbstbestimmung der *praktischen* Vernunft. Nur sieht Scherpe das

offering coherence and harmony as substitutes for and distractions from social reality, and forming a bourgeois front no longer against the ruling class but against the bourgeoisie.

In the 20th century Scheuer begins wtih the George circle, especially Gundolf, who is unfavorably contrasted with Heinrich Mann. Characteristic of this era are elitist, mythifying, pessimistic, aesthetically harmonizing narratives of tragic fates. A *Führer* complex develops that was exploited by Nazism. Scheuer then turns to Ludwig and Zweig, both of whom were profoundly affected by World War I, Ludwig in the direction of an allegiance to democracy, and Zweig to pacifism. But these progressive commitments did not run deep. They, too, are hero-worshippers; their amateur, anti-Freudian, empathetic psychologizing leads to total authorial subjectivity and identification with the horizon of the petty-bourgeois public; the anecdotal, novelized procedure produces literary triviality, personalizes historical events, and evades political and social implications. They are contrasted unfavorably with the radical debunker Werner Hegemann. It is a telling circumstance that in 1932 Ludwig produced an admiring book on Mussolini; leadership in contemporary society had become so uninspiring that the dictatorships in Rome and Moscow appeared to Ludwig's kind of mentality as more promising. Scheuer concludes with an effort to define a progressive modern mode, which he traces back to unconventional beginnings in the 1930s: Hermann Wendel's *Danton*, Benjamin's *Baudelaire* fragment, and Siegfried Kracauer's *Offenbach*. The form Scheuer recommends is an analogue to the avant-garde novel: authorial uncertainty, avoiding the pretense that reality can be accurately apprehended and communicated; collage and disruption of orderly narrative, and, of course, the continuous presence of political and social circumstance. Among the several exemplary contemporary writers he mentions are Hans Magnus Enzensberger, Peter Härtling, and Wolfgang Hildesheimer.

Obviously this generic history is located in a socio-historical scheme developed in modern scholarship by Jürgen Habermas and others: the bourgeoisie, a progressive class in the 18th century, fell away from its progressive purposes in political abstinence, opposition to the proletariat, accommodation to the ruling order, and fascism, and now is utterly alienated in a disparate and chaotic apprehension of reality. In a preface, written, I expect, last, Scheuer confesses to some hesitations about the oversimplification of the category "bourgeois" in this scheme as well as about the demands it places for presentist, ideological relevance, but these doubts emerge only fitfully in the text. In my opinion there is much to be objected against this reading of history, though this is not the place to go into it. Part of the difficulty lies in Scheuer's belief that biography should form reader-consciousness, help readers out of their alienation and troubles, and communicate views of critical relevance to the present — a traditional Central European obsession about which I am very skeptical. Furthermore, it is clear from Scheuer's own evidence that the trends he describes were not without opposition from equally "bourgeois" quarters in their own time. Within the scheme Scheuer argues cogently and much that he has to say is instructive and persuasive. But I wonder if the cogency is not purchased by exclusions. That he concentrates on biography lying on the boundary between learning and popular writing can be justified, but the result is to leave out academic literary biography, which is also important to the history of the genre. Nothing is said, for example, of Strodtmann's influential Heine biography (first published 1867). Nor is there any mention of the often quite detailed biographies that Wilhelminian and Weimar scholarship prefaced to collected editions: H. H. Houben on Gutzkow and Laube; Ludwig Schröder on Freiligrath; Hermann Tardel on Herwegh; Adolf Wilbrandt on Fritz Reuter, to mention a few examples simply because they lie ready to hand. While these are not written as we would have them today, they have not seemed to me — especially not Houben's — heroizing, harmonizing, fictive, uncritical, or indifferent to historical and social circumstances. Irritating to me is Scheuer's dismissal of Richard Friedenthal, who is curtly identified as a contemporary successor to Ludwig and Zweig, with the remark that Friedenthal was Zweig's literary executor. It is very unfair to give Friedenthal such trivial ancestry; the great success of his Goethe biography seems to me entirely justified, and I think it a much more valuable book than, say, Härtling's *Niembsch,* which I confess I found unreadable.

Scheuer says at the outset that biography is flourishing greatly on the German literary market today. That may be true of the popular genre with which he is mainly concerned, but it certainly is not of literary biography, which has declined nearly to invisibility except for the relatively schematic forms in *rororo* monographs and the like. Perhaps this is because, as Scheuer's book indicates, some contemporary intellectuals seem scarcely to believe that there is such a thing as individual personality or an inner life; Scheuer seems intermitteny uneasy about the implications of this view, but perhaps not as much as he should be. I believe 19th-century literary history would benefit greatly from modern biographies, sensitive both to environmental determinants and to the nuances of personality, especially of those writers with long and sometimes adventurous lives with wide connectons: Tieck, Gutzkow, Laube, Alexis, Gerstäcker, for example. On the model of the avant-garde novel Scheuer and I part company; his view is grounded in epistemological and social-historical theories that I cannot share, and I doubt that abstruseness, disjunction, and narrative opacity are useful to biography that aspires to inform and explain. To seek for coherence in outstanding individual lives need not be disqualified as idealistic harmonization. Meanwhile, Scheuer's learned and careful comprehensive book is a very worthwhile ground for further more detailed and more differentiated discussion.

Yale University   *Jeffrey L. Sammons*

SÜSSENBERGER, CLAUS, *Rousseau im Urteil der deutschen Publizistik bis zum Ende der Französischen Revolution. Ein Beitrag zur Rezeptionsgeschichte.* Bern/Frankfurt/M.: Lang (1974). 352 S.

Während für die Wirkung Diderots auf die deutsche Literatur das große Werk von Roland Mortier (1954, dt. Übers. 1967) vorliegt, gibt es noch keine ähnliche Gesamtdarstellung für Rousseau. Sein Einfluß war sicherlich größer, denn er war nach Voltaire der meistgelesene Schriftsteller des 18. Jahrhunderts. Doch liegen nur Einzeluntersuchungen vor, wie z.B. Carl Hammers *Goethe und Rousseau* (1973) oder Max Kommerells *Jean Pauls Verhältnis zu Rousseau* (1924). Die Gründe dafür sind offensichtlich, denn nicht nur "schwankt sein Charakterbild in der Geschichte", sondern Rousseau bietet auch in seinen Schriften ein äußerst widersprüchliches Bild, einerseits als regressiver Kulturkritiker der Rückkehr zum primitiven Naturzustand, andererseits als progressiver politischer Theoretiker der Französischen Revolution. Deshalb ist es so schwierig, das Verhältnis der einzelnen Autoren zu Rousseau zu fixieren. Außerdem ist zwischen direkter und indirekter Wirkung zu unterscheiden. In den zwanziger Jahren warnte Wolfgang Liepe davor, die unmittelbaren Einflüsse Rous-

verwunderlich, wenn Goethe den festen Glauben an die Glückseligkeit des Menschen in eine sich Mut machende Frage kleidet, die mit starken Worten die menschliche Sinnbestimmung beschwört: »Denn wozu dient alle der Aufwand von Sonnen und Planeten und Monden, von Sternen und Milchstraßen, von Kometen und Nebelflecken, von gewordenen und werdenden Welten, wenn sich nicht zuletzt ein glücklicher Mensch unbewußt seines Daseins erfreut?« (S. 482) Winckelmann ist Goethe nun das Beispiel für einen Menschen, der – wie es im letzten Kapitel »Hingang« heißt – die »höchste[n] Stufe des Glücks« erreicht hat, und ausdrücklich wird dann seine Vorbildlichkeit betont: »Von seinem Grabe her stärkt uns der Anhauch seiner Kraft und erregt in uns den lebhaftesten Drang, das, was er begonnen, mit Eifer und Liebe fort- und immer fortzusetzen.« (S. 516) Was macht nun das Nacheifernswerte in der Gestalt Winckelmanns aus?

Vor allem ist Winckelmann für Goethe eine »antike Natur« (S. 483) und so die Verkörperung der Goetheschen Vorstellungen von Harmonie. Dabei wird die von Herder überwundene Dichotomie ›antik – modern‹ wieder belebt und die Antike als Norm der Gegenwart entgegengesetzt. Goethe hat Winckelmanns Idee vom vollkommenen Griechen bzw. Menschen auf seinen Helden übertragen und damit sein Harmoniemodell entworfen. (Daß historische Figuren zur Inkarnation ihrer eigenen Ideen oder dichterischen Ideale geraten, läßt sich in der Biographik, z. B. gerade in der Goethe-Biographik, immer wieder beobachten.) Schon im zweiten Kapitel »Eintritt«, nach einer kurzen »Einleitung«, steuert Goethe auf sein Ziel zu: Er scheidet einmal den »gewöhnlichen Menschen« und zum anderen »vorzügliche Geister« von den »besonders begabten Menschen«: Die ersteren sind bestrebt, »die äußere Welt mit Lust zu ergreifen« und demonstrieren damit eine mehr extravertierte Haltung, die zweiten sind durch »eine Art von Scheu vor dem wirklichen Leben« gekennzeichnet und ziehen es vor, »sich in sich selbst zurückzuziehen«. Die Synthese wird bei den dritten faßbar: sie bemühen sich, »zu allem, was die Natur in sie gelegt hat, auch in der äußeren Welt die antwortenden Gegenbilder zu suchen und dadurch das Innere völlig zum Ganzen und Gewissen zu steigern, so kann man versichert sein, daß auch so ein für Welt und Nachwelt höchst erfreuliches Dasein sich ausbilden werde.« (S. 480 f.) Winckelmann, an dessen einseitiger Ausrichtung an der Antike Herder Kritik angemeldet hat, wird so von Goethe zum Ideal eines Menschen stilisiert, der Inneres und Äußeres, Geist und Tat, vita contemplativa und vita activa zum harmonischen Ausgleich in sich gebracht hat.

Wenn hier das Konstrukthafte des Goetheschen Porträts betont wird, so bedarf es noch der stützenden Argumentation. Wir brauchen uns allerdings nicht auf einen Streit einzulassen, ob Winckelmann richtig gezeichnet wurde – oder wer ihn besser erfaßt hat: Herder oder Goethe? –, sondern können allein schon aus der literarischen Technik erkennen, wie sehr bei Goethe eine Idee am Anfang gestanden haben muß und wie dann eine Übertragung auf eine Person erfolgt ist und damit jener Typus variiert wird, den wir im Eingangskapitel in Anlehnung an Romein als ›deduktive‹ Biographik bezeichnet haben, weil sie sich an Normen, seien sie durch die Temperaments- oder Affektenlehre oder durch die vorherrschenden Gemeinplätze des Heldenlobes gegeben, ausrichtet.

Wir haben gezeigt, wie Herder seine Vorstellungen einer neuen Biographik gerade im Kontrast zu jener Vorherrschaft der ›Gemeinplätze‹ entwickelt hat. Dabei hat er sich auch mit einem literarischen Verfahren auseinandergesetzt, das den deduktiven Ansatz auszeichnet:

»Eingänge zu Lebensbeschreibungen durch einen Allgemeinsatz sind höchst mißlich. Welcher Allgemeinsatz erschöpft ein menschliches Leben? welcher verführt nicht öfter, als er zurechtweiset? In den lateinischen *memoriis* sind solche Gemeinplätze hergebracht; hier, wünscht man, wachse die Bemerkung an ihrer natürlichen Stelle im Fortgange der Erzählung hervor, oder sie versiegle zuletzt den Eindruck des Ganzen.«[21]

In Goethes *Winckelmann* finden wir dieses von Herder beanstandete Verfahren wieder und haben damit ein erstes Beispiel dafür, daß Goethe in der Biographik hinter einmal errungene Positionen zurückgeht: Goethe gibt in einzelnen Kapiteln, z. B. in den Skizzen »Heidnisches«, »Freundschaft« und »Schönheit«, jeweils zunächst einen allgemeinen Entwurf in Form einer Reflexion zum Thema, die ihre historische Legitimation in der Antike findet, und leitet dann mit einer demonstrativen sprachlichen Geste zum besonderen Fall Winckelmann über: »Dieser heidnische Sinn leuchtet aus Winckelmanns Handlungen und Schriften hervor« (S. 484); »Zu einer Freundschaft dieser Art fühlte Winckelmann sich geboren« (S. 486); »Für diese Schönheit war Winckelmann, seiner Natur nach, fähig« (S. 487).

Plädiert Herder für die historische Sukzession (»im Fortgange der Erzählung«) und war dieses Prinzip gerade im 18. Jahrhundert, wie wir gesehen haben, als Fortschritt gegenüber der »von der Antike sanktionierten systematischen Gliederung« (Niggl) aufgefaßt worden[22], so übernimmt Goethe wiederum diese alte Einteilung, bekennt sich damit zu einem ahistorischen Muster und unterstreicht die Vormacht des Allgemeinen: Statt der Chronologie bietet er im ersten Drittel – wir können eine Dreiteilung in den 25 bzw. 24 Skizzen, wenn wir das »Eintritt«-Kapitel nicht mitzählen, ausmachen – schon Aggregatzustände des Winckelmannschen Wesens und Seins und betont so das Statische: »Antikes«, »Heidnisches«, »Freundschaft«, »Schönheit«, »Katholizismus«, »Gewahrwerden griechischer Kunst«. Dem schon genannten entelechischen Prinzip gehorchend, führen die beiden zuletzt genannten Kapitel zum zweiten Drittel über, das mit »Rom« beginnt, wo nun die beschriebenen Anlagen im Leben Winckelmanns zum Zuge kommen und damit die individuelle Variante der allgemeinen Beschreibungen vorgeführt wird. Das letzte Drittel, das mit »Erlangte Einsicht« beginnt, hebt wiederum die statischen Elemente hervor, zeigt es doch den zu Sicherheit und Selbstverwirklichung gelangten Winckelmann, der seine individuelle Abrundung erfahren hat: Er ist, wie es schon zu Beginn im Kapitel »Antikes« geheißen hat, »ganz und abgeschlossen« (S. 483). Das »Allgemeine« zu Anfang der Skizzen, so hebt Goethe ausdrücklich hervor, erfahre damit seine Anwendung auf das »Besondere« (S. 509). In Kapiteln wie »Gesellschaft« und »Welt« führt uns Goethe einen Helden vor, der im Umgang mit den ›Großen‹ Selbstsicherheit und Wertbewußtsein erlangt hat, der aber auch die Zustimmung dieser Schicht sucht: »Wir finden bei Winckelmann das unnachlassende Streben nach Ästimation und Konsideration« (S. 513).

Die schon angesprochenen autobiographischen Anklänge in den biographischen Skizzen bei Goethe sind hier nicht zu überhören; ebenso nicht im *Philipp Hackert,* wo die Selbstverwirklichung des Künstlers im Fürstendienst herausgestellt wird. Christa Bürger hat in jüngster Zeit (1977) mit eindrucksvollen Belegen die Goethesche Selbststilisierung – und auch die damit zusammenhängende Idolatrie der Zeitgenossen – vorgeführt und dabei auch auf den *Winckelmann*-Essay verwiesen. Sie vertritt die These, daß sich beim klassischen Goethe die »Hypostasierung des Künstlers zur auratischen Persönlichkeit« erkennen lasse und dabei auch ein genereller Vorgang sichtbar werde: »Versucht man, den beobachteten Wandel der Rezeptionshaltung zu erklären, so wird man annehmen können, daß die Verschiebung des Rezeptionsinteresses vom Werk auf die Person des Autors im Zusammenhang zu sehen ist mit der sich durchsetzenden Institutionalisierung der Trennung von Kunst und Lebenspraxis.« [23]

Zwar wird die folgenden Darstellung zur Biographik des 19. Jahrhunderts die Autonomiethese für die Kunst bestätigen, aber andererseits nicht die von Bürger vermutete generelle Verschiebung des Interesses vom Werk zur Person: Gerade in der geistesgeschichtlichen und auch in der Biographik des George-Kreises, die Bürger ebenfalls anspricht, finden wir eher die Idee vom klassischen Kunstwerk vertreten, bei der der Künstler hinter das Werk zurückzutreten habe. (Was Bürger erst für die Zeit nach 1945, z. B. bei Emil Staiger, annimmt [24]). Das bedeutet nicht, daß bei der erkennbaren Auratisierung der Werke, die Christa Bürger ebenfalls sieht, nicht zugleich auch eine Auratisierung der Persönlichkeit beabsichtigt ist. Behilflich ist dabei jene als Gestaltphilosophie dann im George-Kreis sich hervordrängende Einheitsideologie von Autor und Werk, die in Fuhrmanns Zitat zur symbolischen Biographie schon angesprochen wurde und die sich auch in Goethes *Winckelmann* findet: »Seine Werke, verbunden mit seinen Briefen, sind eine Lebensdarstellung, sind ein Leben selbst.« (S. 504)

Im Hinblick auf Goethes *Winckelmann* ist Christa Bürger jedoch völlig zuzustimmen, denn gerade z. B. im Vergleich mit Herders beiden Winckelmann-Essays, in denen vor allem eine Würdigung der Schriften erfolgt, wird bei Goethe deutlich, wie sehr sich die Gewichtung zur Person verlagert hat: Waren für Herder die Schriften jeweils wichtig als Beitrag zur Fortentwicklung der Menschheitsgeschichte, so sind sie bei Goethe vor allem wichtig für die Selbstverwirklichung des Individuums, das sein »Leben in seine Schriften eingearbeitet« hat (S. 504). Der fruchtbare Vergleich Wielands mit Goethe, den Bürger unternimmt und der zum Ergebnis führt, daß »Diskussion und Kontemplation« die unterschiedlichen »Rezeptionshaltungen« sind, die bei beiden zum Ausdruck kommen [25], läßt sich auch auf Herder und Goethe anwenden.

Für die Herdersche Biographik haben wir den starken Drang zur Öffentlichkeit herausgehoben – was Bürger als »Lebenspraxis« beschreibt – und für die auf Leseransprache und Diskussion zielende Intention Herders den Essay als die adäquate literarische Form bezeichnet. Diese offene und dialogische Haltung wird bei Goethe merklich zurückgenommen: Schon die selbstsichere Einordnungsgeste des Autors, der von allgemeinen Maximen den Bogen zum individuellen Fall seines Helden spannt, verändert die Funktion des Lesers, der nun auf Zustimmung und vor allem auch auf Ehrfurcht verpflichtet wird; in der »Vorrede« heißt es ausdrücklich, man wolle Winckelmann »feiern« und ihm ein »wohlgemeintes Opfer« darbringen (S. 478). Die dynamischen Elemente der Herderschen Biographik weichen damit statischen: das Herdersche ›Denkmal‹ erstarrt zum Monument. [26]

Scheint die von Goethe verwendete Bezeichnung »Skizzen« dem zu widersprechen, da

darin das Offene und Unabgeschlossene, der ›Versuchs‹charakter des Essays, zum Ausdruck kommt, so wird gerade in diesem scheinbar ungezwungenen Arrangement die of-
fenkundige Spannung erkennbar zwischen einer herausgehobenen Harmonie, wie sie in
der Beschwörung der antiken Natur des Helden am deutlichsten faßbar ist, und jener
mitschwingenden Angst vor der »Zersplitterung«. Die schon angesprochene enge Verbindung von biographischen Arbeiten und Autobiographie läßt die Vermutung zu, daß
Goethe auch in den Skizzen schon eine formale Harmonisierung anstrebt, was z. B. in der
kompositionellen Durchformung als Dreiteilung im *Winckelmann* oder in der monaden-
haften Selbständigkeit der einzelnen Skizze erkennbar wird, aber diese erste in *Dichtung
und Wahrheit* erreicht.[27]

Daß wir auch in Goethes *Winckelmann* jenen von Christa Bürger beschriebenen Prozeß einer Verlagerung vom »Lebensbezug« zur »Kontemplation« erkennen können, bestätigt Goethes Lob der beschaulichen Haltung und des Genusses: »Durch die Freude des
Genusses ward er zuerst zu den Kunstschätzen hingezogen« (S. 491). Am deutlichsten
wird die Veränderung in der Biographik und in ihrer Funktion im Vergleich mit Herders
und Forsters biographischer Essayistik: Die sittliche Vervollkommnung wird aus dem
Prozeß der Menschheitsgeschichte, der durch die Leistungen von Einzelnen vorangetrieben wird, in die Einzelfigur verlagert, in der sich im Lauf der biologischen Entwicklung
die (angeborenen) Anlagen nur noch zu entfalten brauchen. Zwar kennt auch Herder
dieses entelechische Prinzip – »Das Göttliche in uns wird mit uns gebohren«, heißt es im
Winckelmann von 1781[28] –, aber die individuellen Anlagen zeitigen allgemeine Folgen, sie werden zum Wohl der Menschheit eingesetzt. Goethes *Winckelmann* hingegen
sucht sich selbst und ist mit sich selbst zufrieden; statt sich in der Welt zu öffnen, ist er
eben »ganz und abgeschlossen« (S. 483).

Goethes *Winckelmann* zeichnet ein Konzentrationsprozeß aus, der sich möglichen
zentrifugalen Kräften (der ›Zersplitterung‹) entgegenstemmt und damit Sicherheit und
Harmonie zu erzeugen hofft. Bestätigt finden wir uns in dieser Ansicht, wenn wir uns das
starke Gegenwartsinteresse vor Augen halten, dem diese Schrift auch zu dienen hatte.
Denn sie ist »Streitschrift, Gedächtnisrede und Programm zugleich« (Holtzhauer), richtet sie sich doch gegen jene »neukatholische Sentimentalität«, die der Goethesche Mitstreiter Johann Heinrich Meyer den Romantikern vorwarf: Jenes »klosterbrudrisieren-
de, sternbaldisierende Unwesen«.[29]

Die Glorifizierung Winckelmanns, seine Festlegung auf das Heidnische und den antiken Menschen und damit auf Gottähnlichkeit – in der Antike war Gott »zum Menschen
geworden, um den Menschen zum Gott zu erheben« (S. 487) – sind für Goethe von unmittelbarem Gegenwartsinteresse, da sie einmal als ein Mittel gegen die romantische
Entgrenzung ins Mystisch-Irrationale aufgefaßt werden – der »Neuere« werfe sich »fast
bei jeder Betrachtung ins Unendliche« (S. 482) – und zugleich auch ein Akt der Goetheschen Selbstdisziplinierung sind, lebt doch auch in ihm der »Sinn für das Ungebundene«,
wie Horst Althaus in seiner Untersuchung des *Winckelmann* schreibt.[30] Althaus hat
darauf hingewiesen, wie sehr die »erotische Libertinage« des Helden dem Autor als we-
sensverwandt erscheinen mußte. Wir können noch ergänzend hinzufügen, daß ihn auch
die »göttliche Anarchie« Roms fasziniert haben wird, die er im Kapitel »Rom« von Wilhelm von Humboldt preisen läßt (S. 494), und daß ihm ebenso die Gefahren bewußt wa-

ren, »bei der einzelnen Ausarbeitung des mannigfaltigen Wißbaren sich zu zerstreuen, in unzusammenhängenden Kenntnissen sich zu verlieren« (S. 484). Aber nicht zu überlesen ist das Bekenntnis am Ende des Kapitels »Unternommene Schriften«: »denn Beschränkung ist überall unser Los.« (S. 504)

So erweist sich der Goethesche *Winckelmann* als ein mühsam ausbalanciertes Harmoniemodell, das den Ausgleich zwischen vita activa und vita contemplativa sucht und ihn eigentlich mehr fordert als verwirklicht; ›Entsagung‹ erscheint – wie in *Wilhelm Meisters Wanderjahre* (1821) – als Teil der bürgerlichen Selbstverwirklichung; der teleologische Geschichtsprozeß mündet in eine klassische Überhöhung ein. Damit werden Dichtung und Wahrheit verschmolzen, die Aristoteles im neunten Kapitel der *Poetik* noch als getrennte Bereiche annimmt, weil er dem Dichter die Phantasie und dem Geschichtsschreiber die Realität zuspricht, jenem das »Allgemeine« und diesem das »Besondere«: »daß der eine erzählt, was geschehen ist, der andere, was geschehen könnte«. In Goethes Idee und Entwurf eines an der Antike ausgerichteten Humanismus, wie er im *Winckelmann* vertreten wird, schießen Geschichte und Idealität bzw. Utopie, Besonderes und Allgemeines, Real- und Idealfigur zusammen und schaffen so die Apotheose Winckelmanns.

Der Eindruck von Harmonie wird im *Winckelmann* nur noch durch Reduktion und Konzentration erreicht: Auch wenn Goethe *theoretisch* anders argumentiert, wie wir schon gesehen haben, so hat er doch weitgehend die geschichtlichen, gesellschaftlichen und politischen Momente eliminiert. Darin kann Christa Bürger zugestimmt werden, »daß Goethe die Praxisbereiche Geselligkeit, Moral, Politik, Beruf und Kunst streng voneinander absondert«[31], denn schon in der angesprochenen Eigenständigkeit der einzelnen Skizzen im *Winckelmann,* z. B. »Charakter«, »Gesellschaft«, »Fremde«, »Welt«, wird mehr ein neben- als ein zuordnendes Verfahren erkennbar, so daß zwar Facetten eines Porträts hergestellt werden, aber gerade deren jeweilige Geschlossenheit einen harmonischen Zusammenschluß verhindert. Wir haben es bei diesen Skizzen nicht mit einem Verfahren zu tun, wie es z. B. dem Essay eignet, der die aphoristisch-variierende Annäherung an seinen Gegenstand liebt, der Perspektivenreichtum und Distanzveränderung sucht. Bei Goethe bleiben Perspektive und Distanz gleich: er begegnet seiner Figur mit Hochachtung und Verehrung, ordnet sie und ihre Leistung aber zugleich selbstsicher und entschieden in ein von ihm entworfenes Raster ein.

Goethes Harmonie stellt sich im wesentlichen doch über die mehrfach gerühmte »wahre, reine Bildung« her (S. 495) – und deshalb ist der *Winckelmann* so wirkungsvoll. Schon in der Sprache scheint sich der Wunsch nach Befreiung vom Unreinen der materiellen, der irdischen Existenz vorzudrängen. Wir dürfen jedoch vermuten, daß im *Winckelmann,* wie z. B. im *Wilhelm Meister* auch, die äußere Welt noch eine notwendige Aufgabe im Selbstverwirklichungsprozeß zu übernehmen hat. Spätere Biographen Winckelmanns neigen dann dazu, nur noch die Bedrängnis bzw. die Behinderung herauszustellen, die das Individuum erfahren hat. Allerdings wird der ursprünglich mit der Bildungsidee verbundene soziale Anspruch des Bürgertums im *Winckelmann* nur noch schwer erkennbar. Walter Benjamin hat für die Klassik eine harte Beurteilung abgegeben, die auch zum Verständnis des *Winckelmann* beitragen kann: »Versöhnung mit dem Feudalismus durch ästhetische Erziehung und im Kult des schönen Scheins [...] Das klassische Gesetz der Menschenbildung hat Goethe Mignon ins Lied gelegt: ›So laßt mich scheinen, bis ich werde.‹« [32]

Benjamins Urteil wird entscheidend durch die Kenntnis von der Rezeption der Klassik geprägt worden sein, denn tatsächlich hat diese ihre besondere Rolle bei der Erzeugung jener ›höheren‹ Welt gespielt, in der sich die bürgerliche Intelligenz im 19. Jahrhundert einzurichten begann. Aus dieser Welt des Scheins sollte dann eine Verklärung und schließlich auch Versöhnung mit der Realwelt erfolgen. Wenn Christa Bürger für Goethe behauptet: »Die Synthese der getrennten Lebensbereiche ereignet sich in einem fast mystischen Raum, im Arkanbereich schöpferischer Individualität« [33], so ist damit zugleich auch die Wirkungsmacht der Goetheschen Harmonieentwürfe beschrieben. Denn gerade die Unbestimmtheit eröffnet die Möglichkeit subjektiver Auslegung.

Goethes Entwurf eines humanistischen Menschenideals kann einmal in Zusammenhang mit Schillers Vorstellung von einer notwendigen ästhetischen Erziehung gebracht werden: Der wünschenswerte »Uebergang von dem leidenden Zustande des Empfindens zu dem thätigen des Denkens und Wollens«, die Verbindung des Sinnlichen mit dem Vernünftigen, ist für Schiller nur als Ergebnis einer ästhetischen Versöhnung vorstellbar. [34] Die gleiche Sehnsucht nach Harmonie und Einheit, die wir bei Goethe finden, läßt Schiller der Kunst eine Funktion zur »Beförderung allgemeiner Glückseligkeit« zusprechen. [35] »Die politische und gesellschaftliche Bedeutung der Kunst sieht Schiller darin, daß sie den Menschen erst zu sich selbst bringt, ihn mit sich versöhnt, und ihn dadurch zur befreienden gesellschaftlichen und politischen Tat befähigt.« (Rüsen) [36]

Es kann aber im Blick auf die Rezeptionsgeschichte nicht übersehen werden, daß die Schillersche Vorstellung von der Kunst, in der auch immer das soziale Moment mitgedacht ist, im 19. Jahrhundert ihre Umformung zu einem Autonomiekonzept erfährt, wie es Jochen Schulte-Sasse eindrucksvoll beschrieben hat. Die Verbindung zwischen manifester sittlicher und ästhetischer Forderung und gewünschter sozialer und politischer Folgerung wurde gekappt und damit die Kunst zum Selbstzweck erklärt und ihr jede Perspektive genommen. [37]

Auch das Goethesche Harmoniemodell, wie es im *Winckelmann* entworfen wird, verändert sich im Zuge solcher Rezeptionsvorgänge. Goethes Beharren auf dem idealistischen Modell erfährt unterschiedliche Interpretationen: Die bürgerlich-demokratische Opposition der Vormärzzeit (z. B. Börne, Heine, Menzel) rügt den fehlenden Wirklichkeitsbezug, [38] die Geistes- und Kulturhistoriker in der zweiten Hälfte des 19. Jahrhunderts überhöhen das idealistische Modell und wenden es – in ähnlicher Weise, wie Goethe mit Winckelmann verfährt – auf Goethe selbst an. Dabei verändert sich die Harmonievorstellung des 18. Jahrhunderts entscheidend. Für die Winckelmann-Biographik hat Manfred Fuhrmann die Richtung beschrieben: »Das soziale Motiv verblaßte, je mehr sich die Zeit von Winckelmanns ständisch-aristokratischer Umwelt entfernte; das nationale Motiv erstarkte, je mehr sich der Nationalismus auch sonst zum alles beherrschenden Prinzip erhob.« [39]

Die Veränderung der Biographik im 19. Jahrhundert, die wir in den folgenden Kapiteln beschreiben wollen, bestätigt eher Goethes Befürchtungen im *Winckelmann* von der »Zerteilung der Kräfte und Fähigkeiten« und der »Zerstückelung der Einheit« (S. 484). Aber vor ihm hatte schon Lessing in seinen Überlegungen zur *Erziehung des Menschen-*

geschlechts (1780) die Gefährdung eines teleologisch ausgerichteten und geschichtsop-
timistischen Modells beschrieben. Im 92. Abschnitt heißt es: »Und wie? wenn es nun gar
so gut als ausgemacht wäre, daß das große langsame Rad, welches das Geschlecht seiner
Vollkommenheit näher bringt, nur durch kleinere schnellere Räder in Bewegung gesetzt
würde, deren jedes sein Einzelnes eben dahin liefert?« [40]

Wird hier der Fortschritt als gemeinsame Leistung der durch gleiche Ideen beflügelten
Individuen gesehen, so muß das Gefährt des Fortschritts ins Schlingern geraten, wenn
einzelne Räder sich asynchron drehen. Damit ist die Geschichte des Bürgertums bildhaft
erfaßt. Die sich aufsplitternden bürgerlichen Interessen und der Verlust einer gemeinsam
getragenen Überzeugung von der Menschheitsgeschichte werden auch in der Biographik
erkennbar.

III. BIOGRAPHIK IM 19. JAHRHUNDERT

1. Einleitung: Übergang von der Klein- zur Grossform – Friedrich Sengles Analyse – Biographik nach 1848

Ist im 18. Jahrhundert in Deutschland die Biographik vor allem als literarische Kleinform, als ›Charakteristik‹, ›Skizze‹, biographischer Abriß in Werkausgaben bzw. Lexika, beliebt, so setzt sich im Laufe des 19. Jahrhunderts die große ausgeführte wissenschaftliche oder künstlerische Biographie durch. (Wobei die Grenzziehung zwischen Wissenschaft und Kunst eine besondere Problematik ausmacht.) 1856 kann Heinrich von Sybel in seinem Bericht *Über den Stand der neueren deutschen Geschichte* »das rasche und glänzende Aufblühn eines bei uns fast leblosen Zweigs der Geschichtsschreibung« konstatieren.[1] Friedrich Sengle, der uns in seiner Literaturgeschichte der Biedermeierzeit über die Entwicklung der Biographie in der Zeit von 1815 bis 1848 unterrichtet (II, S. 306–321), hat nicht nur mit einem Zitat von Eduard Gans, der die Biographie stärker von der Geschichtswissenschaft getrennt sehen will, die theoretische Diskussion in der ersten Jahrhunderthälfte skizziert, sondern auch Sybels Werturteil bestätigt, indem er die Biographik vor 1848 als »farblos, abstrakt, idealisierend« charakterisiert (S. 307). Immer noch behauptet sich jene Nekrolog- und Biographietradition, auf die Herder so gereizt reagiert hat.

Aufschlußreich ist Sengles Hinweis auf den Brockhaus-Artikel zur Biographie von 1835, in dem nur eine »denkwürdige Person« für biographiewürdig erachtet und dabei, so Sengle, »zuerst an Fürsten, Hochadel, Minister usw.« gedacht wird (S. 308). Die bekannteste Biographiensammlung aus dieser Zeit, Karl August Varnhagen von Enses *Biographische Denkmale* (5 Bände, 1824–30), paßt sich nicht nur in die alte Tradition der Biographiensammlung ein, die sich bis in die Antike, zu Plutarch und Sueton, zurückverfolgen ließe, sondern bleibt in ihrer Heldenwahl im wesentlichen dem voraufklärerischen Herrscherlob verpflichtet. (Sengle hat bei Varnhagen am Beispiel des Canitz-Porträts die unkritische Idealisierung nachgewiesen.)

Wenn Sengle uns die umfangreichen Biographienwerke dieser Zeit, z. B. die zwanzig Bände *Oesterreichischer Plutarch oder Leben und Bildnisse aller Regenten und der berühmtesten Feldherren, Staatsmänner, Gelehrten und Künstler des österreichischen Kaiserstaates* (1807–14) von Joseph von Hormayr, vorstellt, uns außerdem mit den *Schiller*-Biographien von Heinrich Döring (1822) und Caroline von Wolzogen (1830), mit dem *E.T.A. Hoffmann*- und *Chamisso*-Biographen Julius Hitzig bekanntmacht, so muß sich bei uns der Eindruck verstärken, daß innovative Ansätze in der Biographik zu dieser Zeit weitgehend fehlen. So aufschlußreich es vielleicht wäre, diese biographische Tradition eingehender nachzuzeichnen und zu analysieren, dabei Konstanz und Varianz herauszustellen, so erfordert nicht nur die Arbeitsökonomie eine Beschränkung, die zudem durch Sengles Forschung gerechtfertigt wird, sondern mehr noch muß sich das Erkenntnisinteresse auf die Entwicklung jener Neuansätze in der Biographik konzentrieren, die bisher schon im Mittelpunkt der Betrachtung standen und die wir vor allem am Beispiel der Herderschen Biographik kennengelernt hatten. Eine ähnliche Einschränkung erfolgt auch bei der Biographik der Fachhistoriker, über die wir durch die Dissertation von Eckhart Jander gut informiert sind.

Nach dem oben zitierten Ausspruch Sybels beginnt erst nach 1848 die eigentliche Blüte der Biographik. Sengle ist Sybel in dieser Einschätzung gefolgt und hat als Erklärung angeboten, daß ein Verlust an geschichtlicher Sinnimmanenz, an erkenntnistheoretischem Optimismus, eingetreten sei, der aufzufangen versucht wurde, indem »die Geschichte im Subjekt symbolisch« zur Anschauung kommen sollte. (S. 321). Unsere Untersuchung wird diese These im wesentlichen bestätigen, besteht doch ein Hauptergebnis darin, daß wir die Biographie als Entwurf einer ›höheren‹ Welt kennzeichnen.

Überblicken wir die Biographik des 19. Jahrhunderts, so können wir in einem idealtypischen Verfahren zwei Hauptstränge isolieren, die beide von der skizzierten Biographik des 18. Jahrhunderts ihren Ausgang nehmen: einmal eine historisch-politische Biographik, zum anderen eine geistes- bzw. kulturgeschichtliche. Es fällt nicht schwer, bei beiden den gemeinsamen Ursprung zu erkennen, da die alten Ideale der ›Menschheitsgeschichte‹ – ›Tugend‹ bzw. ›Sittlichkeit‹, ›Bildung‹ bzw. ›Kunst‹ – übernommen werden; allerdings haben sie z. T. erhebliche Umwertungen erfahren.

Das Goethesche Harmoniemodell, das sich um eine Balance zwischen vita activa und vita contemplativa bemüht hat, bricht auseinander, wobei die Teile jeweils für das Ganze genommen werden: Die Vertreter der vita activa entwerfen ein neues Harmoniemodell mit dem »Primat der Wissenschaft über die Kunst im Namen der Politik und der Moral« (Westphal)[2], die Verfechter der vita contemplativa idealisieren Vergeistigung und Ästhetisierung des Lebens. Wir haben damit ein historisches Beispiel für die geschichtstheoretischen Modelle, die im einleitenden Kapitel »Gegenwartsinteresse« vorgestellt wurden und in denen es um die aktivierende bzw. kontemplative Funktion der Geschichtsschreibung ging. Erklärbar wird diese Trennung durch die sozialen und politischen Vorgänge im Nachfeld der Französischen Revolution und im Vorfeld der Revolution von 1848. Einerseits wuchs das Selbstbewußtsein des Bürgertums so sehr, daß die verdeckte ästhetisch-moralische Argumentation in eine offene politisch-soziale übergeleitet werden konnte: Menschheitsgeschichte mußte sich nicht mehr allein in sittlicher und moralischer Vervollkommnung erfüllen, sondern politische und soziale Forderungen konnten frei artikuliert werden; andererseits hat der Verlauf der Französischen Revolution nicht nur Hoffnungen, sondern auch Ängste geweckt. Das Individuelle schien durch die nivellierende Macht der ›Massen‹ gefährdet. War einerseits eine Geschichte der Menschheitsentwicklung als Geschichte der Klassenkämpfe deutbar oder – weniger radikal – als teleologisch angelegte Nationalgeschichte, so konnte andererseits die Berührung des Bürgers mit der Politik in Berührungsangst umschlagen. Durch die gescheiterte Revolution von 1848 erlitt das noch unsichere bürgerliche Selbstbewußtsein eine starke Beeinträchtigung.

In der Folgezeit wird erkennbar, daß bürgerlicher Optimismus und demokratische

Utopie der Vormärzzeit oft nur als Zeichen einer revolutionären Ungeduld zu interpretieren sind, die einer Belastungsprobe nicht standzuhalten vermochte. Spätestens bei den
politischen Ereignissen der 1860er Jahre – Preußens Sieg über Österreich und vor allem
im Verfassungskonflikt von 1866 – wird nämlich deutlich, daß sich große Teile des Bürgertums zu einem Arrangement mit dem Staat bereitfanden: Die Faszination, die ein
Machtstaat wie Preußen anscheinend ausübte, wurde verstärkt durch soziale und ökonomische Interessen, die einer Nationalstaatsbildung unter preußischer Hegemonie für
große Teile des Bürgertums akzeptabel machten.[3]

Für die Entwicklung der Biographik können wir folgende grobe Skizze entwerfen: Auf
der einen Seite finden wir einen Historikertyp, der staatliche Macht über sittliches Recht
legitimierte und die nationalen den verfassungspolitischen Zielen des Bürgertums über-
ordnete. »Je mehr die von der Paulskirche herkommenden nationalorientierten Historiker in den Sog der machtpolitischen Erfolge Preußens gerieten, um so schwächer wurden
ihre liberalen Widerstände gegen die bürokratisch-machtstaatliche preußische Politik.«
(List)[4] Auf der anderen Seite finden wir Wissenschaftler und Künstler, die die ökono-
misch-sozialen Fortschritte des Wirtschaftsbürgertums ablehnten und mit einer ästhetischen ›Opposition‹ reagierten.

»Historismus wurde zur Kulturkritik des industriellen Kapitalismus. Letzteres trieb die Ästhetisierung der Geschichte auf die Spitze. Die Kunst blieb Substanz der Geschichte, und doch wurde sie
gegenüber der ursprünglichen Geschichtskonzeption des Historismus etwas ganz anderes. Sie
wurde zum Fluchtpunkt des historischen Denkens, das die gegenwärtig wirkliche Geschichte kul-
turkritisch überspringt und dadurch unzeitgemäß wird.« (Rüsen)[5]

Wir wollen im folgenden getrennt die Entwicklung der politisch-historischen und der
kultur- und geistesgeschichtlichen Biographik verfolgen. Daß beide Positionen – Politisierung und Ästhetisierung oder vita activa und vita contemplativa – in Wirklichkeit
nicht so streng zu trennen sind, wird die abschließende Betrachtung erweisen. Hier wird
zunächst um der besseren Darstellbarkeit willen mit Idealtypen operiert, da auf der einen
Seite die Ästhetik offensichtlich mehr akzidentielle Funktion, d. h. zur Legitimierung der
Macht eingesetzt wird, im anderen Fall eine mehr essentielle Bedeutung hat, d. h. zum
Zufluchtsort bürgerlicher Ängste wird. Wenn über den bürgerlichen Roman gesagt wurde, er sei die »literarische Sublimationsform bürgerlicher Melancholie« (Lepenies)[6], so
gilt für die Biographie Ähnliches. (Es ließe sich ein fruchtbares Interpretationsverfahren
denken, das Roman- und Biographieentwicklung parallelisierte.)

Als aufschlußreiche Übergangsformen sollen zwei Essays über Georg Forster vorange-
stellt werden, in denen sich beide Positionen in einem frühen Stadium erfassen lassen.

2. BÜRGERLICHE HELDENPORTRÄTS – FRIEDRICH SCHLEGELS UND GEORG GOTTFRIED GERVINUS' »GEORG FORSTER«. EIN VERGLEICH

Wollen wir eine Illustration für die allgemeinen Ausführungen zum Harmoniemodell
und dessen Gefährdung haben, so können wir z. B. Friedrich Schlegels *Georg Forster.
Fragment einer Charakteristik der deutschen Klassiker* von 1797 und Georg Gottfried

Gervinus' *Johann Georg Forster* von 1843 miteinander vergleichen. [1] Es wäre reizvoll, die starken autobiographischen Bezüge, die jeweils von Gervinus und Schlegel in ihre Porträts eingebracht werden, herauszuarbeiten und aufeinander zu beziehen; das soll jedoch nur an einzelnen Punkten geschehen, wenn damit die Hauptlinie dieses Kapitels, das jeweilige Gegenwartsinteresse, kräftiger gezogen werden kann. [2]

Daß es hier jeweils um bestimmte Gegenwartsinteressen geht, läßt sich schon aus einem beliebten Verfahren der Biographik ersehen, Einzelnes bzw. Besonderes und Typisches bzw. Allgemeines miteinander zu verknüpfen und damit Vergangenes für die Gegenwart zu aktualisieren. Ähnlich wie in Goethes *Winckelmann*, der zeitlich zwischen beiden Essays liegt (1804/5), werden wir von einem einleitenden allgemeinen Teil zum Besonderen, zur individuellen Verdeutlichung, geführt. Goethe geht es dabei um die harmonische Verbindung von innerer und äußerer Welt. Der Übergang zu Winckelmann wird mit jener schon aufgezeigten verdeutlichenden Geste vollzogen (»Unser Winckelmann war von dieser Art«)[3], die wir auch bei Gervinus wiederfinden: »Ein solcher Mann ist *Johann Georg Forster*« (S. 319); Schlegel gelingt eine stilistisch ausgefeiltere Überleitung, indem er nochmals seine These wiederholt und sie auf Forster bezieht: »Unter allen eigentlichen Prosaisten [...] atmet keiner so sehr den Geist freier Fortschreitung wie Georg Forster.« (S. 195) Welche allgemeinen Zuordnungen werden nun jeweils der individuellen Skizze vorausgeschickt?

Schlegel geht es um die Rolle des Schriftstellers in der Gesellschaft (»Jeder klassische Schriftsteller ist ein Wohltäter seiner Nation«, S. 193), wobei sein besonderes Interesse dem Prosaisten gilt. Indem für ihn Prosa und Poesie »so unzertrennliche Gegensätze wie Leib und Seele« (S. 194) sind, kann er die Prosa in die Ebene der »klassischen Schriften« heben, wenn sie sich um »Bildung« bemüht. Für sie gilt: »so muß ihre Richtung und Stimmung den Gesetzen und Forderungen der Menschheit entsprechen« (S. 195). Nach kurzer Überleitung kann er dann Forster als Prosaisten und zugleich als Klassiker feiern.

Gervinus geht es ebenfalls um Umwertung und Neubestimmung. Doch wo Schlegel im Geistigen verharrt und über die Bildung die Verbindung zur Welt herstellt, bezieht sich Gervinus gleich im ersten Satz auf »die Taten und Charaktere der handelnden Menschheit« (S. 317) und betont damit den gesellschaftlich-politischen Aspekt. Er sieht nicht nur die »Geisteswerke« (Schlegel) falsch beurteilt, sondern auch andere Leistungen eines Mannes, »der einmal der öffentlichen Geschichte angehörte« (S. 318). Es sei eine wichtige Aufgabe, »der Masse ihre Götzenbilder umzustoßen« und »manchen Liebling der Feinfühligen in seine Blöße zu entkleiden« (S. 318). Gerechtigkeit müsse einem Mann widerfahren, »in dem sich wahrhafte Größe des Geistes und Charakters unzweideutig erkennbar gemacht hätte« (S. 319).

Was sich in der allgemeinen Exposition jeweils angedeutet hat, findet dann seine Verstärkung in der biographischen Skizze: Schlegel hebt immer wieder den Geist, die Seelenkräfte, die Wahrheits- und Wissenschaftsliebe, den hellen Verstand hervor und behauptet schließlich: »Denn Genie ist Geist, lebendige Einheit der verschiedenen natürlichen, künstlichen und freien Bildungsbestandteile einer bestimmten Art.« Sieht Schlegel darin eine »glückliche Harmonie« (S. 213), so bewertet Gervinus das Forstersche Leben mehr aus der sozialen und politischen Perspektive. Zwar verzichtet er nicht auf die geistig-kulturelle Bedeutung, aber zuallererst ist ihm Forster eine handelnde Natur: »Forster war *überhaupt kein Mann des Buches* [...] in ihm war die Tätigkeit des Geschäftsmannes von regem Sinn des Handelns verbunden mit dem Scharfsinn und den vorzüglichen Geisteskräften des überschlagenden Philosophen.« (S. 322 f.) Forster meistert »den schwierigen Übergang von der Idee zur Tat« (S. 325), den Gervinus auch sonst immer wieder gefordert hat. [4] Er kann deshalb nicht nur über den Naturforscher, sondern auch über den Jakobiner Forster offen und kritisch zugleich schreiben, während Schlegel eher verschämt über die Französische Revolution hinweggleitet und sich lieber »der höhern politischen Kritik« (S. 202) zuwendet. Hannelore Schlaffer hat in ihrem eingehenden und vorzüglichen Aufsatz über Schlegels Essay das Fazit gezogen: »aber nicht als Revolutionär gilt Forster, sondern als einer, der über Revolution schreibt: Forster bleibt Schriftsteller.« [5] Dennoch darf dabei nicht übersehen werden, daß es eine sehr mutige Tat war, den verfemten Forster so rasch nach dessen Tod (1794) als ›Klassiker‹ zu würdigen. Auch darin könnte sich etwas von einer verdeckten politischen Argumentation verbergen, die allerdings durch die Darstellungsweise paralysiert würde.

Wenn Schlegel mit den traditionellen Topoi – Bildung und Tugend – eine ästhetische Harmonie herstellt, so kann das nicht darüber hinwegtäuschen, daß die Ideale der vorrevolutionären Epoche aus ihrer dynamischen Funktion in eine statische übergeleitet worden sind. Sie sind zwar immer noch als Beitrag zur politischen Emanzipation des Bürgertums gemeint, deshalb kann Klaus Peter bei Schlegel auch einen Schritt von der Moralität zur Politik feststellen [6], aber Selbstsicherheit und Überzeugungskraft sind merklich geschwunden. Schlegels 1797 geschriebener Essay ist eine vorzügliche Illustration der schon angesprochenen politischen Berührungsangst, die manche Bürger im Verlauf der Französischen Revolution ergriffen hat. Um Forster für sein ästhetisch-geistiges Weltbild zu retten, muß Schlegel den Politiker auf den Schriftsteller – und dieser wird außerdem noch in die Ebene der ›Klassiker‹ entrückt –, die Taten auf die Ideen zurückstufen. Diesem Bemühen dienen die auffällig häufigen Allgemeinplätze und vagen Umschreibungen, denen die nüchterne und zupackende Diktion in Gervinus' Porträt konstrastiert. (Eine Beobachtung, die wir beim Vergleich Gundolf – H. Mann wieder machen können.)

Beide rühmen die harmonische Persönlichkeit – Schlegel das »Streben nach dem Unendlichen«, das »Weitumfassende seines Geistes« (S. 197); Gervinus die Verschmelzung von »Geist und Willen, Wissen und Wirken« (S. 401) – und greifen die aufklärerische Utopie von der ›Vervollkommnung‹ des Menschen auf, die sie über die Sittlichkeit befördert sehen. Es ist allerdings bezeichnend, daß Schlegel »die echte Sittlichkeit« der *Werke* lobt: »Überall zeigt sich in ihnen eine edle und zarte Natur, reges Mitgefühl, sanfte und billige Schonung, warme Begeisterung für das Wohl der Menschheit, eine reine Gesinnung, lebhafter Abscheu alles Unrechts« (S. 197), oder von der »künstlerischen Sittlichkeit« spricht (S. 210); Gervinus dagegen rühmt Forsters »Sittenadel« (S. 329). Die Vervollkommnung der Menschen – von Schlegel idealistisch umschrieben als »sittliche Bildung«, die »alle Wollungen, Begehrungen und Handlungen umfaßt, deren Quelle und Ziel die Forderung ist, alles Zufällige in uns und außer uns durch den ewigen Teil unsres Wesens zu bestimmen und demselben zu verähnlichen« (S. 199) – wird von Gervinus gerade über Schlegels Beschränkung hinausgeführt: Er beruft sich auf Forster, daß man nicht »Vollkommnung, Kultur und Bildung der Natur als etwas Feindliches« entgegensetzen dürfe (S. 334), und beschreibt »jene Harmonie der Geisteskräfte«, die rein geistige Bildung, ganz im Sinne Schillers, als eine Übergangsstufe. Für Forster konstatiert er:

> »Solch ein Mann war berufen, einen Schritt weiterzugehen [...] Er lehrte dieselbe Totalität, dasselbe Gleichgewicht der Kräfte, aber erweiterter [...] Er wollte wie der Denk- und Einbildungskraft so auch der Tatkraft zu ihren getrennten Flügen die Flügel gleich unbeschnitten wissen; er verachtete, die bloß reden und nicht handeln konnten« (S. 400f.).

Ohne Zweifel hat Gervinus das korrektere Porträt gezeichnet, indem er auf den tätigen Menschen Forster das Hauptgewicht legte.[7] Nehmen wir – neben der heute gut dokumentierten Biographie Forsters selbst – nochmals Forsters biographischen Essay *Cook der Entdecker* (1787), so finden wir hier nicht nur Zweifel an der einseitigen These, »die Perfektibilität als ein der Natur entgegengesetztes Extrem zu betrachten«, sondern auch Forsters Harmonievorstellung, die dann wiederum von Gervinus mit fast den gleichen Worten auf ihn selbst übertragen worden ist, wie die oben zitierte Charakterisierung (»Forster war überhaupt kein Mann des Buches«) beweist: »Tätigkeit ohne vorzügliche Geisteskräfte kann im Subalternen, Scharfsinn ohne regen Trieb zu handeln, im spekulativen Philosophen brauchbar sein; aber durch die Verbindung beider Eigenschaften ward Cook zum Entdecker.«[8]

Wie sehr dagegen Schlegel Forster auf eine allgemeine und idealistische Ebene gehoben hat, sei an einem Beispiel belegt: Den »echten Geist gesetzlicher Freiheit« rühmt Schlegel in Forsters Schriften: »Ihm stand es an, zu sagen: ›Frei sein, heißt Mensch sein‹« (S. 196). In Forsters *Cook* hätte Schlegel ohne Mühe Verdeutlichung und Anwendung des Freiheitsbegriffes entdecken können. Forster spricht da von der »Freiheit der Person, des Eigentums, des Gewissens und des Denkens«, die »jede Art von Betriebsamkeit im höchsten Grade befördert«. (An anderer Stelle spricht er im Zusammenhang mit dem »Sieg der Vernunft« von der »Preßfreiheit«.)[9] Wenn Schlegel Forster nachrühmt, »er verabscheute auch hier die Geistesknechtschaft und haßte die geistliche Verfolgungsucht« (S. 200), so hat nicht nur Forster selbst bewiesen, daß er auch politische und soziale Knechtschaft beseitigt sehen wollte, sondern in seinem *Cook* auch ein praktisches Beispiel geliefert, wenn er den Kapitän rühmt, »der auch im Matrosen die Menschheit ehrt« und damit sich von den »Seedespoten« abhebe.[10] Schlegel kann solche realistisch-pragmatischen Züge für sein Forster-Bild nicht gebrauchen und gerade deshalb bleibt die *biographische* Skizze blaß; dagegen verwirft Gervinus – mit Berufung auf Forster – eine Wissenschaft, »die sich selber Zweck ist, eine Selbstbildung, die von der Wirksamkeit nach außen absieht« (S. 401). Im Porträt des Prosaisten, Philosophen und Kritikers Forster hat Schlegel starke autobiographische Elemente eingearbeitet und damit den individuellen Fall Forster zu einem allgemeinen des Schriftstellers in der Gesellschaft gemacht. Unterstrichen wird dieser Eindruck durch den weitgehenden Verzicht auf eine direkte Namensnennung und die Bevorzugung typisierender Charakterisierungen, wie »klassischer« und »gesellschaftlicher Schriftsteller«, »Prosaist«, »Philosoph«, »Künstler«, »Weltbürger«. Dem vorbildlichen Prosaisten – unschwer ist hier Schlegels Selbstporträt zu erkennen – eignet »Weltbürgerlichkeit« und »Gesellligkeit«, er erfüllt »die Gesetze und Forderungen der gebildeten Gesellschaft« (S. 206; vgl. S. 210) Die Harmonie, so behauptet Schlegel im Schlußsatz, erfülle sich in der Wissenschaft: »Die Wiedervereinigung

endlich aller wesentlich zusammenhangenden, wenngleich jetzt getrennten und zerstük-
kelten Wissenschaften zu einem einzigen unteilbaren Ganzen erscheint ihm als das erha-
benste Ziel des Forschers.« (S. 214)

Wie sehr solche autobiographischen Rückschlüsse erlaubt sind, wäre einmal im Rekurs auf den romantischen Kunst- und Wissenschaftsbegriff und damit zugleich auf
Friedrich Schlegels Position zu beweisen; hier soll nochmals mit einem biographischen
Essay eine Bestätigung gegeben werden. Schlegels *Über Lessing* erschien im gleichen Jahr
1797 wie der *Forster*-Essay. Aber nicht nur wegen der Zeitgleichheit eignet sich der *Lessing* zum Vergleich, sondern auch wegen der Personen: haben wir doch mit Lessing ebenfalls einen Schriftsteller, der starke Außenwirkung mit seinen Schriften gesucht und erreicht hat. Bei Schlegel ist davon nichts zu lesen!

Auch im *Lessing* [11] finden wir wieder den Bezug zur »Universalität« (S. 219) und
sehr häufig zum ›Ganzen‹ (»Das Wesen der höhern Kunst und Form besteht in der Beziehung aufs Ganze«, S. 247), wobei »sittliche Bildung und sittliche Größe« (S. 219) als
konstituierende Elemente gesetzt werden. Hatte Herder in seinem *Lessing*-Porträt den
Verkünder der Wahrheit gefeiert [12], so widmet Schlegel nicht einmal der inhaltlichen,
sondern allein der ästhetischen Dimension der Schriften seine Aufmerksamkeit (»voll
Kraft, Geist und Salz«, S. 227) und erhebt den Autor zur ästhetischen Instanz: das »Ganze« stellt sich nicht mehr über den Weltbezug her, sondern einzig durch den immanenten
Kunstzusammenhang. Einmal kann »man das Werk nur im System aller Werke des
Künstlers« verstehen, zum anderen gilt es die historische Traditionslinie zu erkennen:
»daß nur der den Geist des Künstlers kennt, der diejenigen gefunden hat, auf die er sich
äußerlich vielleicht durch Nationen und Jahrhunderte getrennt, unsichtbar dennoch bezieht, mit denen er ein Ganzes bildet, von dem er selbst nur ein Glied ist« (S. 243).

Indem ein neuer, kunsthistorischer Konnex geschaffen und als »organische[r] Zusammenhang« (S. 243) ausgewiesen wird, wird der Schriftsteller aus dem (politischen
und sozialen) Gegenwartsbezug gelöst und erhält eine Autonomie zugesprochen, die ihn
aus der unübersichtlichen Horizontalen seiner Gegenwart in die klare Vertikale der
(Kunst-) Geschichte hebt, aus einer bunten Zeitgenossenschaft in die hehre Gemeinschaft
der ›Großen‹ der Geschichte. Diese Abnabelung von der Gegenwart und Anbindung an
die (Kunst- bzw. Kultur-) Geschichte hat für die Biographik der Folgezeit eine überaus
große Bedeutung. (Aber natürlich auch für die Dichtung insgesamt, die gerade mit dem
forcierten Autonomieanspruch im 19. Jahrhundert ihre progressive und kritische Funktion – als Beitrag zur bürgerlichen Emanzipation – aufgibt. [13])

Liegt uns mit Schlegels Essays *eine* mögliche Veränderung des Goetheschen Harmoniemodells vor, nämlich eine auf ästhetische Harmonie als Selbstzweck und z. T. schon
auf die vita contemplativa ausgerichtete Biographik, so erfassen wir mit Gervinus' Porträt eine andere Verformung.

Auch bei ihm lassen sich starke autobiographische Bezüge herstellen: Gervinus' Abneigung gegen den »Quietismus« Goethes und auch Friedrich Schlegels, sein Bekenntnis
zu Schiller (»ich glaubte in Schillers Geiste, daß der Umweg durch Kunst und Wissenschaft für des Vaterlandes staatliche Geschicke keineswegs verloren sei«) finden sich im
Forster-Essay wieder. [14] Allerdings hat er dafür bessere Argumente als Schlegel für sei-

nen Ästheten Forster, hat doch dieser – wie wir in seinem *Cook* gesehen haben – immer wieder die »nützliche[r] Betriebsamkeit« gefordert und politische Argumente aus der Menschheitsgeschichte des 18. Jahrhunderts bezogen. Für Gervinus' Forderung, der Künstler müsse »vom Parnasse hinweg zum Forum« [15], ist Forster sicherlich ein guter Beleg. Mit Recht spricht ihm Gervinus eine Wendung »gegen den moralischen Quietismus der Glückseligkeitslehre« und »gegen den intellektuellen Quietismus« zu (S. 349 f.): »Ihm war des Schreibens zuviel, des Handelns zuwenig in Deutschland« (S. 353) [16]; auch der Vergleich mit Schiller, der sich allerdings für den »Dichterberuf« (S. 372) entschieden habe, leuchtet ein. Eigenwilliger ist schon die aus Gervinus' nationalpolitischem Verständnis Forster unterschobene Wendung gegen die »großtönendsten Predigten für den Kosmopolitismus« (S. 392) und noch subjektiver die Behauptung: »Republik hieß ihm die konstitutionelle Monarchie« (S. 381). Damit hat Gervinus Forster in die politische Pflicht genommen und ihm seine eigenen staatspolitischen Vorstellungen unterlegt. Gervinus' Gegenwartsinteresse ist eindeutig als ein nationalpolitisches zu bestimmen: »Forster soll uns als ein edles Vorbild praktischer Ausbildung, als ein Muster von energischer Charakterentfaltung, als ein Bahnzeiger für die politische Richtung vorleuchten« (S. 400). Vergleichen wir damit z. B. Forsters Idealbild eines Menschen, wie er es im *Cook* den deutschen Jünglingen als Vorbild entwirft, so fällt einerseits noch Forsters starke Betonung der idealistischen Menschheitsphilosophie (»Tugend- und Menschenliebe«) auf und andererseits die nüchtern-realistische Überleitung in eine »nützliche[r] Betriebsamkeit« und der Wunsch nach »zweckmäßiger Entwicklung« und »praktischen Erfahrungen«. [17] Forster hat allerdings mehr die moderne Welt des Handels im Auge, wie z. B. auch in den *Ansichten vom Niederrhein*, und gehört damit zu den wenigen Intellektuellen, die die ökonomische Funktion des Bürgertums direkt ansprechen und in ihr die Macht des Bürgertums erkennen. [18] Im Gegensatz z. B. zu Lichtenberg, dessen *Cook*-Essay sieben Jahre vor Forsters Porträt erschien (1780) und in dem mehr die naturkundliche Forschungsreise gewürdigt wird [19], hat Forster durchaus »die Einträglichkeit« der Cookschen Reisen für die englische Wirtschaft erkannt und jene schon geschilderten Vorstellungen von ›Pflanzstädten‹ entworfen, die aus den Handelsniederlassungen in Übersee entstehen würden. [20] Gervinus spricht zwar den Handel als »den Nerv der neueren Kultur und Staaten« an (S. 332) und zitiert Forsters »großen Kaufmann, dessen Spekulation die Kontinente verknüpft« aus den *Ansichten* (S. 352), aber sein Hauptinteresse gilt dem staatspolitischen Bereich.

Wenn Gervinus »auf die Kümmerlichkeit und Jämmerlichkeit der öffentlichen Verhältnisse in Deutschland« zu sprechen kommt, »die alle Männer von handelnder Natur [...] auf eine schmähliche Weise abnutzen und die wirkenden Kräfte des Menschen durch Untätigkeit und Nichtachtung ungebraucht konsumieren«, und den »Schatz von praktischem Talente« verschleudert sieht (S. 324), so übernimmt er keineswegs Forsters Vorstellungen von der Funktion des Handels, die letztlich auf eine Allianz der Intelligenz mit dem Handelsbürgertum hinausläuft und damit eine breite Gemeinsamkeit des Bürgertums anstrebt, sondern hebt vor allem den politischen Akteur ans Licht. Diese Einengung kennzeichnet das aufgespaltene Interesse des Bürgertums, das auch für das Scheitern der 1848 er Revolution verantwortlich gemacht werden kann. Unter dem lautstark vorgetragenen Wunsch nach ›Einheit‹ verbergen sich bei näherem Hinsehen unterschiedliche

Gruppeninteressen: ökonomische (Handelseinheit, Zollverein), politische (Nation) und kulturelle (Schlegels »Ganze« des Traditionszusammenhangs).

Obwohl Gervinus durch seinen Widerstand gegen die preußische Nationalstaatsbildung, die ihm als unsittlich galt[21], unsere Hochachtung verdient, da er damit einer der wenigen intellektuellen Opponenten war, so hat seine forciert politische Ausrichtung, bei gleichzeitiger Vernachlässigung gegenwärtiger kultureller (»Der Wettkampf der Kunst ist vollendet«[22]) und ökonomischer Entwicklungen ein einseitiges Denken befördert, das gern Partialinteressen als Gesamtanliegen ausweist. Seine Politisierung war einerseits ein richtiger und notwendiger Schritt aus der Ästhetisierung und dem Relativismus des Historismus, sie hat aber zugleich die Vorbildfunktion einer vita activa geprägt, die Kultur und Ökonomie nur als periphere Bereiche des Politischen zuläßt. Nach 1848 konnte Gervinus' bürgerlich-altliberales Konzept mit weiterer Blickverengung in ein reaktionär-feudalistisches übergeleitet werden. Damit sind die Ansätze einer Biographik, die auch den ökonomischen Aufstieg des Bürgertums direkt widerspiegeln, vernichtet. Anders als z. B. in den USA, wo die moderne ›Selfmademan‹-Gesinnung eine blühende Biographik der Wirtschaftsgrößen erzeugt hat (die allerdings wiederum typische Verformungen erfährt, indem z. B. ethische und politische Aspekte verdrängt werden[23]), hat sich Forsters Idealbild vom Zusammenspiel von Wissenschaft, Kultur und Handel – konkretisiert in der Figur und den Taten Cooks – in Deutschland nicht durchsetzen können. Zwar wird der soziale Aufstieg – bei Cook vom Matrosen zum Kapitän, wie sowohl Forster als auch Lichtenberg ausdrücklich hervorheben – weiterhin ein wichtiges Motiv der Biographik bleiben, aber der Typus der Winckelmann-Biographik, d. h. also die Selbstverwirklichung in und mit der Kunst bzw. Wissenschaft, setzt sich durch. (Der Vergleich mit der Entwicklung des Bildungsromans liegt nahe und wird im Zusammenhang mit der geistesgeschichtlichen Biographik noch behandelt.) Gervinus, selbst ein sozialer Aufsteiger, wählt nicht zufälligerweise Forster zum Helden, kann er doch hier immer noch den Künstler als Folie dem Politiker unterlegen und damit auch den Bildungsbürger ansprechen.

Wenn wir zusammenfassend und überleitend Schlegels und Gervinus' *Forster* nochmals vergleichen, so erfassen wir mit ihnen frühe Ansätze einer Entwicklung: die schon skizzierte Teilung in eine kultur- bzw. geistesgeschichtliche und in eine dezidiert politische Biographik, die sich in der Folgezeit ganz in den Dienst des preußisch-nationalen Machtstaates stellen wird. Zwischen beiden lassen sich, wie schon in dem vorhergehenden einleitenden Kapitel betont, vielfältige Übergänge markieren, die Traditionsaufnahme und -umformung zugleich belegen.

3. Macht und Geist – Die politische Biographik im Dienste Preussens

Es ist eine einseitige Auslegung, wenn man bei Gervinus von »Bildungsreligion« spricht, wie Walter Muschg es tut[1], weil damit die starken politischen Antriebe verharmlost werden. Zwar hat Gervinus mit seiner *Geschichte der poetischen Nationalliteratur der Deutschen* (1835–1842) die Herrschaft des deutschen Geistes behaupten wollen, aber dieses Argument ist eben eine Notlösung, weil von politischer Hegemonie nicht gesprochen werden kann. Ausdrücklich hat Gervinus in seiner Einleitung betont, daß er der Nation nicht mit der politischen Geschichte, sondern allein mit der »Geschichte der deutschen Dichtung« Selbstbewußtsein vermitteln könne. In der Schlußbetrachtung im 5. Band rühmt er Männer wie Herder und Forster, die »über die Sphäre der ästhetischen Ausbildung hinausgeblickt« hätten. [2] Gervinus hatte Sehnsucht nach einer Reformatorengestalt wie Luther, die einen politischen Wandel einleiten sollte: »wir wollen nicht glauben, daß diese Nation in Kunst, Religion und Wissenschaft das Größte vermocht habe und im Staate gar nichts vermöge.« [3]

Haben bei Gervinus Literatur und Literaturgeschichte einen funktionalen Wert – von der ästhetischen Beurteilung distanziert er sich ausdrücklich in der Einleitung zur Literaturgeschichte – und drängt bei ihm alles zum politischen Handeln, das den Nationalstaat verwirklichen soll, so erfolgt nach der gescheiterten Revolution von 1848 eine eigenartige Umwertung der Geschichte des 18. Jahrhunderts. Eine enttäuschte bürgerliche Historikergeneration spricht nicht mehr den geistigen, sondern den politischen Leistungen die Priorität zu. Hatte Gervinus aus seinem liberalen Verständnis heraus keine politischen Leitfiguren akzeptieren können, so schaffte sich die bürgerliche preußische Geschichtsschreibung ihre neuen Vorbilder: Die ›großen‹ Preußen und die preußische Vergangenheit werden als Vorkämpfer bzw. Vorformen der Nationalstaatsbildung gefeiert. Preußische Territorialgeschichte mündet wie selbstverständlich in deutsche Nationalgeschichte ein bzw. jene wird für diese ausgegeben.

Einem solchen Verständnis von Geschichte verdanken wir eine Biographik, die sich politischer und militärischer Vorbildfiguren aus der jünsten Vergangenheit versicherte, um dem Bürgertum auch den Anteil des Adels an der modernen Nationalgeschichte vor Augen zu führen. Es lag dabei nahe, auf eine Epoche das besondere Augenmerk zu richten, in der Bürgertum und Adel gemeinsam im Kampfe standen gegen einen äußeren Feind: Die Befreiungskriege und die preußische Reformzeit lieferten den unverdächtigsten Anlaß, Heldenporträts von Adligen zu entwerfen. Georg H. Pertz führt in der Einleitung zu seinem *Das Leben des Feldmarschalls Grafen Neithardt von Gneisenau* (3 Bde., 1864–69) die Vorbilder an:

> »In dem Kreise der Helden, an deren Spitze König Friedrich Wilhelm III. die Rettung seines Landes aus tiefster Noth, die Veredelung und Erhebung seines todesmuthigen Volkes zu höchster Anstrengung, zu Preußens, Deutschlands, Europas Befreiung aus schmählicher Knechtschaft vollführt hat, erheben sich in gleicher Linie mit ihrem Vorkämpfer, dem Minister vom Stein, die großen Gestalten des Generals Scharnhorst, des Fürsten Blücher und des Feldmarschalls Grafen Gneisenau.« [4]

Pertz' sprachliche Beflissenheit und die sich darin manifestierende Servilität verraten viel von einer veränderten bürgerlichen Selbsteinschätzung, denn ohne Zweifel, darauf hat Günther List zu Recht hingewiesen [5], knüpft diese Biographik an den voraufklärerischen Herrschaftspersonalismus an, der sich tatsächlich während des ganzen 18. Jahrhunderts behauptet hat, auch wenn er durch die in den vorhergehenden Kapiteln gezeigten neuen Ansätze in der Biographik bedrängt wurde. Wie sehr die bürgerlichen Leser weiterhin an Nachrichten aus dem Leben der herrschenden Schicht interessiert waren, demonstriert noch im frühen 19. Jahrhundert der Erfolg der *Biographischen Denkmale*

(1824–30) von Karl August Varnhagen von Ense, in denen auch Militärs, z. B. Blücher, Seydlitz, der ›alte Dessauer‹, eine glänzende Rolle spielen.

Die eigentliche politische Biographik im Dienste Preußens können wir mit Johann Gustav Droysen, dessen *Geschichte Alexanders des Großen* (1833) noch der Hinwendung des Bürgertums zur Antike entsprach, und seinem *Das Leben des Feldmarschalls Grafen York von Wartenburg* (1851/52), beginnen lassen, das ein Modell abgibt »für jene Lebensbeschreibungen, die in parteilicher Perspektive historische Lösungsmuster für die Gegenwartsprobleme vorstellen wollen«. (Oelkers) [6] Diese Biographie, in der York die besseren Kräfte des von Napoleon bedrängten Preußens repräsentiert, wurde »zu einem außerordentlichen Publikumserfolg (11 Auflagen bis 1913)«. [7] Welchen Zwecken diese Biographie dienen sollte, hat Droysen 1875 im *Vorwort zur siebenten Auflage* präzisiert: »Es ist der alte Friedericianische Geist der preußischen Armee, der in ihm und in dem er mächtig war und sich bewährt hat, derselbe Geist, der der Armee geblieben ist, auch seit sie sich zu dem ›Volk in Waffen‹ umgewandelt, seit in ihr sich die Heeresmacht der deutschen Nation vereinigt hat.« Der Begeisterung für die Militärs entspricht im 19. Jahrhundert eine Fülle von Biographien, die Eckhart Jander in seiner Dissertation z. T. eingehend referiert hat. Hier sei nur noch Max Lehmanns *Scharnhorst* (1886–87) und Friedrich Meineckes *Hermann von Boyen* (1896–99) erwähnt. Nehmen wir außerdem die Glorifizierung Friedrichs des Großen hinzu, die nicht zuletzt durch die biographischen Arbeiten zweier Engländer verstärkt wurde: 1842 erschien Thomas B. Macaulays Essay und 1865 Thomas Carlyles große Biographie [8], und die in dem imposanten Lebenswerk Reinhold Kosers (1886, 1893–1903) gipfelte, so wird verständlich, daß Ende des 19. Jahrhunderts Franz Mehring in seiner *Lessing-Legende* und in den 20er Jahren Werner Hegemann mit seinen biographischen Arbeiten zu Friedrich II. es jeweils für notwendig hielten, mit historiographischen Gegenentwürfen einen ›Heldensturz‹ einzuleiten. Daß Rudolf Augstein in seinem *Preußens Friedrich und die Deutschen* nochmals 1968 einen ähnlichen Versuch unternahm, spricht für die starke Wirkungsmacht dieser anekdotenumwobenen Gestalt.

Bei einem solch starken Hang zur Verehrung der großen Handelnden lag es nahe, daß Ästhetisierung und Idealisierung des 18. Jahrhunderts aufgegeben wurden: »Eben in den ästhetischen Neigungen des Goethe-Hegelschen Geschlechtes wurde jetzt ein Moment der Schwäche, das am Handeln hindere, das quietistisch und harmonisch stimme, gesehen« (Westphal). [9] So wichtig für eine Geschichte der Biographik die Beschreibung der aus solchen Haltungen heraus entstandenen Biographien wäre (z. T. hat Eckhart Jander das geleistet), so ist in unserem Zusammenhang doch aufschlußreicher, der Konstanz und Umprägung bürgerlich-idealistischer Wertvorstellungen nachzuspüren. Die Vermutung, der bürgerliche Apologet im Dienste des preußischen Staates werde sich der traditionellen bürgerlichen Leitbilder bedienen, um damit eine Fortführung bürgerlich-emanzipatorischer Forderungen zu suggerieren, findet ihre eindrucksvolle Bestätigung bei dem politischsten Vertreter der sogenannten ›preußischen Schule‹, bei Heinrich von Treitschke. [10] Treitschkes vehementes Eintreten für die handelnden Individuen – gern wird von ihm der Spruch zitiert: »Männer machen die Geschichte«, der auch den Sockel seiner Statue vor der Berliner Universität ziert – scheint auf den ersten Blick ganz in der Tradition von Gervinus' Forderung zu stehen, daß Geist und Politik sich zu verbinden hätten. Doch bei näherem Zusehen lassen sich durchaus Unterschiede ausmachen.

Treitschke kann 1896 die »Aufgabe des Geschichtsschreibers« als eine scheinbar von allen getragene Definition verkünden: »Nach dem übereinstimmenden Gefühle aller Völker, wogegen keine Doktrin aufkommt, sind die Männer der That die eigentlichen historischen Helden; denn durch sie werden die großen Machtkämpfe der Geschichte entschieden.«[11] Sehen wir einmal davon ab, daß z. B. mit Karl Lamprecht auch andere Ansichten von Historikern zu dieser Zeit vertreten wurden, so war mit den Männern der Tat allerdings ein anderer Heldentypus als bei Gervinus gemeint.

Die Biographik der preußischen Historikerschule als voraufklärerischen Herrschaftspersonalismus zu kennzeichnen, ist durchaus berechtigt, doch gerade für Treitschke greift diese Formel zu kurz. Zwar stellt sich der bürgerliche Historiker mit seiner politischen Biographik in den Dienst der preußischen Staatsmacht und deshalb kann Georg Lukács zu Recht behaupten, daß »das Axiom der deutschen Geschichtsschreibung: ›Männer machen die Geschichte‹ [...] nur die historisch-methodologische Kehrseite« des bürokratischen Absolutismus sei [12], aber es darf dabei nicht übersehen werden, daß der voraufklärerische Heldenkult mit aufklärerischen Idealen betrieben wurde. Der bürgerliche Historiker stellte das Arsenal seiner Argumente für eine bürgerliche Emanzipation nicht nur dem preußischen Staat zur ideologischen Benutzung zur Verfügung, sondern übernahm zugleich auch selbst die Aufgabe, für eine Umwertung bürgerlicher Wertvorstellungen zu sorgen. Der mögliche Einwand, hier werde etwas als bewußter Vorgang behauptet, was sich wahrscheinlich als unbewußter Anpassungsprozeß vollzogen habe, trifft nur bedingt zu, denn z. B. ein Mann wie Treitschke hat durchaus gewußt, was er tat. In seinem *Fichte*-Porträt (*Fichte und die nationale Idee*) von 1862 können wir lesen: »So stimmt auch Fichte mit ein in die Meinung unserer großen Staatsmänner, welche erkannten, daß die Revolution in ihrem furchtbarsten Vertreter bekämpft werden müsse mit ihren eigenen Waffen.« (I, S. 134) [13]

Daß gerade Heinrich von Treitschke (1834–1896) so erfolgreich auf eine breite Öffentlichkeit wirken konnte, ist entscheidend durch seine eigene Biographie bedingt, in der sich beispielhaft allgemeine Tendenzen einer bürgerlichen Bewußtseinsveränderung erfassen lassen. In der Forschung ist Treitschkes Weg vom gemäßigten Liberalen der Frühzeit zum Künder preußischer Herrlichkeit und Vertreter einer militanten Expansionspolitik, zum Antisemiten und Sozialistenhasser nachgezeichnet worden.[14] Treitschke war wie Gervinus kein bloßer Fachhistoriker, sondern zugleich auch ein exzellenter Literaturkenner. Als Mittler zwischen Kunst, Wissenschaft und Politik fühlte er sich nicht nur zur eigenen künstlerischen Arbeit gedrängt (*Vaterländische Gedichte*), sondern empfand seine Geschichtsschreibung auch als künstlerische Herausforderung. Seine *Historischen und politischen Aufsätze* (4 Bände) zeigen seine Vorstellungen von einer *deutschen* Kunst und Politik. Sie demonstrieren allerdings auch das besondere Verständnis von biographischer Darstellung.

Bei einer Durchsicht der Essay-Produktion von Treitschke fällt für den biographischen Bereich der deutliche Vorrang von Porträts (meist) bürgerlicher Künstler und Wissenschaftler auf. Der erste Band der *Aufsätze,* der die »Charaktere, vornehmlich aus der neuesten deutschen Geschichte« enthält, bietet z. B. Porträts von Milton, Lessing, Kleist,

Fichte, Uhland, Byron, Dahlmann, Otto Ludwig und Hebbel. Im vierten Band (*Biographische und Historische Abhandlungen*) finden wir neben dem bekannten Essay *Luther und die deutsche Nation* und den Porträts z. B. von Gottfried Keller und Max Duncker die beste biographische Leistung Treitschkes, sein umfangreiches Porträt Samuel Pufendorfs. Hier beweist sich nicht nur die Brillanz des Schriftstellers, sondern auch die Einfühlungsgabe des Historikers, der sich dem Staatsrechtler des 17. Jahrhunderts so verwandt fühlte. Dieser biographische Essay, der streng durchkomponiert, chronologisch strukturiert und harmonisch abgerundet ist, gehört zu den großen Leistungen der Biographik im 19. Jahrundert, zeigt aber zugleich auch die bedenklichen Merkmale, die wir im Zusammenhang mit der geistesgeschichtlichen Biographik beschreiben werden.

In Treitschkes historiographischen Arbeiten sind darüber hinaus eine Fülle biographischer Miniaturen eingestreut, die zum Typus einer in der Geschichtsschreibung häufiger zu beobachtenden biographischen Kleinkunst gehören und die in den 20er Jahren gesondert als *Charakterbilder aus der deutschen Geschichte* erschienen sind. In diesen biographischen Skizzen finden wir eine große Zahl bürgerlicher Künstler und Wissenschaftler, denen Treitschke Heldenlob zollt und die sich scheinbar gleichrangig neben preußische Könige und Politiker stellen. Schon nach einer flüchtigen Lektüre springen die Topoi einer Biographik des 18. Jahrhunderts ins Auge: der preußische Baumeister Schinkel wird als »universaler Geist, wie die deutsche Kunst seit Dürers Tagen keinen mehr gesehen« (S. 205), und als »Apostel der Schönheit« gefeiert (S. 208); bei seinem Kollegen Rauch wird von »Wahlverwandtschaft des hellenischen und des germanischen Genius« gesprochen und hinzugefügt: »Es war sein Stolz, daß Preußen mehr als irgendein anderer Staat für das Studium der Antike tat« (S. 214). Wilhelm von Humboldt wird als »jener perikleische Staatsmann« bezeichnet, »der zuerst mit voller Klarheit erkannte, Preußens Beruf sei, ›durch wahre Aufklärung und höhere Geistesbildung‹ den ersten Rang in Deutschland zu behaupten«; auch bei ihm fällt der Begriff ›Universalgenie‹ und zusätzlich wird er zum ›Aristokraten des Geistes‹ erhoben (S. 127). Die Beispiele ließen sich fortführen, aber es müßte schon deutlich geworden sein, wie sehr Kunst bzw. Bildung mit der Politik, genauer: mit dem Nationalismus und einer preußischen Staatsgesinnung, verbunden werden. Schauen wir uns daraufhin die biographischen Porträts an, die meist in den 50er und 60er Jahren entstanden sind, so finden wir eindrucksvolle Bestätigungen.

Zunächst können wir in den biographischen Essays erkennen, daß die Vorbildfunktion des Bürgers sich verändert. Treitschke gelingt dabei eine subtile Argumentationstechnik, die immer wieder sein Bemühen vorführt, den bürgerlichen Leser zu gewinnen. Mit einer Fülle von Argumenten aus der Kampfphase des Bürgers um Emanzipation, Freiheit und Gleichheit wird suggeriert, daß sich die alten Forderungen erhalten, ja, daß sie z. T. schon ihre Verwirklichung erfahren hätten. So durchzieht Treitschkes Essayistik eine eigenartig ambivalente Struktur, die sich in einer Sowohl-als-auch-Argumentation niederschlägt. Immer noch ist ein Bürger wie Lessing, der sich »aus den altgewohnten Kreisen des bürgerlichen Lebens« gelöst (I, S. 60) und sich gegen traditionelle Werte aufgelehnt hat, als Vorbild tauglich, wenn auch nicht zu übersehen ist, daß bürgerlicher Auflehnungsgeist sich kaum noch aus politischer oder sozialer Widerstandskraft speist. Dem idealen Bürger wächst eine Rolle als Mittler zu: Was im militärischen Kampf der Freiheitskriege präludiert wurde, die Gemeinschaft von Bürger und Adel, erfährt seine ideologische Rechtfertigung. Zugleich wird ein neuer gemeinsamer Feind benannt, der nun allerdings als innerer Gegner auftritt: Für Treitschke übernimmt das Proletariat die Rolle eines Bezugspunktes bürgerlicher Verachtung und Aggressivität. Hier darf der Bürger sich seiner politisch-sozialen Oppositionsrolle bewußt bleiben. Nach dieser allgemeine Skizzierung sollen nun einige Beispiele das Gesagte unterstreichen.

Wie selbstverständlich sind für Treitschke die großen bürgerlichen Gestalten »Erzieher«: Erzieher »des modernen Bürgertums« (*Lessing*, I, S. 67) oder gar »Erzieher zur Freiheit« (*Fichte,* I. S. 133). Aber gerade am Freiheitsbegriff läßt sich demonstrieren, wie geschickt Treitschke für eine allmähliche Umwertung sorgt. Denn es ist kein Zufall, daß dem personalen Freiheitslehrer Fichte das Kollektivindividuum ›Staat‹ als Erzieher folgt: »Alle Staaten der Geschichte erscheinen ihm jetzt als Glieder in der großen Kette dieser Erziehung des Menschengeschlechts zur Freiheit.« (I, S. 133) Wenn es vielleicht nicht korrekt ist, hier die Fichte zugesprochene Meinung als diejenige Treitschkes auszuweisen, so kann nach einer Überschau der biographischen Essayistik gesagt werden, daß Treitschkes ›Helden‹ meist als ideologisches ›Sprachrohr‹ des Autors fungieren und zudem eine ungewöhnlich starke autobiographische Aufladung erfahren – das gilt nicht nur für den Essay über Fichte, sondern ebenso für die Porträts von Milton und Pufendorf. So ist auch die folgende Aussage, die wiederum aus Fichtes Argumentation abgeleitet wird, durchaus als Treitschkes Überzeugung zu verstehen: »Als einen Erzieher zur Freiheit, zur Deutschheit brauchen wir einen Kaiser.« (I, S. 135) (Die hier in der Erzieherrolle zu beobachtende Verschmelzung von Nation und Kaiser wird uns noch beschäftigen.) Es bedürfte eines Exkurses, um die diffizile Konstruktion des Freiheitsbegriffes bei Treitschke nachzuzeichnen, hier seien nur einige wichtige Aspekte hervorgehoben, die im Zusammenhang mit der Biographik die Veränderung dieses Leitbegriffes des Bürgertums erfassen lassen.[15]

Treitschkes Historikerkollege und geistiger Mitstreiter für ein starkes Preußentum Erich Marcks hat in seinem Nachruf auf Treitschke (1896) über den Vorwurf berichtet, daß Treitschke »des Abfalls von den Freiheitsidealen seiner Jugend und seiner frühen Manneszeit bezichtigt worden ist«.[16] Wenn Marcks dem entgegenhält, selten sei ein Leben so ›einheitlich‹ verlaufen, dann steht Treitschkes Entwicklung symbolhaft für den Wunsch eines bürgerlichen Historikers, Konstanz zu sehen, wo in Wirklichkeit Veränderung stattgefunden hat. (Darüber hinaus erhalten wir einen Eindruck von der vorherrschenden Neigung, Lebensläufe zu harmonisieren.) Auch Erich Marcks wollte sich nicht die Umwertung der traditionellen bürgerlichen Ideale eingestehen. Tatsächlich neigte der junge Treitschke einem mehr personalen Freiheitsbegriff zu; allerdings können wir schon beim Sechsundzwanzigjährigen eine veränderte Auffassung ausmachen. 1860 heißt es rühmend über Milton: »Am letzten Ende liegt die welthistorische Bedeutung Milton's darin, daß er kühner, eindringlicher, denn irgend Einer zuvor, die Freiheit als ein angeborenes Recht der Völker verkündete, während die Völker noch immer nach mittelalterlicher Weise hergebrachte Freiheiten als einen privatrechtlichen Besitz vertheidigten.« (I, S. 27) Daß Macht und Freiheit für Treitschke spätestens seit dem Dänischen Krieg (1864) keine Gegensätze mehr waren, darauf hat schon Georg Iggers verwiesen.[17] In der Grußadresse zum 70. Geburtstag Bismarcks (1885) wird das deutlich formuliert: »Es ist wahrlich nicht das letzte Verdienst des Reichskanzlers, daß er der Welt gezeigt, daß die Freiheit nie besser gedeihen kann als unter einer starken Krone«. (IV, S. 398) Treitschke vergißt nicht den zu erwartenden Kontrastbegriff zur ›Freiheit‹ einzuführen, aber es beweist zugleich sein rhetorisches Geschick und seine demagogische Kraft, wie er es tut. Im verstärkenden Parallelismus wird der Satz fortgeführt: »daß keine Tyrannei fluchwürdiger ist als die Tyrannei der Partei«. Damit ist die bürgerliche Vorstellung von ›Freiheit‹ und ›Tyrannei‹ auf den Kopf gestellt worden, werden doch mit der ›Partei‹ gerade die Demokraten als Vertreter eines klassischen Freiheitsbegriffes attackiert. (Wobei Treitschke hier sicherlich die Sozialdemokraten im Auge hat.) Dieser Blick zum späten Treitschke läßt vieles in der Biographik der 50er und 60er Jahre verständlicher werden, denn hier ist der Autor noch keineswegs so eindeutig festgelegt – aber die Richtung wird erkennbar.

Wie Gervinus kann auch Treitschke noch den »Helden des Geistes« Lob zollen (*Lessing,* I, S. 66) und mit Fichte feststellen: »alle Wissenschaft ist thatbegründend« (I, S. 134), aber daneben regt sich deutlich ein Bedauern, daß diese ›Helden‹ sich nicht mit dem preußischen Machtstaat anzufreunden wußten, daß »eine unselige Kluft zwischen den Gedanken unseres Volkes und seinem politischen Zustand« klaffte (I, S. 66). So rügt er bei Lessing die fehlende »werkthätige Teilnahme am Staate« (I, S. 68) und den individualistischen Standpunkt, daß der Staat »doch nur ein Mittel sei für die Bildung des einzelnen Menschen« (I, S. 69), aber im Schlußtableau des Essays kann Treitschke der Versuchung nicht widerstehen, König und Dichter zusammenzuführen: »wir sehen die Beiden dicht neben einander, auf demselben Wege: den Künstler, der unserer Dichtung die Bahn gebrochen, und den Fürsten, mit dem das moderne Staatsleben der Deutschen beginnt.« (I, S. 72)

Der Historiker Treitschke hat sich zu mancher Gewaltsamkeit hinreißen lassen, wenn es um die Idealbindung von Geist und preußischem Staat ging. Er spricht z. B. nicht nur von Lessings »germanische[r] Dichtung« (I, S. 62), sondern ist auch nicht davor zurückgeschreckt, Demokratie und Kunst in eine Gegensatzposition zu bringen. Im *Milton* behauptet er: »aber auch die Union von Nordamerika hat jenen Adel der Geistesbildung nicht entfaltet, welchen der Dichter von der vollendeten Demokratie erwartete.« (I, S. 30) Wie Lessing, den Franz Mehring in seiner *Lessing-Legende* so energisch gegen die preußische ›Umarmung‹ verteidigt hat, auf den Machtstaat ausgerichtet wird, so werden auch Hamann, Herder und Winckelmann als Kronzeugen der preußischen Glorie benannt. [18] Darüber hinaus wird selbst der theologische Protest zur Legitimation der Macht benutzt. Am deutlichsten ist das in *Luther und die deutsche Nation* (1883) geschehen, wo mit der Autorität des Reformators die Vormacht des Staates behauptet wird und »jene mittleren Schichten der Gesellschaft, zu denen Luther vornehmlich geredet hatte, mehr und mehr zum Kerne der Nation« ernannt werden (IV, S. 392). In den *Charakterbildern aus der deutschen Geschichte* lesen wir:

> »Und ganz und gar von preußischem Geiste erfüllt war jene neue reifere Form des deutschen Protestantismus, welche endlich aus den Gedankenkämpfen der gärenden Zeit siegreich hervorging und ein Gemeingut des norddeutschen Volkes wurde: die Ethik Kants. Der kategorische Imperativ konnte nur auf diesem Boden der evangelischen Freiheit und der entsagenden pflichtgetreuen Arbeit erdacht werden.« (S. 58 f.)

An einen solchen Ausspruch mag Max Weber gedacht haben, als er meinte, das Bürgertum habe die politische Macht ethisiert. Indem Treitschke den Bürger zum »Kerne der Nation« werden läßt (auch im *Milton* bekennt er sich dazu; I, S. 24), kauft er diesem den Oppositionsgeist ab und gibt die Verwirklichung der bürgerlichen Ansprüche vor. Deshalb kann er zwar eine Reihe von Begriffen, die ihre politische und soziale Brisanz dem Widerstand des Bürgers gegen den Feudalismus verdankt, beibehalten, muß sie jedoch zugleich umprägen. Hatten wir diesen Vorgang schon am Beispiel von ›Freiheit‹ und ›Tyrannei‹ beobachten können, so erfolgt die entscheidende Sinnverschiebung bei dem bürgerlichen Leitbegriff ›Demokratie‹.

Treitschke bekennt sich mehrfach zum »demokratischen Wesen der deutschen Gesellschaft« (I, S. 393), erhebt einen Mann wie Dahlmann zum »Apostel jener gebildeten Demokratie« (I, S. 397) oder lobt Gottfried Kellers Weg ins »demokratische Lager« (IV, S. 22) oder Uhlands »schlichte[n] demokratische[n] Bürgerstolz« (I, S. 301). Schon die erklärenden Zusätze ›gebildet‹ und ›schlicht‹ müssen uns aufhorchen lassen; tatsächlich hat Treitschke immer wieder solche angeblichen Präzisierungen vorgenommen. Uhlands Gesinnung setze sich so wohltuend von »jenen gellenden Lobpreisungen des Conventes« ab [gemeint ist die Paulskirchenversammlung; I, S. 301]: »echte Demokratie«, so lesen wir im *Keller*, ist mehr als eine »politische Richtung«, sie ist »die vorurtheilsfreie, alles Menschliche achtende Humanität« (IV, S. 22). Wie selbstverständlich reiht sich Treitschke hier in die Reihe der bürgerlichen Apologeten eines Humanitätsverständnisses ein, wie wir es in den biographischen Essays des 18. Jahrhunderts kennengelernt haben, aber in Wirklichkeit sorgt er für eine Entpolitisierung des Begriffes, indem er ihm die Spitze gegen den Feudalismus abbricht. Für Treitschke ist ›Demokratie‹ vor allem eine sittliche Kategorie; den politischen Inhalt diskreditiert er z. B. mit dem Hinweis auf den »scheußlichen Massen-Despotismus« (I, S. 413) der Französischen Revolution, dem in seiner Gegenwart die schon zitierte »Tyrannei der Partei« entspricht. Wie Treitschke die Konturen des Begriffes auflöst, läßt sich vorzüglich im *Milton* studieren. Dort referiert er radikale Thesen des englischen Dichters, der nicht nur die Standesunterschiede, sondern auch die ungerechte Güterverteilung aufheben wollte. Zunächst verstärkt Treitschke in elliptisch-verknappter Form die Hauptthesen: »Unbedingte Freiheit des Glaubens, des Wissens, des Verkehrs«, um im Anschluß daran eine aufschlußreiche Belehrung zu geben: »Aber mit nichten wollte Milton, der auf die Masse mit dem vornehmen Stolze aller feineren Geister herabschaute, daß diese demokratisierte Gesellschaft auch demokratisch regiert werde.« (I, S. 29) Wie sich hier Demokratie einzig mit dem gebildeten Bürger verbindet, so sorgt Treitschke auch dafür, daß dieser Begriff nun mit den Innerlichkeitswerten des Bildungsbürgertums des 19. Jahrhunderts aufgeladen wird. Gern schmeichelt er den Deutschen: »kein Volk hat je größer gedacht als das unsere von der Würde des Menschen, keines die demokratische Tugend der Menschenliebe werkthätiger geübt« (*Fichte*, I, S. 139), aber am Beispiel des ›gebildeten‹ Demokraten Dahlmann führt uns Treitschke schließlich seine ideale Staatsform vor: »Die knabenhafte Ansicht, daß die Republik ›eigentlich vernünftiger‹, die Monarchie nur als ein Uebergang gutmüthig zu dulden sei, beherrschte in jenen vierziger Jahren die meisten Köpfe des Mittelstandes. Heute hat sich die deutsche Welt wieder zu Dahlmann's positivem Monarchismus bekehrt.« (I, S. 399) Auch hier zielt das ergänzende Adjektiv (›positiv‹) auf mögliche Bedenken gegenüber der Monarchie, die Treitschke z. B. gegen die deutschen Kleinstaaten durchaus noch zu mobilisieren wußte, aber vor allem wird in solchen Aussagen die Einordnung des Bürgers in die preußische Hierarchie und die Preisgabe der bürgerlichen Emanzipationsforderung erkennbar.[19] Darüber hinaus wird auch deutlich, *wie* sich dieser Prozeß vollzogen hat: Während man vorgibt, die traditionellen bürgerlichen Ideale zu verfolgen, hat man sie längst ihres revolutionären Gehaltes beraubt und sie schließlich zu sprachlichen Versatzstücken erstarren lassen.

Gerade die biographischen Essays übernehmen bei Treitschke die Funktion, das Bürgertum auf neue Werthaltungen einzustimmen, die eine Legitimierung durch anerkannte ›große‹ Geister der bürgerlichen Geschichte erfahren und die gern mit Vorstellungen von ›Pflicht‹ verbunden werden. Im *Fichte* wird »vom Geiste ernster Bürgerpflicht« gesprochen (I, S. 132) und ein Verzichtsethos belebt: »Ein strenger Geist harter Pflichterfüllung war diesem Volke eingeprägt durch das Wirken willensstarker Fürsten, fast unmenschlich schwer die Lasten, die auf Geist und Blut der Bürger drückten.« (I, S. 122) So verwundert es nicht mehr, wenn z. B. bei Max Duncker die bedingungslose Unterwerfung gerühmt wird: »Seine Königstreue war so stark, daß er bald zu der Einsicht gelangte, in einem edlen Staate müsse der Bürger auch unvernünftigen Gesetzen unbedingt gehorchen« (IV, S. 404). Zwar kann Treitschke einerseits »gleiches Recht für Alle« fordern, vergißt aber auch hier nicht auf eine wünschenswerte Abstufung hinzuweisen: »größere Macht für die, welche die größeren Pflichten übernehmen« (IV, S. 6). Es erscheint nur konsequent, wenn Treitschke daraus folgert, daß man »sich nicht schämen [muß], sich vor dem wirklich Gewaltigen zu beugen« (IV, S. 400). Wie hier der Bürger zur Bismarck-Verehrung gedrängt wird, so läuft Treitschkes Argumentation immer wieder darauf hinaus, ein gegliedertes Gesellschaftssystem zu akzeptieren. Wenn das Bürgertum als ›Mittelschicht‹ zum ›Kern der Nation‹ erklärt wird und Bildung dem Geburtsadel gleichgestellt wird, dann mag man darin auch etwas von einer »antiaristokratische[n] Tendenz« (W. J. Mommsen) spüren[20], aber mehr noch ist die Integrationsideologie zu betonen, die den Bürger zu einem Ausgleich mit dem Adel drängt. Deshalb übernehmen – anders als im 18. Jahrhundert – die bürgerlichen Helden bei Treitschke eine quietistische Funktion die auf soziale Harmonie hinausläuft, die vor allem durch den »Segen der Monarchie« (*Pufendorf*, IV, S. 218) gesichert wird. Allenfalls gegenüber dem Proletariat fordert Treitschke den Bürger zur Wachsamkeit auf.

»Vom vierten Stande meint er, er führe ein vorwiegend wirtschaftliches Dasein und stehe dem Staatsleben fern«, berichtet Erich Marcks in seinem Nekrolog.[21] Trotzdem hat Treitschke durchaus gegenüber dem Proletariat politisch reagiert. Er kann sich die Einbindung des ›Vierten Standes‹, der ›Massen‹, nur im Sinne einer Unterwerfung unter die Staatsautorität vorstellen. Daß er die Ängste mancher Bürger teilte, beweist sein Plädoyer für eine Institution, die »mit einer größeren Macht die Macht der Massen bändigen kann« (*Dahlmann*, I, S. 413). Im *Milton* stellt er gar Überlegungen an, »wie das Königthum zu schützen sei gegen die Uebergriffe des Volkes.« (I, S. 24) Solche Ängste kann nur ein starkes Königtum beseitigen, nur diesem kann es gelingen, Treitschkes ideales Staatsvolk zu erziehen: »ein königstreues, frommes, geordnetes Volk« (IV, S. 398). Aus solchen Haltungen speist sich Treitschkes Bedenken gegen einen »bodenlosen Radicalimus« (*Mathy*, I, S. 494): »die Einheit ist diesem zersplitterten Volk wichtiger als der höchste

Grad der Freiheit« (*Dahlmann*, I, S. 413). Mit Berufung auf Dahlmann schreibt Treitschke die alte bürgerliche Freiheitssehnsucht ab: »er erriet, daß jener Freiheitsrausch, der alle Grundlagen der Gesellschaft zu erschüttern drohte, dann am sichersten zu mäßigen sei, wenn diesem Volk das Bewußtsein der Macht werde.« (I, S. 408) Wie präsentiert sich bei Treitschke nun diese ›Macht‹?

In den *Charakterbildern aus der deutschen Geschichte* gibt es eine Reihe von Porträts preußischer Könige. Auffällig ist in diesen Skizzen, wie sehr die Herrscher mit bürgerlichen Tugenden geschmückt werden. Da gerät ein preußischer König wie Friedrich Wilhelm I. (1688–1740) zu einem »königlichen Bürgersmanne« (S. 12): »Er verband mit der Kühnheit des Neuerers den peinlich genauen Ordnungssinn des sparsamen Hausvaters« (S. 13); »ein Mann von altem deutschen Schrot und Korn, kerndeutsch in seiner kindlichen Offenheit, seiner Herzensgüte, seinem tiefen Pflichtgefühl, wie in seinem furchtbaren Jähzorn und seiner formlos ungeschlachten Derbheit.« (S. 11) Da wird »die menschlichste der Königspflichten, die Beschützung der Armen und Bedrängten« gerühmt (S. 23); ausgerechnet bei Friedrich dem Großen wird die »Friedensliebe des hohenzollernschen Hauses« herausgestellt und dieser König dem Bürger nahegebracht mit dem auf Bürgersinn zielenden Argument: »Friedrich schätzte die Macht, doch nur als ein Mittel für den Wohlstand und die Gesittung der Völker« (S. 52). Immer wieder finden wir – in Umschreibung oder direkt ausgesprochen – die Rechtfertigung der Macht durch die »sittlichen Zwecke« (S. 52). Um »das friderizianische System der Völkerbeglückung von oben« (S. 50), um »die monarchische Gesinnung, die unserem Volke im Blute lag« (S. 51) zu bestätigen, müssen dann die traditionellen Helden der bürgerlichen Biographik herhalten.

Um Treitschkes Argumentation konturenstärker hervortreten zu lassen, ist ein Blick zu Erich Marcks nützlich. Auch bei ihm finden wir den Einsatz bürgerlicher Werte zur Rechtfertigung der politischen Macht, aber anders als bei Treitschke, der in der Frühphase des bürgerlichen Umdenkungsprozesses in den 50 er und 60 er Jahren gern bürgerliche ›Helden‹ zur Legitimation der anzustrebenden preußischen Nationalstaatsbildung suchte, bekannte sich Marcks um 1900 demonstrativ zu den ›großen‹ preußischen Gestalten und betrieb deren Idealisierung in ausgeführten Biographien (*Wilhelm I., Bismarck*). Für unseren Zusammenhang ist der zweite Band seiner *Aufsätze und Reden zur neueren Geschichte* (1911) mit dem Titel *Männer und Zeiten* wichtig, in dem auch dem bürgerlichen Geistesleben Beachtung geschenkt wird. Gleich der einleitende Festvortrag *Goethe und Bismarck,* den Marcks 1911 in Weimar gehalten hat, bringt uns ein vorzügliches Beispiel, wie Geist und Macht, Ästhetik und Politik, in einem Harmoniemodell aufgehen sollen. Marcks gibt eine Definition von Größe, die in der Wortwahl bürgerliches Denken verrät: »Genie ist produktive Kraft: produktiv in Krieg und Staat so gut wie in Wissenschaft, Kunst, Religion. Es wird dämonisch, wo es ganz stark ist in sich und seiner Gewalt auf alle andern: ›das Dämonische aber äußert sich in einer durchaus positiven Tatkraft‹.« (S. 7) Auf welch schwachen Argumentationsfüßen diese Behauptung daherkommt, beweist die Notwendigkeit der Mythisierung, die typischerweise in der Biographik dann eingeführt wurde, als eine rationale Argumentation nicht mehr möglich war, weil sonst der Verrat an den alten bürgerlichen Idealen offenkundig geworden wäre. Abgesichert wird das zudem durch die Autorität Goethes, in dessen Ausspruch sich scheinbar bürgerliche Rationalität und mythischer Irrationalismus versöhnen. Wir erfassen damit eines der Konstrukte zur Herrschaftslegitimierung: Die kritische Funktion der bürgerlichen Öffentlichkeit soll abgebaut und zugleich der Glaube an das richtige und von Gott (oder den Göttern) geleitete Handeln der ›Großen‹ aufgebaut werden.

Marcks übernimmt scheinbar ein bürgerliches Vorbildmodell und biegt es dann um, indem er behauptet, die wahren Helden hätten sich zu den Herrschenden bekannt. Goethe wird deshalb zum ›Royalisten‹ erklärt: »Er wollte den ungestört regieren sehen, der zum Regieren geboren sei.« Das eigentliche Gegenwartsinteresse, dem diese historische ›Beweisführung‹ dient, deckt sich im Anschluß daran auf: »so eint ihn mit Bismarck ein weites Stück gemeinsamer politischer Überzeugungen, positiver Anschauungen.« (S. 8) Wie die »Spuren von Weimar nach Berlin und selbst nach Friedrichsruh« (S. 26) führen, wird am besten durch eine zusammenhängende Wiedergabe solcher Gedanken verständlich, weil damit ein aussagekräftiges Dokument für eine bürgerliche Rechtfertigungsneigung geboten wird, die wohl nicht zuletzt im schlechten Gewissen ihren Ursprung hat. Der Bürger spricht den Herrschenden die alten Ideale zu und sorgt so für eine Verklärung der wahren politischen Zustände:

> »Ja, auch das ist wirklich wahr: der Geist unserer klassischen Bildung hat nicht nur in den Führern der preußischen Reform und des Befreiungskrieges Früchte staatlicher Taten getragen, er blieb an allem politischen Werke auch der Zeiten beteiligt, die sich dann langsam hinüberwandten zur derberen Wirklichkeit. Auf allen Lebensgebieten ging es sehr langsam zum Neuen hinüber; in allen bedeutenden Vorkämpfern der neuen Wirtschaft und zumal des neuen Staates wirkte die große Philosophie und dann mehr noch die große Dichtung von 1800 gestaltend und lebenschaffend mit: nicht nur die Predigt Schillers, auch der Wirklichkeitssinn und das Persönlichkeitsideal Goethes. Die haben überall die Persönlichkeiten erziehen und befruchten und stärken geholfen; auch in dem trotzig unabhängigsten von allen den Neuen, dessen Riesenkraft sich einsam in sich selber auswuchs, auch in Bismarck gehört diese Kultur – mehr wohl Goethes Poesie als Goethes Weisheit, aber sicherlich doch auch Goethes Persönlichkeitslehre, zu den stillen halbbewußten Kräften der Tiefe, zu denen die seelischen Wurzeln hinunterreichen und aus denen gerade der größte unserer Tatenmenschen so viel stärkende Nahrung zog. Ich denke mir, daß die Nachwelt der führenden Erscheinung Bismarcks, dem Bismarckzeitalter im charakteristischen Sinne, auf dem Felde der großen Kunst von der einen Seite her Richard Wagner und Heinrich von Treitschke, von der andern her unsere großen Realisten als historische Verwandte, als Träger der gleichen Lebensfarbe zuordnen wird, von Adolf Menzel über Leibl bis hinüber zu Uhde, zu Max Liebermann und Leopold von Kalckreuth. Aber Bismarck selber und seine Mitstreiter haben bewußt und persönlich vielmehr zu den Lehrern ihrer Jugend geschworen, zu Beethoven und Goethe-Schiller. Kontinuierlich wallt der Lebensstrom von jenen zu ihnen weiter: wir wissen, er kann nicht abgeteilt und zerschnitten werden; wir spüren den Wandel der Epochen und suchen sie in ihrer Besonderheit zu fassen, wir müssen es tun; aber wir töten das Lebendige, wenn wir jemals vergessen, daß es über die Grenzen dieser Epochen immer herüber- und hinüberrinnt und schließlich alles Leben untrennbar in Eins gehört.« (S. 26 f.)

Die Rechtfertigung des Preußen Bismarck durch die deutsche Kultur dient vor allem der Harmonieerzeugung, wie der letzte Satz verdeutlicht, und erscheint als schwacher Abglanz des Goetheschen Harmoniemodells. Bei Treitschke wurde schon konstatiert, daß den Herrschenden – anders als im voraufklärerischen Herrscherlob – bürgerliche Tugenden zugesprochen werden; auch bei Marcks finden wir z. B. in seinem ebenfalls in *Männer und Zeiten* abgedruckten Essay über *Kaiser Wilhelm I.* – ebenso wie in seiner umfassenderen Biographie von 1897 – Charakterisierungen wie: »mit herzlicher Be-

scheidenheit« (S. 108), »menschlich« (S. 110), »der Mann der Pflicht, der Selbstbeherrschung und des Gewissens, der Mann der festen Kraft und des heldenhaften Mutes«
(S. 111). Darüber hinaus operieren Treitschke und Marcks mit den schon genannten Me-
taphern aus dem Arsenal bürgerlicher »Unterwanderungsstrategien« (Schulte-Sasse) des
18. Jahrhunderts, wo dem »Landes-Fürsten« gern der »Landes-Vater« entgegengehalten
wird. [22] Diese Familienmetapher prägt allerdings kein Anspruchscharakter mehr, sondern sie dient einzig der Idealisierung der Herrschenden und soll die Harmonie von
Staatslenker und Staatsvolk beschreiben. Der Tod Wilhelms I., meint Marcks, haben alle
Deutschen so gerührt, »als stürbe jedem deutschen Hause der Vater« (S. 110). Bei
Treitschke, dessen Kennzeichnung Friedrich Wilhelms I. als »Hausvater« schon zitiert
wurde, wird ein ähnliches idyllisches und harmonisches Bild in der Skizze *Friedrich II.*
entworfen: der König ist »der weise Beschirmer des Rechts«, der sich »mit solchem Eifer
der Wiederherstellung des Volkswohlstandes« widmet: »Der Erfolg lehrte, wie glücklich
der König und sein Volk einander verstanden.« [23]

Die biographischen Arbeiten der preußischen Historikerschule sorgten für eine entscheidende Akzentverlagerung in der Individualitätsauffassung. Obwohl Autoren wie
Treitschke und Marcks sich der Devise »Männer machen die Geschichte« verschrieben
hatten, mußte ihre starke Ausrichtung auf den preußischen Machtstaat zugleich die personale Individualität relativieren: an deren Stelle trat nun die Kollektivindividualität des
Staates, in der die Individualität des Herrschers aufging und zugleich ihre exzeptionelle
Erhöhung erfuhr. Treitschke hatte in seiner Habilitationsschrift von 1858 schon von einer »willensbestimmte[n] Staatspersönlichkeit« gesprochen und sich damit zu einer
Staatsauffassung bekannt, wie sie z. B. auch von Ranke und Wilhelm von Humboldt vertreten wurde, denen der Staat ebenfalls als ›Individuum‹ vorstellbar war. [24] Wenn
Ranke den Staat nicht nur als »lebendiges Dasein« erfaßt, sondern dabei zugleich von
»unaufhörlicher Entwicklung, unaufhaltsamem Fortschritt« sprechen kann [25], so war
es für die preußisch-nationalistische Geschichtsschreibung nicht schwer, dieses geneti-
sche Prinzip in ihrem Sinne wirken zu lassen, indem sie Preußen kurzerhand zum politischen Erben der 1848er-Ideale erklärt und damit die Verwirklichung nationaldemokra-
tischer Forderungen vortäuscht. [26] Auch hier läßt sich die bewährte Form von Anknüpfen an Tradition und sofortiger ›Umpolung‹ beobachten: »der Prinz von Preußen zog
1849 aus dem Mißlingen der deutschen Revolution die positive Folgerung«, schreibt
Marcks über den jungen Wilhelm I., »wer Deutschland regieren will, muß es sich erobern. Das blieb die Sehnsucht und die Kraft seiner eigenen Zukunft.« [27] Wen wundert
es da noch, wenn Treitschke Friedrich II. den »Ruhm eines nationalen Helden« (I, S. 71)
zuspricht oder die Toleranz »vom Staate anbefohlen« sein läßt (I, S. 14).

Indem der Staat individualisiert wird, kann auch die Familienmetapher vorzüglich
greifen und im Sinne einer Integrationsideologie wirken: Der Herrscher wird zum Vater,
das Land zum Vaterland und die Bewohner werden zu Familienmitgliedern. Der antike
Topos des ›pater patriae‹ erfährt einschließlich der damit verbundenen Vorstellung von
der ›auctoritas‹ seine moderne Anverwandlung, indem das schillernde Wechselspiel
zwischen persönlicher Macht (›potestas‹) und vorbildlichem Einsatz »im Dienste und
zum Wohle der Mitbürger«, wie der Althistoriker Richard Heinze diese Aufgabe beschreibt [28], wiederholt wird. Analog zur Struktur der Familie im 19. Jahrhundert und

analog zum Erziehungssystem ist das Verhältnis der Familienmitglieder zum Vater nun allerdings eines der Unterwerfung. Mit der Berufung auf Fichte wünscht sich Treitschke, »daß in unsern Bürgern wachse und reife der ›Charakter des Kriegers‹, der sich zu opfern weiß für den Staat.« (I, S. 140) Dafür übernimmt der Vater (bzw. der Staat) die traditionelle Schutzfunktion: »Wir empfinden es, was uns diese Macht bedeutet, schirmend und deckend, leitend und erhebend«, heißt es bei Marcks im Essay über *Wilhelm I.* (S. 98).

Die Problematik, die dadurch entsteht, daß es für die Familienmitglieder eigentlich zwei Vaterautoritäten – König und Staat – gibt, wird in einer Art ›Doppelstrategie‹ gelöst. Einmal wird der Herrscher zum ›ersten Diener des Staates‹ erklärt und damit zugleich zum personalen Vorbild erhoben: Friedrich der Große sei »dem harten Volke ein Vorbild kriegerischen Mutes, rastloser Arbeit, eiserner Strenge«.[29] Andererseits wird er mit dem Staat identifiziert, d. h. in eine ›höhere‹ Ebene gehoben, wo die Individualitäten – persönlicher Herrscher und Staat – verschmelzen: Wilhelm I. ist »Behüter des deutschen Friedens« und »Träger unserer Macht und Größe«.[30] Diese doppelte Vaterrolle hat noch weitere Konsequenzen: sie erlaubt und verhindert zugleich Identifizierungen. Die vorbildlichen Eigenschaften und Tätigkeiten des personalen Herrschers werden zur Nacheiferung empfohlen; ›Größe‹ und ›Macht‹ dagegen sind scheinbar überindividuelle Attribute, die allerdings ihren Abglanz auf den Einzelnen werfen, der damit – z. B. in der Form von Nationalbewußtsein – teilhat an der Aura. Die besondere Funktion des Herrschers – möglich durch die Doppelrolle – liegt darin, daß er allein als Symbolfigur auftreten kann, er ist eben »*Träger* unserer Macht und Größe«.

Damit hängt auch die für die politische Biographik beobachtete unpersönliche Geschichtsschreibung zusammen, d. h. der Verzicht auf die individuell-persönliche Entwicklung des ›Helden‹. Eine intimere Charakterisierung würde das Überwechseln in die Übervaterrolle des Staates erschweren bzw. die gewünschte Identität beider Rollen verhindern. (Hier setzt folgerichtig auch die moderne psychologisierende Biographik ein, der es nicht zuletzt um ›Heldensturz‹ geht.) Private Züge sind allenfalls dann angebracht – z. B. in den beliebten Anekdoten –, wenn sie als Bekräftigung eines vorgegebenen öffentlichen Porträts dienen können. (Man vergleiche nur die Anekdoten um Friedrich den Großen, die z. B. seiner ›Gerechtigkeit‹ Ausdruck verleihen sollten.) Zustimmend zitiert Treitschke Friedrichs II. Ausspruch »Der Fürst hat keinen nähern Verwandten als seinen Staat, dessen Interessen immer den Banden des Blutes voranstehen müssen.« Einerseits wird also der ›erste Diener des Staates‹ vorgeführt, andererseits tritt dieser wie selbstverständlich mit Besitzansprüchen *seinem* Volk gegenüber. Dank weist ein solcher Herrscher ab, denn: »Dafür bin ich da.« Mit einem weiteren Friedrich-Zitat, »Der Fürst soll Kopf und Herz des Staates sein, er ist das Oberhaupt der bürgerlichen Religion seines Landes.«[31], leitet Treitschke die Identitätsverschmelzung von Vater- und Übervaterrolle, von Herrscher und Staat, ein. Er kann sich dabei sogar der bürgerlichen Vorstellungswelt bedienen, die seit der Renaissance mit dem Vaterbild operiert hat. Jacob Burckhardt zitiert in seiner *Kultur der Renaissance* Petrarcas Mahnung an den Fürsten von Padua: »Du mußt nicht Herr deiner Bürger, sondern Vater des Vaterlandes sein und jene wie deine Kinder lieben, ja wie Glieder deines Leibes.«[32] Mit der Körper- und Gliedermetaphorik wird Einheit und Hierarchie zugleich vermittelt. Auch ein Schriftsteller und Politiker wie Otto Gildemeister kann als Zeuge für diese Einstellung angeführt werden.

In seinem Essay von 1871, *Die Hohenzollern,* zitiert Gildemeister zustimmend Bismarcks Ausspruch: »Bei uns ist König und Vaterland eins und dasselbe.« Für ihn sind die »Interessen der Dynastie und die des Landes als identisch« aufzufassen. Dem Volk wird Anteil an der Größe durch die verbindenden Tugenden suggeriert: »daß beide, Königtum und Volk, aus dem Kriege heimkehren wie sie hineingegangen sind, arbeitsam, frei von Taumel.« Auch die Familienmetapher vergißt er nicht: »Im höheren Sinne ist es das Interesse jeder Familie, daß das Familienhaupt seine Pflicht tue.« Zielt dieses Argument auf das bürgerliche Arbeitsethos, so wird die Herrschaftsformel »von Gottes Gnaden« ebenfalls bürgerlich gewendet: »Sie spricht die Heiligkeit und Weihe einer irdischen Institution aus, welche der Wohlfahrt eines großen Volkes zu dienen, mit dem Volke zu stehen und zu fallen bestimmt ist.«[33]

Über die Gemeinschaft des ›Volkes‹ – zu dem das Proletariat nur gerechnet wird, wenn es sich einer strikten Staatsloyalität befleißigt – wird die alte bürgerliche Gleichheitsforderung als verwirklicht ausgewiesen. Nachdem Treitschke und Marcks Kunst und Wissenschaft mit dem preußischen Staat versöhnt haben, greifen sie auch die soziale Problematik auf und versuchen, sie im Sinne der neuen Einheitsideologie zu lösen. Beide Historiker verheimlichen nicht, daß sie eine ständisch gegliederte Gesellschaftsform bevorzugen, legitimieren wollen sie ihr Ideal aber mit anerkannten bürgerlichen Autoren. So spricht Marcks in seinem Vortrag von 1911 z. B. von »ständische[r] Anschauung«, schränkt dann – mit Blick auf den bürgerlichen Zuhörer? – diese Aussage zunächst ein: »Ständisch nicht im Sinne etwa einseitiger Herrschaftsgewalt des Adels«, um schließlich doch die wahre Absicht aufzudecken: »Alle Stände, jeder für sich, in seinen Grenzen; jeder Einzelne aber ein Glied seines Standes; und alle diese natürlichen Lebens- und Rechtskreise in ungebrochener, in organischer Entwicklung: das ist das Ideal« (S. 9). Sollte dem Zuhörer bzw. dem Leser in dieser gewundenen Formulierung nicht klar geworden sein, was gemeint ist, dann wird es ihm ein paar Sätze weiter verdeutlicht: »Den aufgeklärten Despotismus hat er [Goethe – H. S.] bewundert« und »Wie hat er sich gegen die Demokratie, gegen die Menschenrechte gewehrt« (S. 10).

Auch Treitschke greift dieses Problem in seiner Charakteristik Friedrichs II. auf. Geschickt macht er sich soziologische Veränderungen zunutze und stilisiert sie zu einer Verwirklichung traditioneller bürgerlicher Ideale: »das monarchische Beamtentum verdrängte die Adelsherrschaft, das strenge Recht den Nepotismus, die Glaubensfreiheit den Gewissenszwang, das deutsche Schulwesen den tiefen Seelenschlaf pfäffischer Bildung«. Friedrich Wilhelm I. begründet »eine Aristokratie der Bildung neben der alten Gliederung der Geburtsstände«. Solche Einzelaspekte schießen dann in ein Harmoniemodell zusammen: »die besten Köpfe des Adels und des Bürgertums strömten der neuen regierenden Klasse zu. Das preußische Beamtentum wurde für lange Jahre die feste Stütze des deutschen Staatsgedankens«.[34] Selbstverständlich sind das individuelle Leistungen des Königs, die es zudem erlauben, eine Brücke vom 18. Jahrhundert bis zu Treitschkes Gegenwart zu schlagen: Bürgerliche Emanzipation wird als ›königliche‹ Tat gefeiert!

Treitschke gelingen bei diesen geschichtlichen Überzeugungsversuchen verblüffende Argumentationen. So gibt er einerseits zu, daß unter Friedrich II. leider noch keine

»Aufhebung der Privilegien der höheren Stände« und auch nicht die »Teilnahme der Nation an der Staatsleitung« möglich gewesen seien. Damit suggeriert er für die Gegenwart das Erreichen dieser Ziele, gibt aber zugleich ein Beispiel für seinen Personenkult, indem er auf »eine geniale Manneskraft« für die schweren Aufgaben verweist.[35] Auch im *Milton* gesteht er soziale Unterschiede ein, nimmt sie aber in einer sophistischen Wendung zum Anlaß, ein starkes Königtum zu fordern: »Daß gerade die schreiende Ungleichheit unserer Bürger, die Macht unserer socialen Gegensätze die Monarchie nothwendig hervorruft« (I, S. 25). In Erich Marcks' Essay *Kaiser Wilhelm I.* finden wir ähnliche Vorstellungen von einem sozialen Ausgleich: Marcks spricht vom »harten Sonderstaate, dem Beamten- und dem Soldatenstaate« (S. 99) und konstatiert »die unendliche Dehnung und Adelung unserer deutschen Welt« (S. 98). Damit liegt uns zugleich ein gutes Beispiel vor für die krude Mischung von imperialistischem Denken und chauvinistischer Überheblichkeit.

Greifen wir nochmals die Familienmetapher auf, so haben sich (scheinbar) bei den Familienmitgliedern die Gleichheitsforderungen durchgesetzt, während aber zugleich die Vaterrolle stabilisiert bzw. idealisiert wird. Daß z. B. die Rolle des Proletariats übersprungen und nur an den Ausgleich Adel-Bürgertum gedacht wird, spricht deutlich für die Ausrichtung der Argumentation auf das Bürgertum. Für die Kleinbürger und das Proletariat – allerdings von diesem nicht akzeptiert – wirft sich z. B. ein Mann wie Julius Langbehn zum Sprecher auf, indem er die umgewerteten Ideale des Bürgertums propagiert, jedoch nunmehr ohne die Rücksichten, die noch Treitschke und Marcks nehmen mußten: Er tritt offen und ohne Skrupel für die Ständegesellschaft ein und wiederholt die Phrasen von der »Veradelung der deutschen Nation«; »der besitz- und friedlose Pöbel« soll wieder »in Volk verwandelt« werden. Das alles wird als »Sozialaristrokratie« ausgewiesen, die sich in einem ›gegliederten‹ Gesellschaftssystem zu verwirklichen habe. Hier endlich finden wir das offen ausgesprochen, was die preußischen Historiker nur unterschwellig haben einfließen lassen: den Bürgern wird die Rolle der »geborenen Anwälte und Vormünder der sittlich wie materiell schlechter gestellten Klassen« zugewiesen und ihnen zugleich die Anerkennung eines über allen waltenden ›Vaters‹ – sei es nun der König oder Bismarck – abverlangt.[36]

Als Ergebnis dieses Kapitels, das sich zum Ziel gesetzt hat, das Gegenwartsinteresse der preußischen Historiker aufzuzeigen, kann festgehalten werden, daß sich die politische Biographik der ›preußischen Schule‹ bzw. ihre personalistische Geschichtsschreibung der geistigen (›Bildung‹), politischen (›Nation‹), sozialen (›Gleichheit‹) und ethischen (›Tugend‹, ›Liebe‹) Ideale des Bürgertums bedient hat, um sie für die Rechtfertigung des neuen Staates einzusetzen. Dabei haben Umprägungen stattgefunden, die es schließlich erlauben, von einem »Staat des Geistes und der Waffen« (Marcks) zu sprechen[37], für den wie Treitschke 1888 meinte, sich Emanuel Geibels Spruch »Und es mag am deutschen Wesen / Einmal noch die Welt genesen!« bewahrheiten würde.[38] Die Kapitulation des Bürgers vor dem Anspruch des Staates läßt sich in einer Wendung Treitschkes am besten erfassen, wo es mit suggestiver Selbstbeschwörung heißt, »daß das Wesen des Staates zum ersten Macht, zum zweiten Macht und zum dritten nochmals Macht ist« (III, S. 71).[39]

Eng verbunden ist mit dieser Auffassung eine Geschichtsschreibung, die sich gegen die

›objektive Manier‹ des Rankeschen Historismus formiert. Mag es einigen dabei auch um erkenntnistheoretische Probleme gegangen sein – so bei Droysens ›forschendem Verstehen‹, das der Diltheyschen Hermeneutik so nahe steht[40] –, bei Treitschke und Marcks ging es zuallererst um eine politische Geschichtsschreibung im Dienste der herrschenden Macht. Gervinus' Definition des Geschichtsschreibers als »Parteimann des Schicksals« – er selbst hat noch die erklärende Apposition »ein natürlicher Vorfechter des Fortschritts und der Freiheit« hinzugefügt[41] – wird dankbar anerkannt, aber zugleich auf den Machtstaat ausgerichtet. Franz Mehrings sarkastische Bemerkung in seiner Überlegung *Etwas über ›große Männer‹* (1887) hat hellsichtig die unheilige Allianz von Geist und Macht getroffen: »Denn das ist auch so eine stehende Eigentümlichkeit der ›großen Männer‹: geht ihnen der unfehlbare Geist aus, so greifen sie mit wahrer Wollust zur unfehlbareren Gewalt.«[42]

4. Die geistes- und kulturgeschichtliche Biographik

Als Wilhelm Grimm 1844 den *Forster*-Essay des ihm nahestehenden Gervinus zu beurteilen hatte, zeigte er sich der starken politischen Ausrichtung abgeneigt.[1] Ähnlich wie bei Friedrich Schlegel spüren wir hier eine Berührungsangst der bürgerlichen Intelligenz vor zu direkter politischer und sozialer Forderung. Gerade durch den Mißerfolg der 1848er-Revolution werden solche Züge noch verstärkt. Nicht selten steht nur noch ein ästhetisch verbrämter verbaler Anspruch für die realen politischen und sozialen Forderungen. Im Vokabular des 18. Jahrhunderts preist z. B. Jakob Grimm 1859 in seiner *Rede auf Schiller* die »Poesie als einen der mächtigsten Hebel zur Erhöhung des Menschengeschlechts, ja als wesentliches Erfordernis für dessen Aufschwung«.[2] Daß die Poesie allerdings »ihre dynamische, zukunftsgerichtete soziale Funktion eingebüßt« hat (Schulte-Sasse)[3], belegt die resignative Haltung des Bürgertums in der zweiten Hälfte des 19. Jahrhunderts; denn die Tradierung klassisch-ästhetischer Wertvorstellungen mündet in einen statischen Bildungsbegriff ein. Den Weg von jener »Vision eines teleologisch organisierten Bildungs- und Erziehungsfortschritts der Menschheit« in die Sackgasse der Bildungsautonomie bzw. der Bildung als Selbstzweck und Palliativ für bürgerliche Gemüter hat Michael Naumann in einem Aufsatz überzeugend skizziert: »So wird aus einer ›öffentlichen Tugend‹ eine private [...] und statt der ›Bildung‹ der Welt erhebt Weltflucht den Anspruch, der korrekte Habitus des Gebildeten zu sein. Der Bürger entpuppt sich als ›bourgeois‹, sein Reich ist das Private: Hier war er frei, ein Republikaner der Innerlichkeit.«[4]

Jacob Burckhardt ist wohl der beste Zeuge für eine forcierte Ästhetisierung und Verinnerlichung. »Aus Welt, Zeit und Natur sammeln Kunst und Poesie allgültige, allverständliche Bilder, die das *einzig irdisch Bleibende* sind, eine zweite ideale Schöpfung, eine neue Welt, die Gott durch die Menschen schaffen läßt.«[5] Die von Burckhardt beschwörend und einzig im Sinne der Verstärkung eingesetzten Komposita – von nun an typische Begleiter einer ersehnten Harmonie – signalisieren sowohl Verunsicherung im Wertesystem (»allgültige«) als auch in einem gemeinsamen Bildungsverständnis (»allverständliche«) und stehen zugleich für die Forderung nach Vergegenwärtigung historisch legitimierter (bzw. zu legitimierender) Zeugnisse großer Schöpferpersönlichkeiten. In diesen und in deren Werken läßt sich die für die Gegenwart so vermißte Einheit, die Harmonie, wiederfinden. Wenn sich so stark der Wunsch nach einer »zweite[n], höhere[n] Erdenwelt« durchsetzt, wie es an anderer Stelle bei Burckhardt heißt[6], dann wäre nach den gesellschaftlichen Gründen zu fragen. In unserer Darstellung soll das zusammen mit der Entwicklung der Biographik erfolgen.

a) Die biographische Essayistik

In der zweiten Hälfte des 19. Jahrhunderts läßt sich eine Zunahme biographischer Essayistik feststellen. Sie wird mit so unterschiedlichen Publizisten – sehen wir einmal von der historisch-politischen Essayistik, z. B. von Treitschke, ab – wie Otto Gildemeister, Karl Hillebrand, Erich Schmidt, Julian Schmidt, Ludwig Speidel und besonders mit Herman Grimm verbunden. Es bedürfte einer umfassenderen Darstellung, um dieser Essayistik gerecht zu werden, die in dieser historischen Skizze jedoch nicht geleistet werden kann.[1] So ist der biographische Essay nicht nur stark durch die Charaktere der jeweiligen Autoren geprägt, sondern z. B. auch zugleich durch das Publikationsmedium (Zeitung, Zeitschrift, Essaysammlung); nicht zuletzt hängt hiervon auch die Intensität der biographischen Einlassung ab. Im Überblick dürfen wir behaupten, daß immer noch der Typus biographischer Essayistik vorherrscht, der sich mit Teilen des Lebens bzw. mit einzelnen Leistungen des Porträtierten befaßt, aber daneben wird auch der Drang zur Gesamtschau spürbar. (Als Übergangsform zur großen Biographie wird im Anschluß an dieses Kapitel Hillebrands *Herder* untersucht.) Es wäre außerdem z. B. die Tätigkeit Speidels als Berufsfeuilletonist (Neue Freie Presse, Wien), Julian Schmidts als Herausgeber der *Grenzboten* (zusammen mit Gustav Freytag) in Rechnung zu setzen; bei Gildemeister müßte die politische Arbeit in Bremen, bei Hillebrand der Weg vom badischen Revolutionär zum Privatgelehrten in Florenz, bei Grimm und Erich Schmidt die akademische Lehre in Anschlag gebracht werden. Gemeinsam ist allen Autoren jedoch die bewußte Ausrichtung auf künstlerische und ästhetische Fragen – was nicht ausschließt, daß sich daran auch politische Motive knüpfen lassen.

Es ist z. B. auffällig, wie selbst ein aktiver Politiker wie Gildemeister in seinem Porträt des englischen Diplomaten und Essayisten Macaulay (1860) einzig den Schriftsteller würdigt: dessen Meinungen seien »in fein ciselirte Rüstungen voll getriebener Gold- und Silberarbeit« eingekleidet.[2] Solche ästhetischen Draperien bevorzugt auch Gildemeister selbst, wenn er z. B. Macaulays politische Tätigkeit in Indien kurz abtut (»um unter einem fabelhaften Himmel als Gesetzgeber zu wirken«) und dann den künstlerischen Gewinn eines solchen Aufenthaltes lobt: »er durchdringt sich dort mit neuen Erfahrungen und Anschauungen und kehrt mit Schätzen des Geistes zurück, welche er in den beiden unvergleichlichen *Essays* über Lord Clive und Warren Hastings zu Kunstwerken ausprägt«.[3]

Wiederholt sich hier scheinbar nur die gleiche Entpolitisierung eines politischen Akteurs, die wir schon in Friedrich Schlegels *Forster* beobachten konnten, so erhält diese Wiederholung ihr besonderes Gewicht dadurch, daß hier ein Politiker selbst die Ästhetisierung betreibt. Es ist in diesem Zusammenhang von Interesse, daß auch dem Diplomaten Macaulay in seinem *Friedrich der Große*-Essay (1842) ähnliche Tendenzen nachgewiesen werden können: Schon 1859 hat Ludwig Häusser in seiner Rezension in der *Historischen Zeitschrift* im Namen der politischen Geschichtsschreibung gegen das einseitige Bild vom »Poeten und Gesellschafter in Sanssouci« protestiert. [4]

Wollen wir solche Übereinstimmungen nicht als Zufall werten, sondern das bestimmende Motiv in der Entpolitisierung entdecken, so müssen wir uns auf die schon angesprochenen Verinnerlichungstendenzen im Bildungs- und Kunstverständnis des Bürgertums besinnen. Da Gildemeister sonst durchaus ein *politischer* Journalist gewesen ist[5], mag seine Hochschätzung des *Schriftstellers* Macaulay zunächst irritieren, gewinnt aber bei näherem Hinsehen durchaus an Logik. In seinem Essay selbst finden wir einen Ansatz zur Erklärung: Indem Gildemeister auf die in England herrschende enge Wechselbeziehung zwischen Bildung und Politik, »zwischen der Aristokratie der Gesellschaft und der Aristokratie des Geistes«, verweist, die sich ihm so vortrefflich in der Figur Macaulays präsentiere, konstatiert er implizit für Deutschland eine Trennung beider Bereiche:

> »Die populäre Prosa, als deren Blüthe wir den *Essay* vorfinden, entsteht von selbst, wo die Bildung sich darauf angewiesen sieht, die Politiker für sich zu interessiren, die Politiker der Bildung schon deshalb nicht entbehren können, weil die Staatsangelegenheiten in mündlicher Debatte und in einer freien Presse zum Austrag gebracht werden.« [6]

Wenn Gildemeister dann die deutsche Aristokratie, im Gegensatz zur englischen, »litterarisch gebildet nur im Mittelalter« sieht[7], so beschreibt er damit nochmals die Kluft zwischen den politisch Herrschenden und der künstlerisch-literarischen Intelligenz. Diese Trennung ist vor allem auch ein Ergebnis der gescheiterten bürgerlichen Revolution von 1848, waren doch ursprünglich Kunst und Bildung durchaus mit einer öffentlich-politischen Funktion verbunden, wie die Literatur des Vormärz beweist. Dem allmählichen Rückzug des Künstlers und der Intelligenz nach 1848 korrespondiert die Lösung des bürgerlichen Politikers von den Strömungen einer ›ästhetischen Opposition‹ und die Anpassung an die bestehenden Herrschaftsstrukturen. Ein Mann wie Heinrich von Treitschke hat diese Trennung ebenfalls erkannt, sie aber als ›naturhaft‹ interpretiert. [8]

Mag Gildemeister mit seinem *Macaulay* einen Beitrag zur Überwindung dieser Entfremdung intendiert haben, so trägt der Essay in Wirklichkeit dem beschriebenen Zustand Rechnung, da der Autor sich nicht bemüht, »die Politiker für sich zu interessiren«. Die Politik behält sich der politische Journalist, wie der Senator Gildemeister auch, für die Tagesgeschäfte vor, während in der sich anspruchsvoll gebenden Essayistik einzig auf ästhetische Aspekte und Innerlichkeitsbezüge abgehoben wird. (Daß damit dennoch ein politisches Anliegen zum Ausdruck kommen kann, wird in der abschließenden Betrachtung zur Sprache gebracht.) Damit wird keineswegs behauptet, daß es sich um unterschiedliche Lesergruppen handelt; im Gegenteil, wir dürfen vermuten, daß Gildemeister auf die gleichen Leser wie in seinen politischen Kommentaren zielt, die aber eine Trennung von politischer und künstlerischer Essayistik wünschen.

Bestätigt finden wir diese Einstellung, wenn wir unseren Blick zu Ludwig Speidel lenken, der seinen Wiener Zeitungslesern mit kleinen Porträtskizzen z. B. Luther (»vor allen und vorzugsweise eine religiöse Natur«), Voltaire (»war zuerst und zuletzt Dichter«), David Friedrich Strauß (»ein Meister des Wortes«) und Ludwig Börne (»ein bedeutender Schriftsteller, ein genialer Pamphletist«) nahebringen wollte (außerdem z. B. noch Zwingli, Spinoza, Schiller, Feuerbach, J. Grimm, Uhland, Nestroy, Fr. Vischer).[9] Überall sind die politischen Bezüge ausgespart. Wie unangenehm dem Autor solche Aspekte sind, beweist besonders der *Rousseau*-Essay von 1878, wo die politische Dimension nicht umgangen werden konnte: »So hat der Begriff der Volkssouveränität Hand und Fuß erhalten: er kann nun marschieren und zuschlagen.« Im folgenden wird nicht nur die martialische Sprache moderiert, die wahrscheinlich die Französische Revolution diskreditieren sollte, sondern auch ein Harmonietableau entworfen: »Dieser revolutionäre Politiker, dieser theologische Störenfried, diese furchtbare polemische Klinge war andererseits ein stiller, träumerischer und empfindungsvoller Mensch.[10] Unschwer ist hier das Ideal der vita contemplativa zu erkennen!

Ähnliches ließe sich bei Karl Hillebrand finden, dessen Wahl der Porträthelden schon eindeutig die Vorliebe für die Kunst und das Geistige belegen (vgl. z. B. Petrarca, Rabelais, Torquato Tasso, John Milton, Montesquieu, Balzac, Dickens, Pückler-Muskau, Prosper Merimée).[11] Wenn es auch ein legitimes Recht jedes Autors ist, *seine* Helden auszusuchen, so mutet die politische Abstinenz bei einem ehemals politischen Revolutionär und Emigranten wie Hillebrand zunächst eigenartig an. Bei genauerer Prüfung stellt sich die politische Begeisterung dann als jugendliches Strohfeuer heraus. Im essayistischen Nekrolog des Freundes Heinrich Homberger wird die Wandlung vom »Freischärler von 1849 in den ›Conservativen‹ der siebziger Jahre« mit dem Hinweis auf geistige Ansprüche Hillebrands gerechtfertigt:

> »Zwar ist es ja nur natürlich, daß den Psychologen das politische Phänomen nicht minder reizt als das moralische und künstlerische; dennoch darf man sich fragen, ob der mit dem lauteren Honig des Gedankens genährte Humanist wohl daran thue, auch an den Bitternissen der Zeitkämpfe die Feinheit seiner Zunge zu versuchen.«[12]

Entlarvend – sowohl für den Porträtierten als auch für den Autor selbst – ist die preziöse Metapher vom »lauteren Honig«, bestätigt sie doch die konstatierte Abwendung vom politischen Alltagsgeschäft und die Einrichtung in der Burckhardtschen ›höheren Welt‹. Die politische Welt ist für einen Mann, der vom Freund als »künstlerische[r] Geistesaristokrat« charakterisiert wird, allenfalls als ästhetisches Vergnügen vorstellbar: »Ich sitze hier«, so zitiert Homberger einen Brief seines Freundes aus Florenz, »in der schönsten Prosceniumsloge der Welt und schaue dem Weltspektakel zu«.[13] Diese Beobachter- und Genießerrolle, zu der sich Jacob Burckhardt ebenfalls bekennt[14], hat Walter Benjamin in seinem *Baudelaire* auch dem bürgerlichen »Flaneur« zugesprochen und sie zugleich als sozialen Vorgang interpretiert, da sich in der Verschiebung vom Genuß *in* zum Genuß *an* der Gesellschaft der politische Machtverlust der Bürger manifestiere: »Daß unterdessen ihr Teil im besten Fall der Genuß sein konnte, doch nie die Herrschaft, das eben machte die Frist, die ihr von der Geschichte gegeben war, zu einem Gegenstand des Zeitvertreibs.«[15] Der sozial-psychologisch erklärbare Vorgang der Idealisierung des Genusses bestätigt nur die konstatierte Trennung der Kunst bzw. Bildung von Politik und Öffentlichkeit. Die Aufgabe, beide Bereiche wieder zu vereinen, wie es sich Gildemeister anscheinend vorgenommen hatte, wäre nur über eine schonungslose soziale und politische Bestandsaufnahme und bürgerliche Selbstkritik möglich gewesen – und gerade dazu war der größte Teil des Bürgertums nicht in der Lage, wie wir noch sehen werden. Selbst wenn sich z. B. in einem Autor beide Interessen trafen, wie bei Gildemeister, so sorgte er doch in der literarischen Praxis für die Trennung.

Wenn es auch nicht möglich ist, hier die so schwierige Problematik des Essays in seiner formalen und inhaltlichen Struktur aufzugreifen, so sei doch der Versuch gewagt, auffallende Veränderungen gegenüber der vorhergehenden Essayistik zu benennen.

Hatte Herder in seinen Essays Kunst und Literatur wie selbstverständlich im öffentlichen Raum angesiedelt, hatte Goethe in seinem *Winckelmann* die Harmonie von innerer und äußerer Welt entworfen, Georg Forster seinen Cook, Gervinus wiederum Forster selbst als handelnden *und* denkenden Menschen gezeichnet, so hatten wir mit Friedrich Schlegels *Forster* schon die Verlagerung ins Geistig-Ästhetische konstatiert. Für das Ende des 19. Jahrhunderts dürfen wir nun die endgültige Zerstörung des ursprünglichen Harmoniemodells behaupten: Neben eine deutlich aufweisbare Akzentverlagerung von der öffentlichen in die private Sphäre, die eine Reduktion gesellschaftlicher Momente und die Konzentration auf eine Person bzw. deren geistig-künstlerische Leistungen zur Folge hat (natürlich sind vielerlei Mischungsverhältnisse möglich), tritt auch eine Veränderung der formalen Struktur und stilistischen Eigenarten des Essays. Um die Wandlungen aufzuweisen, brauchen wir nicht ein weiter zurückliegendes Gegenbild, wie z. B. Herders biographische Essays, auszuwählen, sondern können gerade mit Friedrich Schlegels Essayistik operieren, bei der wir schon den Weg eingeschlagen sahen, der zum Ziel die vita contemplativa hat. Die hier angesprochene Essayistik demonstriert Verhärtung und Verabsolutierung der Schlegelschen Positionen und schafft damit zugleich einen anderen Essaytyp.

Bei Schlegel findet sich noch die offene Form; seine wiederholten Bekenntnisse zur Subjektivität, seine direkten Leseransprachen, rhetorischen Fragen, eingestandenen Zweifel – am besten im *Lessing* zu studieren – vermitteln noch den Eindruck einer selbstsicheren und optimistischen Grundeinstellung des Autors, der Dialog und Diskussion mit dem ›mündigen‹ Leser sucht, den er am Gedanken- und Assoziationsfluß und an den Schlußfolgerungen teilnehmen lassen will; hier scheint immer noch ein durchschaubares Überzeugungsspiel vorzuherrschen, dem sich der Leser anschließen oder verweigern kann. Der viel zitierte experimentelle Charakter des Essays scheint gewahrt. Und doch hat sich schon eine Veränderung ergeben: Es erfolgt nicht mehr eine Vorstellung »aktueller Probleme in aller Unverbürgtheit und Unzuverlässigkeit, die den Leser zu kritischer Revision herausfordern«, sondern »das kritische Urteil, zu dem Essay vormals eine sich selbst konstituierende Öffentlichkeit provozieren wollte, nimmt hier der Autor vorweg.« Damit ist der Weg, wie Hannelore Schlaffer in Anlehnung an Habermas formuliert, »vom räsonierenden zum reflektierenden Schriftsteller« eingeschlagen.[16]

Schien sich Schlegel noch geborgen und sicher zu fühlen in der ›gebildeten Gesellschaft‹, war er noch überzeugt, von hier aus auch Einfluß auf die Gestaltung der gesamten Gesellschaft nehmen zu können bzw. seine Selbstverwirklichung in ihr zu erreichen, so hat dieser Optimismus doch schon seine Einschränkungen erfahren, wenn wir die sich unterschwellig aufdeckende Resignation und den Rückzug aus der Öffentlichkeit bedenken, und damit auch die Aufgabe einer Hoffnung oder gar festen Überzeugung, mit Moral und Bildung auch eine Politisierung zu erreichen. [17]

Ziehen wir nun die Linie bis zum Essay in der zweiten Hälfte des 19. Jahrhunderts, so erkennen wir eine endgültige Trennung von geistig-ästhetischem und gesellschaftlich-politischem Bereich: Die in diesem Kapitel besprochenen Autoren haben diese Unverbundenheit akzeptiert und sich mit der Burckhardtschen ›höheren Welt‹ getröstet. Für den biographischen Essay scheint das Folgen gehabt zu haben, denn wir können auffallende Veränderungen bemerken.

Andreas Fischer hat in seinen *Studien zum historischen Essay und zur historischen Porträtkunst* (1968) gegen die These von der notwendigen Experimentierfreudigkeit der Essayisten, die z. B. auch immer wieder für die in diesem Kapitel behandelten Autoren behauptet wird [18], seine Beobachtungen angeführt, daß sich » auch solche mosaikhafte Vielfalt der Einzelaspekte zu einem einheitlich gesehenen Gesamtbild zusammenzuschließen vermag« [19] Er hat dabei jeweils leitende Gesichtspunkte in einzelnen Essays erkannt: Treitschkes *Milton* z. B. sei nicht nur chronologisch-biographisch angelegt, sondern beuge sich auch der Idee, daß »Leben, Dichtung und Politik zur Einheit« zusammenwachsen (Fischer). [20] (Wir haben im vorhergehenden Kapitel schon auf die kompositionelle Geschlossenheit auch des Essays über Pufendorf hingewiesen.)

Eine Erklärung für diese Beobachtung scheint durchaus möglich, wenn wir uns die bisher geschilderte Entwicklung vor Augen halten. Die »Zentrierung auf ein einheitliches Gesamtbild« (Fischer) [21] wäre dann als Reflex auf die tief empfundene Verunsicherung in der gesellschaftlichen und individuellen Identität und als Wunsch nach Sicherheit, Einheit und Vorbild zu interpretieren. Es ist nämlich auffällig, wie häufig in den Essays selbst die ›Einheit‹, das ›Ganze‹, der Zusammenhalt und die emotionale Geborgenheit thematisiert werden: Gildemeister schwärmt von der Einheit von Bildung und Politik im England Macaulays, Speidel rühmt die Empfindsamkeit Rousseaus, Grimm »die wahre Lehre von der Zufriedenheit« bei Ralph Waldo Emerson und behauptet – nicht zufälligerweise 1871– in seinem *Gervinus*-Essay, »Kultur und Politik« seien »in ein großes System« integriert. [22] (Bei seinem bewunderten Vorbild Emerson finden wir nicht nur die quietische Lehre, sondern auch das Lob des Mannes, »der das Ganze überblickt«, wie es im *Goethe* heißt. [23]) Wie stark hier allerdings ein Wunschdenken durchbricht, das sich über die Realität des äußeren Lebens hinweghebt, wird erkennbar, wenn wir uns die Form der Essays genauer ansehen: Das offene und assoziativ-variierende Verfahren weicht einem forcierten Überzeugungsduktus, der Vermittlung von Lebensmaximen anstrebt oder Trostangebote unterbreitet. Wenn Andreas Fischer feststellt, manche Autoren neigten dazu, ihre biographischen Helden als »feststehende, invariable Gegebenheit« einzuführen [24] – wie Macaulay seinen Friedrich den Großen – und damit eine direkte Charakterisierung an die Stelle der indirekten – Werke, Taten, Briefe usw. lassen das Bild des Helden entstehen – zu setzen, so kann diese Beobachtung bei den hier behandelten Essayisten bestätigt werden.

Die Autoren scheinen Urteilssicherheit und Selbstgewißheit suggerieren zu wollen, die nicht zuletzt aus einem starken didaktischen Anliegen motiviert sind. Herman Grimm hat in der Beschreibung seines Vorbildes Emerson zugleich eine vortreffliche Charakterisierung der neuen Essayistik gegeben: »Die früheren Essayisten waren Schriftsteller,

Emerson war Prediger. Seine Essays könnte man als kurze niedergeschriebene Predigten charakterisieren, die an Jedermann gerichtet sind.«[25]

Damit wird zugleich die Wirkungsabsicht und ein engagiertes Bildungsdenken bekundet, das sich z. T. bewußt gegen Zeitbezüge stemmt und stattdessen Bildungsgenuß und vor allem Bildungsbesitz proklamiert: daß »jeder Deutsche seinen Goethe lesen, seinen Dürer schauen, seinen Mozart hören könne« (Hillebrand).[26] Auch wenn Homberger behauptet, der Essay wolle nicht »sowohl unterrichten als bilden, nicht Ergebnisse überliefern, sondern zum Nachdenken anregen«[27], so läßt sich nach Durchsicht der Essays dagegen halten, daß die Autoren nur zu gern in eine Praezeptorenrolle fallen. War im 18. Jahrhundert der mündige Bürger als der ideale Leser des Essayisten gedacht, so fällt nun die belehrende Funktion des Essays auf, der nicht selten apodiktisch daherkommt und Lebensansichten aufdrängen will.

Auffällig ist die damit einhergehende neue kompositionelle Technik, die dem Essay Geschlossenheit und Abrundung verleihen soll: Auch hier dürfen wir von einer Überzeugungsstrategie reden, indem die vorgegebene Urteilssicherheit des Essayisten nun eine formale Unterstützung erfährt.

Der Predigt ähnlich unterwirft sich der Essay einer durchgehenden linearen und zielgerichteten Struktur und einer ästhetischen Einkleidung, die nicht selten den Eindruck eines rhetorischen Schaustückes erzeugt. Die Unterschiede etwa zu Schlegels (auch bewußter) Technik müßten in einer gründlichen vergleichenden Analyse herausgearbeitet werden: wir können beim Essay im 19. Jahrhundert (in vielfältigen Mischungsformen!) dramatische Aufbautechnik, stilistische Glanzlichter, bewußt anspruchsvolle Bilder, Gleichnisse und Sprache konstatieren; appellative und emphatische Töne wechseln in sentenzartig verkündete Maximen über, die das Gleichnishafte und Didaktische belegen. Alles fügt sich einem Spannungsbogen, der Geschlossenheit suggeriert und allenfalls dort ›brüchig‹ wird, wo er im Besonderen das Allgemeine aufscheinen läßt – und damit die Wirkungsabsicht verrät. Die gewünschte Identifizierung wird bezeichnenderweise nicht so sehr über rationale Argumente, obwohl wir auch hier Mischungen zwischen Affekt- und Vernunftansprachen beobachten können, oder über die direkte Ansprache des Lesers einzuleiten versucht, wie es z. B. bei Herder oder Forster der Fall war, sondern eher durch irrationale und emotionale Reize, die auf ›Seelengleichklang‹ spekulieren.

Der Glaube an eine Einheit bzw. der starke Wunsch, sie verwirklicht zu sehen, verändert auch die Rolle der historischen Individuen: Die ›Ansprüche‹ der Interpreten an ihre Helden steigen. Einmal sollen diese als Beweis für mögliche Lebenseinheit und individuelle Selbstverwirklichung stehen, zugleich wollen die Interpreten in die intime Nähe ihrer Helden treten, ja nicht selten fühlen sie sich in Idealkonkurrenz. Für Emerson meint Friedrich Hiebel: »Zuerst ahmte er den Stil Chateaubriands nach, dann eiferte er mit Montaigne, schließlich gelangte er zu Bacon und entdeckte Carlyle.«[28] Wir können solche Beziehungen ebenfalls zwischen Gildemeister und Macaulay, zwischen Grimm und Emerson herstellen.

Die starke Konzentration auf historische Personen und deren Taten bzw. Werke entspricht auch immer dem Wunsch, sich überzeugender Autoritäten für die in der Gegenwart anstehenden Probleme zu versichern. Bisher genügte für diese Funktion die ›Charakteristik‹, d. h. der summierende, zugespitzte Abriß, oder die herausgegriffene Einzelproblematik, sei es ein Lebensabschnitt, eine Tat oder ein Werk. In der zweiten Hälfte des 19. Jahrhunderts können wir jedoch eine zunehmende Sehnsucht nach repräsentativen Individualitäten feststellen, deren Lebensablauf in seiner Totalität erfaßt werden soll; ein Titel wie *Representative Men,* den Ralph Waldo Emerson seiner Essaysammlung von 1850 gab, könnte ebensogut über den meisten deutschen Sammlungen stehen. Wir dürfen vermuten, daß dahinter der Wunsch nach stellvertretenden, symbolhaften Lebensläufen steht, die einem bestimmten Bedürfnis der Leser entgegenkommen. Dabei vollzieht sich eine ideelle und formale Harmonisierung: »Jeder Mensch, sobald er todt ist, empfängt in Wahrheit einen Heiligenschein, und sein zerrissenes Dasein wird ein harmonisches Produkt vor unsern Augen«, meint Grimm in seinem *Friedrich der Große und Macaulay* (1858). [29] Die künstlerische Durchformung des Essays, die ›ästhetische Harmonisierung‹[30], scheint damit ein Reflex des Wunsches nach exemplarischer Lebensharmonie zu sein. Ähnlich wie in der Geschichtsschreibung des Historismus, wo der Zusammenhang der Ereignisse durch die erzählerische Kohärenz erreicht und damit eine einleuchtende Sinnkonstitution vorgetäuscht wird, verweist auch hier dieses ›sinnvolle‹ erzählerische Konstrukt symbolhaft auf eine ersehnte sinnvolle Geschichte. Wenn Jacob Burckhardt Größe jedoch als »Mysterium« definiert[31], dann wird damit die schon angesprochene Weltflucht ausgedrückt. Es scheint, daß die historischen Figuren nun die Aufgabe zugewiesen erhalten, stellvertretend für ›Welt‹ und ›Einheit‹ zu stehen und als eine Art Mikrokosmos zu fungieren.

Die geistesgeschichtliche Biographik – das sei hier vorerst nur behauptet – entsteht als geistig-ästhetischer ›Weltentwurf‹ und als Symbol für Lebenseinheit. Ob dabei die Verschiebung von der Vormacht der Autobiographie zur Biographie, wie sie im Blick auf die Entwicklung vom 18. zum 19. Jahrhundert nahegelegt wird, wirklich stattgefunden hat und ob sich darin eventuell der Umschlag vom Optimismus und von der Selbstgewißheit zu personaler Unsicherheit und historischer Sinnsuche in fremden Lebensläufen erfassen läßt, bedürfte einer gründlichen Überprüfung. Den Übergang von einer offenen und gegenwartsinteressierten biographischen Essayistik zu einer auf die ›höhere Welt‹ ausgerichteten geistes- und kulturgeschichtlichen Biographie soll die folgende Analyse von Hillebrands *Herder* markieren.

b) Zum Beispiel: Karl Hillebrand, Herder (1872)

Mit Hillebrands *Herder* liegt uns ein sehr umfangreicher Essay – er umfaßt im Buchnachdruck ca. hundert Seiten – vor, der zugleich den Übergang zur Biographie verdeutlichen kann, da in ihm schon viele der dann z. B. in Herman Grimms oder Carl Justis Werken zu beobachtenden Elemente vorhanden sind. Der Essay – Hillebrand hat sich im Text (S. 150) ausdrücklich zu dieser Gattungsbezeichnung bekannt[1] – ist zuerst 1872 in *The North American Review* erschienen, also für ein Publikum konzipiert, das mit der Figur Herders nicht sehr vertraut gewesen sein dürfte. Da die Arbeit aus dem Englischen rückübersetzt worden ist, müssen wir bei einer sprachlichen Analyse Vorsicht walten lassen, aber für unser Hauptanliegen, das jeweilige Gegenwartsinteresse aufzuweisen, ist sie dennoch bestens geeignet. Auch bei Hillebrand finden wir den schon bei Gervinus und

Schlegel aufgezeigten expositionsartigen Vorspann, der das Anliegen des Autors benennt und hier zugleich als erstes Beispiel für die direkte Charakterisierung genommen werden kann:

> »Er herrschte mit unbestrittener Autorität über eine ganze Generation, und diese Herrschaft über die gesamte deutsche Literatur hatte für einen Zeitraum von zehn Jahren (1770 bis 1780) Bestand; er war der mutige Apostel eines neuen literarischen Glaubens, und der größte unter seinen zahlreichen Schülern heißt Wolfgang Goethe.« (S. 82)

Hier ist eine frühzeitige Festlegung und eine Ausrichtung auf die Geistesgeschichte erfolgt, die dann noch durch die behauptete Wirkung im 19. Jahrhundert unterstrichen wird: »der Begründer des deutschen Denkens« wird nicht nur mit Goethe, sondern auch noch mit Hegel, Niebuhr, Savigny, F. A. Wolf, Wilhelm und Alexander von Humboldt und David Friedrich Strauß verbunden (S. 82). Über eine *politische* Wirkung Herders, wie sie z. B. im Zusammenhang mit David Friedrich Strauß hätte erwähnt werden können, wird der Leser nicht informiert. So berechtigt es gerade bei Herder ist, den *geistigen* Ausstrahlungen zu folgen, so verbirgt sich dennoch eine bewußte Einseitigkeit in Hillebrands chronologischem Bildungsgang seines Helden. Das Aussparen der politischen, sozialen und ökonomischen Bezüge wird nicht z. B. durch die notwendige Beschränkung in der Essayform oder durch das besondere Anliegen des Autors erklärt, wie es Herder bei seinem Porträt Abbts tut[2], und damit diese biographische Entwicklung als ein *Teil* des Herderschen Lebens ausgewiesen, sondern es wird im Gegenteil suggeriert, hier werde das *Ganze* geboten: Herders Ideen werden als »abhängig von seiner natürlichen Veranlagung und den Zeitverhältnissen« gekennzeichnet: »Wir haben infolgedessen damit zu beginnen, daß wir den Denker und sein Zeitalter schildern, bevor wir zu der Darstellung der Ideen gelangen, die sich nach zwei Seiten richteten und die Welt veränderten.« (S. 82) Wer nun erwartet, Hillebrand werde die historische Situation Deutschlands in der zweiten Hälfte des 18. Jahrhunderts als Folie für den Lebenslauf seines Helden benutzen, wird enttäuscht: ›Zeitverhältnisse‹ und ›Welt‹ beziehen sich allein auf die geistig-kulturelle Sphäre.

Der chronologische Lebensabriß zeichnet in einer für die moderne Biographik weit verbreiteten teleologischen Ausrichtung eine geistige Entfaltung, die notwendigerweise zum Weimarer Herder führen muß. Hier in der »geistige[n] Hauptstadt von Deutschland« (S. 131) soll sich ein Gelehrtenleben erfüllen, das von Kindheit an auf dieses Ziel ausgerichtet erscheint. Hillebrand rechtet deshalb mit Zeitgenossen des jungen Herder, die z. B. »Außerordentliches bei diesem Jungen« nicht erkannt hätten (S. 85). Für ihn bietet sich dagegen eine gradlinige Entwicklung von einer ärmlichen Familie, in der aber »der Geist der Strenge, der Ordnung und der moralischen Sauberkeit herrschte« (S. 83) und damit das bürgerliche Ideal sich erfüllte, über eine durch die Bibel und Homer verschönte Jugend (S. 84) in eine entbehrungsreiche Studentenzeit, in der der junge Herder zu verhungern drohte (S. 88), aber dennoch sein Glück und innere Zufriedenheit fand – ein beliebter Trivialtopos in der geistesgeschichtlichen Biographik –, da sein Lehrer Kant ihm für geistige Nahrung sorgte: »Herder verdankt Kant die Erweckung des philosophischen Sinns in seinem Geiste.« (S. 89)

Mit dem Eintritt in die Universität scheint Herder die reale Welt und ihre »Ärgernisse und Entbehrungen« (S. 88) hinter sich zu lassen und sich in einem geistigen Reich einzurichten: Wie schon das Kind sich von der alltäglichen Welt löste und in einen Baum flüchtete, um sich »still dasitzend dem Genuß des Lesens mit einer wahren Leidenschaft« hinzugeben (S. 84), so scheint auch das Studentenleben nur aus geistigen Genüssen bestanden zu haben, ja hier in Königsberg deckt sich schon für Hillebrand der Grundzug der Herderschen Ideenlehre auf. In Übernahme und Weiterführung Hamannscher Gedanken, von deren »verwirrten Torheiten« Hillebrand sich bezeichnenderweise wenig angezogen fühlt, erschließt sich Herder eine neue Weltsicht, die allerdings zugleich das Wunschbild Hillebrands verrät:

> »Es war der Begriff der lebendigen organischen Entwicklung, im Widerspruch zu dem leblosen Mechanismus, Synthese gegen Analyse, das individualistische gegen das fragmentarische Dasein, rascher Entschluß gegen erdrückende Anstrengung, kurzum, das neunzehnte gegen das achtzehnte Jahrhundert. So war die Lehre beschaffen, welche der Welt zu verkünden Herders Mission war.« (S. 91)

Einmal erfassen wir damit ein Beispiel für die Vorliebe vieler Biographen, ihre Helden frühvollendet und damit beinahe entwicklungslos hinzustellen, zum anderen wird Herder und seine Philosophie auf ein Harmoniemodell verpflichtet, das seine Bestätigung durch den Lebenslauf und die Werke erfahren muß: Herders Reisen und Aufenthalte in Riga, Frankreich, den Niederlanden, Hamburg, Darmstadt, Straßburg und Bückeburg erscheinen als notwendige Vorstationen für die endgültige Aufnahme in Weimar, das als Verwirklichung der ›höheren Welt‹ vorgestellt wird. Hillebrand läßt deshalb in zunehmender Verengung die politische Welt zurücktreten. In Riga wird der junge Herder, »aus einem im wesentlichen militärischen und bürokratischen Lande wie Preußen kommend«, noch vom »Republikanertum einer freien Stadt« zu seinem Humanismus gedrängt (S. 94), aber schon der Aufbruch nach Frankreich wird als Schritt in die geistige Unabhängigkeit gedeutet: »Am 3. Juni 1769 ging er ohne Geld, ohne Hilfe, ohne an den nächsten Tag zu denken, als Apostel oder Philosoph in die Fremde hinaus, um ›die Welt zu sehen‹, von ihr zu lernen und sie zu nutzen‹« (S. 97). Entgegen der von ihm zitierten Herderschen Selbstcharakteristik, die auf das Prozeßhafte und Unabgeschlossene im Lebensgang abhebt und zugleich die Nähe zum Bildungsroman verrät, die Hillebrand anfangs auch zu betonen scheint, läßt er dann jedoch Herder schon auf der Seereise die entscheidende Lebensweisheit finden: »Auf dem Ozean lernte Herder, Wirklichkeit und wahres Leben in der Dichtkunst zu suchen.« (S. 98)

Da damit der Schritt aus der Realität der Welt erfolgt ist, kann sich der Autor von nun an allein auf die Bildungserlebnisse seines Helden konzentrieren: Im Paris der vorrevolutionären Epoche sind einzig die Begegnungen mit den Enzyklopädisten wichtig (S. 102), die Handelsstadt Hamburg wird durch »ein außerordentlich geistiges Leben« charakterisiert (S. 103), der Aufenthalt in Eutin gibt Anlaß zur Bemerkung über die literarische Bildung des holsteinischen Adels (S. 104), und die Reise als Prinzenbegleiter wird in ihren Begegnungen mit den geistigen Größen Deutschlands wichtig. Wie sehr alles Äußere zurücktreten soll und wie sehr literarische Stilisierung und geistige Tradition gesucht werden, bezeugt die Darstellung der Begegnung Herders mit seiner zukünftigen Frau Caroline Flachsland, wo empfindsamer Seelengleichklang und Dichtungsschwärmerei angedeutet werden, wie wir sie aus dem *Werther* oder aus dem Millerschen *Siegwart* kennen: »Sie lasen zusammen Klopstocks Oden und Kleists Frühling.« (S. 109)

Einen Höhepunkt stellt selbstverständlich die Begegnung mit Goethe in Straßburg dar, die Hillebrand in der ihm oft eigenen pathetischen Diktion feiert: »wodurch der Winter 1770-71 ein wichtiges Datum und die Stadt Straßburg ein geheiligter Platz für das deutsche Volk geworden sind.« (S. 115) Der Aufenthalt in Bückeburg kann dann nur noch als Bewährungsprobe gesehen werden, in der Herder sich den Zugang nach Weimar erschreibt. Hier endlich tritt er ins Zentrum des Geistes und lernt »die größte Kultur« kennen, »die Deutschland jemals erzeugte« (S. 132). Personifiziert wird diese Kulturhöhe in Goethe: »Aus dem gesamten gleichzeitigen Schrifttum erkennen wir, daß Goethe für die Dauer von fast sechzig Jahren Weimar Licht und Leben gab. Sobald er Weimar verläßt oder sich vom Hofe entfernt, hört alles Leben auf« (S. 137 f.).

Mit dieser dem 19. Jahrhundert so lieben Vorstellung vom ›Dichterfürsten‹ Goethe – an anderer Stelle nennt er Herder einen »geistige[n] Fürst[en]« (S. 182) – schmeichelt Hillebrand dem in Wahrheit ohnmächtigen Bildungsbürgertum seiner Zeit und verklärt ihm (und sich) außerdem die politische Welt als eine idyllische Gesellschaft von Duodezfürsten, die mit den ›Großen‹, wie Friedrich von Preußen oder Katharina von Rußland, wetteiferten, »sich mit hervorragenden Männern der Literatur und der Wissenschaft zu umgeben und die eifrigste Tätigkeit zeigten, um den Geist der Toleranz und der ›Aufklärung‹ zu verbreiten« (S. 112). In einer solchen Harmonie kann sich die Vorstellung von »jener merkwürdigen revolutionären Epoche« einzig auf eine literarische Revolution, den »Sturm und Drang«, beziehen. Allerdings ist Hillebrand hier einmal bereit, politische Absichten der Schriftsteller direkt anzusprechen, indem er auf den »revolutionären Radikalismus« in Württemberg verweist (S. 125). Inwieweit hier eigene Reminiszenzen hineinspielen, sei dahingestellt, auffällig ist aber auch hier die rasche Überleitung zur Dichtung. Die »Kämpfe um literarische Angelegenheiten« (S. 126) sind Hillebrand ohne Zweifel lieber als die realen politischen Kontroversen.

Wie sehr Hillebrand einem quietistischen Denken verpflichtet ist, beweist er, wenn er die ungewöhnlich hohen Geldausgaben des Weimarer Hofes für Kultur rechtfertigt und daraus eine allgemeine Belehrung ableitet: »Jeder Mensch weiß doch, daß derartige Vorwürfe von Armen gegen Reiche, die recht oft ärmer sind als ihre niedersten Diener, ungerecht sind.« (S. 142) (Diese sophistische Argumentation führt uns zugleich ein Beispiel für die apodiktische und Widerspruch ausschließende Praezeptorenhaltung vor.) »Die goldenen Tage von Weimar« (S. 131) sind einmal als Symbol für die mögliche Erfüllung eines menschlichen Lebens und zum anderen als Inbegriff eines von Hillebrand vorgestellten Harmoniemodells zu verstehen, das dem »arkadischen Musenhofe« (S. 132) einen klaren Vorrang vor der politisch-sozialen Welt zuweist. (Es wäre eine reizvolle Aufgabe zu untersuchen, wie stark hier einmal christlich-eschatologische Elemente und zum anderen literarische Anklänge an eine empfindsame Poesie hineinspielen.)

Daß nun Herder, der doch selbst die Philosophie der Einheit und Harmonie vertritt, in Weimar nicht glücklich wird – im Gegensatz zu Goethe, der als die eigentliche Harmoniefigur im Hintergrund steht –, entschuldigt Hillebrand mit Herders Leiden, »das den allergrößten Einfluß auf das geistige Empfinden des Patienten hat«; denn mit seinem Beruf konnte es keineswegs zusammenhängen, »der unter einem so toleranten Fürsten wie Karl

August doch nicht beschwerlich sein konnte« (S. 141). Diese »chronische Unzufriedenheit Herders« (S. 141) gibt nun ihrerseits Anlaß, von einer »prometheischen Tragödie«
zu sprechen:

> »Dieses bewunderungswürdige Genie, das der Welt das verlorene Geheimnis der echten Dicht
> kunst wieder enthüllte, das die Gesetze der Geschichtsforschung entdeckte und die Schicksale der
> Völker voraussah wie ein zweiter Moses, dieses Genie konnte weder ein Gedicht verfassen noch Ge
> schichte schreiben oder Gesetze geben. Wie Schillers Pilgrim verbrachte er sein Leben mit dem Su
> chen nach dem ignis fatuus, der ihn immer auf falsche Wege führte oder enttäuschte.« (S. 151)

Höchste Lebensverwirklichung und Harmonie sind für Hillebrand nur im individuellen Schöpfungsakt vorstellbar, der trotz des Hinweises auf den (politischen?) Gesetzgeber vor allem auf die künstlerische Leistung bezogen wird. So umweht Tragik ein Leben,
das unter so vorzüglichen Voraussetzungen gestanden hatte, weil es seine eigentliche
Selbstverwirklichung nicht fand. Die letzten Verse Herders vor seinem Tod im Jahr 1803
werden symbolhaft als Ungenügen des Herderschen Lebens und zugleich als Inbegriff der
erwünschten Harmonie eines menschlichen Lebens von Hillebrand zitiert:

> ... in neue Gegenden entrückt
> Schaut mein begeistert Aug' umher – erblickt
> Den Abglanz hörer Gottheit, ihre Welt,
> Und diese Himmel, ihr Gezelt.   (S. 152)

Diese Tragödie – es ist auffällig, wie sehr die Biographen nun den tragischen Lebensläufen zuneigen – im Spannungsfeld von erkannter und beschriebener Harmonie und ungenügender Lebensverwirklichung wird vom Autor Hillebrand in einem dramatischen
Bogen von der Geburt bis zum Tode komponiert: da sind die anfänglichen Widerstände
einer bedrückenden und ungeistigen Welt zu überwinden, da erreicht der Held in zäher
geistiger Selbstdisziplin und mit großem Eifer eine intellektuelle Vormachtstellung, ja errichtet, wie es in dem schon zitierten Satz aus der Exposition heißt, »eine Herrschaft über
die gesamte deutsche Literatur« (S. 82) und verfehlt dennoch sein Ziel, weil ihm Kraft
und Fähigkeit abgehen, das geschaute Glück der Kunst – »den Abglanz hörer Gottheit« –
mit eigenen Werken zu verwirklichen. Deshalb ist Herder für Hillebrand »weder ein
klassischer noch ein glänzender Schriftsteller« (S. 182). Aus der folgenden Begründung
erfahren wir auch die normativen Vorstellungen Hillebrands, die eine Bestätigung des im
vorangegangenen Kapitel angesprochenen Ideals einer ästhetischen Harmonie sind: »Er
ist sogar in einem ausgesprochenen Sinne formlos, da sein Stil rauschend und weitschweifig, seine Komposition unverbunden, seine Beweisführung nicht sicher und seine Bildung
nicht gründlich sind.« (S. 182)

Alles, was wir bisher als Vorteil der ›offenen‹ Form der Herderschen Essayistik verbucht hatten – z. B. die Dialogsituation und die rationale Argumentation –, wird nun bei
Hillebrand zum Manko. Folglich kann er auch keine Erklärung für den beinahe entschuldigend angeführten Erfolg Herders finden (»Aber wir müssen bedenken, daß kein
anderer Schriftsteller am Ende des achtzehnten Jahrhunderts eine so mächtige Stellung
besaß wie er«), da er die getadelten Stileigenschaften nicht als eine adäquate und erfolgreiche Leseransprache erkennt.

Herder wird von Hillebrand auf ein biographisches Prokrustesbett gestreckt, wo Maß
und Wert des Lebens einzig vom Autor bestimmt werden. Einerseits steht Hillebrand

Herder mit Bewunderung gegenüber (»Genie«), andererseits schaltet er mit ihm wie ein auktorialer Erzähler mit seinen Romanfiguren: Wendungen wie »unser Freund« (S. 86) und »unser Reisender« (S. 100) suggerieren Anteilnahme und zugleich intime Kenntnis, der Erzählfluß wird durch Erzählereinschaltungen gesteuert (»Wir wollen aber der chronologischen Erzählung treu bleiben«, S. 112), zuweilen gestattet der Autor seinen Lesern sogar einen Blick ins Innere seines Helden: »Im innersten Herzen und trotz seinem Murren war er in Weimar mit seiner Stellung zufrieden« (S. 146). Hier haben wir zugleich ein Beispiel für die starke Anpassung, die Hillebrand seiner Figur verordnet: In der geistigen Metropole Deutschlands, die mit allen Insignien eines irdischen Paradieses geschmückt wird, wo eben die »wundervolle Atmosphäre der Kunst herrscht« (S. 138), *muß* sich ein so kunstempfänglicher Mann wie Herder einfach wohlfühlen.

Diese selbstherrliche Entschiedenheit des Autors deckt sich am eindeutigsten in den direkten Charakterisierungen oder in den meist ohne Zeugnisse abgegebenen Urteilen auf: »Die Blicke der Nation waren von nun an diesem jungen Reformator der Theologie, der Geschichte und der literarischen Kritik zugewandt.« (S. 125) Caroline Flachsland »liebte ihn leidenschaftlich, blind, beinahe irrsinnig, er war ihr Ideal, ihr Kind, ihr Ruhm.« (S. 124) Die Herzogin Anna Amalia ist »eine große, menschlich hochstehende Fürstin« (S. 131), der »kühne Jägersmann« Karl August »war imstande, feinste erlesene Dichtung richtig einzuschätzen« (S. 136). Solche sichere Einordnungs- und Urteilskraft verhindert die sonst dem Essay eigene Offenheit und den Dialog mit dem Leser. Tauchen z. B. einmal im *Herder* Fragen auf, so sind es rhetorische Wendungen, die Meinungen und Urteile suggerieren wollen:

> »War er denn nicht selbst, wahrhaftig, einer von den Barden der Vorzeit, der in einer künstlichen, im Abstieg befindlichen Kultur wieder aufgestanden war, mit dem ausdrücklichen Vorsatz, den Menschen durch den Anblick ihrer Jugend, bevor die einstige Frische und Ursprünglichkeit der menschlichen Natur durch die analysierende Tätigkeit der Vernunft vernichtet wurde, ein lebendiges Gegengewicht zu verschaffen? War er nicht außerdem in einer Person Priester und Dichter, Denker und Seher, Prophet und Gesetzgeber wie einstens jene Barden?« (S. 98)

Zwar kennt auch Hillebrand den Herderschen emphatischen Stilgestus: »Ja, das eben war es, was dem armen Herder fehlte! Die robuste Gesundheit, die jugendliche Elastizität und Frische Lessings« (S. 96), aber man vermißt das mitreißende, den erhellenden Gedanken hervortreibende Moment. Die Herdersche Polemik und Schärfe gerät bei Hillebrand meist zur oberlehrerhaften Attitüde (»Das ist ein großer Irrtum«, S. 120), die statt der Argumente lieber die Invektiven wählt: »Ewige Sucht kleiner Geister, die nach der Genugtuung streben, große Männer in Stücke zerreißen, schwarz auf weiß, weil sie nicht die einzigen, ja nicht einmal die ersten waren, welche eine Wahrheit verkündeten!« (S. 163) Statt wie Herder Zitate für sich selbst sprechen zu lassen und damit die Wertung als Teil eines aktiven Leseprozesses zu verstehen, liebt Hillebrand das dem Leser aufgedrängte Werturteil: »Das sind goldene Worte, die wenig Gehör gefunden haben.« (S. 169)

Daß der gesamte biographische Abriß als Exemplum zu gelten habe, wird durch gelegentlich eingestreute Sentenzen deutlich, die vom Besonderen des Herderschen Lebens die Brücke zu allgemeinen Erkenntnissen oder Lebensmaximen schlagen sollen: »Energie des Charakters zeigt sich aber nur durch tätiges Handeln wie die Bewegung durch das

Gehen« (S. 117). Allerdings verwendet Hillebrand solche gnomischen Einsprengsel, die den biographischen Spannungsbogen ›aufbrechen‹, recht sparsam. Wie sehr ihm jedoch an einer Verdeutlichung des Exemplums gelegen ist, wird im dritten Teil seines Essays erkennbar, der einen eigenständigen, umfangreichen Abschnitt (S. 152–183) bildet. Neigt die didaktische Dichtung generell dazu, ihr Anliegen nochmals verdeutlichend in begrifflicher Sprache hervorzuheben, z. B. als ›Moral‹, so entspricht auch der dritte Teil des *Herder* solcher Intention. Ist für die Biographik eine Wertung wichtig, weil sie den Standort des Autors benennt, so ist gegen Hillebrands Verfahren einzuwenden, daß es für die eigene Urteilsbildung des Lesers wenig hilfreich ist. Statt den Leser an einem Erkenntnis-*prozeß,* an einem diskursiven Denkvorgang, teilnehmen und damit die Wertung nachvollziehbar werden zu lassen, werden Erkenntnisse angeboten, die aus der Autorität des Verfassers ihre Legitimität beziehen und die Wahrheit und Endgültigkeit nahelegen wollen. Mindestens für den *Herder* muß deshalb Hombergers Behauptung, »Hillebrand hält keine Schule« und Uhde-Bernays' Urteil, der Leser werde »zu selbständigem Mit-Denken und Nach-Denken« angeregt, bezweifelt werden.[3] In Wirklichkeit werden nämlich kaum Denk*anstöße* gegeben.

Im Schlußteil wird die in der Exposition behauptete Wirkungsmacht Herders ausführlicher dargelegt und damit auch eine formale Klammer und Geschlossenheit erreicht. Dem »Begründer der deutschen Bildung des 19. Jahrhunderts« (S. 153) – in der Exposition hatte es geheißen: »der Begründer des deutschen Denkens« (S. 82) – setzt der Autor ein Denkmal, das ihm aber zugleich ermöglicht, sich selbst als Vertreter eben dieser Bildung zu präsentieren und damit Vergangenheit und Gegenwart zu verschmelzen. Schon im biographischen Teil führt uns der Autor gelegentlich seine Kenntnisse vor, so z. B. wenn er einen Exkurs über Merck in Darmstadt einschiebt (S. 105 ff.), der zugleich das geistige Umfeld seines Helden absteckt. Hier im dritten Teil rückt der Autor noch entschiedener in den Vordergrund: wir werden über Bildungstradition (»Der Ausgangspunkt der deutschen Bildung befand sich in Frankreich«, S. 154), über Parkanlagen, Rationalisten und Irrationalisten (S. 155) informiert. Der Autor breitet hier sein umfangreiches Wissen aus und scheint damit der »Universalität« Herders (S. 157) entsprechen zu wollen.

Sind hier jedoch solche autobiographischen Bezüge nur zu vermuten, so treten sie an anderer Stelle überaus deutlich hervor: Hillebrand lobt Herders »Biegsamkeit des Verstandes«, seine »Sicherheit des Aufspürens«, die »Kühnheit des Sehens und Hörens«: »Die Fähigkeit, den Geist der verschiedensten Länder zu erforschen und zu durchdringen, bestimmt seine hauptsächliche, wirkliche Größe.« (S. 170 f.) Hier entwirft der Auslandsdeutsche Hillebrand, der französische, englische und italienische Kultur zu schätzen wußte, eine Selbstcharakteristik, die noch auffälliger wird, wenn Weltbürgertum mit Patriotismus, wie auch im *Petrarca*-Essay[4], gekoppelt wird: »Dieser Kosmopolitismus hat Herder jedoch nicht gehindert, der deutscheste unter allen deutschen Schriftstellern durch den grundsätzlichen Ausdruck seiner Geistesverfassung, noch weniger gehindert, der Verkünder der deutschen Gedanken nach allen Richtungen der Welt zu sein.« (S. 171) Hillebrands *Herder* hat sich gerade diese Aufgabe gestellt: von einer deutschen Bildung zu künden, die vorbildhaft sein kann, weil sie wieder Vereinigung dessen schafft, »was der Verstand getrennt hatte« (S. 157).

Damit haben wir das zentrale Anliegen des *Herder*-Essays benannt, das am Schluß nochmals eindringlich von Hillebrand hervorgehoben wird: er stellt »die beiden fundamentalen Lehrsätze Herders« vor, die im 19. Jahrhundert »übernommen und weiter ausgebildet« worden seien: »die Begriffe der organischen Entwicklung und der Unteilbarkeit des Individuums« (S. 183). Wenn wir uns an das Zitat aus der biographischen Skizze erinnern, wo die Synthese der Analyse vorgeordnet wird oder an die Abneigung gegen das behauptete Chaotische bei Hamann, so liegt uns damit eine Illustration der Feststellung vor, die Homberger in seinem *Hillebrand*-Essay trifft:

»Hillebrands Haß galt den rationalistischen Theorien in Moral und Politik und vollends der Anwendung dieser Theorien auf Poesie und Kunst[...] Nichts glich der Verachtung, womit er die Worte Rationalismus, Radikalismus, Positivismus, Utilitarismus in den Mund nahm.« [5]

Auf diese Linie richtet Hillebrand auch Herder aus:

»Tatsächlich machte Herder nicht nur ein Ende mit den Überresten der Vernünftelei, des Lehrhaften und Moralischen, was Lessing noch in den Bereich der Poesie eingelassen hatte, sondern wies alles ab außer der eigenwilligen Eingebung des Dichters.« (S. 171)

Die von Hillebrand gewünschte Einheit hat Herder zwar nicht selbst verwirklichen können, darin liegt eben seine Tragik, aber »Herders unmethodische, träumerische Einbildungskraft entdeckte nun dieses geistige Band und vereinigte, was der Verstand getrennt hatte.« (S. 157)

Mit der Diskriminierung der Rationalität und Moralität wird der »Begründer der deutschen Bildung« auf eine irrationalistische Ganzheitsphilosophie verpflichtet, die zum besonderen Merkmal deutscher Geistesgeschichte des späten 19. Jahrhunderts gehört und die ihre unheilvolle Wirkung bis ins 3. Reich gehabt hat. Ist Hillebrand noch von einer chauvinistischen Auslegung entfernt – mit Herder warnt er vor nationaler »Überhebung« (S. 180) –, so gerät sein Schwärmen von der »Erneuerung der patriotischen Gesinnung« durch Herder oder gar die Behauptung, Herder sei »ein Vorgänger der nachmaligen Begründer des deutschen Staates« (S. 181), zur Legitimation des bestehenden Machtstaates und kann rasch in einen Bildungschauvinismus oder gar -imperialismus umschlagen, der auch seine politische Dimension gewinnt. Wir haben am Beispiel der historisch-politischen Biographik schon gesehen, wie sehr gerade Bildung und Kunst als Beitrag zur nationalen Selbstüberhebung eingesetzt werden, wie im Namen oder mit dem Beispiel der ›großen‹ deutschen Geister nicht nur ein großes deutsches Reich, sondern zugleich ein politischer Prioritätsanspruch gegenüber anderen Staaten konstruiert wird.

c) Biographie als Entwurf einer ›höheren Welt‹

Nach der exemplarischen Analyse eines Essays, der schon alle Zeichen einer neuen, umfassenderen Biographik trägt, soll nun noch ein Blick auf die großen geistesgeschichtlichen biographischen Gesamtdarstellungen in der zweiten Hälfte des 19. Jahrhunderts erfolgen. Im Auge haben wir dabei die Biographien z. B. von Rudolf Haym (*Wilhelm von*

Humboldt, 1856; *Hegel*, 1857; *Herder*, 1880–83), Herman Grimm (*Michelangelo*, 1860–63; *Goethe*, 1877; *Raphael*, 1886), Erich Schmidt (*Lessing*, 1884–92), Wilhelm Dilthey (*Schleiermacher*, 1870), Carl Justi (*Winckelmann*, 1866–72; *Velazquez*, 1888; *Michelangelo*, 1900 u. 1909). Wie für die vorhergehenden Kapitel gilt auch hier, daß wiederum nur *die* Aspekte aufgewiesen werden sollen, die im Zusammenhang mit dem ›Gegenwartsinteresse‹ stehen. Es wäre durchaus eine eigenständige umfangreichere Untersuchung wünschenswert, die z. B. das jeweils Neue, Gemeinsame und Trennende herausstellte, dabei die Autorenpersönlichkeiten stärker ins Spiel brächte und z. B. auch die Grenzlinie zwischen positivistischer und geistesgeschichtlicher Darstellung schärfer markierte als es hier der Fall sein wird, wo es vorrangig um die Frage geht, warum gerade Philosophen, Dichter und Künstler so begehrte biographische Sujets waren und welche inhaltlichen und formalen Neuerungen sichtbar werden.

Mehr noch als die Essayistik deckt sich die große Biographik als durchgeformtes und harmonisches Produkt auf, das auf der strukturellen Ebene dem aristotelischen Prinzip der poetischen Fabel mit Anfang, Mitte und Ende entspricht.[1] Ein Idealtypus hat folgendes Aussehen: Da die Chronologie sich durchgesetzt hat, beginnt die Lebensgeschichte mit der Kinder- bzw. Jugendzeit. Typische Kapitelüberschriften verraten dabei das Hauptanliegen: »Jugendjahre und erste Bildung« (Dilthey, *Schleiermacher*) oder »Jugendleben und frühester Bildungsgang« (Haym, *Humboldt*). Darauf folgt eine Phase der Lösung von der Familie und der engeren Heimat – »Fortgesetzte Selbstbildung« heißt das zweite Buch im Hayms *Humboldt* – und damit die allmähliche Herausbildung der Persönlichkeit: »Goethe's Bedürfniß, Menschen zu sehen und die Welt in einer gewissen Verwirrung um sich brausen zu hören, führte ihn rasch in mannigfachen Verkehr hinein« (Grimm, *Goethe*).[2] Studium, Bildungsreisen und der Kontakt zur Welt fördern den Selbstfindungsprozeß und führen ihn zu einem Abschluß: Denn in der dritten Phase – »Fülle des Lebens« ist das zweite Buch in Diltheys *Schleiermacher* überschrieben – sehen wir die historische Person ihrem eigentlichen Lebenshöhepunkt zustreben, der sich z. B. in der Kunst und Dichtung manifestiert:

> »Daher nach langen Jahren des Schwankens und Suchens, des Sammelns und Dienens, der Dunkelheit: nun die Zeit der Freiheit, der Ehre, des Schaffens. Er hatte sich selbst gefunden, er hielt sich nun auch fest. Werke von rascher Entstehung und langer Dauer folgten sich so dicht hintereinander, daß man glauben möchte, sein Leben lang habe er sie im stillen vorbereitet.« (Justi, *Winckelmann*).[3]

Gern wird damit ein äußerer biographischer Vorgang verbunden; der Held erreicht den lokalen Zentralpunkt seines Lebens: Michelangelo und Winckelmann Rom, Goethe und Herder Weimar, Humboldt und Schleiermacher Berlin. Diesem biographischen Höhepunkt korrespondiert meist die formale Gestaltung: das vierte von sieben Büchern in Justis *Velazquez* ist überschrieben: »Die Tage von Buen Retiro« und beginnt: »*Achtzehn Jahre* lebte Velazquez von nun an ohne Unterbrechung am Hofe Philipps IV. Es war die Zeit seiner besten Manneskraft.«

Mit dem Eintritt in diesen Lebensabschnitt, der meist um das dreißigste Lebensjahr erfolgt, beginnt die eigentlich schöpferische Phase. Nun tritt die biographische Entwicklung hinter die Würdigung der entstehenden Werke zurück: die materielle Biographie mündet in die Geistesgeschichte ein, die sich »de[n] höheren Zwecke[n] seiner Existenz« zuwendet, wie Justi zu Beginn des zweiten Bandes seines *Winckelmann* schreibt.[4] (Sein *Michelangelo* von 1909 bietet dann nur noch »eine freie Discussion der einzelnen Werke, ungenirt durch die übliche Einschaltung in die Erzählung seiner Lebensgeschichte«.[5]) Das schließt nicht den Bericht äußerer Lebensvorgänge aus – Reisen und menschliche Kontakte –, aber immer mehr werden sie allein auf die künstlerische oder wissenschaftliche Produktion bezogen. »Es liegt in unserm Plane, nur dasjenige zu besprechen was auf Goethe's Entwicklung von unmittelbarem Einflusse gewesen ist.« (Grimm)[6]

Diese Entmaterialisierung des Lebens läßt z. B. den physischen Tod deshalb auch wie eine zerstörerische Gewalt und keineswegs als Abschluß eines reichen Lebens erscheinen. »Er hätte noch Jahrzehnte so fortleben können wie die Patriarchen, von denen das Alte Testament berichtet«, heißt es in Grimms *Goethe*: »Und deshalb kam sein Verlust so unerwartet und wurde so tief empfunden: es schien unmöglich, daß ein Mann mitten aus dem Genuß seiner besten Kräfte herausgerissen werden sollte.«[7]

Die Vorstellung, daß sich Lebensharmonie einzig über das schöpferische Moment einstelle, hat die Vernachlässigung des äußeren Lebens zur Folge: »unendlich wichtiger und reizender ist es«, so lesen wir in Hayms *Humboldt,* »die wunderbare Individualität desselben, sein inneres Sein und den allgemeinen Gang seiner geistigen Entwicklung darzulegen.«[8] Deshalb ist es richtig, bei dieser Biographik das Modell des Bildungsromans in Anschlag zu bringen, wie es Manfred Fuhrmann für Justis *Winckelmann* tut[9], aber darüberhinaus muß auch die spezifische Umformung und Verengung des Goetheschen Vorbildes – ähnlich wie im Bildungsroman des 19. Jahrhunderts insgesamt – berücksichtigt werden. Ganz offensichtlich haben hier Anleihen stattgefunden, wie schon allein ein Blick in die Gliederung der *Winckelmann*-Biographie beweist. Nach Abschluß der ersten Lebenshälfte – Winckelmann »hatte sich selbst und die Einheit seines Lebenszieles gefunden«[10] – mündet der Bildungsgang Winckelmanns in »römische Lehrjahre« (2. Band) und »römische Meisterjahre« (3. Band) ein. Die Biographie schildert »einen Prozeß, der den Helden vom Irrtum zur Wahrheit, von labyrinthischer Verworrenheit zur Einheit des Wesens, vom Unbewußten zu klarer Erkenntnis führt, und das Ziel dieses Weges ist die Harmonie von Individuum, Gott und Welt, eine Art Selbsterlösung des Ich im Diesseits.«[11]

Diese von Fuhrmann (wohl in Anlehnung an Borcherdt)[12] behauptete Bildungsromankonzeption trifft einerseits zu, bedarf andererseits einer Korrektur. Offensichtlich faßt Fuhrmann diesen Romantypus normativ und läßt damit eine von Lothar Köhn schon 1968 formulierte Einsicht außer acht, daß es sinnvoller scheine, »den Begriff historisch zu verstehen«.[13] Wenn Martini im Blick auf Blankenburg von der Aufgabe des Romans spricht, er habe »die innere Bildung eines Menschen darzustellen und damit zugleich bildend auf die Leser zurückzuwirken«[14], so trifft das z. B. voll für Justis *Winckelmann* zu – gerade auch in Bezug auf die intendierte Leserbildung. Aber nicht erst Georg Lukács hat mit seinen Überlegungen zum »Erziehungsroman«, dessen einmalige und modellhafte Verwirklichung er in den *Lehrjahren* sieht, auf die notwendige Versöhnung von Ich und Welt, von Individuum und Gesellschaft, hingewiesen, sondern schon für Hegel, auf den sich Lukács ausdrücklich bezieht, schien sich darin das Ideal zu erfüllen: »Denn das Ende solcher Lehrjahre besteht darin, daß sich das Subjekt die Hörner abläuft, mit seinem Wünschen und Meinen sich in die bestehenden Verhältnisse und die Vernünftigkeit derselben hineinbildet, in die Verkettung der Welt eintritt und in ihr sich einen angemessenen Standpunkt erwirbt.«[15]

Aber gerade diese »Harmonie von Individuum, Gott und Welt«, wie es Fuhrmann nennt, die ja auch Verzicht und Anpassung an die als ›vernünftig‹ erklärte Welt bedeutet, erfährt im 19. Jahrhundert entscheidende Einschränkungen, wie sowohl Borcherdt als auch Lukács festgestellt haben. Redet Borcherdt allgemein vom Verlust eines gemeinsamen Glaubens an die »Erreichung eines ›Bildungs‹zieles«[16], so lagert Lukács die Veränderung in der sozial-ökonomischen Entwicklung nach 1848 an: Das bei Goethe vorgestellte Ideal einer schönen Seele – »eine harmonische Vereinigung von Bewußtheit und Spontaneität, von weltlicher Aktivität und harmonisch ausgebildetem Innenleben« (Lukács) –, das wir auch in seinem *Winckelmann*-Essay kennengelernt haben, erscheint den von der 1848-Revolution enttäuschten Bürgern nicht als realisierbar: »So nimmt das Unbehagen der Schriftsteller meist den Charakter einer Flucht aus der Wirklichkeit an, einer Flucht in die Vergangenheit oder einer Flucht ins individualistische Sonderlingstum.«[17]

Auffällig ist in den Biographien die Zurücknahme bzw. die Veränderung des ›Weltbezugs‹. Hatte Dilthey im *Schleiermacher* [18] und im *Hölderlin*-Essay über den Bildungsroman nachgedacht und dabei im *Hölderlin* den bis dahin typischen »deutschen entwicklungsgeschichtlichen Roman« mit dem Ziel verbunden gesehen, daß der Held dahin geführt werde, »wo er wirken und in die Welt eingreifen soll«[19], so stellt sich für ihn in Hölderlins *Hyperion* das »All-Eine« nur noch über die Kunst her.[20] Zwar bleibt die Forderung an den Bildungsroman erhalten, er solle zugleich »Weltbildroman« sein, wie sie Gundolf in seinem Aufsatz über Grimmelshausen noch 1923 gestellt hat[21], aber es ist nicht zu übersehen, daß dahinter nicht mehr der weite Kulturbegriff des 18. Jahrhunderts steht, sondern jene eingeschränkte Auffassung sich vordrängt, die sich an »einem elitären, an Kunst und Wissenschaft orientierten Kulturbegriff« (Nipperdey)[22] ausrichtet. Welche Bedeutung der ›Weltbezug‹ für die Biographik in dieser Zeit hat, beweisen die nun verstärkt auftauchenden theoretischen Überlegungen. Leopold von Ranke bemüht sich 1869 in der Einleitung zu seinem *Wallenstein* um eine Klärung:

> »Wenn Plutarch einmal in Erinnerung bringt, daß er nicht Geschichte schreibe, sondern Biographie, so berührt er damit eine der vornehmsten Schwierigkeiten der allgemein historischen sowohl wie der biographischen Darstellung. Indem eine lebendige Persönlichkeit dargestellt werden soll, darf man die Bedingungen nicht vergessen, unter denen sie auftritt und wirksam ist. Indem man den großen Gang der welthistorischen Begebenheiten schildert, wird man immer auch der Persönlichkeiten eingedenk sein müssen, von denen sie ihren Impuls empfangen.«[23]

Über eine einem romantischen Verständnis verpflichtete Historiographie, die auf Verbindung des Individuellen mit dem Allgemeinen aus ist, scheint hier Herdersches Gedankengut durch. Wie wir schon im Herder-Kapitel gesehen haben, trägt das Individuum wie selbstverständlich die »Fesseln seines Zeitalters«:

> der Mensch »steht in seinem Jahrhundert wie ein Baum in dem Erdreich, in das er sich gewurzelt, aus welchem er Säfte zieht, mit welchem er seine Gliedmaassen der Entstehung decket. Je mehr er

sich um *seine* Welt verdient machen will, desto mehr muß er sich nach ihr bequemen, und in ihre Denkart dringen, um sie zu bilden.«[24]

Goethe hat mehrfach ähnliche Ansichten bekundet und im Vorwort zu *Dichtung und Wahrheit* ausdrücklich die »Hauptaufgabe der Biographie« darin gesehen, »den Menschen in seinen Zeitverhältnissen darzustellen«.[25] (Andererseits hat er sich auch für eine Biographik ausgesprochen, die sich auf das »Leben«, »wie es an und für sich und um sein selbst willen da ist«, konzentriert.[26])

Solche Anschauungen scheinen sich durchaus im 19. Jahrhundert zu erhalten, wie z. B. das Ranke-Zitat belegt; aber in Wirklichkeit hat die behauptete Harmonie zwischen individuellem Einfluß auf die Welt und allgemeiner Prägung durch eben diese Welt ihre Störungen erfahren. Es ist sicherlich kein Zufall, wenn Ranke auf Plutarch verweist, will er doch damit eine bestimmte Auffassung von Biographik charakterisieren. Lesen wir bei Plutarch selbst nach (Einleitung zu *Alexandros*), so wird der Vorwurf deutlicher: Plutarch liegt daran, »mehr die inneren Charakterzüge aufzusuchen und nach diesen eines jeden Leben zu schildern, die Beschreibung der großen Taten und Schlachten aber anderen zu überlassen«.[27] Nicht Geschichte, sondern Lebensbild, nicht äußere Taten, sondern das Seelische (nicht praxeis, sondern ethos) – damit ist auch zugleich die neue Biographik gemeint, die sich mehr auf das Innere des Menschen als auf die äußeren Vorgänge konzentriert, wenn auch nicht das Seelische im psychischen Sinne, sondern das Geistige im Mittelpunkt steht. Daß wir mit unserer Vermutung recht haben könnten, zeigt z. B. auch Droysens *Historik,* die in die gleiche Zeit gehört, wo wir eine Warnung finden vor dem »Kultus des Genies, wie er z. E. neuester Zeit in vollem Gang ist«, bei dem aber die »anderen großen Faktoren der sittlichen Welt in den Schatten« gestellt würden.[28] Diesem engen Biographieverständnis, gegen das 1835 schon Gutzkow im Vorwort zu den *Öffentlichen Charakteren* polemisierte, glaubt Ranke begegnen zu müssen, indem er ausdrücklich betont: »So bin ich auf den Versuch einer Biographie geführt worden, die zugleich Geschichte ist. Eins geht mit dem andern Hand in Hand.«[29] Der Titel lautet deshalb auch: *Geschichte Wallensteins.*

Wie sich bei den Fachhistorikern über Rankes abwägende und relativierende Historiographie die politisch-didaktische Absicht in den Vordergrund drängte, ist schon zur Sprache gekommen, hier ist nun die Veränderung zu analysieren, die in der kultur- und geistesgeschichtlichen Biographik vorgeht.

Zunächst scheint auch hier wie selbstverständlich das »Individuum von seinem Milieu bestimmt« zu sein, wie es in Diltheys *Aufbau der geschichtlichen Welt* heißt.[30] Wie ein roter Faden zieht sich durch Diltheys gedrängte Darlegung zur Biographik die Betonung, das Individuum sei als »Kreuzungspunkt für Kultursysteme, Organisationen« zu sehen.[31] Auch bei Dilthey finden wir die wechselseitige Beziehung angesprochen: »Der Lebenslauf einer historischen (Persönlichkeit) ist ein Wirkungszusammenhang, in welchem das Individuum Einwirkungen aus der geschichtlichen Welt empfängt, unter ihnen sich bildet und nun wieder auf diese geschichtliche Welt zurückwirkt.«[32] Scheint mit dieser dialektischen Geschichtsauffassung eine Parallele zur marxistischen Theorie möglich, so treten bei genauerem Hinsehen die Unterschiede hervor: während z. B. Marx in der 6. These über Feuerbach den Menschen als »Ensemble der gesellschaftlichen Verhältnisse« bestimmt und dabei auf soziale und ökonomische Bezüge abhebt, sind es bei Dilthey eben doch nur die »Kultursysteme« – auch wenn wir gerade bei ihm noch ein sehr weites historisches Verständnis erkennen; so bilden für ihn »Staat, Religion, Wissenschaft« die »Sphäre«, in der das Individuum lebt. [33] Sein *Schleiermacher* deckt dann auf, was er unter dem »Verhältnis des einzelnen zu der Gesamtheit«, wie es im Vorwort heißt, versteht:

> »wie ganz zerstreute Elemente der Kultur, welche durch allgemeine Zustände, gesellschaftliche und sittliche Voraussetzungen, Einwirkungen von Vorgängern und Zeitgenossen gegeben sind, in der Werkstatt des einzelnen Geistes verarbeitet und zu einem orginalen Ganzen gebildet werden, das wiederum schöpferisch in das Leben der Gemeinschaft eingreift.« [34]

Wie stark das ursprüngliche dialektische Modell des 18. Jahrhunderts gefährdet ist, das sich auf die klassische Idee vom Spiel zwischen Freiheit und Notwendigkeit beziehen läßt, zeigt die Biographik im 19. Jahrhundert. Bei aller Bemühung um eine Balance, wie sie bei Ranke und Dilthey spürbar wird, lassen sich die auseinanderstrebenden Kräfte nicht verleugnen. [35]

Einmal wäre da die Verschiebung zur ›Notwendigkeit‹ durch den Positivismus und seine ›Milleutheorie‹ zu registrieren. Erich Schmidt, Wilhelm Scherers Nachfolger an der Berliner Universität, hat 1886 einen Fragenkatalog zusammengestellt, der den Biographen eines Dichters bei seiner Arbeit zu leiten habe:

> »Stammt der Dichter aus einer Republik oder Monarchie? Stand seine Wiege in einem Dorf, in einer Landstadt, Großstadt, Residenz? Ist es ein historisch ausgezeichneter Ort mit bestimmten geistigen Traditionen? Blieb der Dichter stets im Lande seiner Geburt, oder ging er mitunter auf Reisen, oder suchte er sich gar eine neue Heimat? Wir betreten, vielleicht durch Autobiographien und Bildungsromane unterstützt, sein Vaterhaus, um in der Sphäre der Familie nach Vererbung zu forschen und Charakter, Bildung, Stand, Vermögenslage der Vorfahren zu prüfen; denn verschieden ist Ausgang und Fortgang für den Sohn des Gelehrten und des Ungelehrten, des Bauern, des Bürgers und des Adeligen, des Begüterten und des Unbemittelten. Welchen Beruf erkor er sich, oder war ihm – nicht immer zum Segen – vergönnt nur Dichter zu sein? Alle Nebenumstände und Folgen der Lebensstellung berühren seine Poesie. Die Rolle der Stände und Berufe muß umfassend behandelt werden, wie das für Klerus und Adel des Mittelalters bereits geschehen ist. So schafft das sechzehnte Jahrhundert in den protestantischen Predigern rege Schriftsteller und Vererber der Bildung.
>
> Wir fragen jeden, wie er es mit der Religion hält und welcher Art der religiöse Geist des Elternhauses war. Ist er Katholik, Protestant, Jude, und von welcher Schattirung; Christ, Unchrist, Widerchrist; Pietist, Orthodoxer, Rationalist? Oder Convertit, und warum? Ist es eine Zeit der Toleranz oder der Unduldsamkeit, des Glaubens oder der Skepsis, der Stagnation oder der Neubelebung auf religiösem Gebiete? Für unser Jahrhundert wird das jüdische Element, seine Salons und seine Frauen, seine Journalisten und seine Dichter, seine Heine und seine Auerbach, wird sein Fluch und sein Segen ein starkes, unbefangenes Augenmerk erheischen.
>
> Die politischen Zustände sind gleich den religiösen zu mustern. Krieg oder Friede, Erhebung oder Druck, Misstimmung oder ruhige Zufriedenheit, Indifferentismus oder Parteinahme?
>
> Um den Bildungsgang des Einen zu verfolgen, muß man die Erziehung, den Zustand in der *universitas literarum* und das etwaige Übergewicht einzelner Wissenschaften, die Tendenzen der Forschung, die Lebensanschauung, die Geselligkeit nach Sittenstrenge oder Frivolität, Freiheit oder Convention skizziren. Was ist, mit einem Worte, der Geist der Generation, und wie sind die Generationen in einander geschoben, denn Generationen so wenig als Perioden der Litteratur oder Epochen im Dasein des Individuums lösen einander wie Schildwachen auf die Minute ab. Unter die große Rubrik ›Bildung der Zeit‹ fällt auch die Frage nach dem Publicum des Schriftstellers. Für welche Genießende und mit welcher Wechselwirkung schreibt er, aristokratisch exclusiv oder demokratisch für

jedermann aus dem Volke, emporziehend oder herabsteigend, angefeuert oder angefeindet? Die Werthschätzung des Dichters an sich ist zu verschiedenen Zeiten verschieden. So wenig die Popularität allein ein Gradmesser der Bedeutung sein kann, sammeln wir doch eifrig Stimmen der Zeitgenossen. Die Isolirtheit oder die Zugehörigkeit zu einer Faction, sei sie von älterem Bestand oder neu gebildet, ist uns wichtig.«[36]

Aus einer solchen Fülle von Determinanten einen Lebensweg zu rekonstruieren, erfordert eine ungewöhnliche Materialaufarbeitung und zudem eine gestraffte literarische Verarbeitung, wenn die Biographie nicht in Weitschweifigkeiten verfallen soll. Erich Schmidt hat solche Gefahren selbst gesehen und 1909 vor einer mikroskopischen Darstellung gewarnt, wenn es ihr allein um »alles irgend erschwingliche Material« gehe.[37] Gedacht hat er dabei wahrscheinlich an die überbordenden Biographien, die unser Positivismusverständnis im wesentlichen geprägt haben, wo Detaillawinen jede biographische Entwicklungslinie verschütten mußten. Als ein extremes Beispiel sei hier Carl Friedrich Glasenapps sechsbändige *Richard Wagner*-Biographie (1904–1911) mit insgesamt 3218 Seiten genannt.

Über diesem zu Recht verspotteten ›Biographismus‹, den wir allerdings auch als eine Fluchtreaktion aus der Gegenwart interpretieren können, sollten nicht die ernsthaften und bis heute als berechtigt anerkannten Versuche übersehen werden, das Individuum in ein überpersonales Bezugssystem hineinzustellen. Kritischere Geister wie Erich Schmidt haben zudem einerseits ihre Bedenken gegen Hippolyte Taines Theorie angemeldet, »überall nur reduzierbare Produkte zu erkennen«, aber andererseits auch gegen Wilhelm von Humboldts Diktum, »beim Genie sei die Kausalität aufgehoben«, Front gemacht.[38] Aus heutiger Sicht müssen wir es sogar bedauern, daß der Positivismus in der Biographik sich nicht mit den Idealen durchgesetzt hat, wie sie Erich Schmidt entworfen hat, sondern einerseits allzustark in geistesgeschichtlichen Bahnen haften blieb und andererseits zur perspektivenlosen Materialanhäufung verkam – und so in beiden Fällen kein Gegengewicht zu der verengten geistes- und kulturgeschichtlichen Biographik sein konnte. (Das wirkt sich dann in den 20er Jahren folgenschwer aus.) Erich Schmidt steht durchaus Dilthey nahe, wenn wir uns seinen *Lessing* (1. Band 1884; 2. Band 1892) anschauen, der eben doch fast nur Kultur- und Geistesgeschichte bietet. Mag Schmidt auch vielleicht nüchternere Werkanalyse betreiben, so deckt sich ein Genieverständnis auf, zu dem er sich 1909 auch öffentlich bekannt hat: »Wir wollen auch nicht nivellieren, also hervorragende Persönlichkeiten zwar keineswegs zu einsamen Säulenheiligen machen, doch der demokratischen Losung des In Reih und Glied die aristokratische Ansicht der Flügelmänner und Führer entgegenstellen, in der Zeit und über der Zeit.«[39] Wenn er dann noch anerkennend von den »schönen Bestien in der Beleuchtung Jakob Burckhardts« spricht[40], so sind damit verblüffende Übereinstimmungen mit der geistesgeschichtlichen Biographik zu erkennen.

Hat sich also die ›Notwendigkeit‹, d. h. die Milieu- und Kausalitätstheorie, in der Biographik eigentlich gar nicht durchgesetzt – allenfalls ist sie als stilistisches Moment in der Materialanhäufung um eine Person zu fassen –, so feiert die ›Freiheit‹ ihre Triumphe. Bei einem Querschnitt würden wir eine zunehmend behauptete Unabhängigkeit des Individuums feststellen können, wobei von Erich Schmidt sich der Bogen über Dilthey, Grimm und Justi bis zum George-Kreis spannt. Bei Gundolf können wir dann im *Goethe* (1916)

lesen: »In der Tat, je tiefer ein Mensch steht, desto mehr wird er gerade von diesen Faktoren [des Milieus – H. S.] bestimmt, je schöpferischer er ist, desto mehr bedingt er selbst
sie.« [41] Gundolf hat damit nur radikale Schlußfolgerungen aus Einstellungen gezogen,
die sich schon im 19. Jahrhundert herauskristallisierten:

> »Verbreitet war die Illusion von einer sozial ungebundenen Existenz des Künstlers, die Vorstel-
> lung, Kunst habe sich über den ›Materialismus‹ der bürgerlichen Gesellschaft – damit waren die
> Bourgeoisie und das Proletariat gemeint – zu erheben und das Wesen des Lebens jenseits der sozialen
> Widersprüche zu suchen. Individualismus in verschiedenen Varianten bestimmt die bürgerliche Li-
> teratur um die Jahrhundertwende.«

Wenn Hans Kaufmann, von dem dieses Zitat stammt, die Grundhaltung der Literatur
dieser Zeit charakterisiert als »Gegenüberstellung eines isolierten Einzelnen und einer
ihm feindlichen ›Welt‹«, so beschreibt das zugleich die Grundhaltung der Biographi-
en.[42]

Die reale Welt der Gesellschaft, Politik und Ökonomie, soweit sie überhaupt in der
Biographie angesprochen wird, scheint immer nur die Entfaltung des Individuums zu erschweren: »Im Amt widerwärtige Pflichten, rohe und störrische Kinder, mißvergnügte
Eltern, die Schikanen und Drohungen eines grämlichen Vorgesetzten; daheim Einsamkeit und Melancholie; und wenn er bei den Büchern Trost suchte, so fehlte es an allen Enden«, lesen wir bei Justi über Winckelmanns Leben in den Jahren 1746/47.[43] Die geistige Welt und damit »eine Zeit der Entschädigung« für die Mühsal des Alltagsle-
bens[44] erobert sich Winckelmann dann erst in Italien, in das er »wie in ein Arkadien
versetzt wurde, wo das Tosen der Waffen [gemeint ist der Siebenjährige Krieg – H. S.]
nur als ferner Widerhall sich brach.« [45]

Das bedeutet nun keineswegs, daß jeder Weltbezug geleugnet wird, sondern nur die
Konstruktion eines anderen Bezugssystems. In der ›höheren Welt‹ wird das Individuum
nicht durch das ›Milieu‹ erdrückt: »Dann erscheint selbst das, was er den Umständen zu
verdanken schien, als Werk seiner Wahl, als Akt der Selbstbestimmung: die Abhängigkeit verwandelt sich in Freiheit. So wird der Charakter des Menschen durch die Umstände nicht gemacht, sondern geoffenbart.« (Justi) [46] Die Größe eines Menschen besteht eben gerade darin, sich über die Alltagswelt zu erheben: »Solche Menschen gehen
durchs Leben, wie ein Vogel durch die Luft fliegt. Es hindert sie nichts«, heißt es in
Grimms *Michelangelo*.[47] Da allein im schöpferischen Moment Justis »Akt der Selbstbestimmung« sich vollzieht, schaffen sich Künstler, Dichter und Wissenschaftler eine eigene Welt, die auf Kunst, Kultur und Bildung gründet. Deshalb werden die großen Individuen entmaterialisiert: »Raphael, Goethe und Shakespeare hatten kaum äußere
Schicksale. Sie griffen mit sichtbarer Gewalt nicht ein in die Kämpfe ihres Volkes.«
(Grimm)[48] Ihre Welt ist die Burckhardtsche »zweite höhere Erdenwelt«, die nun ihrerseits alle Zeichen einer selbständigen Einheit trägt, in der zudem die gewünschte Harmonie sich verwirklicht: »das Gemeinste löst sich auf in notwendige Schönheit«.

Dieses Kompliment Grimms an den verehrten Ralph Waldo Emerson, dem das Bekenntnis folgt: »Ich habe versucht, mein Buch über Michelangelo in Ihrem Sinn zu
schreiben« [49], verrät die für diese Zeit in der Forschung schon mehrfach konstatierte
Neigung zur Ästhetisierung aller Lebensbereiche und gerade auch der nüchternen politi-

schen Welt. [50] (Gern wird dabei Burckhardts berühmte Überschrift »Der Staat als Kunstwerk« aus seiner *Kultur der Renaissance in Italien* zitiert.) Die Biographien bieten dafür vielfältiges Belegmaterial, hier sei Grimms *Michelangelo* als Beispiel herangezogen.

Im ersten Kapitel entwirft Grimm ein Panorama des geistigen Italiens am Beispiel der Stadtgeschichte Florenz'. Dabei widmet er den geistigen und künstlerischen Repräsentanten (z. B. Dante, Giotto, Ghiberti, Brunelleschi, Donatello, Lionardo) ausführlichere Darlegungen, während die politische Stadtgeschichte im Raffungsstil zusammengezogen wird:

> »Wir sehen das Blut fließen, die Wut der Parteien durchzuckt uns wie ein Wetterleuchten noch von längst verrauschten Gewittern, wir stehen hier oder dort und kämpfen mit in den alten Schlachten noch einmal. Aber Wahrheit wollen wir, keine Verheimlichung der Zwecke und der Mittel, mit denen man sie erreichen wollte. So sehen wir die Völker kochen, wie die Lava im Krater eines feuerspeienden Berges sich in sich selbst empört, und aus dem Kessel klingt das zauberhafte Lied, an das wir uns erinnern, wenn ›Athen‹ oder ›Florenz‹ ausgesprochen wird.« [51]

An dieser kurzen Textpassage lassen sich Beobachtungen machen, die für die Biographik dieser Zeit generalisierbar sind – wenn auch mit Brechungen, Veränderungen und Akzentverlagerungen bei einzelnen Autoren bzw. einzelnen Biographien.

Einmal wäre hier das behauptete ahistorische Grundmuster historischer Vorgänge herauszustellen, das wir als Wechselspiel zwischen Singularität und Typik zusammenhängend analysieren werden, da damit ein wesentlicher Zug der Biographik faßbar wird, der immer wieder die Vergangenheit (hier Athen und Florenz) mit der Gegenwart und den Leser mit den historischen Figuren und Vorgängen verbinden soll. Hier erfolgt die Leseransprache einmal durch den Kunstgriff einer vorgegebenen gemeinsamen Perspektive (»wir sehen«) und mit dem Appell an die Affekte, wobei aus der beobachtenden Distanz zur (affektiven) Anteilnahme übergeleitet werden soll (»und kämpfen«). Mit dem bedeutungsschweren und schlußfolgernden »so sehen wir« wird dem Leser eine geschichtsphilosophische Ansicht nahegelegt, die wenig von der Freiheit aller Menschen, sondern eher von einer fatalistischen Grundstimmung zeugt, der zudem ein mythisch-dämonischer Unterton beigemischt wird. Aufschlußreich ist allerdings, daß aus der »Lava«, aus dem »Kessel« – hierbei soll wohl die Vorstellung einer gesichtslosen ›Masse‹ erzeugt werden – »das zauberhafte Lied« erklingt, das die Welt der Kunst und Kultur charakterisiert, wo die großen Leistungen durch Einzelne hervorgebracht werden, die sich aus der »Lava« herausheben und die schließlich das einzig Bleibende stiften (»an das wir uns erinnern«). Scheint der Satz, der sich auf ›Wahrheit‹ und Aufklärung beruft, durch seinen Appell an die Vernunft des Lesers herauszufallen, so gehört er dennoch zum Ensemble von Überzeugungsgesten, die wir immer wieder bei einer Biographik (oder auch Geschichtsschreibung allgemein) finden, die den Anspruch auf Kunst *und* Wissenschaft für sich reklamiert. Aber selbst hier deckt sich bei Grimm das affektive Moment auf, wenn er dem Leser mit dessen berechtigter Wahrheitsforderung schmeichelt und gerade mit dieser Art captatio benevolentiae kritisches Bewußtsein abzubauen und in eine Vertrauensbindung an den Autor umzulenken weiß.

Wir erfassen in dieser Textpassage ein gutes Beispiel für die in der modernen Theorie der Narrativik häufig angeführte »Verführung narrativer Harmonisierung« (Szondi), die eine »ästhetische Kohärenz der Darstellung« (Croce) anstrebt und damit für eine ›Verklärung‹ der historischen Entwicklung und letztlich auch für eine Ablenkung von der Alltagswelt sorgt, aber zugleich als sprachlich-stilistische Einstimmung bzw. Entsprechung für die vorrangig behandelte Geistes- und Kulturgeschichte gelten kann. [52] Diese ästhetische Kompositionstechnik entspricht durchaus der herrschenden literarischen Erzählweise des 19. Jahrhunderts, die keineswegs auf die fiktionale Literatur beschränkt bleibt, sondern auch *die* wissenschaftliche Literatur bestimmt, die für sich einen Kunstanspruch anmeldet, und das tun sowohl Vertreter der politischen Geschichtsschreibung – denken wir nur an Treitschke – als auch der Kultur- und Geistesgeschichte.

Dilthey hat gerade für die Biographik den Kunstanspruch vertreten, der allerdings nach seinem Verständnis sich mit hohem wissenschaftlichem Ethos verbinden muß: »Die Biographie als Kunstwerk kann sonach die Aufgabe nicht lösen, ohne zur Zeitgeschichte fortzugehen.« [53] Kunst ist damit nicht mehr nur Erkenntnisobjekt, sondern übernimmt auch eine Funktion innerhalb des Erkenntnisprozesses – sie ist »Organ des Lebensverständnisses« [54] –, an dem Künstler und Wissenschaftler gleichermaßen teilhaben können, weil beiden eine besondere Erkenntnisfähigkeit eignet, die Dilthey mit seiner Einfühlungs- und Verstehenslehre beschrieben hat: Intuition und Kunst treten dabei in ein enges Wechselverhältnis. Wenn für die Kunst gilt: Sie »versucht auszusprechen, was das Leben sei« [55], so trifft das auch für die Biographie als Kunstwerk zu, die mit der Rekonstruktion der »Zeitgeschichte« zudem ihre wissenschaftliche Aufgabe erfüllt. Aber darüber hinaus wird der Kunstanspruch auch für die Darstellungsart erhoben. Ranke hat – ähnlich wie z. B. Schiller oder Wilhelm von Humboldt – davon gesprochen, daß nach dem wissenschaftlichen Sammeln die Phase komme, wo »das Gefundene, Erkannte wieder gestaltet« werde, und damit das schöpferische Moment und den Kunstcharakter der Historie behauptet. [56] In seiner *Historik* hat Droysen auf die Gefahren eines überanstrengten Kunstanspruchs verwiesen und treffend die Produkte der Kunst charakterisiert: »Das so Geschaffene ist eine Totalität, ein in sich Vollkommenes.« [57]

Diese Art narrativer Harmonisierung hat vielfältige Facetten, die wir in unterschiedlicher Form und Intensität in den Biographien aufweisen könnten. Im wesentlichen würden wir jedoch die bisherige Forschung bestätigen. Hans Robert Jauß' gelungene Abhandlung über *Geschichte der Kunst und Historie,* in die er Droysens *Historik* ebenso wie Arthur C. Dantos *Analytische Philosophie der Geschichte* eingearbeitet hat, hat die Illusionstechniken, »die bei der scheinbar objektiven Erzählung von überlieferten Tatsachen« vorherrschen, aufgedeckt. [58] Die dabei – in Anlehnung an Droysen – gefundene Trias der Illusion des »vollständigen Verlaufs«, »des ersten Anfangs und definiten Endes« und »eines objektiven Bildes der Vergangenheit« ließe sich auch auf die Biographien anwenden. [59] Dabei würde gerade die Illusion, »als wenn wir von den geschichtlichen Dingen einen vollständigen Verlauf, eine in sich geschlossene Kette von Ereignissen, Motiven und Zwecken vor uns hätten« (Droysen), bei der Nachzeichnung eines einzelnen Lebensweges sich verstärken; auch die falsche Doktrin »der sog. organischen Entwicklung in der Geschichte« (Droysen), dem ein genetisches Erzählprinzip entspricht, kann gerade in der Biographie, wo es um die organische Entwicklung eines Lebens geht, zum Zuge kommen. [60] Hier soll nur die Kompositionstechnik aufgegriffen werden, um eine besondere Form ästhetischer Harmonisierung in den Biographien zu umreißen.

Die meist sehr umfangreichen Biographien könnten auf den ersten Blick vermuten lassen, hier habe die penible Nachzeichnung des Lebensweges eine solche Stofffülle erzwungen, doch bei näherer Betrachtung fallen die vielen Einschübe auf, die sich keineswegs mit der Person beschäftigen. So liebt Grimm – bei ihm können wir auch die stärksten episierenden Tendenzen feststellen – im *Michelangelo* breit angelegte kulturhistorische Tableaus, z. B. als Geschichte Florenz'; Justi streut in den *Winckelmann* eine Fülle von kurzen Personenporträts ein; Dilthey entwirft ein philosophiegeschichtliches Panorama der Schleiermacher-Zeit. Wenn Geburts- und Studienort, Reisen und persönliche Kontakte und vor allem die entstehenden Werke der Dargestellten die Autoren veranlassen, ein breites Wissen zu entfalten, so entspricht das einer berechtigten Forderung an die Biographie, den Helden in seinem ›Milieu‹ zu zeigen und die kultur- und geistesgeschichtlichen Bezüge herzustellen. Aber so wird in dieser Biographik nicht der Bezug zur realen, sondern vor allem zur ›höheren Welt‹ hergestellt: Was sich erst als Bruch einer ästhetischen Kohärenz deuten ließe, weil der Lebensfaden allzuoft abgeschnitten wird und damit der Spannungsbogen zusammenbricht, konstituiert in diesen Biographien gerade den vorgestellten Weltentwurf und so eine besondere Art ästhetischer Harmonie.

Wir dürfen diese Biographik (noch) nicht mit dem historischen Roman und dessen dramatischer Aufbautechnik vergleichen, über die die erzählerische Spannung erzeugt wird, sondern müssen das scheinbare Abschweifen, die oft assoziativ wirkende Reihung von Bildungselementen, die sich als zentrifugale Tendenz und mangelnde tektonische Kraft deuten ließen, als bewußte Absicht auffassen: Sie sind das kompositionelle Analogon zum wissenschaftlichen Studium, zu dem der Leser eingeladen wird; ruhige Erzählweise, Tiefe der Gedanken, Breite in der Darstellung und Vielfalt der angebotenen Bildungs›güter‹, der Vorrang der Reflexion vor dem Handeln und des Geistes vor der Tat entsprechen dem Ideal der vita contemplativa und der geistigen Bildung ›sine ira et studio‹. Mit dem Nachzeichnen eines historischen Bildungsganges wird zugleich – hier deckt sich das Gegenwartsinteresse auf – ein Bildungserlebnis beim Leser eingeleitet, wobei analog zum fortschreitenden Bildungsprozeß des Helden die Bildung des Lesers befördert wird, die diesem – wie dem Helden – eine neue Welt erschließt, wo Kunst, Kultur und Wissenschaft ihre Autonomie behaupten.

Wird gerade mit der scheinbar strukturellen Dekomposition die Bildungsintention verwirklicht, so soll ein bewußt anspruchsvoller Stil, eine dem Kunstverständnis ›angemessene‹ Sprache und auch Bildwelt für ein ästhetisches ›Vergnügen‹ sorgen. Aber auch hier wird Geduld und willige Einlassung des Lesers erwartet. Wie die Intensität der jeweils angebotenen Bildungselemente schwankt– in einem Spektrum von Grimms häufiger Oberflächlichkeit bis zu Diltheys philosophischer Tiefe –, so gibt es auch Unterschiede in der Stilebene, aber immer wieder sind vor allem Ruhe und Gemessenheit zu registrieren. Grimm z. B. erreicht diese durch eine mehr parataktische Struktur, die einzelnen Sätzen oft starkes Gewicht auferlegt und damit manchmal etwas Statuarisches an sich hat – womit sich wiederum die behauptete Praezeptorenrolle bewiese; Justi dagegen liebt mehr die Hypotaxe. Wilhelm Waetzoldt hat diesen Stil so charakterisiert: »Der gelassene Atem eines beherrschten Mannes gibt ihnen [den Biographen –H. S.] die langanhaltende Rhythmik, das von Nervosität und Hast freie Tempo«. Waetzold verrät damit zugleich die Wirkung auf den Leser, denn ganz offensichtlich unterstreicht der Stil die beschriebene Kompositionstechnik, und beide sind als Kontrast zur Hektik der Alltagswelt zu verstehen: »Justi kennt und meistert noch die Periode und er rechnet mit Lesern, die nicht nur seinem Texte das Gelehrt-Tatsächliche in Eile abfragen wollen, sondern Zeit und Verständnis für seine ästhetischen Reize mitbringen.«[61] In den Biographien wird also in mehrfacher Weise einem Harmoniedenken entsprochen. Einmal erfüllt sich im Lebenslauf der historischen Individuen die ideelle Harmonie eines Menschenlebens – »so rundet sich sein ganzes Sein zu vollendeter Harmonie«, heißt es in Hayms *Humboldt* [62]; zum anderen verleiht der Autor durch Komposition und bewußten Stilwillen diesem individuellen Selbstverwirklichungsprozeß eine entsprechende äußere Würde, die zudem ihn selbst in die Aura des Porträtierten treten läßt: über Einfühlung, Kongenialität, Nacherleben und künstlerische Darstellung.

Die geschilderte, scheinbar diskontinuierliche Komposition hat für den ›Weltentwurf‹ eine überaus wichtige Funktion, werden doch damit Elemente um die historische Figur arrangiert, die vielfältige Außenbezüge vortäuschen: Held und Welt leben scheinbar in Harmonie. Nur hat gegenüber dem klassischen Harmoniemodell mit seiner dialektischen Spannung von Innen- und Außenwelt eine bezeichnende Verschiebung stattgefunden. War in der Essayistik des 18. und noch des frühen 19. Jahrhunderts immer nur ein Teil bzw. ein Aspekt des Lebens, des Werkes oder der Taten wichtig, wurde der Weltbezug wie selbstverständlich als ein sozialer hergestellt bzw. mitgedacht, so tritt in der zweiten Hälfte des 19. Jahrhunderts die Verengung auf die Geistes- und Kulturwelt ein. Die Ächtung der materiellen Welt und ihre Ersetzung durch eine ideelle Kulturwelt führt zu einer Biographik, die andere Ersatzfunktionen zu übernehmen hat: Das Leben soll in seiner Totalität vorgestellt werden und damit als Symbol für Lebenseinheit stehen können.

Es ist wohl keine Überinterpretation, das plötzliche Entstehen solcher großen Lebensentwürfe in der zweiten Hälfte des 19. Jahrhunderts mit einer unterschwellig empfundenen Verunsicherung in der Individualitätsauffassung in Verbindung zu bringen und die Biographien als den Versuch einer idealen Rekonstruktion eines Lebenslaufes zu verstehen, der zugleich Vorbild sein kann – oder auch Trostfunktion ausüben soll.

Da die Realwelt den Helden, wie schon gezeigt wurde, nur Hindernisse entgegenstellt, erscheint die dadurch bedingt »Einsamkeit als ein natürliches Produkt der Verhältnisse«[63], wie Grimm für Michelangelo behauptet, und wird damit zugleich als notwendige Voraussetzung für eine Genieentfaltung vorgegeben. Grimm kann die Einsamkeit Goethes sogar als soziale Leistung aufwerten und den vorbildlichen ›Einzelkampf‹ loben: »er war ganz auf sich selbst gestellt«.[64] Neben diese zu beobachtende ›Selfmademan‹-Gesinnung, die durchaus als Korrelat zur bürgerlich-materialistischen Erfolgsmentalität aufgefaßt werden kann und die sich bei Grimm gerade auch über sein Amerika-Bild einstellt [65] und zudem entscheidend durch die noch zu schildernde Aussöhnung mit dem Staat geprägt ist, tritt die Kompensationsfunktion in den Vordergrund: Seine sozialen Kontakte und die Verwirklichung in der Welt erfährt der Held in der ›höheren Welt‹. Daß hier jedoch ideelle und geistige Bindungen als soziale vorgetäuscht werden, läßt sich leicht nachweisen, denn allzuoft sind es nicht einmal persönliche Kontakte, sondern geistige Strömungen – z. B. während des Studiums oder der Werkentstehung –, die eine Kommunikationssituation erzeugen sollen. Justi lagert z. B. *Die Geschichte der Kunst des Altertums* in ein großes, zweihundertseitiges geistesgeschichtliches Panorama ein, verknüpft dabei geistige Einflüsse, Werkentstehung, Inhalte und Wirkung zu einem imposanten Bild, das zugleich Einzigartigkeit und geistige Gemeinschaft vermittelt. So wichtig solche Bezüge sind, so stehen sie hier in ihrer absoluten Funktion doch als Zeichen für eine (geistige) Ersatzwelt, die Held, Autor und Leser verbinden soll.

Dem Eindruck möglicher Isolation – sofern diese nicht als Grundvoraussetzung des Genies verklärt wird – wird durch die Fülle der mitgelieferten Bildungselemente gegengesteuert, die die besondere Kompositionstechnik der Biographien ausmachen. Menschliche Kontakte sind darüberhinaus auch meist geistige; die vita intima der Helden bleibt z. B. weitgehend ausgespart. (Auch hier ist auf jeweils unterschiedliche Behandlung solcher Lebensvorgänge hinzuweisen, wie sie sich im Spektrum von Grimm bis Dilthey zeigt.) Folglich kann in den Biographien auch nicht die soziale Selbstverwirklichung im Vordergrund stehen, die noch Goethe bei Hackert und Winckelmann hervorgehoben hat, sondern nur noch die geistige Vervollkommnung – die allerdings niemals als partielle Entwicklung, sondern immer als die eigentliche und ganze hingestellt wird. Die traditionelle Dialektik von innen und außen, von Held und Welt, wird in einen geistig-seelischen Innenraum zurückgenommen. Der Held verwirklicht sich sozial allenfalls in der synchronen Zeitebene als Mitglied einer »Gelehrtenrepublik«, wie z. B. Justis Winckelmann;[66] hinzu tritt nun noch die diachrone historische Traditionslinie, die eine überhistorische Gemeinschaft aller Geistesgrößen schafft. Hatten wir solche neuen ›Außenbezüge‹ schon für Schlegels *Lessing* konstatiert, so bekennt sich auch Herman Grimm im Kapitel »Die großen Männer der Geschichte« im *Michelangelo* zu dieser höheren Gemeinschaft:

> »Es schmückt sie alle [die großen Männer – H. S.] derselbe Lorbeer. Eine höhere Gemeinschaft findet statt unter ihnen. Sie schieden sich ihrem irdischen Auftreten nach: jetzt stehen sie dicht beieinander, Sprache, Sitten und Jahrhunderte trennen sie nicht mehr. Sie reden alle eine einzige Sprache und wissen nichts von Adel und Pariatum, und wer heute oder zukünftig wie sie denkt und handelt, steigt hinauf zu ihnen und wird in ihre Reihen aufgenommen.« [67]

Hier wird die bürgerliche Gleichheitsforderung aus ihrer politisch-sozialen in eine geistig-ideelle Dimension verschoben und damit zugleich der bürgerlichen Aufstiegsmentalität ein neues Betätigungsfeld erschlossen und ein Harmoniemodell angeboten, das Geborgenheit und Selbstverwirklichung allein in der und durch die Geschichte oder allgemeiner: durch die Bildung behauptet. In jedem Fall ist die Einsamkeit des Helden – und in einer vermittelten Ebene auch die des Autors und Lesers – aufgehoben. Daß für diese ›höhere Welt‹ nur bestimmte historische Individuen als Vorbilder geeignet sind, läßt sich leicht an den gewählten Helden der Biographien ablesen. *»Künstler, Dichter* und *Philosophen* haben zweierlei Funktion«, schreibt Jacob Burckhardt, »den innern Gehalt der Zeit und Welt ideal zur Anschauung zu bringen und ihn als unvergängliche Kunde auf die Nachwelt zu überliefern.« [68] Wenn er dann im Zusammenhang mit der Kunst von »Offenbarung« und »Mysterium der Schönheit« spricht und »selbst das Tragische« für »tröstlich« erklärt[69], dann wird die Hoffnung spürbar, die sich auf Kunst und Bildung und der in und mit ihnen möglichen Harmonie richtet. Damit wird der Geschichte und den großen historischen Individuen – ähnlich wie im 18. Jahrhundert und doch zugleich ganz anders – eine hohe Aufgabe zugewiesen. Diltheys Behauptung, daß »alle letzten

Fragen nach dem Wert der Geschichte« schließlich ihre Beantwortung darin finden, »daß der Mensch in ihr sich selbst erkennt« [70], signalisiert die verstärkte Bemühung um Gegenwartsbezug und damit um personale Selbstfindung, die z. B. im relativierenden Historismus Rankescher Prägung noch nicht so sehr im Vordergrund des Interesses stand. Daß tatsächlich das Gefühl einer Verunsicherung und Unzufriedenheit mit der eigenen Zeit dahintersteht, mag nochmals ein Burckhardt-Zitat belegen, das zugleich zum nächsten Kapitel überleiten kann:

> »Die als Ideale fortlebenden großen Männer haben einen hohen *Wert* für die Welt und für ihre Nationen insbesondere; sie geben denselben ein Pathos, einen Gegenstand des Enthusiasmus und regen sie bis in die untersten Schichten intellektuell auf durch das vage Gefühl von Größe; sie halten einen hohen Maßstab der Dinge aufrecht, sie helfen zum Wiederauffraffen aus zeitweiliger Erniedrigung. [71]

d) Ideal und Realität – Die Versöhnung mit der Gegenwart

In dem einleitenden Kapitel zur Biographik im 19. Jahrhundert hatten wir eine Trennung in eine politisch-historische und eine geistesgeschichtliche Biographik aus heuristischen Gründen vorgeschlagen und dabei auf das politische Engagement für den preußisch-nationalen Staat und zum andern auf ein Disengagement verwiesen. Hatten wir z. B. für Treitschke und Marcks leicht die politische Absicht aufdecken können, da sie unmittelbar aus der personalistischen Geschichtsschreibung spricht, so müssen wir für die geistesgeschichtliche Biographik die politisch-sozialen Implikate als mittelbare Vorgänge erschließen.

Wenn Jacob Burckhardt in dem das vorhergehende Kapitel schließenden Zitat von dem »Wiederauffraffen aus zeitweiliger Erniedrigung« spricht, so denkt er dabei besonders an das »Hereinbrechen der großen sozialen Frage«. [1] Die Angst des Bürgers vor dem Proletariat befällt Historiker – Droysen spricht von der »Verpöbelung der unteren Schichten« – und Biographen gleichermaßen: Herman Grimm behauptet »die dämonische Widersetzlichkeit der großen Menge gegen das Reine und Erhabene«. [2] Arno Schirokauer hat für dieses Verhalten die treffend-knappe Formulierung gefunden: »Die Reaktion war Platzangst.« [3] Auffällig ist die indirekte soziale Argumentation: Die Abwehr des Proletariats erfolgt im Namen des Geistes und der Bildung. Hier behauptet der Bürger sein Recht und setzt dabei die alten bürgerlich-demokratischen Ideale ungeniert als Sozialbarrieren ein. ›Geistesaristokratie‹ und ›Adel der Seele‹ werden nicht als sozialrevolutionärer Anspruch gegenüber dem Adel erhoben, sondern nun als Mittel der Separierung vom Proletariat eingesetzt. Die traditionelle Behauptung der ›Größe‹ des Künstlers und des Wissenschaftlers, mit der das Bürgertum – zuerst unterschwellig und dann offen – Front gegen den Adel und die bis dahin einzig legitimierte ›Größe‹ der feudalen Herrscher gemacht hat, wird ihres revolutionären Gehaltes beraubt und in eine sozial-regressive Funktion überführt. Der neue »Adel« ist »allem Pöbel« ein »Widersacher«, verkündet Nietzsche. [4] »Das Studium der Geschichte ist die Betrachtung der Begebenheiten, wie sie sich zu den großen Männern verhalten«, lesen wir in Grimms *Michelangelo*; [5] doch diese Größe wird nun allein für das Bürgertum reklamiert. Soziale Herkunft und ideelle Selbstverwirklichung weisen die Helden als Repräsentanten einer bürgerlich vorgestellten Kulturwelt aus. Bürgerliche Bildung kann damit den Anschein vermitteln, endlich aus einer geistigen (und moralischen) in eine politisch-soziale Herrschaft umgeschlagen zu sein: Nur ist dieser ›Erfolg‹ nicht im Kampf gegen den Adel erreicht, sondern hier ist eine ›Herrschaft‹ über das Proletariat – oder allgemeiner gesprochen: über die Ungebildeten – errichtet worden.

Indem das Bildungsbürgertum Bildung und Kunst als »geistigen Besitz« (Burckhardt) und z. B. Geschichte als latenten Reichtum (Droysen) deklariert[6], weist es dem Proletariat eine doppelte Armut zu: Neben das materielle Nichts tritt das geistige Wenig. Das Bürgertum kann sich so als »Aristokratie der Bildung« (Fr. Th. Vischer)[7] aufspielen und Besitz- und Herrschaftsgefühle empfinden, die es erlauben, die politische Ohnmacht zu kompensieren. Der Bildungsbürger tritt weiterhin als Sprecher für die Gesamtinteressen der Nation auf, obwohl er gerade das Proletariat an seinen Idealen nicht teilhaben läßt, denn die nun propagierten Leitbilder in den Biographien konnten nicht mehr für *alle* Menschen – im Sinne einer Herderschen Menschheitsgeschichte – verbindlich sein. Wenn Grimm gar behauptet, das Ziel ihrer historischen Arbeit sei »ein Sichhineingraben in die Vergangenheit« gewesen, um »als heimliche Advocaten eines Processes, der öffentlich nicht mit dem rechten Namen genannt werden durfte«, für »eine bessere Gegenwart« zu streiten[8], so suggeriert er hier die Verfolgung gleicher Ziele – die Überleitung einer ästhetisch-moralischen Erziehung in eine politisch-soziale Wirkung – wie in der Phase progressiver bürgerlicher Emanzipationsbestrebungen. Doch in einer Zeit, in der politische und soziale Forderungen offen ausgesprochen werden konnten, in der demokratische Modelle schon erprobt wurden, konnte eine solche Heimlichkeit nur regressive Funktionen haben und als anachronistische Form bürgerlicher Selbstverwirklichung gelten, die sich nicht so sehr gegen den Adel als gegen das Proletariat behaupten will: Statt über Bildung und Kunst ein gemeinsames Interesse der Unterdrückten gegen das neue feudal-bürokratische System zu lenken, dient die verschleiernde Sprache wohl mehr dazu, die Eingeweihten auf ein Programm zu verpflichten, das sich als bürgerliche Staatengründung des Geistes ausweist: »Ans Staatsgefüge durfte Niemand die Hand legen«, beschreibt Grimm Schleiermachers Zeit und identifiziert sich sogleich mit dessen Tun, »aber auf rein geistigem Wege ließen sich Staaten höherer Art mit geistiger Organisation herstellen.«[9]

Die einmal nach außen gerichtete Kraft der ästhetischen Bildung wird nun zur inneren Konsolidierung und als Einheitsideologie eines Bürgertums eingesetzt, das nach der gescheiterten 1848er-Revolution seine Selbstsicherheit und seinen festen Glauben an Notwendigkeit und Erfolg einer bürgerlichen (politischen) Revolution verloren hat. Wobei sich der Mut vor den Thronen immer mehr in Furcht vor der Straße wandelt. Es ist deshalb auch kein Zufall, sondern als Ergebnis eines sozialpsychologischen Prozesses zu deuten, wenn der Revolutionsbegriff schillernde Umdeutungen erfährt, indem er – wie wir schon in Hillebrands *Herder* gesehen haben – auf Kunstbewegungen übertragen und z. B. die reale Französische Revolution durch Ästhetisierung verharmlost bzw. mythisiert wird: »Bei der ersten französischen Revolution aber handelte es sich um das plötzliche Bersten einer festen Bahn auf der seit tausend Jahren Schlittschuh gelaufen war« (Grimm).[10] Der behauptete geistige ›Weltentwurf‹ erhält mit der Übernahme des Re-

volutionsbegriffs wiederum ein reales Attribut der bisherigen bürgerlichen Welt und benutzt es zur Illusionssteigerung von ›Welthaltigkeit‹ für die ›höhere Welt‹. Kunst und Bildung übernehmen immer mehr die Funktion einer (regressiven) bürgerlichen Ersatzpoli-
tik oder gar -religion, da sie allein die Garantie für eine Sinngebung des sonst als sinnlos
empfundenen Lebens zu sein scheinen. Ein Titel wie der von Richard Wagners Schrift *Die
Kunst und die Revolution* mit dem Erscheinungsjahr 1849 demonstriert auf sinnfällige
Weise den neuen bürgerlich-revolutionären Geist (»bei uns ist die echte Kunst revolutionär, weil sie nur im Gegensatze zur gültigen Allgemeinheit existirt«). Die Kunst wird, wie
es Nietzsche in der *Geburt der Tragödie* formuliert hat, »die zum Weiterleben verfüh-
rende Ergänzung und Vollendung des Daseins.«[11]
    Kunst hat die Funktion zu übernehmen, den Schleier zu weben, den das Bildungsbür-
gertum über die Realwelt legt, die ihm – wie es ebenfalls in Nietzsches *Geburt der Tragödie* heißt – nur »Ekel« einzuflößen vermag. Der Überdruß an der Welt erfährt seine
Kompensation durch die Erzeugung einer Welt des schönen Scheins – und diese beweist
ihre Macht bis in die Interieurgestaltung der Wohnungen mit der Vorliebe für den üp-
pig-dekorativen Makartstil (oder für den ›Nippes‹). Solches ›Verdecken‹ und ›Einkleiden‹
scheint ein Reflex unterschwelliger Angst des Bürgers vor der (nackten und nüchternen)
Welt zu sein; Kunst und Bildung sind ihm unentbehrliche Illusionserzeuger.[12] So ist es
nur konsequent, wenn *die* Künstler sich besonderer Zuneigung erfreuen, die den bürgerlichen Harmonievorstellungen am besten zu entsprechen scheinen.
    Wir werden im Zusammenhang mit Gundolf noch auf den besonderen Symbolwert
des Goetheschen Lebens und Werkes für eine vorgestellte Harmonie zu sprechen kommen, hier sollen die Ansätze zu einem solchen Denken aufgewiesen werden. Schon in Hillebrands *Herder* war die Wendung gegen Analyse und Reflexion – verkörpert z. B. in
Merck, Hamann und in veränderter Form auch in Herder selbst – festgestellt worden.
Auch in den anderen Biographien lassen sich solche Einstellungen finden. So trifft das
Verdikt fehlender Harmonie – wenn auch in unterschiedlicher Schärfe – z. B. Schiller,
Herder und Lessing. Grimm moniert das »Mechanische« bei Schiller: »Schiller *suchte*
sich seine Stoffe. Dann modellirte er solange daran herum bis sie ihm bequem lagen.
Dann machte er kaltblütig die Disposition. Dann wurde tagewerkweis, wie Maurer einen
Palast aufführen nach bestimmtem Plane, das Werk emporgebracht.«[13] Justi vermißt
bei Lessing und dessen »beweglichem, scheidendem und schließendem Intellekt jene be-
schauliche Fähigkeit, die zur Vertiefung in plastische Werke unumgänglich ist«. Als Idealbild wird dann Goethe hingestellt: »Dichten war ihm ein unbegreiflicher Proceß«
(Grimm).[14] Die überall zu beobachtende Betonung des Irrationalen und auch Dämonischen, des Beschaulichen und Innerlichen in der Künstlernatur entspricht der bürgerlichen Selbsttäuschung dieser Zeit, denn Rationalität, Reflexion und Wendung nach außen hätten den gewebten Illusionsschleier allzuleicht zerreißen können. Aus dem gleichen
Grund wird eine ursprünglich wertvolle bürgerlich-oppositionelle Haltung, die Kritik,
verfemt – könnte sie doch jenen Grimmschen ›unbegreiflichen Prozeß‹ desillusionieren.
Grimm sieht bei Herder nur »die furchtbare Macht kalter, uneigennütziger aber scho-
nungsloser Kritik«.[15] Welche Gefahr solche Geister bedeuten, läßt dann die Charakterisierung Mercks erkennen: »Mercks Kritik zerstörte, sie baute nirgends auf.«[16]
    Gefährdet war durch diese Kritik der Tagtraum vom nichtentfremdeten Leben und der

damit verbundenen Harmonie, den sich das Bildungsbürgertum in der Welt des schönen Scheins imaginierte. In der realen Welt des 19. Jahrhunderts trieb die sozial-ökonomische Entwicklung mit Arbeitsteilung, Entfremdung und Selbstentfremdung auch die soziale Aufsplitterung des Bürgertums voran, die sich dann bis zum 1. Weltkrieg vollzogen hatte. »Es hat sich in einzelne Gruppen zersplittert, für die es keinen gemeinsamen sozialen Nenner mehr gibt.« (K. E. Born)[17] Die Biographik des George-Kreises werden wir als Reflex solcher Partialinteressen interpretieren können, die hier behandelten Biographien stellen eine Übergangsform dar: Immer noch wird ein auf Freiheit und Einheit beruhendes Modell entworfen, das für die ganze Nation gelten soll.

Die in den Biographien immer wieder ideell vorgestellte und ästhetisch erzeugte Harmonie scheint ganz in der Tradition eines bürgerlichen Humanismus zu stehen, der über harmonische Persönlichkeiten zugleich die sozialen und politischen Interessen des Bürgertums befördert sieht;[18] aber schon die forcierte Ästhetisierung – die narrative Harmonisierung und der ›Weltentwurf‹ – verrät die empfundene Überzeugungsschwäche und den bemühten Harmonisierungswunsch. Tatsächlich hat die harmonische Persönlichkeit nun einen anderen – wenn auch immer noch sozialen und politischen – Vorbildcharakter erhalten: Zwar wächst der historischen Figur weiterhin ein Symbolcharakter zu, aber als Ziel wird nun die *Versöhnung* mit dem aristokratisch geprägten Staat angestrebt, wobei die staatliche Einheit als Argument benutzt wird. Bezeichnenderweise lassen sich solche Stimmen gerade nach der Reichsgründung vernehmen. Damit wäre in jedem Einzelfall zu prüfen, ob die Biographien auch schon unter einer politisch-sozialen Intention geschrieben wurden oder ob diese ihnen erst später unterlegt wurde. Da den großen Vorbildern, wie z. B. Goethe, schon immer eine Symbolfunktion zugesprochen wurde, die sie als Garanten von Einheit und Harmonie auswies, konnte bei einer Repolitisierung das personale und kulturelle Einheitsmoment politisch und sozial gewendet werden.

»In einer Zeit der politischen Zerrissenheit und dumpfen Schweigens im öffentlichen Leben war die Verehrung für Goethe eins der wenigen vaterländisch-gemeinsamen Gefühle welche offen bekannt werden durften [...] Er war der leuchtende Punkt, auf den in trüben Tagen, die nicht enden zu wollen schienen, in den Zwanziger und Dreißiger Jahren, jedes Auge sich wandte.« (Grimm)[19]

Auch nach 1848 wird den vorbildlichen Figuren solche Rolle zugewiesen. Fuhrmann hat in seinem Aufsatz über die *Winckelmann*-Biographie für Justi überzeugend behaupten können: »Immerhin hat der Biograph nicht ermangelt, seinem Publikum auch einen allgemeinen nationalen Bezugsrahmen anzubieten. Winckelmanns von der Zerrissenheit zur Einheit und Geltung findendes Leben steht für das von der Zerrissenheit zu Einheit und Geltung findende Deutschland.« [20] Rudolf Haym hat im Blick auf Diltheys *Schleiermacher* und die Situation um 1870 gemeint:

»So wird uns, die wir in diesen Tagen Größeres und Herrlicheres erlebt haben, als jemals einem Volke zu erleben vergönnt war, ein immer tieferer Anteil an dieser Lebensgeschichte aufgehen. Ein unvergleichliches Vorbild reinen und hohen Willens, wird uns die Persönlichkeit Schleiermachers zugleich wie ein Symbol für die Geschicke unseres Volkes erscheinen, das gleichfalls von rein innerlicher Bildung ausgegangen ist, um von da in heldenmäßig raschem Laufe zu staatlicher Macht und Größe emporzusteigen und die erstaunte Welt von neuem an die sieghafte Gewalt der Ideale glauben zu lehren.« [21]

Die behauptete Ausrichtung auf eine ›höhere Welt‹ in der geistesgeschichtlichen Biographik bedarf deshalb einer differenzierenden Betrachtung: Haben wir bisher, um die These des Disengagements zu erhärten, alle Biographen und so wichtige Vertreter eines forcierten Kunstanspruchs wie Burckhardt und Nietzsche in ihrer Übereinstimmung vorgeführt, so muß nun auf unterschiedliche Perspektiven und Reaktionsweisen verwiesen werden, die von genereller Verweigerung über stille Duldung bis zur Aussöhnung und energischem Engagement für den Staat reichen: Burckhardt und Nietzsche würden den einen Pol – die Verweigerung – und Treitschke und Marcks den anderen – das Engagement – markieren.

Burckhardts und Nietzsches Pessimismus, der jenen von der »bösen Welt« und diesen vom »Entsetzliche[n] oder Absurde[n] des Daseins« sprechen läßt, treibt beide in die Idee der Kunst als »Gegenbewegung« (Nietzsche), wobei der bürgerliche politisch-soziale Anspruch verlorengeht. [22] Die meisten der hier behandelten Biographen vollziehen in der Phase nach 1848 diese Wendung mit und richten sich in der ›höheren Welt‹ ein. Doch in einem zweiten Stadium erfolgt eine Revision der Einstellungen. Eine Beobachtung Bernd Peschkens bei seiner Analyse der Entwicklung Diltheys und Julian Schmidts von den 50er Jahren bis in die 70er Jahre kann hier bestätigt werden: Bildet sich anfangs »eine neue Grundhaltung heraus, die im Verzicht auf politische Mitwirkung und in der Dissoziation des politischen wissenschaftlichen Tuns besteht«[23], so läßt sich mit der Herausbildung des preußischen Führungsanspruchs und seiner Umsetzung in eine preußisch-nationale Einheitsbewegung eine »Reichsideologie« (Peschken) bei Julian Schmidt und Dilthey aufweisen, die als Versöhnung des einst politisch abstinenten Bürgers mit der Politik zu deuten ist. »In dem Augenblick, in dem Deutschland ein Staat wird«, schreibt Peschken über Dilthey, »erscheint ihm die Einschränkung des deutschen Bürgers auf die Ausbildung seiner selbst überwunden, sein politischer Selbstverwirklichungsraum geschaffen.«[24] Eine ähnliche Entwicklung können wir bei den anderen Biographen auch feststellen.

Sehen wir uns Herman Grimms Essayistik der 50er Jahre an, so können wir z. B. in *Friedrich der Große und Macaulay* (1858) lesen, daß die Deutschen zu »einer gewissen philosophischen Einsamkeit« neigten: »wir nehmen Partei, aber wir gehören keiner Partei an«. Ausdrücklich wird dabei noch die Politik aus dem Reich der Wissenschaft verbannt: »Die Wissenschaft kann bei uns kein Mittel zu Parteizwecken sein. [...] In Deutschland wird man niemals in der Geschichtsschreibung einen einseitig politischen Parteistandpunkt dulden, sondern die Thaten der Völker so erfassen und beschreiben, wie sich am reinsten in ihnen die göttliche Kraft der Menschheit offenbarte.«[25]

Wird in der Biographik tatsächlich, wie wir gesehen haben, dem Ideal einer Menschheitsgeschichte entsprochen und dabei die Politik ausgeklammert, so lassen sich doch unterschwellige Stellungnahmen zur politisch-sozialen Gegenwart nicht verheimlichen. Nach 1871 können wir dann z. B. auch bei Grimm andere Töne vernehmen: sieht er doch in seinem *Gervinus*-Essay (1871), wie schon zitiert wurde, »Kultur und Politik« plötzlich »in ein großes System« integriert. [26]

Das personale Harmonie- und Einheitsmodell der Biographien wird nun von den Autoren selbst als Symbol aufgewertet, das seinen politischen Aspekt trägt. Auffällig ist dabei die schon in der historisch-politischen Biographik beobachtete Aufnahme und ›Umpolung‹ traditioneller bürgerlicher Ideale. Wir könnten von einer ›Vermittlungsideologie‹ sprechen, die als sozialpsychologischer Vorgang zu verstehen ist: Nach politischer Enttäuschung und Enthaltsamkeit in der Phase nach 1848 – wobei in einer Übergangszeit sich durchaus ein demokratisches Bewußtsein erhalten haben mag und damit eventuell auch die *Absicht* der Biographen in der Abfassungszeit eine andere war, indem die Biographien z. B. als bewußter ›Gegenentwurf‹ zur politischen Welt konzipiert wurden – scheint das Bürgertum sich aus seiner empfundenen Einsamkeit lösen zu wollen. Die Angst vor dem Proletariat und die politische Resignation schaffen wohl eine Bereitschaft, auf die Verwirklichung bürgerlicher Ideale zu verzichten und sich mit Ersatzlösungen zufrieden zu geben, wenn sie den ›Schein‹ bürgerlicher Selbstverwirklichung wahren.

Die traditionelle Forderung nach Einheit und Harmonie wird so allmählich aus der ursprünglich engen Verbindung von ästhetisch-geistigen und politisch-sozialen Vorstellungen gelöst; zunächst erfolgt eine Reduktion auf die geistige Welt, aber in einem zweiten Schritt beginnt eine Repolitisierung, die nun allerdings von den Autoren als Anspruch formuliert werden muß, da sie aus den Biographien selbst nicht mehr unmittelbar hervorgeht bzw. die verdeckte Argumentation nicht mehr erkannt wird. Für die politische Aufklärung zeitigt das Folgen, weil die Rationalität verlorengegangen ist und Übung in intellektueller Auseinandersetzung fehlt. Ob die nun stattfindende ideologische ›Umpolung‹ der Biographien als bewußter Vorgang oder als Selbsttäuschungsprozeß der Autoren zu interpretieren ist, bedürfte in jedem Einzelfalle einer Überprüfung; hier soll es nur um die generellen Folgen gehen: Indem die politischen und sozialen Vorgänge der *geschichtlichen* Welt in den Biographien einer ästhetisierenden Perspektivik unterliegen, zudem als Randphänomene menschlicher Selbstverwirklichung erscheinen, indem die formale Geschlossenheit mehr eine ästhetische und irrationale als argumentative und nüchtern-rationale Überzeugungsabsicht verrät, muß sich beinahe notwendigerweise auch die Perspektive auf *gegenwärtige* politisch-soziale Zustände verändern. Statt mit ihren Biographien Aufklärung zu betreiben, Kritik und Engagement zu fördern, den rationalen und diskursiven Dialog mit dem Bürgertum zu suchen, vermitteln die Biographien ästhetische Kohärenz und ideelle Harmonie als *Ersatz* und *Ablenkung* – und eben nicht mehr als *Anspruch* – und schaffen damit die Voraussetzung für die von Thomas Mann so prägnant bezeichnete »machtgeschützte Innerlichkeit«, die ja nicht nur Duldung und Separation, sondern zugleich Affirmation und Zufriedenheit bedeuten kann. Die aufgesetzte Urteilssicherheit und die angenommene Praezeptorenrolle der Biographen drängen eventuell empfundene Zweifel zurück und mindern damit gerade die Urteilskraft für gegenwärtige politische und soziale Vorgänge. Die machtpolitische Realisation des preußisch-nationalen Staates kann so eine ideelle Verklärung als bürgerliche Wunscherfüllung eines deutschen Einheitsstaates erfahren, zumal dieser Staat als Einheit der *Kultur*-nation – seit Herder als Alternative zur Staatsnation gefaßt – verstanden werden kann. Was Hillebrand in seinem *Lorenzo de' Medici*-Porträt (1874) an Florenz so begeistert – »die Harmonie, in der hier Natur und Mensch, Geist und Materie, Inhalt und Form, Staat und Kunst auftreten« [27] –, läßt sich dann auf das neue deutsche Reich übertragen: Die lang geübte Praxis der Ästhetisierung politisch-sozialer Ereignisse erleichtert die idealisierend-harmonisierende Auffassung der Gegenwart.

War die Konstruktion der »Staaten höherer Art« (Grimm) mit dem Material der

Realwelt und mit den Versatzstücken bürgerlicher Utopie erfolgt, so strahlt diese Idealisierung nun auf den realen Staat zurück und sorgt für dessen Verklärung. Grimm sieht den »Bau der neuen Einheit in die Lüfte« sich erheben [28], und Hillebrand liefert in seinem *Macchiavelli*-Essay erprobte Rezepte aus der Idealwelt: »Der Staat aber bedarf wie die Kirche, wie der einzelne Priester und Staatsmann des Scheines; er darf nicht erlauben, daß man der Masse seine innerste Natur offenbare: denn nur vor dem Nichtgekannten hat die Masse Ehrfurcht.« [29] Bürgerliche Aufklärung und Humanitätsideal sind damit zur Herrschaftslegitimation verkommen. Der Verlust eines politischen Anspruchs erfährt durch Mystifizierung eine Kompensation, indem der Bürger sich über die ›Masse‹ erhebt: Wurde die ›Masse‹, wie schon gezeigt wurde, wegen der fehlenden Bildung von der ›höheren Welt‹ ausgeschlossen, so führt dieses Manko nun in der realen Welt zur politisch-sozialen Deklassierung. In diesem Sinne polemisiert Gildemeister z. B. gegen den Sozialismus mit seiner »kultur- und freiheitsfeindlichen Lehre« und reklamiert damit im Namen der (bürgerlichen) Kultur die (politische) Freiheit allein für den Bürger. [30] (Aus solchen Erfahrungen wird Wilhelm Liebknechts berühmter Ausspruch »Wissen ist Macht« verständlich.)

Daß die Biographen mit ihren Helden und der Welt des Geistes vor allem ein Reich gegen das Proletariat errichtet haben und eben nicht gegen den herrschenden aristokratisch geprägten Staat, wie es in der Tradition bürgerlicher Auflehnung gelegen hätte, beweist zuletzt die nach 1871 erfolgte Versöhnung mit dem preußisch-nationalen Staat in Form der »Reichsideologie« (Peschken). War das kapitalistische Großbürgertum aus ökonomischen Überlegungen zur Allianz mit dem Adel bereit und ›feudalisierte‹ sich allmählich [31], so brauchte das Bildungsbürgertum die Staatsgründung, die ihm den ›Schein‹ bürgerlicher Selbstverwirklichung lieferte. (Als Oppositionshaltung blieb allenfalls die Wendung gegen den modernen Kapitalismus und die mit diesem einhergehende ›Zivilisation‹.) Die ›Aristokratie des Geistes‹ versöhnte sich mit der Geburtsaristokratie: »Goethe und Bismarck nebeneinander zu nennen [...] ist natürlich, weil sie der Höhe nach die übrigen Spitzen unserer historischen Gebirge so weit überragen, daß zu ihrer Luftschicht anderen die Erhebung versagt blieb.« (Grimm) [32]

Stellt sich hiermit eine verblüffende Parallele zu dem im Kapitel »Macht und Geist« zitierten Ausspruch Erich Marcks' aus seinem Vortrag *Goethe und Bismarck* und zu Treitschkes geschöntem Bild von der Eintracht zwischen Friedrich dem Großen und Lessing ein, so können wir nun auch die heuristische Trennung in eine politisch-historische und geistesgeschichtliche Biographik aufheben, wenn wir uns der *Funktion* dieser Werke zuwenden: Beide Autorengruppen haben – wenn auch auf unterschiedliche Weise – das politische Bewußtsein und die damit verbundene Kritik am bestehenden System abgebaut und für eine Umwertung der klassenkämpferischen Ideale gesorgt; die einen, indem sie die Herrscher mit bürgerlichen Tugenden schmückten; die anderen, indem sie Größe und Idealität in der ›höheren Welt‹ entwarfen und sie – nach einer Phase der Kompensation für entgangene politische (und ökonomische) Beteiligung – der preußischen Einheitsideologie zur politischen Benutzung zur Verfügung stellten. Die Geistesgeschichte wirkte so zunächst als Sedativ für ein politisch und sozial frustriertes Bürgertum und später als Stimulans für ein neues politisches Engagement, das als Fortsetzung der klassischen bürgerlichen Vorstellung von der ästhetisch-sittlichen Bildung und ihrer

Wirkung auf die politisch-soziale Welt ausgegeben wurde. Der »Staat des Geistes und der Waffen«, den Erich Marcks propagiert hatte, fand also durchaus auch bei Geisteswissenschaftlern Zustimmung. Gerade die angebotene Mischung von Kultur- und Staatsnation ermöglichte unterschiedliche Identifizierungsvorgänge.

Indem der Staat mit der Kunst und dem Geist ausgesöhnt und das »unter dem Jubel des gesammten Volkes sich vollziehende Werk der Vereinigung« (Grimm) gefeiert[33] wurde, indem Synthese über Analyse, Gefühl über Verstand, Affirmation und Zufriedenheit über Kritik, Dämonisierung und Mystifizierung über nüchterne Betrachtung gesetzt wurden, entstand ein politisch-ästhetischer Synkretismus, der bürgerliche Bedenken gegen den Staat aufzuheben half bzw. kritische Haltungen verfemte. Fritz Stern hat für diese Zeit in Anlehnung an Max Weber außerdem auf die Ethisierung der Macht durch den Mittelstand hingewiesen, die wir auch bei der Betrachtung der historisch-politischen Biographik herausgehoben haben.[34]

Der idealisierende Individualismus der geistes- und kulturgeschichtlichen Biographik konvergierte mit der Heroisierung der politischen Geschichtsschreibung über die jeweils herausgestellte Sittlichkeit und stimmte die interessierten Schichten des Bürgertums auf Zufriedenheit, Selbstbescheidung und Unterordnung ein. Zufriedengestellt mit der Teilhabe an der ›Größe‹, beugten sich diese Schichten dem Gleichheitsverständnis eines Ständestaatssystems, das, geleitet von einem ›Großen‹ – selbst »in den freiesten Republiken gibt *ein* Mann zuletzt den Ausschlag« (Grimm)[35] –, dem Bürgertum die geistige Herrschaft und die Stellung über dem Proletariat sicherte. Idealisiert und verharmlost wurde diese Gliederung, wie wir schon bei Treitschke und Marcks beobachten konnten, durch einen Volks- und Gemeinschaftskult, der *alle* in die Pflicht der Nation zwingt: »Nur wo jeder einzelne sich als einen Teil der allgemeinen Basis empfindet, auf der das Staatswesen beruht, kann von Freiheit und Kunst die Rede sein.« (Grimm)[36] Bürgerliche Verzichtsmentalität forderte den Einzelnen zur »reine[n] Hingebung an die Sache« auf (Gildemeister)[37] und meinte damit die Einordnung in den bestehenden Machtstaat.

Wo der Aristokratismus Winckelmanns ausdrücklich über mögliche Ansätze zum Republikanismus erhoben, wo Humboldts »Demokratismus« gerügt und seine spätere Einsicht, Freiheit habe sich im (feudalistischen) Staat zu erfüllen, gelobt wird, wo der bürgerliche Freiheitsbegriff als eine »bedenkliche Parole« abgeschrieben und das gegenwärtige »Ideal einer gut proportionirten Staatsverfassung« gefeiert wird (Grimm)[38], da kann nur noch bedingt die Rede davon sein, es würden die Ideale des 18. Jahrhunderts vertreten. Wenn im bewußt verschleiernden Wortgepränge die ›Großen‹ »als die Blüte eines Volkes« verklärt, sie zugleich für eine »siegreiche Armee« rekrutiert werden und dann noch die Sehnsucht beschworen wird, »die edelste Ansicht von der Menschheit zu gewinnen« (Grimm)[39], und wenn weiterhin der Schillersche Optimismus propagiert wird, die Würde des Menschen stelle sich über die Kunst her, so wird letztlich damit nur der bürgerliche Sündenfall verdrängt. Adorno hat in seiner Überlegung zum »Fortschritt« diesen Selbstbetrug des Bürgertums im 19. Jahrhundert beschrieben und darauf verwiesen, daß die »eigenen Ideale von Freiheit, Gerechtigkeit und humaner Unmittelbarkeit« von der bürgerlichen Gesellschaft nicht verwirklicht werden konnten, »ohne daß ihre Ordnung aufgehoben worden wäre. Das nötigte sie dazu, mit Unwahrheit, das Versäumte als geleistet sich gutzuschreiben.«[40]

IV. BIOGRAPHIK IM 20. JAHRHUNDERT

1. Biographie als Mythographie – Der George-Kreis

In der Darstellung der politischen und geistesgeschichtlichen Biographik des 19. Jahrhunderts waren Gefährdung und Umformung bürgerlicher Ideale und die damit einhergehende ›Versöhnung‹ mit dem feudalistisch-bürokratischen Staat aufgewiesen worden. Dabei waren die kritischen Haltungen von Jacob Burckhardt und Friedrich Nietzsche zur Sprache gekommen, die beide an eine Harmonie von Klassik und Preußentum, von Goethe und Bismarck, nicht glauben wollten. Dennoch haben auch sie keine kraftvolle bürgerliche Gegenbewegung einleiten können, sondern in der Intelligenz für Resignation oder allenfalls individuelle Auflehnung gesorgt, die sich als forcierter Subjektivismus in Literatur und Kunst niedergeschlagen hat. Daß sich um 1900 im Bürgertum – und besonders in der Intelligenz – ein Gefühl von Verlassenheit, Verunsicherung, Angst und Entwurzlung breitmachte, ist von unterschiedlichen historischen Disziplinen belegt worden.[1] Wechselnde sozialpsychologische Reaktionen – vom lautstarken Imperialismus bis zur verhaltenen Innerlichkeitspose, vom Rationalismus und Fortschrittsglauben bis zum verzweifelten Pessimismus – verraten die Krisenstimmung im Bürgertum. Den auffälligen Irrationalismus hat Georg Lukács als Vorboten nationalsozialistischer Barbarei bezeichnet und die »Zerstörung der Vernunft« durch Pessimismus, Agnostizismus und Romantizismus behauptet.[2]

Dieser Irrationalismus begleitet nicht nur die politischen Vorgänge – Auflösung der Monarchie, Gründung der Weimarer Republik –, sondern auch die sozialen und ökonomischen Veränderungen: Die Festigung eines industriellen Kapitalismus, geprägt durch machtvolle Konzerne und Monopole, sorgt für die endgültige Auflösung des traditionellen Bürgertums und schafft einen neuen ›Mittelstand‹ – vom kleinen Angestellten bis zu den ›freien Berufen‹ –, der sich zwischen einem selbstbewußteren Proletariat und einem auf Sicherung der ökonomischen Vorteile fixierten Großbürgertum behaupten muß. Der Verlust an demokratischem Bewußtsein im Bürgertum, den wir auch am Beispiel der Biographik im 19. Jahrhundert illustrieren konnten, schafft einen inneren Abstand zur neuen Weimarer Demokratie, die als ›Massenherrschaft‹ empfunden wird, und sorgt für ein Gefühl von Verlassenheit und Orientierungslosigkeit, das die Sehnsucht nach vorkapitalistischen Zuständen und eine Ganzheitsideologie, als irrationale Gegenbewegung gegen die empfundenen ›Auflösungen‹, erzeugt. Der Mittelstand neigt aus solchen Gründen zu konservativem Denken: »Denn will sich der Mittelstand«, schreibt Siegfried Kracauer, »der den Marxismus ablehnt, des eigenen Bewußtseins versichern, so muß er in Ermangelung eines unbürgerlichen und nichtproletarischen Bewußtseins am Ende doch stets zur abgelegten Bürgerlichkeit und dem ererbten Erkenntnisbesitz zurückfluten.«[3]

Dieser ›ererbte Erkenntnisbesitz‹ ist aber nichts anderes als deformierter bürgerlicher Idealismus, der aus seiner ursprünglich aktiven und vorwärtsdrängenden in eine statische bzw. regressive Funktion übergeleitet worden ist. Selbstverständlich haben sich auch Teile des ›Mittelstandes‹ von solcher Tradition freigemacht und sich z. B. für die moderne Demokratie engagiert. Daß gerade in der literarischen Intelligenz solche Tendenzen nachweisbar sind, wird uns noch beschäftigen, wenn es um eine Biographik geht, die sich in den Dienst der Republik stellen will, wie es sowohl bei Heinrich Mann als auch bei Emil Ludwig, Stefan Zweig und Werner Hegemann der Fall ist. Hier soll mit dem George-Kreis und seiner Biographik eine Gruppe der bürgerlichen Intelligenz betrachtet werden, die in der skizzierten antidemokratischen und antikapitalistischen Tradition stand und damit stärker in eine allgemeine Strömung eingelagert war als es das eigene Selbstverständnis wahrhaben wollte.

Da es zum George-Kreis eine Fülle von Untersuchungen gibt – allerdings keine, die sich speziell mit der Biographik beschäftigt –, kann hier auf allgemeine Betrachtungen verzichtet werden und eine Konzentration auf die Biographik und die damit verbundenen Absichten erfolgen. [4] In vielen Aspekten werden wir Übernahmen bzw. Umformungen von bekannten Haltungen und Positionen der Biographik des 19. Jahrhunderts wiedererkennen.

Der George-Kreis hat die Wissenschaft einem funktionalen Anliegen untergeordnet, denn die seit 1911 erscheinenden »Werke der Wissenschaft aus dem Kreis der Blätter für die Kunst« sollen »den neuen Blick in die Dinge und den neuen Atem der Darstellung« verraten und zur »Stärkung des heutigen Daseins« beitragen (Wolters). Welche Bedeutung dabei den großen Individuen der Vergangenheit beigemessen wird, verrät Friedrich Wolters' Referierung der entstandenen biographischen Arbeiten:

> »Die Erweiterung der Proseschriften zu wissenschaftlichen Werken über Shakespeare, Platon, Goethe und Nietzsche waren nur Auswirkungen des neuen Blickes auf gleichhehre Geister der Vergangenheit, war das begeisterte Wiedererkennen desselben Lebensvorgangs bei den großen ewiggegenwärtigen Toten. Gundolf sah Shakespeare als einen weithin ausstrahlenden Glutkern von Schöpfertum, Goethes vielfältige Entwicklung als eine einheitliche sich stetig im Werke auswirkende und stetig selbstbegrenzende Gestaltungskraft, Friedemann sah in Platon die vollkommene Gestalt des reich- und weltschaffenden Genius, Bertram deutete Nietzsche zum erstenmal über alle Einzelprobleme hinaus von seinem geistigen Bild und Schicksal her als den Lebendig-Ewigen, dessen Mythus wie der aller Großen nicht stirbt sondern in uns und mit uns weiterwächst.« [5]

Ehe wir an Wolters Aussage anknüpfen und damit die Grundzüge der Biographik herausarbeiten, seien zuerst noch einige biographische bzw. monographische Arbeiten genannt, um damit die Wichtigkeit dieses Genres für den George-Kreis zu belegen. Die eigenwillige ›Gestalt‹-Theorie im George-Kreis sorgt dafür, daß biographische Elemente immer eng mit der wichtigeren Werkbetrachtung verknüpft sind, ja oft treten sie völlig zurück und lassen damit reine Werkmonographien entstehen. Diese stellen jedoch auch eine Variante biographischer Arbeit dar, da sie vor allem den Glanz der dichterischen Persönlichkeit erstrahlen lassen und so über die Auratisierung der Werke zugleich die ›Vergöttlichung‹ der Schöpfer einleiten.

Außer von Heinrich Friedemann (1914) sind von Kurt Singer (1927), Kurt Hildebrandt (1933) und Robert Boehringer (1935) Untersuchungen zu Platon erschienen; von

Ernst Bertram zu Nietzsche (1918); von Friedrich Wolters zu Colbert (1922) und George (1930); von Berthold Vallentin zu Napoleon (1923) und *Winckelmann* 61931); von Wilhelm Stein zu *Raffael* 61923); ; von Max Kommerell erschien 1928 sein berühmtes Werk *Der Dichter als Führer in der deutschen Klassik,* in dem Klopstock, Goethe, Schiller, Jean Paul, Hölderlin und Herder im Mittelpunkt stehen, 1933 folgte dann sein *Jean Paul.* Die meisten biographischen Arbeiten legte allerdings Friedrich Gundolf vor: Zu dem schon von Wolters angesprochenen *Goethe* (1916) und *Shakespeare und der deutsche Geist* (1928) treten noch Untersuchungen zu *George* (1920), Caesar (1924; 1926; 1930), *Kleist* (1922), *Paracelsus* (1927) und eine Fülle essayistischer Porträts, z. B. von *Hutten, Klopstock, Arndt, George* und von Romantikern (1930, 1931). (Auch Ernst Bertram hat solche Essays, eigentlich »Fest- und Gedenkreden«, veröffentlicht: *Deutsche Gestalten* (1934).) Eine der bekanntesten Biographien ist Ernst Kantorowicz' *Kaiser Friedrich der Zweite* (1927). Eine Reihe weiterer biographischer Werke – z. B. Conrad Wandreys *Fontane* (1919) – zeigt deutliche Spuren einer Beeinflussung durch den George-Kreis. [6]

Wolters' Lob der Biographien im George-Kreis wird mit dem Hinweis auf den ›neuen Blick‹ eingeleitet und hebt damit zugleich die Gegenwartsfunktion der Wissenschaft hervor. Anders jedoch als bei den Biographen des 19. Jahrhunderts, die sich als Sprecher des gesamten Bürgertums empfanden und gerade deshalb an einer Popularisierung ihrer Werke interessiert waren, fühlten sich die Georgeaner nur noch als Sprecher einer Gruppe des Bürgertums, die sie gern programmatisch-verschwommen als ›Geheimes Deutschland‹ bezeichneten. Ernst Kantorowicz hat sich in der Vorbemerkung zu seinem *Kaiser Friedrich der Zweite* (1927) zu der Kranzinschrift aus dem Jahre 1924 am Sarkophag Friedrichs II. in Palermo·bekannt: »Seinen Kaisern und Helden. Das geheime Deutschland«. Gründet sich hierauf die »tiefe zuversicht für eine zukunft« (Gundolf) [7], so steht dem eine Verachtung der Gegenwart zur Seite. Wie der deutsche Geist, dessen Heimatlosigkeit Bertram mit Nietzsches Worten beschreibt, stehen auch die Georgeaner zwischen den Zeiten: »er ist von vórgestern und von übermorgen – er hat noch kein Heute. Der Übergang, die Verwandlung vom Vorgestern ins Übermorgen, das macht Zauber und·Fluch und edle Bestimmung des deutschen Wesens und Werdens aus.« [8]

Ihre Flucht aus der Gegenwart in ein ›Vorgestern‹, eine historische Ferne vorbürgerlicher Epochen, erfolgt aus einer Sehnsucht nach Harmonie und Einheit. Dem ›Chaos‹ der Gegenwart setzen sie »die eingeborene Chaosscheu der Griechen« als Ideal entgegen, denn hier sei noch die »mysterienbildende Kraft« am Werke gewesen: »Lähmt aber unzeitig unheiliges Wort das wirkende Geheimnis, so zerbröckelt die Welt in ihre chaotische Ur- und Unform zurück.« (Bertram) [9] Die richtig erkannten Auflösungserscheinungen ihrer Gegenwart erfahren so eine Transponierung ins Mysterium oder ins Mythische; damit wird gerade statt der von Max Weber in seinem Vortrag *Vom inneren Beruf zur Wissenschaft* (1919) konstatierten »*Entzauberung* der Welt« eine *Verzauberung* betrieben. Dem Ungenügen an der eigenen Zeit begegnet der George-Kreis mit traditionellen Fluchtreaktionen: der Schaffung einer ›höheren Welt‹. Wie sich der Kreis mit dem »Staats«-begriff und der Gemeinschaft eines »Geheimen Deutschland« eine Eigenständigkeit zuspricht, so will er sich für eine Zukunft auch eines »Neuen Reichs« versichern, das seine Verwirklichung auserwählten ›großen‹ Geistern zu danken habe. Hier wird die aus der Biographik des 19. Jahrhunderts bekannte »höhere Gemeinschaft« (Herman Grimm) der großen historischen Individuen propagiert. Stefan George stellt für seine Jünger schon in der Gegenwart jenen Typus des »reich- und weltschaffenden Genius« dar, wie Wolters den ›gleichhehren Geist‹ Platon charakterisiert hat: »doch nur George hat heute den lebendigen Willen und die menschliche Wesenheit die zuletzt in Goethe und Napoleon noch einmal Fleisch geworden, die in Hölderlin und Nietzsche zuletzt als körperlose Flamme gen Himmel schlug und verglühte.« (Gundolf) [10] Die großen Schöpfergestalten – »einen weithin ausstrahlenden Glutkern von Schöpfertum« rühmt Wolters an Shakespeare – repräsentieren das Ideal des George-Kreises. In ihnen stellt sich jene »Sinneinheit« her, die sie der eigenen Welt versagen, wie Siegfried Kracauer im Blick auch auf Georg Simmels biographische Arbeiten (*Kant, Schopenhauer und Nietzsche, Goethe, Rembrandt*) festgestellt hat. [11]

Möglich wird eine solche harmonisierende Sicht durch eine Wissenschaft, die sich dem »trennenden Intellektualismus« (Hildebrandt) [12] verweigert und den »Zerlösungen in Deutschland« (Wolters) [13] das Denken in Synthesen, eine Reichsmythologie und vor allem die Einheit und Harmonie der großen Persönlichkeit entgegensetzt. Max Weber hat in seinem berühmten Vortrag *Vom inneren Beruf zur Wissenschaft* (1919) die Funktion eines solchen Wissenschaftsverständnisses demaskiert: »Erlösung von dem Rationalismus und Intellektualismus der Wissenschaft ist die Grundvoraussetzung des Lebens in der Gemeinschaft mit dem Göttlichen«. [14] Gerade auf der Suche nach dem Göttlichen – wie vor ihm schon Jacob Burckhardt oder Friedrich Nietzsche – befand sich aber der George-Kreis, denn nur so glaubte er, der Gegenwart entfliehen zu können: »Der große Mensch ist die höchste Form unter der wir das Göttliche erleben« (Gundolf), er ist der »Halbgott, der zwischen Mensch und Göttern steht« (Vallentin). [15] Einzig dem großen Menschen trauten die Georgeaner noch zu, »durch alle Verschalungen der erstarrten Zeitformen« durchzubrechen und »das Göttliche in Werk und Tat und Bild« zu offenbaren (Wolters). [16] In den großen Individuen stellt sich für Gundolf »jene antikische Einheit zwischen Leib und Geist, Schaun und Tun, Trieb und Denken, Logos und Eros, Glut und Helle, Natur und Kultur« wieder her. [17] Nicht alle großen Individuen der Vergangenheit sind jedoch als Vorbilder geeignet. Gundolf teilt diese in »Seher« und »Täter« auf und betont erneut das schöpferische Element:

> »Beide leben (im Gegensatz zu allen noch so begabten Fachleuten und Teilkönnern) um die Welt im Ganzen zu verwandeln, ihr einen neuen Gesamtsinn zu geben, magisch, nicht nur technisch, in ihr fortzuwirken: durch Umwandlung der menschlichen Dingeschau oder Umwälzung der menschlichen Ordnungen . . von innen nach außen durch das neue Wort, von außen nach innen durch die neue Tat. Tat und Wort sind nur die Mittel worin die neue Gestalt sich ausdrückt: d. h. die neue Einswerdung einer menschlichen Seele mit einer sachlichen Welt. So entsteht der Mythus der Unsterblichkeit, sei er faßbar als gegenwärtiges Wortganzes in den Namen Dante, Shakespeare, Goethe . . als vermitteltes Tatganzes in Alexander, Caesar, Napoleon . . als überliefertes Seins-, Leidens- und Lehrbild in Buddha, Christus, Mohammed.« [18]

Gundolfs Aufzählung müßte im Blick auf die entstandenen biographischen Arbeiten bzw. die im George-Kreis verehrten historischen Individuen bei den ›Sehern‹ um Platon, Winckelmann, Jean Paul, Hölderlin und Nietzsche, bei den ›Tätern‹ durch den Stauferkaiser Friedrich II. ergänzt werden. Festzuhalten ist aber vor allem, daß die Menschen in ›große‹ Schöpfergestalten und ›Teilkönner‹ – Vallentin spricht im *Napoleon* von »Teil- und Sonderwesen«, denen Napoleon als »rundes Gesamtwesen« gegenübersteht (S. 4) – geschieden werden.

Auch wenn Gundolf »jene antikische Einheit« beschwört und damit Goethes »antike Natur« aus dem *Winckelmann* in Erinnerung ruft, so kann doch nicht übersehen werden, daß gerade durch die Aufteilung in ›Seher‹ und ›Täter‹ sich jene von Goethe befürchtete »Zerteilung der Kräfte und Fähigkeiten« durchgesetzt hat. Das wird noch deutlicher, wenn wir in Vallentins *Winckelmann* den Vergleich seines Helden mit Friedrich von Preußen lesen: »Sie stellen die beiden Arten deutscher Aktivität, die tathafte (gegenwarts-staatliche) und die geistige (ewigkeitsstaatliche) gesondert dar, jeder eine selbständig-ei-gentümliche Verkörperung des vollendeten deutschen Wesens ihrer Zeit.« (S. 32) Wenn Gundolf an anderer Stelle seines programmatischen Essays *Dichter und Helden* (1912; 1921) eine Aufteilung zwischen »weltbauende[m] Täterdrang« und »weltschauende[m] Bildnerdrang« vornimmt[19], so erinnert das stark an die für das 19. Jahrhundert in der Biographik aufgewiesene Trennung in eine ›vita activa‹ und ›vita contemplativa‹.

Ähnlich wie in der geistesgeschichtlichen Biographik des 19. Jahrhunderts, in deren Tradition die George-Kreis-Biographien eindeutig stehen, deckt sich eine Vorrangstel-lung der »Geisteshelden« (Gundolf) auf[20], die wir im folgenden noch genauer analy-sieren wollen. Hier wäre zuerst auf den gleichen Selbsttäuschungsprozeß einzugehen, den wir schon für die geistesgeschichtlichen Biographen aufgezeigt haben: Scheinbar werden die klassischen bürgerlichen Ideale einer notwendigen geistig-ästhetischen Erziehung als Voraussetzung für eine politisch-soziale Wirkung übernommen, indem z. B. auf das ewig-frische Wirken der geistigen Leistungen ›großer‹ Individuen verwiesen wird. Doch wenn im 18. Jahrhundert das Einheits- und Harmoniemodell, die Idealisierung von Kunst, Bildung und Tugend, und die damit verbundene Vorstellung von der Antike dem bürgerlichen Optimismus Ausdruck verlieh, die eigene Zeit nach diesen an der Antike gewonnenen Idealen verändern zu können, so hatte mit dem Verlust dieser bürger-lich-idealistischen Utopie im 19. Jahrhundert eine Umformung der dynamischen Ele-mente in statische eingesetzt, wie wir an der Biographik nachweisen konnten: Kunst, Bil-dung und Tugend wurden nicht mehr als Mittel, sondern nur noch als Selbstzweck ver-standen. Durch die Reichseinheit von 1871 konnte dann nochmals der Bezug zur Welt, eine Repolitisierung, eingeleitet und eine Versöhnung von Kunst und Politik behauptet werden. Diesen Schritt haben die Georgeaner nicht mitvollzogen, aber andererseits sind sie der richtig erkannten Herausforderung der modernen Industriegesellschaft mit ihren Begleitphänomenen wie Arbeitsteilung, Entfremdung und Selbstentfremdung, Undurch-schaubarkeit des ökonomischen Prozesses, Anonymität und Isolierung, mit der gleichen Fluchtreaktion begegnet wie die Biographen des 19. Jahrhunderts. Doch stellten sich im George-Kreis – bedingt durch die historische Entwicklung – entscheidende Veränderun-gen ein. Da die Georgeaner sich nicht in vordergründige Sinnbestimmung durch den Ge-genwartsbezug retten wollten, mußten die fortschreitende Dekompositon des Bürger-tums und die wachsende Macht des Proletariats als stärkere Bedrohung empfunden wer-den und sich dadurch die Abwehrreaktionen verhärten: Die Verketzerung der ›Massen‹ – verbunden für sie mit der Industrialisierung und Demokratisierung – ist als sozialpsychologischer Versuch zur Rettung einer bürgerlichen Identität zu interpretieren. Aus der bedrängten Situation erfolgt auch die Repolitisierung.

Aus dem Widerspruch zum Wilhelminismus hätten sich zwei Reaktionen angeboten: Einmal wäre der völlige Rückzug in die ›höhere Welt‹ möglich gewesen und damit die Aufgabe jedes politisch-sozialen Anspruchs. Zum anderen hätte – über eine kritisch-analytische Bestandsaufnahme der eigenen Situation – aus der Ablehnung der Gegenwart die Kraft für eine mögliche Veränderung geschöpft werden können. Dieser Schritt hätte allerdings zur Voraussetzung gehabt, daß die gegenwärtige Welt als veränderbar betrachtet und dem eigenen Handeln Aussicht auf Erfolg eingeräumt wird. Nichts zeigt deutlicher, wie verschieden die Tradition bürgerlicher Geschichte interpretiert wird, wenn man z. B. Heinrich Mann und die Georgeaner miteinander vergleicht: Reagierend auf die gleiche Ausgangssituation, auftretend mit dem gleichen Anspruch, Geist in Tat überzuleiten, findet der eine zum Optimismus des 18. Jahrhunderts zurück, indem er sich zur Menschheitsgeschichte bekennt und diese konsequent in die Demokratie einmünden läßt, während die anderen den Geist einzig zur Elitebildung einsetzen wollen und damit den sozialrevolutionären Anspruch des 18. Jahrhunderts negieren und in eine Abwehrfunktion umleiten. (›Menschheit‹ scheint den Georgeanern schon als Begriff verdächtig, sie wählen lieber den individualistischen Terminus ›Mensch‹. [21]) Dem einen ist dadurch eine Biographik möglich, die sich nicht nur mit der Form des Essays, sondern auch mit ihrer Leseransprache, der Verknüpfung des Helden mit der sozialen und politischen Zeitsituation, dem bewußten Gegenwartsbezug und besonders mit ihrem Optimismus dem 18. Jahrhundert verbunden zeigt – Begriffe wie ›Wahrheit‹, ›Vernunft‹, ›Gerechtigkeit‹, ›Freiheit‹ und besonders ›Glück‹ gewinnen bei Heinrich Mann einen neuen Glanz –; den anderen gelingt nur eine pessimistische Schau, die den Weltbezug ins ›geistige Reich‹ verlagert bzw. in die Person zurücknimmt und die einzig von einem *Anspruch* auf Tat begleitet wird, der aber kaum handlungsanleitend wirken kann – und wohl auch nicht mehr will. Der Vergleich der fast zur gleichen Zeit erschienen Essays von Heinrich Mann: *Zola* (1915) und von Gundolf: *Ulrich von Hutten* (1916) wird diese Skizzierung vertiefen.

Da die Georgeaner sich zu keinem eindeutigen Schritt entschließen konnten, verklärten sie ihr Verharren in der ›höheren Welt‹ als Sammlungsbewegung, die ihre politische Funktion in einem imaginären ›Übermorgen‹ finden sollte. Mit solchem Selbstbetrug wurde allenfalls ihr Leiden an der Gegenwart gemildert, aber keine Kraft für einen Neuanfang gewonnen.

Aus dieser Situation wird für die Biographik verständlich, warum die Harmonie- und Einheitsidee so aggressiv-verzweifelt vertreten wurde: Wem sich die eigene Identität, die soziale Sicherheit und der Sinn des Lebens nur über die ›Großen‹ der Vergangenheit bzw. über den ›gleichhehren Geist‹ in der Gegenwart, Stefan George, erschließt, wer sich der herrschenden Elitevorstellungen bedient, um sich selbst zum Subjekt, die ›Masse‹ aber zum Objekt zu machen – »nur große Menschen [haben] ein eigenes Schicksal« (Gundolf) –, dem muß die Menschenfreundlichkeit und Allverbundenheit des aufklärerischen Individualismus suspekt erscheinen: »Das Große ist Anspruch, Maß und Mitte: nur wer sich im Herzen davon umbilden läßt darf sich ihm nähern. Dem Schlechten, sagt Aristoteles, ist nicht erlaubt den Plato zu loben.« (Gundolf) [22]

Über eine Radikalisierung der Einfühlungs- und Kongenialitätstheorie der Geisteswissenschaft wird die Beschäftigung mit den ›Großen Menschen‹ – zuweilen erhält auch das Adjektiv die Majuskel, um schon äußerlich den Anspruch zu demonstrieren [23] – nur einem auserwählten Kreis vorbehalten und verrät damit die gleiche verdeckte soziale Argumentation, die wir im 19. Jahrhundert schon erkannt haben. So reklamiert Vallentin das Wissen Winckelmanns als »Vermächtnis für die Reifen im Geiste«, das gegen die »unheilige Menge« verteidigt werden muß. [24] Gundolf definiert Geschichte als »Wechselwirkung der schöpferischen und der empfänglichen Menschen« [25] und prägt für seine eigene Tätigkeit den Neologismus »Bildungshistoriker«: »Er muß eine lebendig bewegte Urform mühsam und gewissenhaft, mit aller Kenntnis jedes Sinns und jedes Gewichts nachbilden in einem anderen ihm angeborenen Material.« [26] So wird der kritische Geist, den eigentlich die Gegenwart so nötig gehabt hätte, auf die ›höhere Welt‹ gelenkt.

Drängt sich ganz offensichtlich der von Gundolf verachtete »Teilkönner« bei ihm selbst hervor, so werden solche möglichen Schlußfolgerungen zu verhindern versucht, indem immer wieder auf die Einheit verwiesen wird – nicht zufälligerweise ist ›gesamt‹ eine Lieblingspartikel Gundolfs in der Kompositabildung – und z. B. Wissenschaft, Kunst und politischer Anspruch zur Deckung gebracht werden. Attackiert wird deshalb eine Wissenschaft, der es vor allem um Nüchternheit und Aufklärung geht; schon Nietzsche hatte sie angegriffen, weil »sie alle Horizont-Umschränkungen aufzuheben sucht und den Menschen in ein unendlich-unbegrenztes Lichtwellen-Meer des erkannten Werdens hineinwirft.« [27]

Für Bertram gilt: »Geschichte ist Dichtung. Nie und niemals ›exakte Wissenschaft‹. Sie ist immer geheimnisvoll zweideutig.« [28] Selbst ein so gewissenhafter Quellenforscher wie Ernst Kantorowicz setzt sich energisch von einer »Geschichtsforschung« ab und hält dagegen sein Ideal der »Geschichtsschreibung« und rechtfertigt damit »das Eindringen des bildnerischen und *schöpferischen* Moments«. [28a] Alles läuft schließlich auf einen Nachweis vom nichtentfremdeten Leben hinaus: »daß wir eins sind mit dem was wir schaffen und schauen, daß das Bild vor dem wir beten unseres Wesens ist« (Wolters). [29] Als höchstes Ziel hat Wolters in *Herrschaft und Dienst* (zuerst: 1909) die »einung einer seele mit der Gottheit« verkündet. [30] Die aufwendige und sprachlich dunkel-verschleiernde Argumentation dient der Ablenkung von der Gegenwart und hat die eigene Selbsterhöhung zum Ziel: »Nur wer ehrt was über ihm ist kann Ehrfurcht haben vor sich selbst.« (Gundolf) [31] Je schwächer nun das Selbstwertgefühl der Verehrenden ist, desto stärker muß die Ausstrahlungskraft der großen Individuen sein, denn die Verehrenden wollen »die Strahlungen die sie von ihnen empfangen in neues Gebild« verwandeln (Gundolf). [32]

Mit dem Bild der »Strahlungen« erfassen wir einmal die positive Wertung gegenüber dem auch von Nietzsche verachteten »Lichtwellen-Meer« einer sich um Vollständigkeit bemühenden Geschichtsschreibung und zum anderen die für den George-Kreis und auch gerade für die Biographik wichtige Enthistorisierung der Geschichte. Der Wunsch nach sicheren Werten in einer Zeit, die sich durch Wertrelativierungen auszeichnet, wie sie in der Historismusdiskussion und dem Werturteilsstreit um Max Weber zum Ausdruck kommen, führt bei den Georgeanern zu einem geschichtlichen Denken, dem es um das Gleichbleibende, das Ewig-Wertvolle und Ungebrochene geht und nicht so sehr um den

Wandel oder gar den geschichtlichen Progreß, der von ihnen nur als Niedergang verstanden werden kann: Sie drängen »aus der Sphäre des sinnlosen Wandels in die der sinndurchdrungenen Ewigkeit« (S. Kracauer). [33] Mit Nietzsche entscheiden sie sich, »den Blick von dem Werden ab[zu]lenken, hin zu dem, was dem Dasein den Charakter des Ewigen und Gleichbedeutenden gibt, zu *Kunst* und *Religion*«. [34]

Da die Georgeaner an der ›Mechanisierung‹ und ›Technisierung‹ der gegenwärtigen Welt leiden, ihre ›Versachlichung‹ und ›Entmenschlichung‹ befürchten, die sie einem ungewünschten ›Werden‹ anlasten, sehen sie gerade in ihrem ›Heldenglauben‹ die Voraussetzung für eine Sicherheit im ›Sein‹:

> »Dreierlei setzt der Heldenglaube voraus: 1. daß es ein Ewig-menschliches gibt über und in allem Wandel (der formumformenden Funktion dieses Ewigen) . . 2. daß dies Ewigmenschliche allgültige Maße hat, jenseits aller relativen Auffassungen und Methoden . . 3. daß diese Maße keine bloß willkürlichen Abstraktionen, sondern im Menschen verkörperte Wirklichkeit sind.« (Gundolf) [35]

Es ist deshalb kein Zufall, daß die berühmteste Darlegung von Nietzsches ›Unhistorischem‹ und ›Überhistorischem‹ – »die Gegenmittel gegen das Historische« (Nietzsche) [36] – sich in der Einleitung zu einer Biographie findet. In seinem *Nietzsche* hat Ernst Bertram seinen »Legenden«-Begriff als die »lebendigste Form geschichtlicher Überlieferung« entwickelt, von dem zum besseren Verständnis des hier Gesagten die bekannteste Wendung zitiert sei: »Wir vergegenwärtigen uns ein vergangenes Leben nicht, wir entgegenwärtigen es, indem wir es geschichtlich betrachten. Wir retten es nicht in unsre Zeit hinüber, wir machen es zeitlos.« [37]

Und doch steckt hinter dieser ›Entgegenwärtigung‹ ein starkes Gegenwartsinteresse, auch wenn mit scheinbar selbstsicherer Geste der moderne historische Sinn verurteilt wird, der »in jedem Zeitalter Analogien zur Gegenwart« entdecken will (Gundolf). [38] Tatsächlich haben die Georgeaner keine offensichtlichen historischen Analogien hergestellt, aber nur deshalb nicht, weil ihre heroische Ferne wenig mit dem ›unheroischen‹ Nahen gemeinsam hatte und weil ihnen die jeweiligen Zeitumstände für ihre Helden unwichtig waren, da diese ja gerade nicht durch das ›Milieu‹ bestimmt sein sollten, wie wir schon für die geistesgeschichtliche Biographik gezeigt haben: »Nur was dem Menschen als Menschen schlechthin eignet, nicht als einem Zeitgeschöpf, erleben wir, nur das was in uns auch ist.« (Gundolf) [39] Der Verlust der ›Umwelt‹ führt notwendigerweise zur Enthistorisierung – diesen Vorgang werden wir für die ›moderne‹ Biographie eingehender behandeln – und im George-Kreis zur Konstruktion eines *Typus,* z. B. eines ›Sehers‹ oder ›Täters‹, und zum »Preisen bestimmter Menschentypen«, wie George gegenüber Morwitz seine *Preisgedichte* charakterisiert hat, »nicht aber individueller Wesen«. [40] In der Behauptung von der Verwandlung der Strahlungen bei Gundolf oder der »einung« bei Wolters schwingt die Vorstellung einer ideellen Gemeinsamkeit der ›gleichhehren Geister‹ (Wolters) in einem überhistorischen Zusammenhang mit.

Auch hier lassen sich die Linien in die geistesgeschichtliche Biographik des 19. Jahrhunderts verfolgen. Diltheys Auffassung, daß »die so rätselhafte Individuation« erkennbar und faßbar werde in der Wechselbeziehung von Typik und Singularität, hat Joachim Müller in seinem Aufsatz *Dilthey und das Problem der historischen Biographie* (1933) so zusammengefaßt:

»Die Typik ist das vom Leben selbst gegebene Ordnungsprinzip, das in dem unaufhaltsam dahinfließenden Strom die immer wiederkehrenden Gleichförmigkeiten und Regelmäßigkeiten erkennen läßt. Auf diesem Typischen erst erhebt sich das Singuläre. Speziell für den Menschen heißt das: Auf dem Allgemeinmenschlichen breitet sich das Individuelle aus.« [41]

Der Prozeß des Verstehens fremder Individuation verläuft für Dilthey über die den Menschen gemeinsamen Lebenserfahrungen, kraft des »Wissens über Gemeinsamkeit«. [42] Damit ist allerdings nicht das Verfahren des George-Kreises ins Recht gesetzt, *nur* auf die typischen Züge zu schauen, über die er die »einung« einleiten will. Wo Dilthey noch ein ausgewogenes und kompliziertes Beziehungsgeflecht zwischen Typik und Singularität annimmt, das wir im Zusammenhang der Diskussion um ›Freiheit‹ und ›Notwendigkeit‹ mit seinen »Kultursystemen« schon angesprochen haben, da sehen die Georganer nur die Typik, die die ›Großen‹ »zu ewigen Menschheitssymbolen« (Vallentin) [43] werden läßt, und gefährden damit gerade Singularität und Selbstständigkeit ihrer Helden.

In Wirklichkeit konnte ihnen auch nichts an deren Selbständigkeit liegen – trotz häufiger gegenteiliger Beteuerung –, da sie sich selbst in deren Wesen wiedererkennen wollten. Der damit verbundene geistige Primatanspruch des ›Bildungshistorikers‹ ist letztlich, wie schon gesagt wurde, ein verdeckter sozialer Anspruch. Wie die Georgeaner den Geist für sich reklamieren, so überführen sie auch die ›Großen‹ der Menschheitsgeschichte aus Gemein- in Eigenbesitz: Die einst verehrten ›Göttlichen‹ des Bürgertums werden zu Laren, Hausgöttern einer elitären Gemeinde. [44]

Da sich ihr Anspruch keiner rationalen Kontrolle unterwerfen kann, wird die wissenschaftliche Analyse verfemt und auf den Mythos ausgewichen, denn dort »waltet der werkträchtige Wille, der nur sieht was ihm entspricht« (Gundolf) und der »frei von allen Einengungen durch geschichtliche Gegebenheiten ist« (Bertram). [45] So stellt sich der Idealkonnex zwischen den ›gleichhehren Geistern‹ ein. Was sich also als progressiver Weltentwurf im Interesse der Menschheit präsentiert: »die Verwandlung vom Vorgestern ins Übermorgen« (Bertram), ist kaum verdeckter Egotismus. Denn schon in der Wortwahl schimmert das Illusionistische und Irrationale durch – verzichtet Bertram doch bezeichnenderweise auf das realistischere Verknüpfen des ›Gestern‹ und ›Morgen‹ mit dem wichtigen Einschluß des ›Heute‹. Solche verbalen Ablenkungsversuche können nicht darüber hinwegtäuschen, daß die Biographik vor allem die Funktion zu übernehmen hat, ein geschwächtes bürgerliches Selbstbewußtsein zu stützen. Das läßt sich an den Biographien des George-Kreises beweisen, die nichts vom dynamisch-anspruchsvollen und utopisch-hoffnungsvollen Impetus einer bürgerlichen Frühzeit vermitteln, wo der ›Held‹ die für die Menschheitsgeschichte wichtigen Taten vollbringt, aber um so mehr über Abwehrhaltungen, Ängste und Kompensationsversuche verraten.

Wenn Gundolf in seinem theoretischen Essay *Dichter und Helden* behauptet, »durch die Auswahl und die Deutung seiner Vorbilder aus der Geschichte charakterisiert sich jedes Geschlecht« [46], so kann dieses Argument leicht gegen das herausgekehrte Selbstbewußtsein gewendet werden. Denn es läßt sich nicht leugnen, daß die Georgeaner den tragischen und scheiternden Lebensläufen zuneigen.

Sehen wir uns zunächst die »Täter« an – Alexander, Caesar, der Staufer Friedrich II., Napoleon –, so sind sie ohne Zweifel vorzügliche Beispiele für große Schöpfergestalten und reich- und weltschaffende Genien (Wolters); aber es ist nicht nur eine Entscheidung für die großen, menschenverachtenden Tyrannen – im Sinne des 18. Jahrhunderts für die Monarchie und gegen die Republik, für Caesar und gegen Brutus – gefallen, sondern auch zugleich für die großartig Scheiternden, deren Lebenswerk – mit Ausnahme Caesars – nur durch sie selbst zusammengehalten wurde und nach ihnen wieder in einzelne Teile zerfiel. Allen diesen »Tätern« eignet unumschränkte Selbstverwirklichung: jene »fessellose Selbstsucht in ihren furchtbarsten Zügen«, die schon Jacob Burckhardt schaudernd-fasziniert bei den Renaissance-Condottieren, denen er die »Dispensation von dem gewöhnlichen Sittengesetz« zusprach, beobachtet hatte. [47] Dieser Gedanke wird – über Nietzsches Amoralismus vermittelt – von Bertram wiedergegeben: »alles groß Legitime hat die Spanne anrüchiger und verbrecherischer Illegitimität zu durchmessen«. [48] (Daß sich damit ideologische Übereinstimmungen mit dem Nationalsozialismus ergeben, kann hier nur angemerkt werden.) Dieses gebannt-faszinierte Ergriffensein von den »tragischen Schauern«, den »grausamen Schicksalen« (Gundolf) ist eine häufiger in mittelständischen Schichten zu beobachtende Reaktion und ein Zeichen für Angst und Passivität; mit dem Mut der Verzweiflung und mit masochistischer Untergangsmentalität reden die Verstörten sich noch ein, daß »die zerstörenden Kräfte selbst noch Kultur« sein könnten (Gundolf). [49] Nicht im idealisierten Harmoniemodell, sondern in der angstvollstürmischen Verehrung der vitalen Egoisten, die als »Inbegriff der menschlichen Monumentalität« bestaunt werden (Gundolf) [50], deckt sich der Gegenwartsbezug in den Biographien auf. Im ›Chaos‹ der eigenen Zeit macht sich der George-Kreis Mut:

> »Erst wenn ein Ganzes reif zum Untergang ist, kommt er, der überpersönliche Träger der neuen Schöpfungskeime, von der alten Welt aus gesehen als Zerstörer, von der neuen als Erfüller, von den Völkern aus solange als Egoist, bis seine Kraft zu sichtbarer Ordnung geronnen, sein Drang zu Staat erstarrt ist.« (Gundolf) [51]

Diesem optimistischen Bild von den staatsschaffenden Zerstörern – paradoxerweise legitimiert im Blick auf bürgerliche Ordnungsvorstellungen – widersprechen nicht nur die gewählten ›Täter‹ im George-Kreis, denn deren Maßlosigkeit hat ja gerade die erreichte Einheit und Ordnung aufs Spiel gesetzt, sondern auch die offensichtlichen Schwierigkeiten der Georgeaner mit ihren ›Tätern‹. Die Berührungsangst, die wir schon im Zusammenhang mit Friedrich Schlegel angesprochen haben und die für eine Distanz zur politischen Welt sorgt, schimmert auch bei den Georgeanern durch: Es ist nämlich auffällig, daß nicht nur zahlenmäßig die ›Täter‹ den ›Sehern‹ unterlegen sind, sondern daß zudem auch Biographien der wenigen ›Täter‹ entweder gar nicht geschrieben wurden oder Bruchstücke blieben: Es wurde z. B. keine Alexander-Biographie verfaßt, obwohl »dessen kosmische Macht der Jugend« (Gundolf) [52] die Georgeaner fasziniert hat; es wurde ebenfalls keine Caesar-Biographie geschrieben, obwohl Gundolf sich ein Lebenlang mit diesem ›Helden‹ beschäftigt hat. Erschienen sind von Gundolf nur Bruchstücke zur »Geschichte seines Ruhms« (1924, 1926, 1930).

Am auffälligsten ist die Zurückhaltung gegenüber dem ›Täter‹-Typus jedoch in Berthold Vallentins *Napoleon* (1923), denn ausdrücklich weigert sich der Verfasser, »den Feldherrn oder den Staatsmann« zu zeichnen, er will allein dem ›Wesen‹ nachspüren und »den Menschen, den Mann Napoleon« vorstellen (S. 6): »Die bürgerliche Welt hat ihr

Zerrbild vom Berufsmenschen, dem Strategen, dem Politiker Napoleon; die geistige ihre Gesamtschau von Mensch und Held.« (S. 7) Auch wenn hier suggeriert wird, daß »ein rundes Gesamtwesen« (S. 4) entworfen werden soll, so verzichtet Vallentin bezeichnenderweise auf zwei »Grundgegebenheiten seines Lebens«: »Aktivität und Intensität« könne er »nur im Vorübergehen« streifen. »Nur das dritte Element, die Unmittelbarkeit, ist allem Ein- und Ausdruck seiner Natur, dem inneren Leben, Wahrnehmen und Fühlen, wie auch dem äusseren, dem Handeln, bestimmend einverleibt, und ist also notwendig der Kern seiner Wesensdarstellung.« (S. 6 f.) Es reicht in unserem Zusammenhang ein Blick auf die Kapitelaufteilung des Buches, um einen Eindruck zu gewinnen, wie sehr hier alles zum Mythos und zur Legende drängt und wie sehr einzig »das geistige Bild Napoleons« (S. 6) gezeichnet wird: 1. »Tat und Erleben«, 2. »Geschichte und Gegenwart«, 3. »Antike und Klassizismus« 4. »Gefühle und Triebe«, 5. »Gott und Glaube«, 6. »Kunst«.

Die einzige Ausnahme in der Biographik der Handelnden bildet Ernst Kantorowicz' *Kaiser Friedrich der Zweite* (1927). Diese Biographie hat entscheidend zum Ruhm der Biographik des George-Kreises beigetragen und findet bis heute ihre begeisterten Leser. In der Weimarer Republik hat sie »eine außerordentlich bereitwillige und dankbare Aufnahme erfahren«, wie der Mediävist Friedrich Baethgen 1930 in seiner Rezension festhält.[53] Um so wichtiger ist es, den von Kantorowicz entworfenen Heldentypus näher anzusehen.

a) ›Täter‹: Kantorowicz' »Kaiser Friedrich der Zweite« (1927)

Kantorowicz' Biographie ist streng durchkomponiert und erzeugt so schon eine auffällige Geschlossenheit, die dem Ideal einer ästhetischen Harmonie zudem durch den schon zitierten bewußten Kunstanspruch entsprechen will. Andererseits ist selbst von Fachwissenschaftlern »die methodisch-kritische Kleinarbeit« (Hampe) und die gelungene Zusammenschau gelobt worden.[1] Daß sich in neun Kapiteln ein dramatischer Spannungsbogen mit Aufstieg, Höhepunkt und *Fall* ergibt, hätte Kantorowicz wohl so nicht akzeptiert, da er seinen Helden »von der Geburt an in pfeilgeradem Aufwärts Stufe um Stufe« durchlaufen lassen will (S. 628).[2] Dieser Vorstellung entspricht ein Tod in einem »Augenblick fast unverhoffter glänzender Fülle, da der Welt des Reiches Macht ungebrochen, der Imperator selbst tatfroh und kampfbereit in seiner Vollkraft erschien« (S. 626). Dem glanzvollen Abgang kontrastiert jedoch eine mehr tragische Gestaltung, die nach dem Höhepunkt im 5. Kapitel zu beobachten ist. Denn im 6. Kapitel (»Der deutsche Kaiser«) bereitet sich schon die »Wende« (S. 401) vor: Dem Kaiser gelingt die große und notwendige Aufgabe einer Reichseinung und -befriedung nicht; die Rebellion des Sohnes Heinrich in Deutschland, der beginnende Streit mit dem Papst signalisieren Bedrohung und Untergang. Hatten wir im 5. Kapitel unter der martialischen Kapitelüberschrift »Tyrann von Sizilien« das unerwartete Bild einer »höfischen ›Gelehrtenrepublik‹«, einer »renaissancehaften ›Akademie‹« (S. 318), entworfen bekommen, wo Beamte »als Gelehrte Dichter oder Künstler dem Kaiser nahestanden« (S. 308) und der »freie menschliche Geist« diesen arkadischen Musenhof überwölbt (S. 319), so zwingt die politische Lage Friedrich II. in den folgenden Kapiteln zu neuen Rollen: In Deutschland ist er als Gesetzgeber gefordert, für Italien hat er sich »vom Gesetzgeber zum Heerführer« zu wandeln (S. 391). Die sich anbahnende Katastrophe wird durch retardierende Momente aufgehalten – kriegerische Erfolge, Neuordnung in Sizilien –, aber dem »versammelten Weltwiderstand, auf den jeder der Großen einmal stößt« (S. 444), kann auch Friedrich auf die Dauer nicht widerstehen. Einem dramaturgischen Konzept entsprechend, wo in der sich anbahnenden Katastrophe gegen die nochmals »aufsteigende Möglichkeit« sich doch die »abwärtsdrängende Gewalt« (G. Freytag) durchsetzt[3], läßt auch der Autor die Katastrophe frühzeitig aufscheinen: »Der Vereinsamte schien jetzt verloren.« (S. 469) und »Grenzenlos erschien jetzt die Macht Friedrichs II., obwohl sich in die Bewunderung das Grauen mischte.« (S. 502) In diese »letzte[n] Kampfesphase« (S. 532) mischen sich jetzt »etwas von jenem nordischen Trotz und jenem nordischen Grauen« (S. 549). Die »nordischen Schicksalsgötinnen« (S. 551) unterstreichen das Mythologische und Vergleiche mit Attilas Vernichtungszügen sollen Vorstellungen des Grauens wachrufen. Der Dichter- und Gelehrtenkönig des 5. Kapitels ist in der folgenden Beschreibung nicht mehr wiederzuerkennen: »Schon immer war Friedrich II., wo es um den Staat ging, jeder Grausamkeit, jeder Tücke, Gewalt und List, jeden Trugs und jeder Härte, jeder Bösartigkeit und dazu jeden Hohnes und Spotts fähig gewesen« (S. 552f.). Dieser »Caesar Messiaskaiser Antichrist« (S. 555) bereitet sich einen göttlich-satanischen Abgang: »Das Römerreich aber sollte mit ihm zu Ende gehen. Und er wird Zeichen und Wunder und nie gehörte Taten vollbringen, auf Erden herrschen aber wird Verwirrung, wie niemals zuvor.« (S. 556) Rächende Grausamkeit und vernichtende Menschenverachtung verdunkeln das so jugendlich-schöne Porträt, mit dem das 5. Kapitel geschlossen hat (S. 339), und stimmen den Leser auf Einsamkeit und Untergang ein: »Seine Sendung hatte er erfüllt.« (S. 611)

Illustriert uns dieses literarische Beispiel die so häufig im George-Kreis verbal demonstrierte Verehrung der selbstherrlichen Täter, so bleibt der Widerspruch zwischen dem hier skizzierten Scheitern und der von Kantorowicz behaupteten gradlinigen Selbstverwirklichung seines Helden: »denn das Leben dieses Strahlenden blieb bis zum Ende gleich« (S. 622). Warum kann Kantorowicz, trotz des offensichtlichen Mißlingens der politischen Pläne, Friedrich II. als eine Gestalt sehen, die ihren Kreis harmonisch ausgeschritten hat?

Das liegt vor allem an einem neuen Harmonieverständnis bei Kantorowicz, der für die Heroen eben keinen »Mitte-Menschen« (Gundolf)[4] mit bürgerlicher Ausgeglichenheit, sondern die »unerhörte Spannweite« fordert:

> »Nur der Staufer, mit dem das Reich schloß und die Frucht aufsprang, reichte als Priester noch in die Himmel Gottes hinauf, dröhnte als Kaiser über das Erdenrund hin und stieß als Tyrann bis in die tiefsten Höllen hinunter, um mit den himmlischen und irdischen Mächten auch die von der Kirche für ein Tausendjahr gebannten Dämonen und Kräfte der unteren Welten aufzurühren und in sein Gesamt einzubeziehen: Gottessohn Weltenrichter Widerchrist zugleich.« (S. 613)

Damit tritt zwangsläufig der Zweck, der einzig die ›unlauteren‹ Mittel rechtfertige, wie Gundolf in dem das vorhergehende Kapitel abschließenden Zitat meint, hinter die Person zurück: Diese bietet sich vor allem als Vorbild an, ist sie doch »completus« (S. 34), von einer »vollkommenen Einheit« (S. 557), ein »Lebensgesamt« (S. 559). (Goethes Ideal, wie er es im *Winckelmann* entworfen hat, mag hier Pate gestanden haben, denn auch für Winckelmann hieß es, er sei »ganz und abgeschlossen«.) Welch starker subjektivistischer Zug in die Deutung des Individuums eingeführt wird, läßt sich mit einem Vergleich der Auffassung Friedrichs II. bei Jacob Burckhardt verdeutlichen. Wenn für Burckhardt der Staufer auch »der erste moderne Mensch auf dem Thron« ist[5], so vergißt er nicht darauf hinzuweisen, daß hier auch der erste moderne »zentralisierte Gewaltstaat« aufgerichtet wurde: »beruhend auf normannischer Tyrannenpraxis und mohammedanischen Vorbildern, mit furchtbarer Herrschaft auch über die Kultur«. Die »Größe« Friedrichs II. sieht er durch Legendenbildung entstanden: »Und nun wurde dessen Wiederkommen erwartet, dessen Hauptlebensziel, die Unterwerfung Italiens, mißraten und dessen Regierungssystem im Reich von sehr zweifelhaftem Wert gewesen war. Seine Persönlichkeit muß die Resultate weit überwogen haben; gemeint war aber mit der Erwartung doch wohl Friedrich I.«[6]

Burckhardt und auch Gundolf messen dem Zweck – trotz der Faszination durch die Gewalt – die wichtigere Bedeutung bei und fassen damit ›Größe‹ im Sinne von Hegels »Heroen«-Vorstellung, wo sich die »individuelle Gesinnung« dadurch zu legitimieren hat, daß sie das »Rechte und Sittliche« betreibe.[7] Deshalb kann Gundolf für Friedrich II. – anders als für Caesar – keine »kosmische Einheit zwischen Menschtum und Kaisertum« sehen und betont das Auseinandertreten von »Selbst« und »Sache«.[8] Scheint bei Gundolf ein Tragikverständnis auf, das sich mit Goethes bekanntem Ausspruch aus »einem unausgleichbaren Gegensatz« herleitet[9], und hebt er im Blick auf die Renaissance-Menschen hervor: »Jetzt kommen Personen deren Ich weit ihr Reich, ihren Beruf, ihre Sache überwiegt«[10], so ist Kantorowicz ganz auf die ›Legende‹ fixiert und stellt sich damit eher in die Nachfolge Nietzsches, dem der Staufer »der *erste* Europäer nach meinem Geschmack« und der ihm einer »seiner Nächstverwandten« war – was Kantorowicz nicht vergißt, in seiner Biographie zu zitieren (S. 355, S. 550). Während aus Gundolf noch die bürgerliche Sehnsucht nach Ausgleich spricht, die z. B. auch im *Goethe* spürbar ist, wo der dritte Teil beziehungsvoll »Entsagung und Vollendung« überschrieben ist, setzt sich bei Kantorowicz jenes moderne antibürgerliche Element durch, dem revolutionäre Untertöne beigemischt sind, dem aber auch etwas von der Verzweiflung anhaftet, die schon Nietzsche bedrückt hat. Kantorowicz' Held scheint über allen Gegensätzen zu stehen bzw. sie in sich, in seiner »Spannweite«, zu vereinen und damit jede tragische Kollision zwischen Freiheit und Notwendigkeit, Idee und Wirklichkeit oder Einzelnem und Welt unmöglich zu machen. Gundolf hat das nur Caesar zugestehen können, weil er nur bei diesem die vollendete Harmonie erkennen kann: »ganz Mensch und ganz Staat, persönliche Freiheit und sachlicher Zwang, Fülle und Gesetz, Ich und Welt«.[11] Ob Gundolf damit Caesars Porträt richtig gezeichnet hat, sei dahingestellt, wichtig ist in diesem Zusammenhang, daß er auf der Harmonie von Individuum *und* Welt beharrt und mit gutem Gespür den Mann zum idealen Helden wählt, dessen Ideen Wirklichkeit wurden, die über den Tod hinaus Bestand hatten.

Da Kantorowicz diese klassische Harmonie der Biographik in die Person verlagert – was Gundolf in seiner *praktischen* Arbeit auch tun wird –, gerät ihm die Umwelt nur aus dem Blickwinkel des Helden in Sicht, was selbst den ihm befreundeten Friedrich Baeth-

gen zur Klage veranlaßt, hier sei zuviel harmonisiert und »die Wirklichkeit der europäischen Weltlage« doch verzeichnet. [12] Kantorowicz benutzt die Umwelt und ihre Gegenkräfte, um den Glanz seines Helden zu erhöhen, und bestätigt damit zugleich auch
eine tragische Konzeption, gilt doch für diese, daß dem Helden alles Äußere »zur Gelegenheit des vorbestimmten und angemessenen Schicksals« wird (Lukács). [13] Friedrich II. wird vom Schicksal zum Scheitern verurteilt und zu einer letzten verzweifelten
Anstrengung gezwungen, in der sich zwar seine ›Freiheit‹ manifestiert, die aber alle Zeichen eines heldenhaften Untergangs trägt. Vergleichen wir Aufstieg und ›Fall‹ – im herausgehobenen Mittelstück regiert Friedrich II. als »Tyrann von Sizilien« – so lassen sich
durchaus Elemente einer tragischen Kollision ausmachen.

Einem entelechischen Prinzip entsprechend, das gerade für die geistesgeschichtlichen
Biographien gilt, wird schon zu Beginn die Selbstverwirklichung des Helden aus eigener
Kraft betont: »niemandem hatte er etwas zu danken und was er war, war er ›sua virtute‹«
(S. 31). Der Hinweis auf die empfundene »Schicksalhaftigkeit« (S. 53) und »Sendung«
(S. 54) des zum »Werkzeug Erkorenen« (S. 52) schränkt keineswegs die Entfaltung des
Helden ein, sondern verleiht seinem Aufstieg mythische Rechtfertigung und unterstreicht
das starke Selbstvertrauen. Im 5. Kapitel einen sich Freiheit und Notwendigkeit, Selbst-
geleistetes und Schicksalhaftes, zu überzeugender Harmonie. Im dritten Teil (6.–9. Kapitel) jedoch finden sich Selbstbewußtsein und Anspruch an die Welt durch das Schicksal
behindert, das nun dem Aufstiegselan hemmend in den Weg tritt. Scheint sich damit der
Held von einem Selbstbestimmenden, einem Subjekt, zu einem Fremdbestimmten, einem
Objekt, zu wandeln und den Schritt aus der Freiheit in die Abhängigkeit zu tun, so wird
die Selbständigkeit mit dem Bekenntnis zum amor fati gerettet: »mit hellstem und wach-
stem Verstande sich auch sein dunkles Geschick selber wirken, auch den Feind selber
schaffen, nur weil es das eigne Fatum so forderte . . jener sehende aktive Fatalismus des
Täters, der aus der Heroenzeit herüberzuwalten schien.« (S. 550 f.)

Ist mit dieser Konstruktion, die plötzlich doch eine mythische Tragik bemüht, die her-
ausgehobene Freiheit gefährdet, so ist zugleich die nicht gelungene Reichskonstruktion
als durch das Schicksal bedingt entschuldigt. Wie sehr es dem Autor immer nur um die
Person und nicht die Sache geht, beweist auch der zweite Konfliktpunkt: Idee und Wirklichkeit.

Auch hier gilt für den ersten Teil eine harmonische Einheit: »in weniger denn drei Jahren [hatte Friedrich – H. S.] das ganze sizilianische Chaos einigermaßen zum Staate ge-
wandelt« (S. 124). Im fünften, zentralen Kapitel erleben wir dann ein sizilianisches Reich
als Welt vollendeter Harmonie, der Einheit von Geist und Tat, deren strahlendster Ausdruck Friedrich selbst ist. Die Idee war Wirklichkeit geworden: »*Verwandler der Welt!*
so wurde Friedrich II. von den Zeitgenossen geheißen« (S. 337).

Im dritten Teil jedoch treten Idee und Wirklichkeit auseinander, ja schließlich steht die
Idee *für* die Wirklichkeit. Wenn im 6. Kapitel (»Der deutsche Kaiser«) Friedrich daran
denkt, »das kaiserliche Ansehen auch im Reiche wieder zur Geltung zu bringen und seine
Machtherrlichkeit nach dem Norden zu tragen« (S. 340), wenn er im 7. Kapitel (»Caesar
und Rom«) »Roms alten Glanz« erneuern will (S. 402) und im 8. Kapitel (»Dominus
Mundi«) die Weltherrschaft für sich beansprucht, dann finden seine Ideen keine Verwirklichung mehr: Weder setzt er sich in Deutschland durch, noch kann er Rom als

Hauptstadt seines geplanten Reiches erobern; ebenso schlagen die Versuche fehl, sich als »dominus mundi« zu behaupten. Aufschlußreich ist nun, wie Kantorowicz dennoch die Vorstellung vom »pfeilgerade[n] Aufwärts« und immer Gleichbleibenden – das Wechselspiel von ›Werden‹ und ›Sein‹ – rettet: Indem er, wie Friedrich Baethgen feststellt, »den Anspruch für die Wirklichkeit und die Geste für die Tat« nimmt.[14]

So kann z. B. »des Kaisers ›unstillbarer Wille‹, die alte Caesarengröße zu erneuern, sich den Augusti zur Seite zu stellen«, im Kapitel »Dominus Mundi« nicht mehr durch die politische Realität befriedigt werden, sondern nur noch – in einer Art Ersatzhandlung – über die Renaissance der antiken Skulptur, die er seinen Bildhauern abverlangt: »freie Rundfiguren, die der Antike so nahe kamen« (S. 483). Seine politischen Weltherrschaftspläne biegt er in eine »geistige Weltherrschaft« um (S. 513): Die visionäre Einheit Europas soll sich jetzt über die »Gemeinschaft aller weltlichen Monarchen« einstellen: »als ideelles Imperium«, als »corpus saecularium principum« (S. 517). Plötzlich neigt dieser große Alleinherrscher zu einer »Art Genossenschafts-Staat«, zu einer »Blutsgemeinschaft der Könige« (S. 522), in der ihm durch sein »Reichsgeblüt« der Vorrang gebühre, denn den Staufern sei es gegeben, »›des Gottesreiches Mysterien zu wissen . . den anderen aber nur sie in Gleichnissen‹ zu schauen« (S. 523). Karl Hampe hat in seiner Rezension auf die »Kluft zwischen einer vollen Weltherrschaft und der wirklichen Machtstellung Friedrichs« verwiesen und von einer Verschiebung »der Historie in den Mythos« gesprochen.[15]

Zur Mythos-Bildung verhilft auch das dritte, für die Biographie klassische Gegensatzpaar ›Individuum und Welt‹. Im ersten Teil von *Friedrich II.* prägt der Held die Welt nach seinen Vorstellungen und erweist sich als ›Schöpfer‹. Individuelles Anliegen zeitigt – ganz im Sinne der zitierten Hegelschen Heroendefinition – allgemeine Folgen: »Eine neue Weltzeit brach an« (S. 187). Wenn im ersten Teil rühmend ein »kampfreiches Leben gegen fast alle Mächte der Welt« hervorgehoben wird (S. 63), so wird im dritten Teil das Papsttum zum Inbegriff des »versammelten Weltwiderstand[s]« (S. 444), der schließlich auch die Realisation der politischen Pläne verhindert. Dieses Scheitern wird nicht Friedrich als persönliche ›Schuld‹ angelastet, wie es z. B. in der gleichzeitigen Forschung mit dem Hinweis auf Friedrichs mangelndes »Augenmaß«, seine Rachsüchtigkeit und Überheblichkeit geschieht (Hampe)[16], sondern mit der heraufdämmernden neuen Zeit zu erklären versucht, in der Friedrich seine Heroensicherheit verlieren muß, weil ihm mit Innozenz IV. ein Typ des Gundolfschen ›Teilkönners‹ entgegentritt, der von nun an die Welt repräsentiert: »Es war kein Kampf mehr gegen ein Lebensgesamt, wie es Papst Gregor IX. dem Kaiser entgegengestellt hatte«. Innozenz zeichnet sich durch Kühle und Sachlichkeit aus – unschwer ist hier die Spitze gegen die moderne Welt zu erkennen –, ihm fehlt die heiße »Leidenschaft des Schaffenden« (S. 531).

Solche Konstruktion erlaubt Kantorowicz das Eingeständnis des Scheiterns in der Sache und die gleichzeitige Glorifizierung der Person. Indem er die Zeit, in der der Kaiser Symptome »des Wankens aller menschlichen Satzung« (S. 537) registrieren muß, und die beginnende Herrschaft der ›Teilkönner‹ und Kleingeister anklagt, spricht er seinen Helden frei: »daß Macht und Zauber der Gewaltigen sich brechen nicht an den großen Widerständen der Welt, an denen sie nur wachsen, sondern an der nichtigsten menschlichen Schwäche.« (S. 609) Damit hat die geschichtliche Entwicklung den Helden zu einem heroischen ›Unzeitgemäßen‹ werden lassen, der sich selbst nur noch treu bleiben kann, indem er zu einem trotzig-furchtbaren Endkampf antritt: »Seine Sendung hatte er erfüllt.« (S. 611)

Daß es sich bei Kantorowicz' Biographie um »Geschichtsschreibung als politische Poesie« handelt, wie Peter Gay es formuliert hat, wird einleuchten und erhält seine Bestätigung durch den Erfolg in der Weimarer Republik. Gays andere Behauptung, der Autor sei »überhaupt kein Propagandist« gewesen[17], scheint der ersten zu widersprechen, trifft aber in anderer Weise doch zu: Kantorowicz hat eigentlich nichts *Substantielles* zu propagieren. Im Gegensatz zu seinem Helden, der immerhin noch Ideen und Pläne für die Gestaltung seines Reiches hat, fehlt Kantorowicz jede konstruktive Idee für die herbeigesehnte neue Zeit. Die dunkel-prophetische Andeutung eines »Geheimen Deutschland« ist ja nichts anderes als ein ohnmächtiger Anspruch, der einzig aus der Negation seine Kraft bezieht. Hiermit deckt sich ein Verhalten auf, das nicht nur beim George-Kreis zu beobachten ist, wie Siegfried Kracauers Bemerkung zum »Tat«-Kreis beweist:

> »Sie stehen im Leeren, und übrig bleibt ihnen nur der Versuch, ein neues Bewußtsein herauszubilden, das ihre soziale Weiterexistenz ideell gewährleistet. Daher der verzweifelte Kampf der durch die ›Tat‹ vertretenen Zwischenschichten gegen den Liberalismus, dem sie entstammen; daher die Verherrlichung von Staat, Raum, Mythos. Es hat sich gezeigt, daß diese Begriffe keine Heimat bedeuten, sondern eine Fata morgana in der Wüste sind. Ihre Irrealität mag dem Mittelstand nicht bewußt sein; aber sie ist doch vorhanden und wird zweifellos dunkel gefühlt.«[18]

Auch im *Friedrich II.* ist der Mythos die »Fata morgana«, er ersetzt die fehlende ›konkrete Utopie‹, und er macht es dem Leser so schwer, die Elemente zu isolieren, die den Blick *aus* der Biographie in die Gegenwart lenken, wie es dem politisch-didaktischen Anliegen des Autors entsprochen hätte. Indem Kantorowicz die Legendenbildung um Friedrich in seine Geschichtsdarstellung einfließen läßt, geht es ihm nur vordergründig um die Aufwertung »des chronistischen (subjektiven) Quellenstoffes gegenüber dem diplomatischen (objektiven) Quellenstoff«[19], sondern vor allem um das, was ihm die Historiker vorwerfen: Er vertausche »Wesen« und »Schein« (Hampe), er verwandle Realitäten in Symbole und Symbole in Realitäten (Brackmann).[20] Dieses Vexierspiel ist gewollt und entspricht der Bertramschen Legendentheorie: »Alles Geschehene will zum Bild, alles Lebendige zur Legende, alle Wirklichkeit zum Mythos.«[21] Mit diesem Irrationalismus, der zudem alles Geschehene als undurchschaubar und unbeeinflußbar hinstellt, entzieht sich der Autor der Pflicht, seinen Lesern eine Präzisierung seines angedeuteten Anliegens zu bieten, und bleibt ihnen damit die Antwort auf die Frage nach dem Gegenwartsbezug in der ›Sache‹ schuldig. Statt dessen tröstet er sie mit dem Mythos der ›Person‹ und läßt über historische Analogiebildung die Hoffnung auf einen Helden aufkeimen, der erscheinen würde, wenn »die fülle der zeiten« gekommen sei, wie es sich auch George in *Goethes letzte Nacht in Italien* oder im *Dichter in Zeiten der Wirren* erträumt. So baut Kantorowicz sein Heldenleben auf die Messiasprophetie aus Vergils vierter Ekloge auf und schließt dunkel-hoffnungsvoll mit dem Spruch der Sybille: »Er lebt und lebt nicht«. Damit ist eine ›Verzauberung‹ der Welt eingeleitet, von der im vorhergehenden Kapitel die Rede war, und dem mit der Gegenwart unzufriedener Bürger ein Traum als Sozialtherapeutikum angeboten, der ihm sogar die eigene Handlungsohnmacht verklären hilft: Ist jede Veränderung der Welt nur durch den einen ersehnten großen Menschen möglich, dem »des Gottesreiches Mysterien« offenbart werden, wie Friedrich II. (S. 523), dann bleibt für die anderen nur das Warten mit jenem an Friedrich gerühmten sehenden aktiven Fatalismus, der ja gerade auch als Bereitschaft erkannt werden muß, den eigenen Untergang zu akzeptieren.

Dabei wird die typische Doppelrolle erkennbar, die alle ›Großen‹ im George-Kreis spielen: Als Götter in unerreichbare Fernen gerückt, werden sie den Gläubigen über den Mythos faßbar. Daß dieser Mythos sich aus den Sehnsüchten der Verehrenden konstituiert, hat Gundolf freimütig eingestanden, da sie »die Vorbilder nach *ihrem* Wesen, aus *ihren* Nöten und für *ihr* Werk« entstehen lassen. [22] Hier erhält der Mythos seine existentielle Funktion, da er unter Ausschaltung der historischen Entwicklung Unvergleichbares zusammenzwingt und es über die Typik als Ewiges herausstellt. Der dabei zu beobachtende Wechsel von Distanz und Nähe, Verehrung und ›Einung‹, Gott und Mensch übernimmt ähnliche Funktionen wie das Spiel mit der Vaterrolle in der politischen Biographik des 19. Jahrhunderts: Vorbildliche Einzelzüge werden zur Nachahmung empfohlen, die volle Identifikation ist nur Wolters ›gleichhehren Geistern‹ möglich, z. B. George. Den anderen bleibt der Dienst an einem ›Wesen‹, der als Verwirklichung der höchsten Freiheit verklärt wird: »Nur das rückhaltlose opfer des eigenen wesens an die höhere wesenheit macht frei« (Wolters). [23] Dieses so verwirrende Ideengespinst, das wechselvolle Spiel zwischen Herrschaft und Dienst, Freiheit und Abhängigkeit, Gott und Mensch entzieht sich einer rationalen Begründung und kann nur als Ganzes und als Mysterium *geglaubt* werden. Für den ›Gläubigen‹ führt das zu einer Verinnerlichung der passiven Grundeinstellung: Selbst wenn er sich zur Handlung bereit erklärt, dann verstockt diese im Anspruch, da sich zugleich eine Fülle von Gründen einstellt, die die Tatabsicht paralysiert.

Die entscheidende Tathemmung resultiert aus der Vorstellung von einem ›großen‹ Täter, der erst kommen müsse und dessen Typbeschreibung aus der Vergangenheit gewonnen wird. Damit wird die eigene Tatenlosigkeit gerechtfertigt, die zudem durch die Idee von heroischen und »leere[n] Jahrhunderte[n]«, wie sie schon Jacob Burckhardt vertritt, ihre schicksalhafte Tragik erhält. [24]

Daß der George-Kreis, wie andere Gruppen der Intelligenz auch, die eigene Rolle dennoch als zukunftsgerichtet und als Einsatz für die Menschheitsgeschichte verklären kann, wird durch eine Art Selbstsuggestion erreicht: Die Unfähigkeit zum Handeln wird überspielt durch forciertes Reden vom Handeln. Scheinbar ganz in der Tradition eines intellektuellen Denkens stehend, das den Weg zur Tat durch den Geist bereitet sieht, fordern die Georgeaner den Führungsanspruch des Geistes in der Politik. Legitimiert wird diese Forderung durch die großen Individuen der Geschichte, bei denen Geist und Tat sich in Harmonie verbanden. Wie Gundolf bei Caesar die »kosmische Einheit« von »Staat, Kultur, Religion« hergestellt sieht [25], so rühmt Kantorowicz seinen Helden als den »geistigen Monarchen schlechthin« (S. 513). Dem »Tyrannen von Sizilien«, der sich als Dichter, Forscher und Philosoph präsentiert, geraten im 5. Kapitel die politischen Taten zu Emanationen des Geistes: »Mit dem kaiserlichen Prooemium beginnend hatte sich gleichsam aus den sublimsten Höhen des Geistes die neue Staatsordnung Friedrichs II. auf das Erbland gesenkt« (S. 265).

Damit tritt notwendigerweise ein Bruch in der Heldenstruktur ein: War Friedrich II. als Typus des antiken Heros eingeführt, für den eben totale Äußerlichkeit gilt, weil er

handelt, so schiebt sich nun der Typus des modernen bürgerlichen Helden darüber; diesem eignet Bildung und Geist, Reflexion und Seele. Die z. B. im Roman damit häufig verbundene Passivität des Helden, der sich allenfalls der Welt ›öffnet‹, muß den antiken ›Täter‹-Typus gefährden. Bei Kantorowicz läßt die gewünschte Idealbindung von Tat und
Geist schon auf einen ›Übergangsmenschen‹ schließen: Tatsächlich hat er mehr als einmal das *noch* Antike und *schon* Renaissancehafte seines Helden hervorgehoben (z. B.
S. 612 f.). Solche gegensätzlichen Positionen hat der Autor über die Harmonie von Tat
und Geist zusammenzwingen wollen. Daß das Auseinandertreten von Idee und Wirklichkeit im 3. Teil vom Autor als Harmoniebruch schon erahnt wird, beweist sein Bemühen um die Widerlegung solcher Auffassungen. Hiermit wird das wichtigste Hilfsmittel
der behaupteten Selbstsuggestion im George-Kreis faßbar: Die *Idee,* der *Anspruch* und
der *Wille* zur Tat werden idealisiert. Das Auseinanderklaffen der »Idee des Imperiums als
einer weltumfassenden göttlichen Institution und der politischen Wirklichkeit« erklärt
Kantorowicz mit dem Grundzug eines Zeitalters, »in welchem die Idee ebensoviel, wenn
nicht mehr wog als das Faktische.« (S. 514).

Damit hat die moderne Zeit seinen antiken Helden eingeholt. Scheiden sich doch die
›prosaischen Zustände‹, wie sie Hegel beschreibt, gerade dadurch von den ›heroischen‹,
daß dem Individuum keine unumschränkte Selbstverwirklichung mehr möglich ist, weil
die Macht schon bestehender Ordnungen die ›Mittel‹ und ›Zwecke‹ bestimmt. [26] Was
Historiker – und wohl auch Gundolf – bei Friedrich II. als Hybris aufzeigen, weil sie bei
ihm die Berücksichtigung der Zeitumstände und eine nüchterne Beurteilung vermis-
sen [27], ist gerade für Kantorowicz das Faszinierende, kann sich sein Held doch so jedem
bürgerlichen Maßstab entziehen. Und doch läßt er ihn selbst einen typisch modernen
Ausweg anstreben: Aus den ›prosaischen Zuständen‹ flüchtet Friedrich in die Welt der
Ideen, Entwürfe und des Traumes.

Dieses illusionistische und anachronistische Verhalten – von Kantorowicz mit dem se-
henden aktiven Fatalismus als Heroentum verklärt – spiegelt die Verhaltensweisen des
George-Kreises wider, der sich damit Sicherheit und Selbstbewußtsein zu erobern glaubt.
Daß dennoch immer wieder Unsicherheit und Widersprüche diese Welt der Mysterien ge-
fährden, hat auch die ambivalente Struktur des Helden bei Kantorowicz erzeugt: Dessen
Schwanken zwischen absolutem Tatmenschen und Schöngeist und seine Flucht in die
Idee beschreiben mehr Symptome von Unsicherheit und Verlassenheit als Harmonie, wie
sie Kantorowicz über die ›Spannweite‹ uns glauben machen will. Daß damit tatsächlich
zeittypische Phänomene durchschlagen, beweist Siegfried Kracauers Analyse des
»Tat«-Kreises, in dem ähnliche mittelständische Fluchtreaktionen feststellbar sind, die
Kracauer veranlassen, von einer »ideellen Verlassenheit« zu sprechen. Das von Kracauer
beobachtete Schwanken »zwischen zwei Extremen« liest sich wie eine Analyse von *Friedrich II.*:

»Das eine ist der Appell an die nackte Gewalt, den er in der Empfindung macht, daß er nur durch
sie sich am Leben erhalten könne. Der geistige Kampf, den die ›Tat‹ führt, droht denn auch wieder
und wieder in einen ungeistigen Aufruhr auszuarten. Sie nennt das Schwert ein Argument, läßt Blut
über das Geld triumphieren [Hampe bemängelt gerade am *Friedrich II.* die fehlende Berücksichtigung der »Geldwirtschaft« [28]] und neigt unverkennbar dazu, die heroisierten chthonischen
Mächte wider jedes bewußt geformte Leben auszuspielen.« [29]

Solche zeittypischen Dissonanzen lassen bei Kantorowicz selbst im Mythos die Vorstellung vom ›großen‹ Individuum als Inbegriff von Lebenstotalität nicht mehr gelingen. Obwohl ihm soviel an Selbständigkeit und Einzigartigkeit seines Helden liegt, hat er diesen nicht nur die Macht des Schicksals und einer (unheroischen) Zeit erfahren lassen, sondern ihm darüberhinaus auch noch die Gefährdung des modernen Individuums und die damit einhergehende Sehnsucht nach einer ›Gemeinschaft‹ unterlegt; den heroischen Weltzustand hatte ja gerade die *selbstverständliche* Bindung des Helden an Familie und Stamm (Hegel) ausgezeichnet. [30] Erst in der Phase seiner größten Bedrängnis läßt Kantorowicz den Kaiser die Geborgenheit in der »Blutsgemeinschaft der Könige« (S. 522) suchen: Das Postulat der unbegrenzten Freiheit wird aufgehoben durch die Angst vor der damit verbundenen Einsamkeit.

Im Wunsch intellektueller Eliten zu Beginn des 20. Jahrhunderts nach einer (elitären) ›Gemeinschaft‹ ist noch der Kern einer bürgerlichen Gesellschaftsidee faßbar – und als Kern einer bürgerlich-antibourgeoisen Erneuerungsbewegung weisen sich diese Gruppen ja auch aus. Allerdings ist der ehemals revolutionäre Anspruch, für die gesamte Menschheit die Ideale von Freiheit, Gleichheit, Brüderlichkeit gelten zu lassen, zurückgenommen auf die ›Gemeinschaft‹ von ›gleichhehren Geistern‹. Daß mit Begriffen wie »Genossenschafts-Staat« (S. 522) linksliberales Gedankengut und wahrscheinlich auch die mehrfach zu beobachtende widerwillige Faszination der konservativen Rechten durch den proletarischen Sozialismus ins Spiel kommen, wäre nur ein weiteres Indiz für die Abhängigkeit der Georgeaner von allgemeinen Verhaltensformen der Zeit. [31] Gerechtfertigt wird die elitäre Gemeinschaftsideologie mit dem Blick auf die die Ideale zerstörende Macht der ›Masse‹. Daß auch bei Kantorowicz ein Sozialtypus ›Masse‹ in die Biographie eingeflossen ist, wie er in der theoretischen Diskussion nach 1900 – mit so griffigen Antinomien wie Masse – Individuum, Masse – Elite, Masse – Gemeinschaft – zu beobachten ist, läßt sich leicht nachweisen.

Analog zu dem sich vollziehenden Übergang vom Zeitalter der Heroen zu dem der ›Teilkönner‹ – personalisiert in Friedrich und Innozenz IV. – wandelt sich ›Volk‹ in ›Menge‹ oder wie es seit Ferdinand Tönnies' Buch (1887) gern heißt: die ›Gemeinschaft‹ in ›Gesellschaft‹. Solange Friedrich das Charisma trägt – in Harmonie von Schicksal und Eigenwillen –, erfüllt sich auch die charismatische Herrschaft, wie sie Max Weber beschrieben hat: »kraft affektueller Hingabe an die Person des Herrn und ihre Gnadengaben«. [32] Friedrich findet auf dem Höhepunkt seiner Macht nicht nur einen ihm eng verbundenen Beamtenorden, sondern auch »ein empfängliches und williges Volk« (S. 196): »Unbedingte und willige Hingabe, Gehorsam und versammelte Kraft« (S. 197). Aber selbst in diesem 5. Kapitel schlägt Kantorowicz' pessimistische Sicht schon durch, wenn er an anderer Stelle von einem »unzuverlässigen Mischvolk[s]« spricht (S. 253). Damit wird die Entwicklung von einem auf Gemeinschaftsidealen beruhenden ›Volk‹ in der charismatischen Herrschaftsform, das sich durch »Herrenloyalität des Verwaltungsstabes« und »Interessensolidarität mit dem Herrn« auszeichnet (Max Weber) [33], zur ungefügen und leicht verführbaren Masse vorbereitet.

Die Schicksals- und Zeitmächte, die den Heros niederzwingen, lösen auch die heiligen Bande. Wie mit Vergils Heilandsprophetie zu Beginn der Biographie heidnische und christliche Elemente verschmelzen, so erfährt dieser antik-heidnische Kaiser sein Christus-Schicksal: »gleichsam um eine Handvoll Silberlinge« verrät der Kanzler Petrus de Vinea »den Leib seines Herrn« (S. 608); das römische »Volk« (S. 469), das schon »in Erwartung des nahenden lorbeergeschmückten Heilands« jubelt, wandelt sich zur wankelmütigen »Menge«, die damit als Komplementärphänomen zu den singulären ›Teilkönnern‹ erscheint und die sich den demagogischen Kräften des Papstes ausliefert: »Der Caesar im Triumphatorenpurpur war in Rom vergessen.« (S. 470) Das Vergessen aufzuheben, die nun eintretende heillose Zeit, die unschwer als Spiegelbild der ›chaotischen‹ Gegenwart erkennbar ist, zu überbrücken, erfordert eine starke *Idee* – ist sie doch der Garant für zukünftige Taten – und die ›Blutsgemeinschaft‹ der Gleichdenkenden, den gemeinsamen Kampf »gegen die Angriffe der Rebellen und Kleriker auf die Hoheit des Staates« (S. 516).

Daß Friedrichs Einungsversuch scheitert, macht seine Tragik aus, aber vorbildlich bleiben seine Haltung und Selbstsicherheit und sein fester Glaube an die Idee: »und wie nur die Größten überschaute er die Fragen der christlichen Welt mit klarem Blick, an der Verworrenheit oftmals schwer leidend.« (S. 520) So bietet dieser große Kaiser – christlicher Heiland und antiker Heros – seinem ›Volke‹, dessen Selbstbesinnung Kantorowicz im letzten Satz seiner Biographie fordert, schließlich Trost und Hoffnung. Auf der Schwelle »zwischen dem Zauberreich des Gewordenen, das sich ihm wie eine Erfüllung seiner eigenen, sehr andren, Zukunft vorspiegelt, und der Versuchung des Rücksturzes ins Barbarische, Verworrene, mystisch Vergangene«, wie Bertram in seinem *Nietzsche* die Situation des deutschen Geistes beschreibt[34], bleibt nur das eine: der feste Glaube an die Wiederkehr einer heroischen Zeit und damit auch eines Heroen – groß kann der Mensch nur werden »durch Schicksal das ihm die Stunde dazu gibt« (Gundolf)[35] – und schließlich auch wieder eines ›Volkes‹.

Damit wurde nicht nur jede politisch-soziale Zielprojektion in der Biographie vereitelt, weil eine solche allein dem zu erwartenden Helden eignet, sondern auch ein verbal immer behaupteter Handlungsanreiz, die Einmündung des Geistes in die Tat, paralysiert, denn diese Mischung von mythisch-fatalistischen und irrational-vitalistischen Elementen – verbunden über den Begriff des aktiven Fatalismus – mußte Handeln und Leiden als Schicksal bzw. Natur des Menschen erscheinen lassen. Den mit der Gegenwart Unzufriedenen, den an einem Gefühl von Schwäche und Unsicherheit Leidenden, konnte Kantorowicz allenfalls einen historischen Trost vermitteln – und eine vage Hoffnung.

Daß Kantorowicz' Biographie damit eine Heilssehnsucht breiterer bürgerlichen Gruppen verstärkt hatte, die dann Hitler auf sich ziehen konnte, darf als sicher gelten. Aber wie stark letztlich sein Beitrag zur Führerideologie war – seine Stimme war ja nur eine im Chor der Führerpropheten[36] –, und wie sehr die Nationalsozialisten davon profitiert haben, könnte nur in einer gründlichen Rezeptionsanalyse und in einem eingehenden Versuch, die ideologischen ›Schnittmengen‹ aufzuweisen, ermittelt werden. Ähnlich wie für den George-Kreis insgesamt und wie z. B. auch für die sogenannte ›Konservative Revolution‹ muß dabei zwischen subjektiver Absicht und eingetretener Wirkung unterschieden werden. Kantorowicz hat sich dem Nationalsozialismus mutig verweigert und ist emigriert, aber der von ihm vertretene Heroismus und Messianismus sind in den ideologischen Synkretismus des Nationalsozialismus eingeflossen.

An der Vorstellung eines Heroenmythos mitgewirkt zu haben, den Hitler ins Trivial-

Alltägliche überleiten konnte und der es ihm erlaubte, seinen eigenen Mythos bis zum mörderischen Weltuntergangspathos zu steigern, ist auch die historische Schuld eines Ernst Kantorowicz. Ihn und seine Freunde trifft deshalb auch der Vorwurf aus Thomas Manns *Deutscher Ansprache* von 1930:

> »Aber der Nationalsozialismus hätte als Massen-Gefühls-Überzeugung nicht die Macht und den Umfang gewinnen können, die er jetzt erwiesen, wenn ihm nicht, der großen Mehrzahl seiner Träger unbewußt, aus geistigen Quellen ein Sukkurs käme, der, wie alles zeitgeboren Geistige, eine relative Wahrheit, Gesetzlichkeit und logische Notwendigkeit besitzt und davon an die populäre Wirklichkeit der Bewegung abgibt.« [37]

b) ›Seher‹: Friedrich Gundolfs »Goethe« (1916) und Ernst Bertrams »Nietzsche« (1918)

Die Identifikation mit den großen ›Tätern‹ bringt die Georgeaner in bedenkliche Nähe zu einem Heroismus, wie er z. B. auch von Treitschke vertreten wurde, und damit zu einem aggressiv vertretenen Nationalismus und Imperialismus. Der Rückzug aus der Gegenwart und die besondere Betonung einer geistigen Legitimation der Tat haben solche direkten Bezüge verhindert, aber verdeckt sind sie doch in ihre historischen Arbeiten eingeflossen. Der 1. Weltkrieg hat dann ihre Anfälligkeit für solche Ideologien erwiesen, indem sie z. T. – wie eine Reihe anderer Schriftsteller auch – den Krieg als »für den deutschen Geist« (Gundolf) geführt betrachten. (Solche eindeutige Haltung gilt jedoch keineswegs für alle Georgeaner. [1]) Wenn Kampf als Teil des heroischen Menschseins verstanden wurde, mußten 1918/19 Niederlage und neue Staatsform die Verunsicherung verstärken und die Illusion auflösen, für die Tat eine Sinnbestimmung gefunden zu haben. Der Verlust an Sinn- und Wertbewußtsein wird scheinbar durch eine Tat als Selbstzweck, als schöne Geste, aufgefangen. »Was er liebt«, so charakterisiert Claude David Stefan Georges Moral, »ist die schnelle, großmütige, strahlende Tat, auch wenn sie unnütz oder unvernünftig ist«. Diesem einzigen Wunsch, mit der Tat »Zeugnis abzulegen« (David) [2], hat eine Biographie wie *Friedrich II.* entsprochen. (Darüber hinaus gehört dieser sich entschieden gebende, aber letztlich doch inhaltslose Dezisionismus zu einer Grundströmung irrationalistischer Haltungen zu Beginn des 20. Jahrhunderts.) Mit der Hochschätzung des Geistes bei den ›Tätern‹ und bei der ›Tat‹, die wir in dieser Biographie festgestellt haben (und der auch z. B. Arbeiten mit solch programmatischen Titeln wie *Napoleon und die geistige Bewegung* (1912) von Berthold Vallentin oder Albrecht von Blumenthals *Der Tyrann Kritias als Dichter und Schriftsteller* (1923) entsprechen [3]), war das Mitschwingen zum anderen Pendelausschlag sozial-psychologischen Verhaltens des Bürgertums vorbereitet: zur Passivität; hier in der Form des Rückzugs in das ›Geistige Reich‹. Dennoch – das ist schon mehrfach betont worden – blieb der verbale Anspruch auf ›Tat‹ und Veränderung der Welt bestehen.

Aus ihrem Selbstverständnis als ›Geistesaristokraten‹ mußten die Georgeaner besseren Zugang zur Welt des ›Geistes‹ als zu der der ›Tat‹ gewinnen. Einem ehemaligen Offizier und Freikorpskämpfer wie Kantorowicz gelang noch am ehesten der Einstieg in die Welt des Handelns. Eigentlich nur bei den ›Sehern‹ konnten sich die übrigen Mitglieder des

Kreises im Einklang mit ihrer schon zitierten Maxime fühlen, daß »das Bild vor dem wir beten unseres Wesens ist« (Wolters). [4] Wo es um solch nahe Verwandtschaft geht, wo das Bekenntnis zur »geistigen Ahnentafel« (Bertram) [5] Ausweis der eigenen Größe ist, da muß es aufschlußreich sein, welche Ahnen gesucht werden. Könnte man aus manchen Bekenntnissen zu dem »großen geistigen Menschen in seiner göttlichen Urkraft« (Wolters), zu den »kosmisch runden Menschen« (Gundolf) [6], auf einen selbstsicheren und durchsetzungsstarken Typus des ›Sehers‹ schließen, so mag das zwar für Shakespeare und Goethe gelten, aber nicht für so hoch verehrte Gestalten wie z. B. Hölderlin, Jean Paul und Nietzsche. Hier scheinen die Georgeaner vor allem durch deren Leben als ›Unzeitgemäße‹, als Nichtangepaßte und Kritiker ihrer Epochen fasziniert gewesen zu sein: Für Max Kommerell »west« Hölderlin in einer anderen »heldischen Welt«, sein Jean Paul ist der Typ, der »mit Staat, Sitte, Beruf, Weib und Geschäft bloß in der Form der Niederlage bekannt werden konnte« [7]; für Bertram ist Nietzsche »der letzte und größte Erbe aller derer, die vom Stamme des luziferischen Trotzes sind« (S. 17). Damit kommt, wie beim *Friedrich II.*, eine pessimistische und tragische Beurteilung ins Spiel: »die Geistesgeschichte der Großen zeigt innerhalb ihrer selbst und ihrer Entwicklung den tragisch hoffnungslosen Versuch, Mysterium und Einsamkeit, dies nicht zu Vereinende, dennoch zu vereinigen, zu einem Mysterium auf dem Boden des Einzel-Ich zu gelangen.« (Bertram, S. 355)

Die hier von Bertram erkannten Entfremdungserscheinungen in der modernen Gesellschaft erfahren wiederum ihre Umwandlung ins Mythisch-Mysteriöse und werden damit als schicksalhaft hingestellt. Aus solchen Einstellungen speist sich die Stimmung einer Melancholie und auch Verzweiflung, die in den Biographien zu spüren ist. Allzu auffällig ist nämlich der Verlust einer »Kategorie des irdischen Glücks«, den Leo Löwenthal auch in Dostojewskis Werken sieht, die Teile des deutschen Bürgertums der Jahrhundertwende so betroffen gemacht haben, weil sie ihre Züge in denen der Helden, »die sich selbst und andere quälen« (Löwenthal), wiederfanden. [8] Die Forderung nach Glück ist in der gesellschaftlichen Ebene als Korrelat zum politisch-sozialen Veränderungswillen zu verstehen, wie ein Blick in die Biographik von Forster, Gervinus, Herder oder Heinrich Mann beweist. Die Georgeaner verzichten dagegen auf den sozialen Glücksanspruch und diffamieren die Idee vom Fortschritt als »ganz gemeine[n] Glückshunger«. Gundolf fährt in seinem *George* fort:

> »Wo das ›Glück‹ der Einzelnen oder der Massen als Götze winkt da führt kein Weg ins ewige Leben. Wo ewiges Leben in der Mitte west da wächst Glück, das ist Erfüllung und Vollendung, in jeder Stunde, auf jeder Stufe – freilich kein Haben, sondern ein Sein – und hier werden sich immer die Edlen die sein wollen scheiden von den Gemeinen die haben wollen, die Wirker und Weser von den Händlern und Machern.« (S. 267)

Der Verlust des materiellen und sozial-politischen Glücksanspruches erzeugt nicht nur die »unüberbrückbaren Abgründe« zwischen »Erkennen und Tun«, »zwischen Ich und Welt«, wie sie Georg Lukács für den bürgerlichen Roman beschreibt, sondern auch die von Lukács beobachtete Melancholie, da der Roman den »Sinn der Wirklichkeit niemals ganz zu durchdringen vermag«. [9] Diese Beobachtung auf die Biographien des George-Kreises zu übertragen, heißt: die Entwicklung des Bürgertums in Rechnung zu stellen und

im speziellen Fall der Georgeaner die Preisgabe selbst eines *Versuches* zur Sinnbestimmung der gegenwärtigen Wirklichkeit und damit eine Orientierungslosigkeit zu konstatieren, die das Gefühl vom ›Zerfall‹ der Welt ins ›Nichts‹, ins ›Chaos‹, hervortreibt.

Die Neigung zu einem Jean-Paul-Typ bzw. zu den Jean-Paul-Figuren (die Biographie
konstituiert sich im George-Kreis vor allem aus den Werken der Dargestellten) wird wohl
entscheidend durch die in Jean Pauls Dichtung zu beobachtende Mischung »aus Taten-
drang und Tatenhemmung« bestimmt worden sein, die Heinz Schlaffer in seiner Interpretation des *Titan* als »heroische Schwermut« bezeichnet hat. Als Surrogat der Handlungsohnmacht erscheint die Faszination durch die »Fülle der Innerlichkeit«, die die Vorstellung von Selbstbestimmung und Freiheit retten soll.[10] Daß die Introspektion, der
Rückzug auf das ›Seelische‹, unterschiedlich durchgeführt wird – einmal als Rekurs auf
das Geistig-Seelische bei den Georgeanern, zum anderen auf das Psychisch-Seelische bei
modernen Biographen wie Ludwig und Zweig –, darf nicht die Einsicht verhindern, daß
es sich hier um verwandte Reaktionsweisen handelt. Wie sehr sich mittelständische Autoren und ihr Publikum einer gemeinsamen Melancholie hingeben, hat schon Siegfried
Kracauer in seiner Glosse *Über Erfolgsbücher und ihr Publikum* für die Weimarer Republik festgestellt, wo er den modernen Individualismus und Tragik korreliert.[11]

Statt das »Heute« »fest bei den Hörnern [zu] haben, um die Vergangenheit befragen zu
können«, wie Walter Benjamin in seiner Rezension von Kommerells *Der Dichter als Führer* fordert, tauchen die Georgeaner in das Mysterium einer nebulosen Vergangenheit ein,
der sie mit einem »phraseologische[n] Donner« (Benjamin)[12] wortgewaltig einen Sinn
entreißen wollen. War die Wendung zur Geschichte aber schon durch die Trauer um die
Gegenwart bestimmt, so antwortet nun die Geschichte auf die Sinnfrage menschlicher
Existenz auch nur noch mit Melancholie und Resignation.

Wie sie sich selbst ihrer Gegenwart entziehen, so porträtieren die Autoren ihre Helden
auch ohne jene verachteten Mischfarben gesellschaftlicher Zustände, ohne »die willkürlichen Flutungen rein gesellschaftlichen Trieblebens« (Vallentin).[13] Bei Gestalten wie
Jean Paul, Hölderlin und Nietzsche bereitet das kaum Schwierigkeiten, anders ist es jedoch bei einem so ›weltlichen‹ Mann wie Goethe. Mehrfach sieht sich Gundolf deshalb
verpflichtet, gegen die Milieutheorie zu polemisieren, die allenfalls bei den »tiefer« Stehenden anwendbar sei: »Die höhere und reichere Individualität ist zugleich der voll-
kommenere Vertreter des Menschtums.«[14] Damit wird nichts anderes behauptet, als
daß der Geistesheros die Welt verkörpere und analog dazu wird auch die Geisteswelt der
Realwelt übergeordnet: »die weltliche Herrschaft ist nur ein Gleichnis der geistigen.«
(Gundolf) Die Rolle des ›Sehers‹ wird dadurch entschieden aufgewertet: »Der Königs-
Weise erzieht erst die Erzieher und so hinab bis zur Masse.« (S. 731)

Das Verhältnis ›Individuum – Welt ‹ ist im Sinne einer Emanation erklärt, wie schon
bei *Friedrich II.*. Von Spinoza habe Goethe gelernt, so schreibt Gundolf, »daß Ich und
Welt, an deren Disharmonie und Zwiespalt er krankte, nur zwei Attribute derselben Substanz seien – denn was ist Ich und Welt anders als Denken und Ausdehnen.« (S. 269)
Ganz offensichtlich hat Gundolf an der klassischen Harmonie von Individuum und Welt
festhalten wollen, »denn erst aus der Einung zwischen dem schöpferischen Ich und einer
vorhandenen Welt erwachsen die geschichtlichen Heldenbilder«, bekennt er im *Paracelsus* (S. 134). Aber es ist nicht nur die Priorität der Geisteswelt, »die Anerkennung einer

seelisch geistigen Hierarchie« (S. 731), die die Harmonie zerstört, sondern zudem auch noch die ›abgebremste‹ Emanation: Sie fließt nicht bis in die ›vorhandene Welt‹! Bei Gundolf wird »das Wort Fleisch, das Wesen Gestalt«, und bei Goethe sieht er die »aktive Gestaltung des Menschen« [15], aber mit dieser im George-Kreis üblichen Gestalt-Philosophie einer Leib-Seele-Einheit bleibt die Wirkungskraft von innen nach außen auf den Menschen beschränkt – entweder als Selbstvervollkommnung oder als Einfluß auf andere Menschen. Beide Vorgänge erlauben es, die Statik des Gegebenen, das ›Ewige‹ und das ›Sein‹, mit einer gewissen Dynamik zu koppeln: einer biographischen Entwicklung, einem ›Werden‹. (Eine andere Variante ist Nietzsches Idee vom ewigen Kreislauf.)

Es kann hier nicht die historische Entwicklung des so typischen Gegensatzpaares von ›Sein‹ und ›Werden‹ im deutschen Denken nachgezeichnet werden. Das hat Bertram, z. T. mit einer Fülle von Belegen, in seinem Kapitel »Das deutsche Werden« getan, wo er Nietzsches Leiden an dieser angeblich den Deutschen eigenen Ambivalenz aufzeigt, da einerseits das ›Werden‹ dem Deutschen entspreche, andererseits in Nietzsche selbst ein »Heimweh nach allem Sein« brannte: »nach endlichem, späten und dankbarsten Ausruhen in Sein und Gegenwart« (S. 86). Statt auf Dynamik setzten die Georgeaner auf Statik: »Was die Seele der Zeit braucht«, verkündet Vallentin im *Napoelon,* »ist das sichtbare, nährende *Dasein* von Mensch und Dingen, nicht ihr zweifelhafter Bewegungsfluss.« (S. 2) (Mag gerade aus gegenwärtiger Sicht diese Skepsis gegenüber einer Fortschrittsgläubigkeit beeindrucken, so darf dabei nicht die regressive Ideologie übersehen werden.)

In Gundolfs *Goethe* läßt sich der Versuch erkennen, »Sicherheit im Sein« zu finden, wie sie z. B. auch Gottfried Benn für »hohes und wertes Leben« annimmt; bezeichnenderweise ordnet Benn dem »niedrige[n] Leben« das »Werden« zu: »vorwärtsgerichtet und nützlich, gestützt auf die Positionen der Macht –: *Verwirklichungsleben*«. Spricht aus Benn in dieser Rezension von 1935 der gallige Weltüberdruß und Pessimismus, braucht er das erinnerte ›Sein‹ – »Größe – das ist Erinnern, nicht Handeln« – für die eigene Seinssicherung [16], so ist der Gundolf des Jahres 1916 optimistischer, aber die Gefahr solchen Beharrens auf dem ›Sein‹ wird durch Benn deutlicher, wird doch dadurch allzuleicht der Blick von Gegenwart und Zukunft und damit von der Erkenntnis der eigenen Situation oder auch von handlungsanleitenden Momenten abgelenkt auf ein »Werden allein auch im Geistigen« (Nietzsche). [17]

Wie sehr bei Gundolf das »Sein« vorherrscht, läßt sich schon zu Beginn seines *Goethe* feststellen, wenn er dem Kind »Grund-«, »Ur-« oder »Stammeigenschaften«, wie »Schönheitssinn, Selbstgefühl, dichterische Phantasie« (S. 32 und S. 34), zuspricht, die nur noch im Prozeß des biologischen ›Werdens‹ sich aufdecken müssen. Damit ist das Entelechieprinzip der Goetheschen Autobiographie übernommen, das eine Selbstverwirklichung des Individuums aus eigenen Anlagen vorgibt: ein werdendes Dasein, wie es Bertram für Nietzsche formuliert hat (S. 94). Goethes Bewußtsein, daß Geschichtsschreibung und Biographie auch der ›Zeitverhältnisse‹ bedürfen, hat ihn nicht gehindert, der Biographie dagegen zu erlauben, das Leben darzustellen, »wie es an und für sich um sein selbst willen da ist«. [18] Wird damit eine (notwendige) Konzentration auf die personale Entfaltung gefordert, so liegt die Gefahr nahe, die Individuation als unbeeinflußt von äußeren Vorgängen aufzufassen. Goethe ist sich dieser Gefährdung bewußt gewesen und hat die offensichtliche Harmonisierung in seiner Autobiographie auch als Folge eines

dichterischen Konzentrationsprozesses – *Dichtung und Wahrheit* – angedeutet. Gundolf
hingegen tritt als Wissenschaftler auf, wenn auch mit dem besonderen Wissenschaftsverständnis des George-Kreises. Dennoch trägt seine Biographik alle Zeichen einer starken
ästhetischen Absicht: Sein *Goethe* ist nicht nur formal über die Dreiteilung, sondern auch
gerade in der Person harmonisiert und erfüllt Bertrams Vorstellung von einer ›Legende‹:
»Ein eigenlebendiger Organismus vielmehr ist dies Bild, der ein selbständiges Dasein
führt.« (S. 10) Die Einheit stellt sich dadurch her, daß Gundolf das ›Milieu‹ (Haus, Familie, Stadt) einmal sehr eng und zum anderen extrem weit, als ›Weltganzes‹, faßt und sich
so im wesentlichen auf die geistige Entwicklung seines Helden konzentrieren kann. Über
die behauptete Einheit von Leben und Werk – beide seien »nur die verschiedenen Attribute einer und derselben Substanz, einer geistig leiblichen Einheit« (S. 1) – kann Gundolf
den Mythos der Person aus dem Werk herausziehen. Scheinbar wird damit die seit der
Klassik zu beobachtende Trennung von Kunst und Leben aufgehoben, in Wirklichkeit
wird nun die Kunst *als* Leben ausgewiesen und damit eine Auratisierung der Dichterper-
sönlichkeit geschaffen: »Kunst ist weder Nachahmung eines Lebens noch die Einfühlung
in ein Leben, sondern sie ist eine primäre Form des Lebens« (S. 2). [19]
    Werke allerdings, die einen zu direkten Bezug zur Realwelt herzustellen scheinen, be-
reiten Gundolf deshalb Schwierigkeiten, da ihm vor allem an einer symbolischen Ausdeu-
tung und Überhöhung gelegen ist; womit die Arkanpraxis der Literaturrezeption und
-vermittlung unterstrichen wird, denn nur dem Eingeweihten soll sich der Sinn ›hoher‹
Dichtung erschließen. Das Nützlichkeitsprinzip in den *Wanderjahren* – Wilhelms Entscheidung, Wundarzt zu werden – kann nur als Ratschlag »an die vielen *durchschnittlichen* tüchtigen und ernsten, aber nicht schöpferischen Menschen« gemeint sein (S. 731).
Allerdings kommt die »Entsagung« – der dritte Teil der Biographie ist »Entsagung und
Vollendung« überschrieben – auch Goethe selbst zu. Dieser anerkennt Grenzen im gesellschaftlichen Leben, hier lernt er verzichten, »aber nicht auf die allseitige Ausbildung
seiner Geisteskräfte. Seine Persönlichkeit hatte er gegenüber der Gesellschaft gerettet.«
(S. 729) Wenn Gundolf damit ausdrücklich akzeptiert, daß Goethe sich nicht »nach seinem Titanentraum« habe ausleben können (S. 728), so kommt damit ein versöhnendes
Moment im Verhältnis von Individuum und Welt ins Spiel, das in so krassem Gegensatz
zum rücksichtslosen Ausleben etwa bei Kantorowicz' *Friedrich II.* steht. Gerettet hat
Gundolf solche Harmonie aber nur über die Idealisierung des Geistes und die Behauptung, daß in der ›höheren Welt‹ eine (stellvertretende oder gar die eigentliche) Selbstverwirklichung neben bzw. über der realen Welt möglich ist: Hier erobert sich das Individuum seine Freiheit und erfährt eine Kompensation für den Verlust der Realwelt.
    Ähnlich wie bei der geistesgeschichtlichen Biographik des 19. Jahrhunderts läßt sich
bei den Georgeanern eine starke ›ästhetische Kohärenz‹ und ›narrative Harmonisierung‹
beobachten. Auffällig ist allerdings, wie häufig z. B. Gundolf in seinem *Goethe* die »innere Einheit«, »das Erlebnis dieser Einheit«, die »geistig seelische Einheit« (S. 369 u.
S. 376) hervorhebt und damit der narrativen Harmonisierung die verdeutlichende Sentenz zur Seite stellt. Daß selbst bei solch ›runden‹ Figuren wie Goethe diese Stützung nötig
erscheint, verrät viel von der eingetretenen Verunsicherung in der Individualitätsauffassung. Das Schwanken zwischen Selbstbegrenzung und Entgrenzung ins All – ins Mysterium oder in den Mythos – oder zwischen Individuum und Welt, Geist und Tat, das im

George-Kreis zu beobachten ist, überträgt sich auch auf die Helden: Goethes »Hunger nach Allheit und dem Willen zur Selbstheit« (S. 133) unterstreicht eine häufige Kompositabildung mit ›Selbst-‹, ›Gesamt-‹ und ›All-‹, die damit immer wieder eine bekräftigende Funktion ausübt: Selbstbeobachtung, Selbsterziehung, Selbstzucht, Selbstbehauptung, Selbstauswirkung; Gesamtdasein, Gesamtblick, Gesamtschicksal, Gesamtniveau, Gesamtleben, Gesamtzustand; Allschwingung, Allahnung, Allweben, Allwerdung. Blicken wir auf den George-Kreis insgesamt, so fällt immer wieder auf, wie sehr er sich auch zur Bezeichnung des Individuums verstärkender Komposita wie ›Gesamtmensch‹, ›Gesamtwesen‹ oder ›Lebensgesamt‹ bedient.[20] Offensichtlich werden damit, wie im *Goethe*, zentrifugale und zentripedale Kräfte zum harmonischen Ausgleich gezwungen, zur »Einheit von Mensch und All« (S. 381), im Sinne eines »Mikrokosmos« (S. 269): »Seine Natur ist mit der Gottnatur eine konzentrische Kugel.« (S. 381)

Natürlich stellt sich, wie in Georges *Der Stern des Bundes*, auch die Kreissymbolik ein.[21] Ähnlich wie bei der Entelechie übernimmt Gundolf auch hier Goethes Selbstdeutung als die eines Mannes, »der in der Mitte eines Kreises stehend nacheinander planmäßig alle Sektoren durchzuarbeiten habe« (S. 721). Die Kreis- bzw. Kugelsymbolik signalisiert auch Beschränkung, das ist Gundolf nicht entgangen, aber er löst dieses Problem mit dem bekannten ›sehenden aktiven Fatalismus‹ aus Kantorowicz' *Friedrich II.* auf: »Die Person entsagt zugunsten des Kreises in den sie sich wissend und willig gestellt.« (S. 723)

Um die gewünschte Geschlossenheit in der Biographie zu erzeugen, hat Gundolf nicht nur die gesellschaftlichen und politischen Aspekte verdrängt – es ist typisch für diese Eliminierung, daß an die Stelle der Welt das ›All‹ tritt –, sondern auch seinen Helden idealisiert und dabei jede mögliche Kritik zu widerlegen versucht. Das hat zu komischen Gewaltsamkeiten geführt, wenn er z. B. den Vorwurf des Stutzertums gegen den Leipziger Goethe abweist: »Goethes Leipziger Geckentum ist nur die erste Form des Kampfes zwischen Urleben und Bildungswelt« (S. 57). Überall fällt das Streben auf, weltlich-irdisches Verhalten zu transzendieren. So wird Goethes Sinnlichkeit zum dichterischen Dämon verklärt: er ist kein »verliebter, sondern (im Sinne Platos) ein liebender Mensch«, »er ist der leidenschaftliche Mensch schlechthin« (S. 58). (Vallentin geht in seinem *Napoleon* ähnlich vor, wenn er dessen »ganzes Gefühlsleben« in »seine heroische Sendung« einmünden läßt, S. 256.) Gundolf beseitigt so alle die Harmonie des Kreises störenden Elemente, indem er sich ganz auf die Kunstwelt – im doppelten Wortsinn – konzentriert und so eine Einheit von Kunst und Welt bzw. Leben behauptet: In dieser Welt konstituiert sich aber nicht nur die Harmonie für seinen Helden, sondern auch für den Autor selbst, der über das Kuns*terlebnis* – sein Ersatz für die ›Tat‹ – in den Kreis hineingenommen wird und so ein Glück erlebt, das ihm die reale Welt verweigert.

Hat Gundolf seinen Goethe die »Vollendung« gerade auch durch »Entsagung« erreichen lassen und damit einer Einordnungs- und Verzichtsmentalität entsprochen, so hat er jedoch zugleich die mögliche Kompensation für den ›Verlust‹ vorgestellt: die geistige Welt, das Ausleben im Geiste. Vergleichen wir damit Bertrams *Nietzsche*, so werden gravierende Unterschiede deutlich, die aber letztlich nur Radikalisierungen der Gundolfschen Positionen sind. Nietzsche ›entsagt‹ der irdischen Welt völlig und hebt damit, nach Ansicht Bertrams, auch die persönliche Tragik auf: »Nietzsches Leben und Ausgang verleiblicht nur eine besondere Form dieses Hinaufgehens ins Mystische, erfüllt nur im Vordergrunde eine tragische Möglichkeit seines Jahrhunderts mit seiner vorbildlichen Selbstbefreiung.« (S. 371) Daß Bertram seinen Helden in die »Mystik« fliehen läßt, um eine mögliche Harmonie – im so doppeldeutigen Wort von der »Selbstbefreiung« gefaßt – zu finden, wird nicht nur durch Nietzsches Weg in den Wahnsinn als makabres Ideal entlarvt, sondern macht deutlich, daß jetzt selbst die geistige Welt anscheinend nicht mehr jenen idealen Fluchtraum bietet, den sie noch im 19. Jahrhundert und auch noch in Gundolfs *Goethe* eröffnet. Die ›höhere Welt‹ kann ihre Funktion anscheinend nur noch erfüllen, wenn das Spiel des Geistes als Rausch betrieben und als Narkotikum erlebt wird. Dem zunehmenden Druck der Realwelt scheint das Individuum durch zunehmende Kompensationsanstrengungen begegnen zu müssen. Bertram verweigert sich – darin realistischer als Gundolf – der bisherigen Illusion einer Harmonisierung in der ›höheren Welt‹ und läßt uns auch hier eher ein ›Chaos‹ erkennen, so daß sich plötzlich die Macht der verachteten Realwelt durchzusetzen scheint. Schon in der Einleitung hebt er die »Doppelseelenhaftigkeit« seines Helden hervor, »die große unentscheidbar schwebende Wage seines Wesens« (S. 18), und stimmt damit den Leser auf das Porträt eines Zerrissenen, aber auch eines ›Suchenden‹ ein, wie er z. B. auch in Hofmannsthals *Das Schrifttum als geistiger Raum der Nation* beschrieben wird: »das witternde, ahnende deutsche Wesen«.[22] Auch in der formalen Gestaltung geht Bertram neue Wege, indem er nicht mehr einen wohlkomponierten Ablauf mit Anfang, Höhepunkt und Ende entwirft, sondern ein Bild, das sich aus »Stücken zusammenschließt« (S. 18). Beinahe im Sinne einer modernen polyperspektivischen Romangestaltung wird uns Nietzsche oder genauer: seine Geisteswelt von verschiedenen Seiten und in unterschiedlicher Ausleuchtung vorgeführt. Ganz in der Tradition geistesgeschichtlicher Biographik scheint Bertram zu stehen, wenn er viele historische Gestalten benennt und somit seinem im Leben einsamen Helden historische Geselligkeit verschafft. Und dennoch behauptet sich schließlich wiederum die Isolierung: Zwar geben eine Reihe von historischen Personen einzelnen Kapiteln den Titel, aber statt des sonst eher dialogischen Spiels zwischen Held und historischer Gestalt stehen bei Bertram diese Figuren oft nur als personales Zeichen für bestimmte Ideen, Vorstellungen und Haltungen des Helden und unterstreichen eher noch dessen Einsamkeit: So personalisieren und symbolisieren »Arion« die Musik, »Philoktet« das Leiden und die Krankheit, »Judas« den Verrat – der Kenner wird zu Recht dahinter ein Richard-Wagner-Kapitel vermuten –, »Napoleon« die Idee der antiken Natur und heroischen Größe (wenn man auf Symmetrie aus ist, so bildet dieses zehnte von neunzehn Kapiteln den Mittelpunkt), »Claude Lorrain« die Sehnsucht nach dem Süden, »Sokrates« die Idee der Erziehung. Daß das letzte Kapitel »Eleusis« Chaos, Mysterium und die »Selbstzerreißung des einsamen Intellekts« (S. 355) thematisiert, unterstreicht nochmals das Fragmentarische dieser Biographie, die sich damit als formales Analogon zum biographischen Sujet, mangelte es Nietzsche doch gerade an der individuellen Harmonie, verstehen läßt. Selbst in Kleinigkeiten scheinen Entsprechungen möglich: So korrespondiert Nietzsches Sammeln von Einfällen in Aphorismen, seinen Gedankenbruchstücken, die Zitatenfülle bei Bertram, die oft ähnlich assoziativ wirkt.

Die wohl beste Charakterisierung des Bertramschen *Nietzsche* – und zugleich seines *Goethe* – hat Friedrich Gundolf gegeben; was für seine Sensibilität in der Individualitätsauffassung spricht. In einem Brief vom 16. 2. 1918 nennt er den *Nietzsche* eine »monadologische Biographie«:

> »insofern jeder Lebens- oder Gedankenkeim N's. das ganze Leben eigen entwickelt, wie jede Monas das Universum trägt und spiegelt, es ist Nietzsche, der in ›Einfällen‹ lebte, nicht wie Goethe aus einer Formkraft sich herausschuf und -bildete, höchst gemäß ihn zu sehen als einen Tanz der Sterne die alle das eine rhythmische Gesetz zeigen . . es ist neu und nirgends, was die Gefahr war, langweilig.« [23]

Der Vergleich mit der Monade eignet sich in mehrfacher Weise zur Verdeutlichung der Biographik im George-Kreis: Einmal stellt sich damit die Vorstellung einer prästabilierten Harmonie aller Substanzen ein – das würde den Typus *Goethe* ergeben – und zum anderen der Zerfall in ein unharmonisches Ensemble von Substanzen bzw. Monaden wie beim *Nietzsche*. Darüberhinaus wird mit der Monade die Vorstellung einer hermetischen Struktur verbunden – wie auch mit den Begriffen »Organismus« (Bertram), »Kreis«, »Kugel« und »Mikrokosmos« (Gundolf).

In Harmonie zusammengezwungen werden die auseinanderstrebenden Substanzen durch die ›Legende‹ und damit durch die Biographie, »die eine höchste Möglichkeit des Menschlichen, eine dichteste Gestaltwerdung der Seele einmal ohne Erdenrest« herstellt (Bertram, S. 17). Auch hier wird wieder deutlich, wie sehr die materielle Welt zurücktreten muß. Bertrams Eingeständnis, daß Nietzsche der Typus eines ›Suchers‹ sei, den »eine tiefe Not wiederum aus dem Hellen, allzu Erhellten hinab ins Dunkle, ins Ungewisse hinab treibt« (S. 18), gibt Anlaß, die schon mehrfach gestellte Frage nach der Vorbildfunktion solcher Gestalten erneut zu stellen.

In allen biographischen Arbeiten des George-Kreises wird die Rolle der Helden als ›Führer‹ – Max Kommerells *Der Dichter als Führer in der deutschen Klassik* legt davon am prononciertesten Zeugnis ab – und besonders als ›Erzieher‹ hervorgehoben: Zu Goethes Grundeigenschaften gehört für Gundolf sein »Lehrtrieb« (S. 34), Nietzsche ist für Bertram ein »Genie der Erziehung« (S. 336), Winckelmann gehört für Vallentin zur »Art der großen Weisen und Menschheitserzieher«[24], Wolters hält eine Rede über *Goethe als Erzieher zum vaterländischen Denken* (1925), und alle Arbeiten der Georgeaner sollen sich einem »erzieherischen Willen« (Wolters) beugen[25]; nicht zuletzt verkörpert Stefan George den lebenden Erziehertypus. Wie schon bei Nietzsches *Schopenhauer als Erzieher* (1874) – und auf trivialisierter Ebene Langbehns *Rembrandt als Erzieher* (1890) – geht es um die Wiederbelebung einer kulturellen Tradition gegen eine verflachende Gegenwartszivilisation, um eine ästhetisch-geistige Opposition. Befragt man jedoch die Biographien und auch die theoretischen Schriften des George-Kreises auf ein Programm oder Ziel hin, wofür erzogen und wohin geführt werden soll, so antwortet nur das ›Mysterium‹, der ›Mythos‹, die ›Gestalt‹, der ›Geist‹, das ›Wesen‹: »Ein Geführtwerden, Durchwaltetwerden von überindividuellen, geheimnisverhütenden Kräften, denen unbedingt zu vertrauen ist« (Bertram, S. 368).

Die so entschieden vertretene Behauptung, den »Kampf des Geistes um die Macht« zu führen, wie es der Untertitel von Hildebrandts *Platon* (1933) verheißt, oder die »Herstellung des wahren deutschen Geistes« einleiten zu wollen, wie es sich Bertram mit Nietzsches Worten wünscht (S. 93), bleibt damit im Anspruch stecken, wie der Erziehertyp ja auch mehr den Anregenden als den Handelnden repräsentiert. Denn nur scheinbar wird eine Sinnbestimmung geleistet oder ein teleologisches Prinzip entworfen und damit ein Ziel angeboten; in Wirklichkeit wird nicht in die Zukunft, sondern in die Vergangenheit geblickt. Die Konzentration auf das ›Ewige‹, das ›Sein‹ und das ›Typische‹ – und damit auf die Statik – eliminiert gerade den historischen Prozeß. Dazu paßt, daß die Biographen ihre besten Leistungen bei der Analyse der Werke vollbringen, weil sie da etwas von der ›Sicherheit im Sein‹ verspüren, die schon angesprochen wurde. Daß Benjamin bei Kommerell »den Reichtum echt anthropologischer Einsichten« rühmen kann[26], gehört auch dazu, denn über die Idee des ›Ewigen‹ stellt sich die Typik und damit unweigerlich eine Art anthropologischer Typenkonstanz ein, die wir noch ausführlicher bei der ›modernen‹ Biographie besprechen wollen. Das ›Werden‹ ist allenfalls bei den Helden als biologischer oder als geistiger Prozeß zu erfassen: Paradoxerweise verbindet sich mit dem geistigen Werden meist der Rückschritt in die Geschichte, die Suche nach den ›gleichhehren Geistern‹. Andere dynamische Elemente, die diesen Führern eignen sollen, bleiben seltsam blaß und vermitteln allenfalls, wie es Benjamin von Georges Prophetentum behauptet hat, »nur schwächliche und lebensfremde Regeln oder Verhaltensweisen«. Der nachfolgenden Begründung Benjamins, hier tarne »das alte Bürgertum das Vorgefühl der eignen Schwäche«, ist im Blick auf die Biographien zuzustimmen.[27] Denn jene Idee einer »geistigen Bewegung«, wie sie vom George-Kreis propagiert wird, bleibt im ›Kreis‹ oder in der ›Kugel‹ bzw. im ›Mikrokosmos‹ der Biographien gefangen. Bemäntelt wird diese Statik oder auch der (sinnlose) Kreislauf der Ideen durch eine sprachliche Dynamisierung, indem von ›geistigen Taten‹, der ›Macht des Wortes‹, dem ›cäsarischen Geist‹ und von ›geistigen Prozessen‹ gesprochen[28] und eine »imperative Kunst« propagiert wird, wie sie Benn George zuspricht: »die Raum setzt, Grenzen setzt, anordnet, das Maßlose gliedert, in der der Staat und der Genius sich erkennt und sich vermählt.«[29] Und dennoch schimmert bei den Geistesheroen mehr jener heroische Fatalismus durch, den auch Benns »Dennoch die Schwerter halten« verkündet:

> »und heißt dann: schweigen und walten,
> wissend, daß sie zerfällt,
> dennoch die Schwerter halten
> vor die Stunde der Welt.«[30]

Diese heroische Geistesgesinnung zeigt mehr Abwehr- als Angriffsstimmung, denn die Konfrontation mit der ›Welt‹, sofern sie überhaupt in den Biographien erfolgt, läßt nur die tragische Lösung Nietzsches oder die ›harmonische‹ Goethes zu, die aber über ›Entsagung‹ und Kompensation durch den Geist erkauft ist. Anders als z. B. Max Weber, der – auch im Blick auf Goethes *Wanderjahre* – ›Tat‹ und ›Entsagung‹ zu konstitutiven Elementen der modernen Zeit erklärt, weil die arbeitsteilige Welt den »Verzicht auf die faustische Allseitigkeit des Menschentums«[31] erfordert (Hegels Übergang von den ›heroischen‹ zu den ›prosaischen Zuständen‹), wehrt sich Gundolf gegen diese wechselseitige Abhängigkeit, gegen die *Balance* zwischen Freiheit und (bürgerlicher) Disziplin bzw. Anpassung, und rettet die Faustnatur seines Helden durch den Verzicht auf dessen Handlungskraft und Weltbezug. So kommt auch in diese Biographie ein melancholischer

Grundzug, da ›Entsagung‹ *Flucht* und nicht Einsicht bedeutet, die – wie es Max Weber formuliert – »Voraussetzung wertvollen Handelns« sein kann.[32]

Die Helden des George-Kreises sind blinde ›Seher‹ und heroische ›Unzeitgemäße‹, die allenfalls in jene »zeitlosen Möglichkeiten des ›augenschließenden Anschauens‹« (Bertram, S. 371), ins »Mysterium«, einführen oder eine heroische Untergangsmentalität erzeugen oder ein melancholisches Sichabfinden mit der Welt nahelegen. Alles wird in eine irrational-religiöse Ebene gehoben, da im Glauben an die ›großen‹ Männer sich scheinbar Sicherheit und Harmonie wieder zurückgewinnen lassen: »In bestimmten Heroen stellt sich die Kultureinheit wieder her« (Gundolf).[33] Jedoch sind die zu »Kulturheilande[n]« (Gundolf)[34] verklärten Helden selbst nur ein Spiegelbild ihrer orientierungslosen und verunsicherten Autoren. Daß bei den Georgeanern nur jener sehende aktive Fatalismus aus *Friedrich II.* vorherrscht, soll der folgende Vergleich zwischen der Essayistik Gundolfs und Heinrich Manns am Beispiel eines Textes belegen.

c) Exkurs: Zweimal »Geist und Tat« – Friedrich Gundolfs »Hutten« (1916) und Heinrich Manns »Zola« (1915)

In diesem Kapitel geht es vor allem um einen Vergleich, der noch einmal die Biographik des George-Kreises aus einer anderen Prespektive – der des Essays – zu erfassen versucht, aber zugleich mit Heinrich Manns *Zola* einen neuen Typus einer (essayistischen) Biographik vorstellen will. Da eine Reihe von Interpretationsansätzen zu Manns *Zola* vorliegen – wenn es auch immer noch keine Analyse gibt, die sowohl die formalen als auch die inhaltlichen Aspekte miteinander verzahnt und zugleich die autobiographischen Bezüge heraushebt –, so kann hier manches verkürzt bzw. einzelnes verstärkt abgehandelt werden.[1]

Wenn Hannelore Schlaffer für die Essayistik des 20. Jahrhunderts feststellt: »Konkretes Leben, Inhalt der Essays im 18. Jahrhundert, oder Porträts eines kritischen Geistes, wie das Forsters, sucht man vergebens«[2], so kann diese Aussage nur für die kulturkonservative Essayistik gelten, denn bei Heinrich Mann finden wir die ›kritischen Geister‹. Allerdings sehen seine Porträts anders aus als Schlegels *Forster*. Das hängt einmal mit der Entwicklung der Essayistik zusammen – z. B. hat Mann den überaus starken didaktischen und appellativen Ton übernommen, den wir bei den biographischen Essays des 19. Jahrhunderts kennengelernt haben –, aber auch mit Manns Rückgriff auf die Aufklärung und dem damit verbundenen moralischen Impetus und humanistisch geprägten Optimismus.

Mit Hutten und Zola haben sich Friedrich Gundolf und Heinrich Mann jeweils historische Gestalten zum Vorbild gewählt, die den Schritt vom Geist zur Tat – mit unterschiedlichem Erfolg – gewagt haben: Ulrich von Hutten inszenierte 1521 seinen ›Pfaffenkrieg‹ als Einmannunternehmen gegen die »Kurtisanen«, die verhaßten Vertreter der römischen Kirche[3]; Emile Zola setzte sich ab 1897 für den wegen Verrats verurteilten Offizier Dreyfus ein. Frühzeitig legen die Autoren ihre Helden auf diese Rolle fest; bei Mann gleich im ersten Satz: »Der Schriftsteller, dem es bestimmt war, unter allen das größte Maß von Wirklichkeit zu umfassen, hat lange nur geträumt und geschwärmt. Ein

Schöpfer wird spät Mann.« (S. 154) Auch bei Gundolf findet sich eine klare Aussage: »Doch darin ist Hutten einzig unter seinen Zunftgenossen, daß ihm die schöne Rede, das poetische Talent, die Humaniora nur Mittel waren zur Tat, zum kühnen Lebenswandel.« (S. 6)[4] Wenn man nach einer solchen Ankündigung die Einmündung des Geistes in die Tat erwartet, so sieht man sich jedoch getäuscht. Findet schon der ›Pfaffenkrieg‹ bei Gundolf keine Erwähnung, so erscheint die Tat allenfalls als Symbol des zitierten kühnen Lebenswandels. Dieser wiederum reduziert sich auf das Abenteuerliche: »rastlose Wanderschaft« (S. 6), »Abenteuersinn« (S. 11), »die Erfahrungen eines abenteuerlichen Wanderlebens« (S. 14). Bei genauerem Hinsehen wird dann klar, daß Gundolf die Taten jeweils aus der geistigen Welt entstehen und in diese wieder einmünden läßt:

> »Was bei den andern Rhetorik und Poetik blieb, ward bei ihm Wille und Schicksal. Früher oder später mußte sein deutsches Ritterherz schon um der Tat und der Wirkung willen einen näheren, urchigeren Ton finden als die erasmische Eleganz, die beschauliche Gesittung oder die stilisierte Vehemenz der Ciceronianer und Virgilianer.« (S. 6)

Auch an anderen Stellen wird spürbar, wie sehr es den Literaturwissenschaftler Gundolf auf bekannte Wissensgebiete drängt, wo er dann seine Kennerschaft demonstrieren kann. So folgt der hier herausgestrichenen ›Tat und Wirkung‹ eben nicht der Blick in die Reformationszeit oder auf die *geschichtliche* Wirkung seines Helden, sondern bezeichnenderweise der Schritt in die ferne Vergangenheit antiker Stilgeschichte und Rhetorik. Gundolf entzieht seinem Helden den eigenen Zeitboden und nennt ihn deshalb auch: »deutscher Sagenheld« oder schwärmt von »mythischen Gestalten« (S. 5). Im Gegensatz zu Heinrich Manns bewunderndem Blick auf die kommende Tat seines Helden läßt Gundolf seinen Hutten im ersten Satz schon als bloße Bildungsreminiszenz erscheinen: »Huttens geschichtliche Gestalt, der Ritter, Humanist und Volksmann, lebt deutlicher im Gedächtnis der deutschen Bildung als (nächst Luther selbst) irgend sonst ein deutscher Autor seiner Zeit«. Ergänzend wird dann das Ziel des Essays genannt: »Wir wollen ihn dort fassen wo er sich am regsten vergegenwärtigt und am stolzesten verewigt hat, in seinen deutschen Schriften.« (S. 5)

Auch bei Heinrich Mann ist Zola vor allem Schriftsteller, auch bei ihm finden die literarischen Werke ihre aufmerksame Beachtung und Würdigung, aber niemals stehen sie allein, sondern werden in ein perspektivenreiches Panorama gestellt, das Werk, Autor und Zeit voll wechselseitiger Beziehungen erscheinen läßt:

> »Was ist Nana? Zuerst ist sie ›das Gedicht der männlichen Begierden‹. Zum Schluß ›fehlt nicht viel‹, daß ihr mit Blattern bedeckter Körper das gegen den Tod kämpfende Frankreich des zweiten Kaiserreiches bedeute. Und nichts fehlt, daß sie mehr bedeute, ›eine Naturkraft‹, unwissend über das Böse, das sie tut. Großstadt; die Tochter des ausgesogenen Volkes rächt es an den Reichen, kraft ihrer vergifteten Schönheit. Die Gosse spritzt ihnen in das Gesicht, und sie krepieren daran. Kreislauf des Lasters, Kreislauf des Todes; Menschengetriebe, großartig wie Natur; Poesie des Äußersten; im dumpfsten Winkel atmet noch immer Pan; Großstadt, aber Stein ist Erde. Der Jüngling, der davon träumte, die Menschheit aller Zeiten zu schildern, die Jahrhunderte, nicht das Jahrhundert, hat mitgeschaffen hier.« (S. 188)

Auffällig ist vor allem die andere Stil- und Sprachebene bei Heinrich Mann. Liebt Gundolf eher die stilvoll-distanzierte Prosa, die mit gelehrt-artistischen Elementen operiert, Vergleiche und Ausblicke in die Bildungswelt offeriert, sich allenfalls einen archaisierenden Tonfall erlaubt (»urchigeren Ton«) und einem hypotaktischen Satzbau zuneigt, der ein abwägendes Urteilen und sicheres Einordnen seines Helden in die Geisteswelt vorgibt, so fällt bei Heinrich Mann die direkte, zupackende und selbstsichere Entschiedenheit auf. Allerdings sorgt bei Mann eine vitalistische Grundströmung, verbunden mit einer gesteigerten sprachlichen Expressivität, oft für irrationale Effekte und lenkt die Aufmerksamkeit von der inhaltlichen Aussage auf die rhetorisch-stilistische Brillanz. Auch in der zitierten Passage finden sich die meisten der charakteristischen Stileigenschaften wieder, die Rohner für Heinrich Manns *Zola* aufgelistet hat: Raffung, Überspannung, Chiffren, Formeln, Abbreviaturen, Verkürzungen (Ellipsen), ataktische Konstruktionen, konjunktionslose Nebensätze, Interjektionen, Reihung und Wiederholung.[5]

Es wäre zu einfach, solche Unterschiede allein durch das verschiedene Naturell der beiden Autoren erklären zu wollen. Natürlich entspricht der zurückhaltende und um ausgefeilte Satzkonstruktionen bemühte Stil des einen und der vorwärtsdrängende, geraffte und bildkräftige Stil des anderen auch dem jeweiligen Temperament, aber dahinter wird auch eine unterschiedliche Einstellung zum Helden sichtbar: Gundolfs Stil und Sprache heben seinen Helden auf das Podest, sie sollen mit ihrer Sicherheit und Ordnung das Statuarische und ›Ewige‹ unterstreichen und den Eindruck einer überpersönlichen Gültigkeit der Aussage erwecken; Heinrich Mann konzentriert sich auf den momentanen, den lebendigen Eindruck seines Helden und will Begeisterung erwecken, ja zur Identifizierung reizen. Sein dynamisch-expressiver Stil charakterisiert die Energie, das unruhige Vorwärtsdrängen demonstriert das Zielgerichtete in dem Leben seines Helden: die Einmündung des Geistes in die Tat.[6] Gundolfs ehrfurchtsvolle Distanz beraubt seinen Helden gerade des an diesem sonst so bewunderten ungestümen Temperaments. Überall spüren wir im *Hutten* den Gelehrten Gundolf heraus, der seine Urteilssicherheit in der Werkbetrachtung erweisen will (»Huttens deutsche Prosa klingt wie eine lebhafte Uebersetzung aus dem Latein«, S. 16) und eine einförmige ›Vogelperspektive‹ beibehält, bei der ihm nur die Gipfel – und die auch noch perspektivisch verzerrt – in den Blick geraten: Kaiser Maximilian und Luther, Walther von der Vogelweide und Dante repräsentieren die für Hutten angemessene – überhistorische – Höhenlinie. Daß dieser auch ein »Volksschriftsteller« im 16. Jahrhundert war, konnte Gundolf nicht übersehen, aber die »agitatorisch herzliche Popularisierung« (S. 21) findet ganz offensichtlich nicht die ungeteilte Zustimmung Gundolfs – Herder hat gerade mehrfach rühmend den »Demosthenes« in Hutten hervorgehoben – und führt zu einem Bruch in der sonst so stil- und anspruchsvollen Prosa. Der bei Hutten erkannten Verbrüderungsmentalität korrespondiert eine bemüht volkstümliche Diktion: »Hier ist gerade das Gegenteil von Distanz, vielmehr ein leidenschaftliches Nahbringen, auf-den-Leib-rücken. Hier redet er dem Mann aus dem Volk ins Gewissen, klopft ihm auf die Schulter, rüttelt ihn, hier herrscht der bidere Ton von Gleichheit und Brudertum« (S. 21 f.). Das Volk als unselbständige und lethargische Schicht, das Verhältnis zu ihm als eine paternalistische Bonhomie aufgefaßt, von der bürgerlich-revolutionären Trias von ›Freiheit, Gleichheit und Brüderlichkeit‹ die Freiheit amputiert (auch sonst spielt dieser für Hutten so wichtige Begriff keine Rolle im Essay) und die Brüderlichkeit in eine gewählt-unbestimmte Wendung wie »Brudertum« verschoben – all das beweist Gundolfs innere Distanz zu Huttens »Rede auf dem Markt für das erregte und zu erregende Volk« (S. 22).

Geht Gundolfs Perspektive von oben nach unten – vom Helden zum Volk – und ist ihm die Gegenwartsebene sichtlich unangenehm, so wählt sich Heinrich Mann einen anderen Standort: er versucht, einen direkten Zugang zu seinem Helden und dessen Milieu zu finden. Wie dieser selbst, akzeptiert auch der Autor die reale ›Welt‹: »im Leben stehen wie alle Welt, dann kann man schildern, was alle Welt erlebt. Nur nicht sich abseits und besonders dünken; teilnehmen als einer unter vielen an der großen Untersuchung über das Jahrhundert, über das moderne Leben. Seine Zeit lieben!« (S. 167) Verläßt Gundolf niemals die Einbahnstraße seines Blicks – sie läuft auf den Helden bzw. sein Werk zu und von dort meist in die Geistesgeschichte weiter –, so sucht Heinrich Mann gerade die Perspektivenvielfalt. Beiden geht es um eine auf gleicher Weltanschauung und Wertbestimmung basierende Gemeinschaft, die sich – ähnlich wie im Epos und der Heroenschilderung – zwischen Held, Autor und Publikum herstellen soll. Der klassische Bezug des Bürgertums auf die Antike ist auch noch bei Heinrich Mann zu finden, der nicht nur seinen Zola mit Homer vergleicht – der Schriftsteller »sei endlich wieder der Sänger aller« (S. 165) –, sondern die humanistische Menschheitsidee wieder auf das ›Volk‹ bezieht und dieses als Kollektivindividuum »vom Adel der edelsten Natur beseelt« sein läßt: »Die Volkskinder lieben einander rein, mit der Reinheit antiker Liebender« (S. 187).

Mit dieser – den ›Geistesaristokraten‹ sicherlich als Blasphemie erscheinenden – Harmonieerzeugung gelingt Heinrich Mann eine moderne Adaption heroischer Schilderung, die allerdings vor idealistischer Übersteigerung nicht gefeit ist. Die scheinbar sichere und eindeutige Perspektive Gundolfs, die eine harmonische Gemeinschaft von Held und Welt suggerieren soll, erweist sich gerade als brüchige Konstruktion, verhindert sie doch die Tat und drängt zur Verinnerlichung. Mit der Eliminierung der Welt glaubt Gundolf die Harmonie zu retten und Eindeutigkeit und Klarheit zu erzeugen. Wir dürfen vermuten, daß darin ein weit verbreiteter Wunsch nach Überschaubarkeit und Sekurität zum Ausdruck kommt, der einer Welt der Wertrelativierung und zunehmenden Kompliziertheit begegnen will. Doch gerade das Gegenteil wird erreicht, wie wir am Beispiel der Illusionsbildung, der ›Verzauberung‹ der Welt, im George-Kreis festgestellt haben. Diese einlinige und verengte Perspektive kann eben nicht die komplexe Welt erfassen, das gelingt nur mit einer »perspektivische[n] Variabilität« (Robert Weimann), die z. B. auch dem modernen Roman eignet und die auch als »Multi-« oder »Polyperspektive« die jüngsten geschichtstheoretischen Diskussionen belebt.[7] Steht der George-Kreis in dieser Hinsicht im Spektrum literarischer Bewältigungs- und Ablenkungsversuche von der sozialen Wirklichkeit, das bis in die Trivialliteratur reicht, so führt Heinrich Manns Perspektive gerade in diese Wirklichkeit hinein, die er als Herausforderung begreift und der er mit anteilnehmender Neugierde begegnet; wobei diese wiederum für Perspektivenaufsplitterung bzw. »perspektivische Differenzierung« (Weimann) sorgt.

Die damit einhergehende »Zufälligkeit« und »Subjektivierung des Erzählerstandpunktes« (Weimann), die Gundolf gerade vermeiden wollte und der er dennoch verfallen ist, zerstört keineswegs notwendigerweise die Objektivität: »denn die gesteigerte Subjektivität des Erzählers widerspricht nicht der umfassenderen Objektivität des gestalteten Weltausschnittes, sondern bildet – im frühen realistischen Roman – ihre perspektivische

Voraussetzung«, schreibt Robert Weimann. »Beide Aspekte ergänzen sich komplementär; ihr Zusammenfall konstituiert eine dem Roman spezifische Form der Einheit des Allgemeinen und des Besonderen, des Gesellschaftlichen und des Individuellen.«[8]

Solche Erkenntnisse für den Roman können auf Heinrich Manns biographischen Essay übertragen werden, gilt doch für ihn gerade auch Robert Weimanns Feststellung: »Das erhöhte Bewußtsein der Individualität provoziert den Erzähler zu immer neuen Reaktionen und fordert immer neue Einstellungen«.[9] Bevor wir uns der Mannschen Prosa zuwenden, sei noch mit einem Beispiel aus Gundolfs *Hutten* die Technik der Monoperspektive belegt.

Gundolfs Perspektive zerstört immer wieder die Verbindung von Held und Welt und reduziert damit die Vielfalt des Individuums. So kann er z. B. Huttens Lebensinhalt, seinen Kampf für die deutsche Nation, nur unzulänglich wiedergeben, da dafür ein Weltbezug hätte hergestellt werden müssen. Die Leidenschaft und das Pathos des Ritters verstocken in einer freudlos-hölzernen Wendung: »Er leitet, neben Wimpheling, den Abwehrpatriotismus ein, den literarischen Ahnenkult im neuern deutschen Schrifttum . . ihm folgen Frischlin und Fischart, Opitz und Lohenstein, Klopstock und Kleist.« (S. 12)

Ist es schon verräterisch, wie Gundolf Huttens Angriff gegen die welschen Ausländer zur Verteidigung umbiegt, so haben wir zugleich ein Beispiel für die rasche Überleitung in die Geistesgeschichte: Hebt Gundolf doch einen der kontaktfreudigsten Humanisten des 16. Jahrhunderts aus einer farbigen Zeitgenossenschaft – einzig Wimpheling ist davon übriggeblieben – in die sterile ›Höhenlinie‹ einer Literaturgeschichte. (Ein Verfahren, das wir bei Schlegel ebenso wie bei Justi schon feststellen konnten.) Gundolf will und kann Hutten nur in seiner geistigen Wirkung erfassen:

> »Dreifach hat er gewirkt: als lateinischer Humanist, als verdeutschter Humanist, als deutscher Volksschriftsteller. Das sind drei Grade der Massenwirkung: als Humanist wandte er sich an die Gebildeten, als Übersetzer seiner Lateinschriften an die vielen deutschen Leser, in deutschen Versen an sein Volk, an die Gesamtheit deutscher Leser« (S. 19).

Aber die Gundolfsche Angst vor der ›Masse‹, wie wir sie für den George-Kreis insgesamt schon angesprochen haben, verhindert den Blick auf das »Volk« und lenkt ihn immer wieder in die Kunst- und Literaturgeschichte ab.

Da Heinrich Mann seinen Helden Zola und dessen Werk untrennbar mit dem Volk verbindet: »Sein Buch sei geschrieben wie von der Masse selbst!« (S. 165), kann er auch die »Masse« – der Begriff erhält bei ihm eine provozierend positive Bedeutung – mit offenen, ja begeisterten Augen anschauen: »Sie war die Menschheit von morgen! Auf ihr, auf ihr mußte das Licht der Apotheose liegen, das eine abgehauste Genießerbande sich anlog. Keine Ausnahme darstellen, so sehr sie uns Künstler reizen.« (S. 164). Dieser Blickerweiterung entspricht die Perspektivenvielfalt, die immer wieder den Helden als mit dem Volk verbunden erscheinen läßt und die Welt in den Essay zwingt, wie schon am Beispiel des Zitats zu *Nana* zu sehen war. Dort kann auch eine bei Mann beliebte Technik der Polarisierung beobachtet werden, die wiederum als Beleg für seine Bemühung um Offenheit und Eindeutigkeit gelten kann. Ganz im Gegensatz zu Gundolf, der gern ins Unverbindliche und Allgemeine ausweicht, bemüht sich Heinrich Mann um Alternativen: Da steht nicht nur das Gute gegen das Böse, das Humane gegen das Inhumane, die Zukunft gegen die Vergangenheit, sondern auch die Moralität gegen den Ästhetizismus, die Republik bzw. Demokratie gegen die Monarchie, das arbeitende Volk gegen die untätigen Bürger: »Sie haben fette, schlaffe Körper, verunstaltet durch Beschäftigungen, die weder geistige noch körperliche Arbeit sind.« (S. 185 f.)

Mit solchen Kontrasten reaktiviert Heinrich Mann die dialogische Dimension, die dem Essay im 19. Jahrhundert verlorenging, aber andererseits ist auch nicht zu übersehen, daß er nicht mehr mit einem verständigen und sachkundigen Publikum rechnet, dem er mit einer auf rationaler Ebene operierenden Argumentation entgegentreten kann, sondern überall ist die große Anstrengung spürbar, die der Autor unternimmt, um sein Publikum zu gewinnen, es auf seine Alternativen zu verpflichten und es aus einer Lethargie aufzurütteln. Damit wird die ursprüngliche Dialogsituation zwischen Autor und Leser, die diesen zum Mitdenken und Schlußfolgern anregen sollte, *in* den Text zurückgenommen und auf ein Angebot durchformulierter *und* bewerteter Alternativen reduziert. Mit einer Fülle von Überzeugungstechniken, z. B. der Leseransprache, den nahegelegten gemeinsamen Auffassungen und Urteilen, eingeschobenen Sentenzen, Appellen an die Gefühle und suggestiven Ausrufen bemüht sich der Autor um seine Leser. Ohne Zweifel übernimmt Heinrich Mann damit die Praezeptorenrolle der Essayisten im 19. Jahrhundert, aber seine didaktische Ausrichtung lenkt wieder auf die politisch-soziale Ebene zurück.

Seinen Helden inmitten der Welt – und wohl auch als Mittelpunkt der Welt – zu erfassen und dem Leser nahezubringen, bedient sich Heinrich Mann vielfältiger narrativer Techniken, die schon mehrfach für seine Essayistik beschrieben worden sind. Renate Werner hat im Zusammenhang des *Gustave Flaubert und George Sand*-Essays von einer »Porträt-Erzählung« gesprochen, zu der Heinrich Manns Essays geraten können.[10] Auch im *Zola*-Essay können wir z. B. die erzählerische Distanzveränderung erkennen, die Werner mit der Zoom-Technik des Films verglichen hat.[11] Von der abstandwahrenden Distanz eines neutralen Beobachters und Berichterstatters spannt sich der Bogen über affektive Annäherungen – entweder erfahren wir etwas über die Gefühlsbindung des Autors selbst oder über die der personalen Umgebung Zolas, z. B. läßt Mann die Gedanken der Gegner Revue passieren (S. 216) – bis in die Innenperspektive. Wir finden den Wechsel von der Berichtsform in die Personenrede, z. B. über die wörtliche Zitierung autobiographischer Zeugnisse, aber auch den Übergang in monologartige Passagen, die wahrscheinlich sich ebenfalls auf Dokumente gründen[12], aber sich hier als nachempfundene erzählerische Umschreibungen der Gefühls- oder Gedankenwelt Zolas präsentieren. Solche Selbstreflexionen kleiden sich z. B. in die erlebte Rede, können aber auch als Partikel unmittelbar in den Erzählerbericht einfließen, indem z. B. die Personalpronomina sich plötzlich verändern – »ohne Sinnverschiebung stehen: er, man, wir, ihr« (Rohner)[13] – und so ein schillerndes Spiel wechselnder Bezugsmöglichkeiten schaffen: »Wer an der einzelnen Stelle spricht, denkt, träumt, das ist nicht auszumachen: Zola, eine Romanfigur, der Zeitgeist, der Geist der Erzählung, Zolas Freunde, Gegner und Richter, Heinrich Mann?«[14] Wenn Rohner in diesem Zusammenhang vom »Akt der Identifizierung« spricht, dann darf vor allem nicht der Leser vergessen werden. Der Wechsel der Pronomina hat ebenso wie der Tempuswechsel eine entscheidende Funktion bei der Leserbeeinflussung: Über die in der Regel emotionale Ansprache – auch hier übernimmt

Heinrich Mann Formen des Essays im 19. Jahrhundert – und erzählerische Dynamik, z. B. mit Hilfe des Tempuswechsels, soll der Leser mitgerissen und schließlich zur Identifizierung geleitet werden. Eine Wendung wie »Wohl sind wir umdroht von Wahnsinn, Verderbnis und den tödlichen Gefahren unseres Zusammenlebens« (S. 204), kann sowohl auf Zola wie auf den Erzähler und gerade auch auf den Leser des Jahres 1915 bezogen werden.

Es ist oft betont worden, wie sehr Heinrich Mann in Zola ein Porträt seiner selbst gezeichnet hat, aber mindestens ebenso wichtig ist die Held-Leser-Beziehung. Wie Mann an Zola gewachsen ist, so soll der Leser im fortschreitenden Prozeß der Identifizierung seine eigene Mündigkeit erreichen. Wenn das zunächst als Widerspruch erscheinen mag, so reicht ein Blick in die biographischen Werke des George-Kreises aus, um unterschiedliche Funktionen von Identifizierungen zu erkennen. Denn hier verhindert die Identifizierung eher eine Mündigkeit und verführt zur Passivität, wie wir am Beispiel von Kantorowicz' *Friedrich II.* gesehen haben. Im Gegensatz zu Gundolf, der im *Hutten* behauptet: »Seine Person, nicht seine Sache packt uns« (S. 8), und deshalb allenfalls Haltungen oder Gesinnungen vermitteln kann, die im persönlichen Bereich haftenbleiben, kann Heinrich Mann auch eine ›Sache‹ anbieten. Seine Biographie ist nicht Selbstzweck, sondern Funktion. Die Blicke auf den Helden, und mehr noch die durch den Helden auf die Welt, sind Sehhilfen für ein unmündiges Publikum (unmündig geworden nicht zuletzt durch den von H. Mann angegriffenen passiven ästhetischen Genuß), dem der Autor Aufklärung und Einsichten vermitteln will, die es – wie seinen Helden – befähigen sollen, den Schritt vom Geist zur Tat, vom Bewußtsein zum bewußten Sein und damit zum Handeln zu tun bzw. die Notwendigkeit eines solchen Schrittes einzusehen. Die narrativen Techniken erweisen sich also ebenfalls nicht als Selbstzweck, sondern als Funktion; sie sollen einen politisch-sozialen Lernprozeß in ein spannendes Lesevergnügen einkleiden.

Heinrich Mann läßt nicht allein in der Person Gegenwärtiges aufscheinen, sondern bietet darüber hinaus eine Reihe fast unverschlüsselter Gegenwartsbezüge an, die er in die Werkanalyse oder in Reflexionen seines Helden einfließen läßt. Eine dieser Reflexionen mündet schließlich in eine Leseransprache ein, die im Kriegsjahr 1915 als politische Provokation verstanden werden mußte:

> »Jetzt, da die Feinde dastehen, die eure Herren euch gemacht haben, müssen noch die Letzten sich unterwerfen. [...] Nicht nur mit kämpfen müßt ihr für sie, die das Vaterland sind, ihr müßt mit fälschen, mit Unrecht tun, müßt euch mit beschmutzen. Ihr werdet verächtlich wie sie. Was unterscheidet euch noch von ihnen? Ihr seid besiegt, schon vor der Niederlage.« (S. 200)

Daß solche Intentionen erkannt worden sind, beweist nicht nur die Reaktion des Bruders Thomas Mann, sondern die an Heinrich Manns Essayistik seitdem geübte Kritik, sie sei ›Tendenz‹- oder ›Pamphlet‹-Literatur. [15] Wenn Bruno Berger noch 1964 von »Pseudo-Essays« spricht[16], so steht dieses Verdikt in der Tradition eines aus seiner selbstgewählten und verklärten Weltabgeschiedenheit urteilenden Bildungsbürgertums, das den Verlust der politisch-sozialen Dimension im Essay, wie er sich erst im 19. Jahrhundert eingestellt hat, nun auch noch zum bestimmenden Gattungsmerkmal macht. Dieser Gruppe des Bürgertums ist deshalb schon früh der Vorwurf gemacht worden, bei ihr herrsche Resignation und Pessimismus. Gundolf ist dem mit einem schwachen Argument

1912 begegnet: »Die pessimisten sind nicht wir die an ein vollkommenes und unverlier-
bares glauben, sondern die welche alles gewesene bloss als vorstufe für ein imaginäres
kommendes ansehen. Nicht wir die wir eine umkehr, sogar noch in unserm jahrhundert
erwarten, sondern jene die den fortschritt in gerader linie wollen.« [17] Ist es auch hier
aufschlußreich, wie Gundolf – ähnlich wie bei dem Hutten unterstellten »Abwehrpatriotismus« – wiederum aus der Verteidigerposition argumentiert, an die Stelle konkreter
Pläne das feierlich-unverbindliche ›Vollkommene‹ und ›Unverlierbare‹ treten läßt, so
wird im Wunsch nach Umkehr auch die Trauer um eine vergangene, schönere Zeit sichtbar. Diese Melancholie spürt man auch in seinem *Hutten,* dem gerade Zukunftsperspek-
tive und Optimismus mangeln. Ist Hutten »durch Willen und Leiden ganz ein Deutscher«
(S. 14) und vertritt er damit den Typus des Scheiternden, so wird Zola zum Typus jenes
dynamischen Schriftstellers, den Heinrich Mann in *Geist und Tat* 1910 gefordert hat:
»Die Zeit verlangt und ihre Ehre will, daß sie endlich, endlich auch in diesem Lande dem
Geist die Erfüllung seiner Forderungen sichern, daß sie Agitatoren werden, sich dem
Volk verbünden gegen die Macht, daß sie die ganze Kraft des Wortes seinem Kampf
schenken, der auch der Kampf des Geistes ist.« [18]

   Wenn Heinrich Mann in *Geist und Tat* zudem Zola mit Rousseau zusammen nennt, so
werden damit die Ideale der hoffnungsvollen Intelligenz des 18. Jahrhunderts aufgegriffen, die Gundolf ebenfalls zu vertreten scheint, wenn er behauptet, sein Held »traut dem
Wort noch tat-zeugende Gewalt zu« (S. 11) – obwohl das eingeschobene ›noch‹ schon
wieder Zweifel wecken könnte. Ausdrücklich ernennt Gundof Hutten zum »persönlichen Anwalt der öffentlichen Ideale« (S. 10), vergißt aber, diese Öffentlichkeit vorzuführen oder die Ideale zu präzisieren. Sie werden mehr formelhaft verwendet. So finden wir
die im 18. Jahrhundert beliebte Verbindung von ›Freiheit und Wahrheit‹, wie sie Herder
auch seinem Hutten zuspricht, bei Gundolf als Huttens Kampf für den »Freiheitssinn und
den humanistischen Wahrheitssinn« wieder (S. 21), aber schon in der Kompositabildung
wird Gundolfs Hemmung gegenüber einer kurzen und eindeutigen Begrifflichkeit und
seine Neigung erkennbar, alles ins Unverbindlich-Geistige zu verschieben. Erst bei Heinrich Mann gewinnen diese Ideale wieder ihren revolutionären Beigeschmack – der Vergleich mit den beschriebenen Haltungen bei Schlegel und Gervinus drängt sich auf –, besteht doch die Tat seines Helden gerade in dem Kampf um die Freiheit des verurteilten
Dreyfus und um die Zerstörung des diesen umgebenden Lügengespinstes. »Freiheit und
Wahrheit sind die Stützen der Gesellschaft«, so zitiert Mann Henrik Ibsen (S. 209).

   Den Sieg der »Wahrheit und Gerechtigkeit« (S. 232) verkündet Heinrich Mann mehrfach im *Zola* und kann damit die im George-Kreis vermißte Kategorie des Glücks wieder
einführen; in variationsreicher Verbindung durchzieht dieser Begriff den Essay und
schließt alle diejenigen zusammen, »die nach Wahrheit und Gerechtigkeit streben, die
glauben an den immerwährenden Fortschritt und gewiß sind, daß seine [des Zukunfts-
drangs – H. S.] Eroberungen eines Tages endlich verwirklichen werden, was irgend möglich ist an Glück.« (S. 218) Bei Gundolf hingegen fehlt das Glück. Hatte Herder seinen
Hutten noch als Verfechter der »Ehre, Freiheit, Aufklärung und Glückseligkeit« gerühmt[19], so kann Gundolf nur noch die Tragik sehen: »Ja, daher kam seine Tragik: er
konnte im Leben den Widerstreit zwischen seinem Blut und seiner Bildung nicht ausglei-
chen.« (S. 6) Es ist für Gundolf typisch, daß er den tragischen Konflikt, den es bei Hutten

ohne Zweifel gab und den Herder richtig in der sozialen und politischen Ebene angesiedelt hat (»die Sklaverei stärker als die Freiheit«)[20], in die Person verlagert (Blut – Bildung). Durch die Eliminierung der historischen Situation kann Gundolf nämlich nicht mehr den Schritt Herders nachvollziehen, der für seine eigene Zeit eine Verwirklichung der Huttenschen Ideale in Aussicht stellte und deshalb Hutten zum Vorbild proklamierte.

Mit der gleichen Annahme eines historischen Fortschritts ist es dagegen Heinrich Mann möglich, an ein gesellschaftliches Glück zu glauben. Gundolf hingegen überhöht die tragischen Züge in seinemHelden. Ein einziges Mal klingt im *Hutten* etwas von Glück an: Gundolf läßt Huttens berühmtes Lied *Ich hab's gewagt mit Sinnen* in einer »glücklichen, gleichsam entrückten Stunde geschrieben« sein (S. 27). Es kann Gundolf aber nicht entgangen sein, daß in dieses Lied die Trauer eines einsamen und an der Erreichung seiner Ziele zweifelnden Mannes eingeflossen ist – schon David Friedrich Strauß hat die »elegische Stimmung« des Liedes betont.[21] Wir dürfen deshalb vermuten, daß es gerade die Schwermut und die Mischung von Resignation und Aufbäumen gewesen sind, die Gundolf fasziniert haben: »Das Lied enthält Kern und Stern seines mannhaften Lebens.« (S. 27)

Erlebt Gundolf also allenfalls durch eine Endzeitstimmung ein melancholisches Glück und kann deshalb seinen Helden nicht als Vorbild für eine erträumte Zukunft hinstellen, sondern einzig das emotional-irrationale Moment als Trost anbieten, so belebt Heinrich Mann auch den Glauben an die Ratio wieder. Wissenschaft und Vernunft sind im *Zola* immer eng mit Menschlichkeit verbunden (S. 209); Gundolf hingegen kennt nur den pejorativen Gebrauch: »eine vernunft- und erwerbsfreudige Gesellschaft« (S. 7). Heinrich Manns Zola übernimmt, ebenso wie die Helden des George-Kreises, ausdrücklich eine »Führer«- und »Erzieher«-Rolle: Er ist »ein Lehrer der Demokratie« (S. 236), ein »Erzieher zur Arbeit, Erzieher zum Glück« (S. 209). Außerdem wird ihm tiefe Sittlichkeit bescheinigt (S. 209).

Hat Heinrich Mann – im Gegensatz zu den Führergestalten im George-Kreis – damit seinen Helden ein konkretes Programm vertreten lassen, so bringen jedoch Begriffe wie ›Glück‹ und ›Arbeit‹ auch Gefahren mit sich, weil sie zu stark einem emphatischen Gestus und einem allgemeinen Menschheitspathos verbunden sind. Ohne Heinrich Mann eine außergewöhnliche Leistung absprechen zu wollen, die nur umso bedeutender erscheint, wenn wir uns auf die Kriegsbegeisterung, den Heroenkult und den apolitischen Fatalismus in weiten Kreisen des Bildungsbürgertums um 1915 besinnen, so müssen im folgenden noch einige Aspekte zur Sprache kommen, die die Grenze der politisch-didaktischen Leistung Manns andeuten.

Rohner hat die konsequente kompositionelle Durchformung des *Zola* eindrucksvoll belegt und damit einen ästhetischen Konzentrationsprozeß aufgedeckt, den wir gerade auch für die bisherige Biographik betont haben. Für Heinrich Mann haben wir die narrativen Techniken mehr in ihrem funktionalen Aspekt herausgehoben; andererseits kann nicht übersehen werden, daß die starke Ästhetisierung auch die von Mann intendierte Aufklärung erschweren, wenn nicht in manchen Bereichen sogar verhindern mußte.

Heinrich Mann hat von Zola nicht nur ein Porträt eines »Moralisten« (S. 172) und Realisten gezeichnet, sondern ihn außerdem auch noch als politischen Propheten hingestellt: »Und dann stürzte das Reich. Es stürzte auf einmal, über Nacht, und mit der vollen künstlerischen Rundung einer Katastrophe. So und nicht anders hatte ein Erfinder von Romanen sie vorhergewußt.« (S. 166) Damit wird nicht nur eine ästhetisierende Weltsicht beibehalten, sondern Zola erfährt auch noch eine mythische Erhöhung, obwohl Mann mehrfach ausdrücklich Front gegen diesen Kult der Großen macht: »Das Glück sei ein Ergebnis des Gleichgewichts! Keine zu geistige Auslese, kein zu unwissendes Volk! Keine großen Männer! Sie sind eine soziale Gefahr« (S. 201).

In seinem Bestreben einen Heroensturz durchzuführen, hat Mann in einer Gegenfigur wie Zola doch einen neuen Heros vorgestellt. Es ist bei ihm schon die Verwendung religiöser Sprachpartikel erkannt worden [22], hier im *Zola* ist die Rede von »Sendung« (S. 161), vom »Heil« (S. 169), »mystische[r] Bestätigung« (S. 166) und auch von »Verklärung«; das so überschriebene Schlußkapitel führt uns Zolas Apotheose vor. Wie selbstverständlich stellen sich schon vorher zum Vergleich Figuren wie »Caesar, Napoleon, Garibaldi« (S. 161) ein: »Sie sind Eroberer, und dann Zivilisatoren. Sie führen die Menschen, wie jeder sie führt, durch Wirrnis und Leiden; aber sie glauben, daß sie sie zum Glück führen« (S. 162).

Die Ästhetisierung der politischen Sphäre und der Person, der geistige Primatanspruch und der moralische Rigorismus im *Zola* sind eindeutig bürgerliches Erbe, dennoch besteht kein Anlaß, hier beckmesserische Vorwürfe zu erheben, Mann habe sich einer naivliberalen Begeisterung für eine bürgerliche Republik hingeben und damit keine progressiven politischen Ziele aufgewiesen. Eckart Koester ist dem schon entgegengetreten und hat auf Manns mutiges Verhalten – »sein J'accuse gegen das wilhelminische Kaiserreich« – verwiesen. [23] Bedenken sind tatsächlich anzumelden gegen die »soziale Unbestimmtheit der Kategorien« im *Zola*-Essay (Koester). Gerade der Begriff ›Arbeit‹, das hat Koester schon betont und auch belegt, hätte einer Konkretisierung bedurft. [24] Eine weitere Gefahr liegt in der Überschätzung des Geistes und der Rolle des Schriftstellers für die Politik. Die Reaktivierung einer geistig-kulturellen Dynamik und ihrer Verbindung mit der Politik konnte leicht in jenen schwärmerischen Anspruch einer geistigen Führerschaft umschlagen, wie er z. B. bei Kurt Hiller und seinem ›Aktivismus‹ zu beobachten ist, wo die sozialpolitische Dimension von der geistig-elitären Gesinnung verdrängt wurde, und wie ihn Jost Hermand als »ideologische Unklarheit« für den Expressionismus beschrieben hat. [25] Heinrich Manns Größe besteht auch gerade darin, solchen Versuchungen nicht erlegen zu sein; allerdings hat er einsehen müssen, daß er doch zu idealistisch gedacht hatte. Gerade die Wiederbelebung eines Idealismus und die Begeisterungsfähigkeit sind es, die Heinrich Manns Verdienst ausmachen, aber auch Gefährdungen signalisieren.

Mit seinen biographischen Essays, von denen er 1931 unter dem programmatischen Titel *Geist und Tat. Franzosen 1780–1930* eine Sammlung veröffentlichte, hatte er einem verunsicherten Bürgertum neue Helden und vor allem eine politische Idee, die Demokratie, vorstellen wollen. Er hatte dem Bürger eine Aufgabe zuweisen wollen, indem er den Schritt an die Seite der ›Massen‹ forderte, und er hatte den Blick in die Zukunft lenken wollen, indem er Optimismus und Idealismus zu erzeugen versuchte. Damit belebte er etwas von Ernst Blochs *Geist der Utopie,* der zuerst 1918 erschienen ist:

»Wir haben Sehnsucht und kurzes Wissen, aber wenig Tat und, was deren Fehlen mit erklärt, keine Weite, keine Aussicht, keine Enden, keine innere Schwelle, geahnt überschritten, keinen Kern und kein sammelndes Gewissen des Überhaupt. [...] In uns allein brennt noch dieses Licht, und der phantastische Zug zu ihm beginnt, der Zug zur Deutung des Wachtraums, zur Handhabung des utopisch prinzipiellen Begriffs. Diesen zu finden, das Rechte zu finden, um dessentwillen es sich ziemt, zu leben, organisiert zu sein, Zeit zu haben, dazu gehen wir, hauen wir die metaphysisch konstitutiven Wege, rufen was nicht ist, bauen ins Blaue hinein, bauen uns ins Blaue hinein und suchen dort das Wahre, Wirkliche, wo das bloß Tatsächliche verschwindet – incipit vita nova.«[26]

Daß seine erträumte Verbindung des Geistes mit der Tat sich als Illusion herausstellte, hat Heinrich Mann schwer getroffen. Er mußte zwar einsehen, daß keineswegs die Schriftsteller die entscheidende Macht in der Politik sind, aber dennoch erhebt er zu Recht schon im *Zola* Anklage sowohl gegen die geistigen Mitläufer als auch gegen jene bürgerlichen Intellektuellen, die einmal – wie Flaubert – nicht kämpfen, sondern nur verachten (S. 171), und zum anderen als die »leidigen Propheten des Niederganges« (S. 202) auftreten. Heinrich Mann mußte nicht, wie der George-Kreis, erleben, daß seine Ideen vom Nationasozialismus usurpiert wurden. Dagegen hat das Verharren der Georgeaner im vornehm-distanzierten Abseits nicht verhindert, daß ihr »Geheimes Deutschland« 1933 zum öffentlichen »Dritten Reich« umgetauft wurde. Ihr Glaube an den großen Heros erweist 1933 seine verhängnisvolle Wirkung und läßt eine Feststellung Heinrich Manns von 1910 aus *Geist und Tat* nochmals bittere Bestätigung erfahren:

»Seine großen Männer! Hat man je ermessen, was sie dies Volk schon gekostet haben? Wieviel Talent, Entschließungskraft und adliger Sinn unterdrückt worden ist, was an Demut, Neid, Selbstverachtung gezüchtet ward, und was versäumt ward in hundert Jahren an der Nivellierung, der moralischen Höherlegung der Nation, damit in unermeßlichen Abständen je ein Manneswunder und Ausbund aller Herrlichkeit erscheinen konnte, übermästet von der Entsagung ganzer Geschlechter und dem lebenden Dünger der Nation entsprossen wie eine tierisch fette Zauberblume. Nun liegt und betet an!«[27]

2. Die ›moderne‹ Biographie: Emil Ludwig und Stefan Zweig

Für das 20. Jahrhundert – genauer: für die Zeit nach dem 1. Weltkrieg – wird gern das Wort von der ›biographischen Mode‹ oder dem ›biographischen Zeitalter‹ verwendet. Schon Siegfried Kracauer hat 1930 dagegen gehalten: »Man hat die Neigung zur biographischen Darstellung, die sich seit einiger Zeit in Westeuropa eingenistet hat, kurzerhand als eine Mode abfertigen wollen. Sie ist es so wenig, wie die Kriegsromane es waren. Vielmehr sind ihre unmodischen Gründe in den weltgeschichtlichen Ereignissen der letzten anderthalb Jahrzehnte zu suchen.«[1] Kracauers Hinweis auf den Erfolg der Biographien ließe sich mit einer stattlichen Aufreihung von Namen und Titeln unterstreichen. Da es in unserer Darstellung jedoch um die deutsche Entwicklung geht, so sei hier nur vermerkt, daß Frankreich in den 20er Jahren den »goût de la biograhie« verspürt, wie der Romanist Karl Nitsche 1932 in seiner Studie *Biographie und Kulturproblematik im gegenwärtigen Frankreich* vermerkt[2], und daß in England schon 1920 eine »flood of biographical works« registriert wurde. John A. Garraty hat in seiner Untersuchung *The Nature of Biography* (1958) für den anglo-amerikanischen Raum die Belege geliefert. Für die Vereinigten Staaten wartet er sogar mit Zahlen auf: »In America alone about 4800 biographies were published between 1916 and 1930.« (S. 110)

Für die Wirkung in Deutschland der 20er Jahre sind zwei Namen wichtig: Lytton Strachey, dessen Porträtsammlung *Eminent Victorians* (1918) seinen Ruhm in Deutschland begründete und seinen Werken *Queen Victoria* (1921) und *Elisabeth and Essex* (1928) große Verbreitung sicherte, und André Maurois, dessen *Ariel ou la vie de Shelley* (1923) seinen folgenden Biographien den literarischen Erfolgsweg bahnte, z. B. *La vie de Disraëli* (1927) und *Byron* (1930). Jan Romein stellt in seiner kurzen Geschichte der Biographik (1946; dt. 1948) wie selbstverständlich zwei deutsche Autoren den beiden Ausländern zur Seite: Emil Ludwig und Stefan Zweig.

»Dies ist kein Zufall, so wenig wahrscheinlich ihr Alter zufällig ist: Strachey und Maurois waren 38, Ludwig 36 Jahre als ihre erwähnten Bücher erschienen. Es ist das gleiche Alter wie dasjenige Zweigs, dessen Leben im ersten Krieg so deutlich umschwenkt und der mit seinen *Drei Meistern* (Balzac, Dickens, Dostojewkij) 1922 gleichfalls den Weg zur modernen Biographie einschlug.« (S. 96)

Kracauer und Romein, sonst durchaus konträre Positionen vertretend, lehnen also beide den ›Zufall‹ ab und sehen im 1. Weltkrieg einen entscheidenden Einschnitt für die Geschichte der modernen Biographie. Ein Blick auf die biographische Entwicklung der beiden in den folgenden Ausführungen im Mittelpunkt stehenden Autoren, Emil Ludwig und Stefan Zweig, kann diesen Eindruck nur unterstreichen.

Beide Autoren sind 1881 geboren, Zweig in Wien und Ludwig in Breslau.[3] Beide entstammten einem jüdisch-saturierten Bürgertum: Zweigs Vater war ein reicher Kaufmann, Ludwigs Vater der berühmte Augenarzt Hermann Cohn (seit 1883 trugen die Kindern den Namen Ludwig). Diese jüdische Herkunft ist für die Auseinandersetzung um die Werke beider Autoren nicht unwichtig, da damit eine starke Emotionalisierung möglich wurde. Während Ludwig anfangs eine bürgerliche Karriere anstrebte und deshalb Jura studierte und promovierte, hatte sich Zweig frühzeitig auf die Literatur festgelegt, Germanistik und Romanistik studiert, über Hippolyte Taine promoviert und sich einer formstrengen, einem hohen dichterischen Ethos verbundenen Literatur verpflichtet gefühlt. (Hofmannsthal war sein Abgott in der Schulzeit.) Beide Autoren zeichnete eine ungewöhnliche Weltoffenheit aus, beide reisten viel und weit: Ludwig war Reisekorrespondent für Berliner Zeitungen, interviewte »Könige, Vezire, Premiers, und Feldmarschälle« und brachte sich damit seinem Ideal nahe, eine »Mischung von Weltmann und Künstler« zu sein.[4] Blieb dieser »Menschenjäger« (Ludwig)[5] im wesentlichen auf die öffentlich-politische Welt ausgerichtet, so suchte Zweig den literarischen Kontakt. Schon seine Reisen glichen mehr Bildungsreisen, aber Erfüllung fand er erst im Gedankenaustausch mit der europäischen literarischen Intelligenz. Mit fast allen renommierten Autoren seiner Zeit war er persönlich bekannt, mit einigen – z. B. Emile Verhaeren und Romain Rolland – verband ihn auch Freundschaft. Hatte Ludwig mit seinen dramatischen Versuchen der Vorkriegszeit – z. B. *Oedipus* (1901), *Ein Untergang* (1904), *Napoleon* (1906), *Tristan und Isolde* (1909) – nach eigenem Eingeständnis keinen Erfolg, so fand Zweigs Lyrik, z. B. *Silberne Saiten* (1901), schon frühzeitig Widerhall. Diese Vorkriegsarbeiten – Zweig verfaßte außerdem noch eine Reihe von Novellen – zählte Zweig später zur »ästhetischen« Zeit: »Heute erscheinen mir längst jene Männer meiner Jugend, die meinen Blick auf das Literarische hinlenkten, weniger wichtig als jene, die ihn weglenkten zur Wirklichkeit.« [6] Als wichtigsten Einfluß nennt Zweig dann Walther Rathenau, dem er die Erweiterung seines »Horizonts vom Literarischen ins Zeitgeschichtliche« danke. [7] Der 1. Weltkrieg wurde für beide Autoren zum entscheidenden persönlichen Einschnitt, indem er jeweils Versuche zur Selbstbestimmung und Neuorientierung einleitete. Hatte Ludwig im Vorfeld des Krieges mit Arbeiten zu historischen Figuren schon sein biographisches Interesse bekundet und dabei noch durchaus auf der konservativen Linie gelegen, wie sein »psychologischer Versuch« (so der Untertitel) *Bismarck* (1913) oder auch für den Kriegsanfang so ›passende‹ Werke wie *Kronprinz Friedrich* (1914) und *Kaiser Friedrich der Zweite* (1915) beweisen, so stand Zweig – nach anfänglicher Berührung durch den »Aufbruch der Massen« [8] – bald im Lager der Kriegsgegner. Er entzog sich endgültig 1917 seiner Dienstpflicht am Kriegsarchiv in Wien und siedelte in die Schweiz über. Seine pazifistische Überzeugung prägt seine Tragödie *Jeremias* (1917), die ihm erstmals einen großen literarischen Erfolg erleben ließ und sein öffentliches Bild »als Österreicher, als Jude, als Schriftsteller, als Humanist und Pazifist« (Zweig) festigte. [9] Bei Ludwig hat es anscheinend kein so starkes durch die Gefühle geleitetes Umdenken gegeben, denn er konstatiert in seiner Autobiographie nur, daß er von den Vertretern der herrschenden Schicht enttäuscht gewesen und deshalb Republikaner geworden sei. [10] Der »Schüler Byrons und Anarchist des Geistes«, Verehrer Dehmels und Bewunderer Georges verwirft wie Zweig seine literarischen Anfänge [11] und versucht seine schriftstellerische Existenz neu zu bestimmen: »Die alte Stufenleiter, auf deren unterster Stufe der Journalist, dann Kritiker, Schriftsteller, Essayist, Romancier, Historiker und schließlich oben der Dichter stand [...] diese Leiter ist längst morsch«. [12]

Damit stellt sich Ludwig auf die neue Zeit ein und bestimmt die Rolle des Schriftstellers im Sinne Heinrich Manns, der 1910 in *Geist und Tat* gefordert hat: »Das Genie muß sich für den Bruder des letzten Reporters halten, damit Presse und öffentliche Meinung, als populärste Erscheinungen des Geistes, über Nutzen und Stoff zu stehen kommen, Idee und Höhe erlangen.« [13] Die literarische Bewegung der »Neuen Sachlichkeit« entspricht diesem Denken und zeigt ihre Einstellung in der »Bevorzugung der veristischen, neusachlichen Formen wie Protokoll, Bericht, Reportage und Biographie« (Prümm). [14]

Auch Stefan Zweig schien sich nach dem Krieg zu einem politischen Engagement entschlossen zu haben, erkannte jedoch bald seine Unfähigkeit zu öffentlicher Aktion, blieb aber weiterhin einem starken humanitären Denken verpflichtet: »So blieb nur eins: still und zurückgezogen sein eigenes Werk zu tun.« [15] Als Ergebnis dieser Selbstbestimmung legte er 1920 die schon erwähnte Trilogie *Drei Meister* vor. Es zeigt Zweigs Hochschätzung kultureller Einzelleistungen, wenn er die Fortführung dieser sich als »Typologie des Geistes« [16] verstehenden Sammlung später unter dem Titel »Baumeister der Welt« (1936) herausbrachte, ergänzt durch biographische Porträts z. B. von Hölderlin, Kleist, Nietzsche und Tolstoi.

Beispielhaft ist in diesen biographischen Skizzen von Ludwig und Zweig die Wandlung von einem ästhetisch bestimmten Weltverständnis zu einem gewünschten politischen Engagement erkennbar – ein Weg, den auch andere Autoren gingen, wenn wir nur an Heinrich und Thomas Mann denken –, allerdings zeigen sich auch zugleich die damit einhergehenden Schwierigkeiten. Die frühzeitige Resignation Zweigs und die anscheinend nicht gründliche Selbsterforschung und Rollenbestimmung bei Ludwig sind dafür verantwortlich, daß ihr Engagement für die Republik und die Demokratie doch mehr aus dem Gefühl gelenkt wurde und deshalb auch mehr deklamatorisch blieb. Den Beweis für diese Behauptung werden wir bei der Analyse der Biographien liefern können. Hier wäre zuerst noch die Erfolgskurve beider Autoren weiterzuzeichnen, denn daß ihre Bücher zu den meistverkauften deutschen Werken in der Welt gehörten, rechtfertigt unsere besondere Neugier, müssen doch diese Biographien einem bestimmten Verlangen entsprochen haben. Über Emil Ludwig schreibt einer seiner entschiedensten Kritiker, der Historiker Otto Westphal, 1930:

>Die Werke Emil Ludwigs sind zur Zeit in 1,3 Millionen Exemplaren verbreitet. Sein ›Wilhelm II.‹ erreichte das 200., sein ›Bismarck‹ innerhalb eines halben Jahres das 44. Tausend. Auch sein ›Napoleon‹, sein ›Goethe‹ erlebten Ziffern, welche Werke der wissenschaftlichen deutschen Geschichtsschreibung kaum annäherungsweise zu kennen pflegen.

Von allen Seiten hört man Ludwigs Lob. Selbst Antisemiten, wenn sie ihn auch nicht erheben, lesen ihn doch. Von seiner Fertigkeit, Seelengemälde zu entwerfen, werden auch sie fasziniert. Es sind große Gegenstände, die Ludwig ergreift. Hunderttausende lernen, sie nach seiner Art zu sehen, bilden oder befestigen ihre Anschauungen an den seinen. Schon werden, wie man hört, in den Schulen ›die historischen Bücher Emil Ludwigs‹ empfohlen.

Ludwig ist ins Englische, Französische, Italienische, Tschechische, Polnische, Holländische, Dänische, Schwedische, Finnische, Ungarische, Spanische übersetzt worden. Nach England, Frankreich, in die Vereinigten Staaten, nach Dänemark, Italien hat man ihn geladen, damit er Zeugnis ablege über den gegenwärtigen Zustand des deutschen Geistes. In einem Ullsteinblatt las man, daß er in England ›der deutsche Carlyle‹ genannt werde. Aus Amerika berichtete mir vor einiger Zeit ein kundiger Beobachter, daß dort vornehmlich drei Männer als Vertreter des heutigen deutschen geistesgeschichtlichen Denkens gelten könnten: Spengler, Keyserling und Emil Ludwig.

Allein die deutsche Wissenschaft scheint eine Ausnahme zu machen. Bei ihr ist Ludwig auf ziemlich einmütigen Widerspruch gestoßen. Auch Forscher, deren politische Neigungen sich mit denen Ludwigs berühren, stimmen in der Ablehnung überein.« [17]

Westphal hat keineswegs übertrieben, denn *Die literarische Welt* meldete schon 1927 (Nr. 34) in ihrer »Zeitchronik«: »England feierte auf beinahe beängstigende Weise diesen deutschen Besucher«, der »als Repräsentant des neuen Deutschland« empfangen wurde (S. 2).

Ähnlicher Erfolg war auch Zweigs Werken und seinem persönlichen Auftreten beschieden, wobei seine historischen Miniaturen *Sternstunden der Menschheit* (1927) seinen größten Erfolg ausmachten. Wie Ludwig begab er sich auf ausgedehnte Vortragsreisen, blieb aber seinem Selbstverständnis entsprechend mehr auf die »geistige Einigung Europas« fixiert [18] und versuchte eine Allianz der geistigen Elite im Sinne eines modernen Humanismus herzustellen. Zweigs Bücher erreichten bald ungewöhnliche Auflagenhöhen, stolz spricht ihr Verfasser von »einer Gemeinde«, die sich gebildet habe und dafür sorge, daß »am ersten Tage zwanzigtausend Exemplare« seiner jeweiligen Neuerscheinungen verkauft würden; außerdem sei er nach einer Statistik des Völkerbundes »der meistübersetzte Autor der Welt«. [19]

»Analysen vielgelesener Bücher«, so heißt es bei Kracauer, »sind ein Kunstgriff zur Erforschung von Schichten, deren Struktur sich auf direktem Weg nicht bestimmen läßt.« [20] Denkt Kracauer dabei an den Erfolg Frank Thieß' und »das Verhalten der in

Gärung geratenen bürgerlichen Schichten« [21], so können wir auch die hier zu behandelnden Biographien, die Kracauer treffend als »neubürgerliche Kunstform« bezeichnet [22], auf den verunsicherten ›Mittelstand‹ beziehen, von dem zu Beginn des Kapitels zum George-Kreis schon die Rede war. In zeitgenössischen Reaktionen ist immer wieder anerkannt worden, daß die Biographien mit den »breitesten und tiefsten Strömungen des heutigen literarischen Lebens« (Overmans) verbunden, ihre Autoren »Exponenten einer Zeitströmung« (Mommsen) und ihre Werke Fundgruben »zur Erkenntnis weitverbreiteter geistiger Strömungen der Zeit« (Westphal) seien. [23] Wir brauchen uns allerdings keineswegs auf Vermutungen zu beschränken, daß die Biographien nach dem 1. Weltkrieg als Stabilisatoren für ein aus dem Gleichgewicht geratenes Bürgertum fungierten. Schon an den Biographien des George-Kreises haben wir solche Funktionen aufzeigen können, hier werden wir nun Biographien kennenlernen, die sich nicht nur an eine Elite wenden, sondern die bewußt Popularisierung anstreben und damit unterschiedliche soziale Schichten als Leser gewinnen wollten. Welche Ideen dabei angeboten werden, wird uns in den kommenden Kapiteln beschäftigen. Wonach sich anscheinend viele Leser sehnten, hat Lulu von Strauß und Torney 1921 in *Die Tat* geschrieben:

»Wir stehen in einer Zeit des Chaos und wissen noch nicht, ist es Chaos des Untergangs oder der Neuschöpfung. Hie Masse und Schlagwort, dort der isolierte Einzelne, preisgegeben allen kämpfenden Gewalten des Innen und Außen, alle Zerrissenheiten der Zeit in der eigenen Seele austragend. Wo ist hier ein Halt, ein inwendiger Kompaß, wo die Insel über den kreisenden Wassern der Welt? Es gibt nur eine: das gefestigte Ich. Ganz sein, in sich ruhend nach eigenem Gesetz wie Kugel und Kristall. Persönlichkeit sein.« [24]

Die biographischen Arbeiten des George-Kreises sind *eine* Antwort auf diese Sehnsucht nach Sicherheit; Zweig und Ludwig reagieren auf die gleiche Ausgangslage und geben doch andere Antworten.

Sie wollten die Vergangenheit überwinden, sich für die Demokratie einsetzen und sahen deshalb sogar – wie Ludwig – ihre Biographien als literarische »Parlamentsreden« an. [24a] Lassen sich schon Ludwig und Zweig nicht immer auf einen Nenner bringen, so wäre diese Darstellung der Biographik in den 20er und frühen 30er Jahren überfordert, wollte sie alle Autoren biographischer Literatur, die nicht von Fachhistorikern stammt, in die Betrachtung aufnehmen. Um die Vielfalt des literarischen ›Angebots‹ zu demonstrieren, sei eine Auflistung der wichtigsten Vertreter dieses Genres vorgenommen: Neben Ludwigs und Zweigs, André Maurois' und Lytton Stracheys Biographien erscheinen 1920 Alfred Döblins *Wallenstein,* 1921 Alfred Schirokauers *Mirabeau* (1912 war bereits ein *Lassalle*-Roman von ihm erschienen), 1922 Erwin Guido Kolbenheyers *Paracelsus* (der erste Teil der Trilogie erschien 1917, der dritte 1926), 1924 Franz Werfels *Verdi,* 1925 Lion Feuchtwangers *Jud Süss,* 1926 Werner Hegemanns *Fridericus oder das Königsopfer* (1927: *Napoleon oder der Kniefall vor dem Heros;* 1928: *Der gerettete Christus;* 1930: *Das Jugendbuch vom großen König oder Kronprinz Friedrichs Kampf um die Freiheit*), Alfred Neumanns *Der Teufel,* Bruno Franks *Trenck* (1924 war schon *Tage des Königs* erschienen, 1934: *Cervantes*), 1927 Valeriu Marcus *Lenin* (1928: *Das große Kommando Scharnhorsts*), Paul Wieglers *Wilhelm der Erste,* 1928 Walter von Molos *Mensch Luther* (1912–16 war sein *Schiller-Roman,* 1918 sein *Fridericus* erschienen),

Herbert Eulenbergs *Die Hohenzollern,* 1929 Otto Flakes *Ulrich von Hutten,* Jakob Wassermanns *Christoph Columbus. Der Don Quichote des Ozeans,* 1930 Hermann Wendels *Danton,* Reinhold Schneiders *Das Leiden des Camoës* (1931: *Philipp II.,* 1932: *Fichte,* 1933: *Die Hohenzollern*), 1932 Franz Bleis *Talleyrand.* Genannt werden müßte wohl auch noch Heinrich Manns *Henri Quatre* (1935, 1938), der um 1931 begonnen wurde. Zu den erfolgreichsten biographischen Romanen gehörten außerdem noch die Übersetzungen der Werke von Dmitri Mereschkowski (*Dante, Julian Apostata, Leonardo da Vinci, Michelangelo, Napoleon*).

Es bedürfte einer eigenständigen und umfangreichen Untersuchung, um die Fülle von biographischen Werken zu erfassen, zu beschreiben und vor allem zu vergleichen. Dabei könnten wir uns z. T. auf vorliegende Forschungen zum historischen Roman stützen[25], denn die meisten der oben genannten Werke gehören in diese Gattung; wobei der Anspruch, zur *Roman*literatur zu gehören, von manchen Autoren, z. B. von Döblin[26], engagiert vertreten wurde. Obwohl wir vielfältige Übereinstimmungen zwischen historischem Roman – gerade auch in der Sonderform der ›biographie romancée‹, die allerdings oft zur historischen Kolportage geriet – und den Biographien Ludwigs und Zweigs feststellen werden, soll vor allem die bisherige historische Darstellung fortgetrieben werden, der es besonders um die im Grenzbereich von Kunst und Wissenschaft angesiedelte Biographik ging. Ludwig und Zweig stellen sich ausdrücklich, wie wir noch sehen werden, gegen den historischen Roman – Zweig spricht verächtlich von »plumpe[r] Geschichtsfälschung« – und reklamieren für sich ›Wahrheit‹ und ›Wissenschaftlichkeit‹.[27] Ob damit tatsächlich solche entscheidenden Gegensätze zum historischen Roman formuliert sind, kann hier schon bezweifelt werden. Alfred Döblin hat mit guten Argumenten auf die besondere Leistung des historischen Romans verwiesen, indem er auf eine andere Form von ›Wissenschaftlichkeit‹ abhebt, die den Autor auszeichnet – »er ist in spezieller Legierung Psychologe, Philosoph, Gesellschaftsbeobachter« –, und »Parteilichkeit« fordert.[28] Daß auch mit dem historischen Roman das politische und gesellschaftliche Engagement, das Ludwig und Zweig sich zusprechen, verbunden sein kann, beweist neben Döblin vor allem Heinrich Mann. Auch Lion Feuchtwanger hat betont, daß man mit historischer Literatur eigentlich nur »Zeitgenössisches« aussagen wolle.[29]

Wir werden den Vergleich zum historischen Roman und seinen Autoren noch häufiger ziehen müssen, wollen aber vor allem noch einen Autor mit in die folgende Betrachtung aufnehmen: Werner Hegemann. Denn wenn von ›Parteilichkeit‹ und politischem Engagement die Rede ist, dann darf Hegemann, den Benjamin einen »Jakobiner von Heute« genannt hat, nicht fehlen.[30] Obwohl er als Architekt und enragierter Kritiker des inhumanen Städtebaus seine Zeitgenossen erregte (*Das steinerne Berlin,* 1930), so geriet er doch vor allem durch seine biographischen Werke ins Zentrum einer heftigen Diskussion um den Wert der historischen Persönlichkeiten. Wie Ludwig und Zweig gehörte er zu der Generation der um 1881 Geborenen, wie sie hatte er die Welt bereist (vor allem die USA, wo er auch als Architekt tätig war), aber anders als sie fühlte er sich vor allem als Publizist und weniger als Dichter. Seine Biographien können deshalb auch nur schwer mit denen von Ludwig und Zweig zusammen besprochen werden, da sie – bis auf das *Jugendbuch vom großen König* – in der Form »eines ungeschlachten Dialoges« sich präsentieren, dem

Benjamin aber »Haltung« zuspricht und den er mit Hobbes *Leviathan* vergleicht. [31]

In Hegemanns Biographien arrangiert die fiktive Figur des Manfred Maria Ellis – unter diesem Pseudonym war 1924 das erste Friedrich-Buch Hegemanns erschienen: *Iphigenie, Königsopfer, Friedrich II. als Werther und Reichsverderber* – Gesprächsrunden in seinem Haus, zu dem er die Kenner der historischen Gestalten – in diesem Fall: Friedrichs des Großen und Napoleons – einlädt und sie disputieren läßt. Der Reiz der Lektüre ergibt sich aus den kontroversen Stellungnahmen und den vom »Hausherrn«, der gern als advocatus diaboli auftritt und mit einer ungewöhnlichen Belesenheit ausgestattet ist, inszenierten Zuspitzungen, die zur Bewertung – meist allerdings zur *Ab*wertung – der historischen Figur drängen. [32] Nicht so sehr diese besondere literarische Gestaltung wird uns im folgenden beschäftigen, sondern Hegemanns politisch-soziales Anliegen, das sich besonders in der Idee vom notwendigen ›Heldensturz‹ manifestiert und das ihn mit Ludwig und Zweig – aber auch mit Döblin und Heinrich Mann – verbindet.

In dieser einleitenden Betrachtung wäre zunächst als das Wichtigste für die 20 er Jahre festzuhalten, daß in der unruhigen politischen Zeit anscheinend ein Bedürfnis nach historischer Vergewisserung bestand. Siegfried Kracauer, den wir für die 20 er Jahre immer wieder als ›Kronzeugen‹ bemühen können, da er ein ungewöhnlich scharfsichtiger Zeitgenosse war, hat schon 1930 in seiner kleinen Betrachtung *Die Biographie als neubürgerliche Kunstform* eine Erklärung dafür zu geben versucht: »Inmitten der erweichten Welt wird der Zug der *Geschichte* zum Element. Die Geschichte, die sich uns eingebrockt hat, taucht als Festland aus dem Meer des Gestaltlosen, Nichtzugestaltenden auf. Sie verdichtet sich dem heutigen Schriftsteller, der sie nicht wie der Historiker unmittelbar anpacken kann und mag, im Leben ihrer weithin sichtbaren Helden.« [33]

Die von Kracauer herausgestellte Differenz zum Historiker wird wahrscheinlich schon ein Reflex auf den Streit zwischen Literaten und Historikern sein, wie er sich Ende der 20 er Jahre abgespielt hat. Er soll den Ausgang der folgenden Betrachtungen abgeben, die ein literarisches Genre beschreiben wollen, das bis heute zu den erfolgreichsten auf dem literarischen Markt gehört und eine neue Art von Biographik darstellt. Die Neuauflagen, die Ludwigs und Zweigs Werke zur Zeit erleben, bringen eine aktuelle Note in diese historische Betrachtung. (Wobei sich Zweigs Biographien als die erfolgreicheren erweisen. [34]) Auch wenn wir uns im wesentlichen auf zwei Autoren beschränken, so können sie und ihre Biographien doch auch stellvertretend für ein neues Selbstverständnis von Schriftstellern historischer Literatur und für eine bestimmte Ausprägung dieser Gattung genommen werden. Im deutschsprachigen Raum vertritt in der Gegenwart am ehesten Richard Friedenthal diesen Typus; nicht zufälligerweise ist er der Nachlaßverwalter Stefan Zweigs.

a) ›Legitime‹ und ›illegitime‹ Geschichtsschreibung – Historiker und Literaten

Als im Laufe der 20er Jahre die Biographien zu einer erfolgreichen literarischen Gattung gediehen und ungewöhnliche Zustimmung fanden, zeigten sich die Fachhistoriker stark irritiert. Gewöhnt an eine historische Belletristik von Nichthistorikern, die sich nicht als Konkurrenz zur wissenschaftlichen Geschichtsschreibung empfand, sondern mit ihrer anekdoten- und romanhaften Ausschmückung mehr historisierende Trivialdichtung darstellte, die zudem auch »in ihrem politischen Grundgehalt der Einstellung der Fachwissenschaft entsprach«[1] und so die Rolle der Historiker als Meinungsbildner und Sprecher des Bildungsbürgertums nicht in Frage stellte, fühlten die Wissenschaftler sich nun mehrfach herausgefordert. Mit Erschrecken mußten sie registrieren, daß ihnen ein Teil ihrer Klientel verlorenging, da »auch sehr ernsthaft Bildung suchende und geschichtlich interessierte Laien historische Lektüre vorwiegend bei L[udwig] und Hegemann suchen.« (Mommsen)[2] Die modernen Autoren traten unmittelbar in Konkurrenz zur wissenschaftlichen Geschichtsschreibung, da sie einerseits auf dem wissenschaftlichen Anspruch ihrer Biographien beharrten und außerdem noch einen politischen hinzufügten, indem sie sich als Vertreter der Demokratie und Streiter für die neue Republik gegen die konservativen und meist noch monarchistisch gesinnten Historiker wandten. Die Reaktion der Historiker ist in mehrfacher Hinsicht aufschlußreich.

Sie deckt einmal die Unsicherheit der Fachwissenschaft auf. »Wie anders wäre die noch im Vollbesitz der Souveränität befindliche Wilhelminische Historie einem gefährlich werdenden Gegner aus dem literarischen und populärhistorischen Lager entgegengetreten« schreibt der Historiker Peter Schumann 1975.[3] Andererseits wird aus der Argumentation der Historiker auch ein relativ ungebrochenes fachwissenschaftliches Selbstverständnis erkennbar, da sich hierbei Positionen wiederholen, wie sie schon im 19. Jahrhundert vertreten wurden. Am aufschlußreichsten ist die zwar meist geleugnete, aber doch offensichtliche Verquickung der Wissenschaft mit politischen Vorstellungen. Wir haben deshalb bei Nachzeichnung dieses Streites mehrfache Überschneidungen zu beachten: Zwar steht einmal die Wissenschaftlichkeit zur Debatte, die sich auf das Problemfeld Kunst – Wissenschaft konzentriert, aber darüberhinaus geht es auch um handfeste politische Positionen.[4]

Die Diskussion um die literarische Biographie wurde im wesentlichen in den Jahren 1928 bis 1931 geführt. Aufsätze, Broschüren und Rezensionen variieren die Thematik, die mit dem Titel einer Schrift Wilhelm Mommsens am besten umschrieben wird: »›Legitime‹ und ›illegitime‹ Geschichtsschreibung«. Im Brennpunkt standen dabei die Biographien Emil Ludwigs und Werner Hegemanns, während die anderen Autoren meist am Rande blieben. Bei Stefan Zweig ist das damit erklärbar, daß seine großen Biographien erst während dieser Zeit entstanden. Seine biographischen Sammlungen, z. B. *Baumeister der Welt*, waren zudem nicht von der Brisanz wie die Biographien Ludwigs oder Hegemanns, da sie im wesentlichen Schriftsteller- und keine Politikerporträts enthalten und damit sich der seit dem 19. Jahrhundert vorherrschenden Aufgabenteilung in eine geistes- bzw. kulturhistorische und eine politisch-historische Biographik unterwarfen. Dennoch ist die starke Berücksichtigung, die Zweig und seine Biographien in unserer Untersuchung erfahren, gerechtfertigt, da seine Werke in besonderer Weise auch dem entsprechen, was in der Theorie der Biographik in diesen Jahren diskutiert wurde.

Ihren Höhepunkt erreichte die Auseinandersetzung zwischen Historikern und Literaten durch die gesonderte Veröffentlichung von Rezensionen aus dem renommiertesten Periodikum der Fachwissenschaft, der *Historischen Zeitschrift (HZ)*, im Jahre 1928: *Historische Belletristik. Ein kritischer Literaturbericht.* Hier wurden die 1928 im Band 138, Heft 3, erschienenen Rezensionen von Heinrich von Srbik über Emil Ludwigs und Werner Hegemanns *Napoleon,* von Ernst Posner über Hegemanns *Fridericus,* von Wilhelm Mommsen über Ludwigs *Bismarck,* von Fritz Hartung über Paul Wieglers *Wilhelm I.* und von Wilhelm Schüßler über Herbert Eulenbergs *Die Hohenzollern* abgedruckt, ergänzt durch die schon 1926 in der *HZ* (Bd. 133, H. 3) erschienene Kritik Hans Delbrücks zu Ludwigs *Wilhelm II.* und eine Einleitung von Wilhelm Schüßler. Emil Ludwig reagierte darauf mit einem Beitrag in der *Neuen Rundschau,* der dann vom Verlag auch kostenlos als Broschüre weitergegeben wurde, unter dem Titel: *Historie und Dichtung* (1929); als Unterstützung seiner Argumentation muß der Beitrag in der gleichen Zeitschrift von André Maurois *Die Biographie als Kunstwerk* verstanden werden (1929). Wilhelm Mommsen, der schon »vor allem sehr humoristisch im ›Tagebuch‹« (Mommsen) mit Ludwig die Klinge gekreuzt hatte[5], veröffentlichte ebenfalls 1929 seine schon zitierte Schrift »›Legitime‹ und ›illegitime‹ Geschichtsschreibung«.[6] 1930 bezogen so unterschiedliche Historiker wie der linke Eckart Kehr in der *Gesellschaft* mit *Der neue Plutarch. Die ›historische Belletristik‹, die Universität und die Demokratie* und der konservative Otto Westphal mit einer umfangreichen Publikation *Feinde Bismarcks* Stellung[7]; als »Laie« schaltete sich der reaktionär-nationalistische Niels Hansen mit einem Buch *Der Fall Emil Ludwig* in die Diskussion ein. 1931 folgte der Historiker und damalige Volksbibliothekar Adolf Waas mit einer »kritischen Auseinandersetzung mit Emil Ludwig«: *Historische Belletristik,* in den *Heften für Büchereiwesen.* [8] Als Ergänzung und Reaktion müssen noch Emil Ludwigs 1931 erschienene Erinnerungen *Geschenke des Lebens* mit dem aufschlußreichen Kapitel »Meine Werkstatt« hinzugenommen werden. In den Rahmen dieser Diskussion gehören auch der später erschienene historische Abriß der deutschen Geschichte von Hegemann (*Entlarvte Geschichte,* 1934), die theoretischen Schriften Stefan Zweigs (*Die Geschichte als Dichterin* und *Geschichtsschreibung von morgen,* 1946 posthum publiziert) und die Vor- bzw. Nachworte in den jeweiligen Biographien.[9] Eine notwendige Ergänzung stellen die Rezensionen in den Zeitschriften und Zeitungen dar, wo wir z. B. Überlegungen zur Biographik von Siegfried Kracauer (*Die Biographie als neubürgerliche Kunstform,* 1930) oder von Walter Benjamin über Hegemann (*Ein Jakobiner von Heute,* 1930) oder von Max Horkheimer *(Kategorien der Bestattung,* 1934) finden.[10]

Es wäre ermüdend und letztlich nicht von großem Nutzen, hier die einzelnen Schriften zu referieren. Sie werden jeweils an anderer Stelle in die Diskussion eingebracht. Zuerst sollen hier die Fachhistoriker – als die mächtigste Gruppe der Gegner – mit ihren Hauptargumenten vorgestellt werden, um daran anschließend in mehreren Kapiteln die theoretischen Positionen der Literaten und ihre praktischen Arbeiten zu untersuchen.

Wie bei Rezensionen von Historikern zu erwarten ist, haben alle Rezensenten sich mit der Wissenschaftlichkeit der literarischen Biographien beschäftigt und sind dabei einstimmig zu einer negativen Einschätzung gelangt. Einige Autoren haben sich dabei die Mühe gemacht, die einzelnen Verstöße säuberlich aufzureihen und in einen wissenschaftlichen Disput einzutreten; andere haben der Meinung Ausdruck gegeben, an dieses Genre sei ein weniger harter Maßstab anzulegen als an fachwissenschaftliche Arbeiten, haben aber dennoch ebenfalls ein vernichtendes Urteil gefällt. Die Rezensionen schwanken zwischen einem diskursiven und zurückhaltenden Stil und offener Empörung, die sich nicht selten in pauschalen Verurteilungen Luft schafft, wie es in Wilhelm Schüßlers Einleitung zum Sonderheft *Historische Belletristik* geschieht:

»Hier ist der Punkt, wo die Geschichtswissenschaft als Wissenschaft Protest gegen die neueste Literatur im Stile Hegemanns, Ludwigs, Eulenbergs u. a. erheben muß. Mag deren Darstellung noch so feuilletonistisch gehalten sein; das ist in diesem Fall unwichtig; die Behauptung dieser Literaten jedoch, daß ihre Machwerke Wissenschaft seien oder sie ersetzten könnten, ist zurückzuweisen. Denn keiner von ihnen hat den leisesten Begriff von Quellen und von deren methodischer Behandlung (die allerdings gelernt sein will); keiner ahnt etwas von dem Wesen der Kritik; keiner weiß, was historische Anschauung und Wertung ist; kurz, unsere Wissenschaft erlebt es, daß Dilettanten einbrechen und ihre Limonade als edlen Firnewein anpreisen.« (S. 7)

Wenn Begründungen erfolgen, so sticht neben den vielen Nachweisen einzelner Fehler ein Argument hervor: Zwar haben die Historiker nichts gegen eine biographische Geschichtsschreibung, da sie ihnen ja selbst am Herzen liegt, aber viel gegen die Reduzierung der historischen Persönlichkeiten auf ein ›Seelenporträt‹, wie es die angegriffenen Autoren tun. Srbiks Bedenken gegenüber Ludwigs *Napoleon* können stellvertretend für viele ähnliche Einwände zitiert werden:

»niemals aber ist ein Tatenmensch größten Formates in seiner seelischen und gedanklichen Haltung ohne beständige lebendigste Verflechtung mit seiner Epoche, mit ihren Einzelereignissen, die er geschaffen und die auf sein Denken, Fühlen und Wollen in jedem wechselnden Moment zurückwirken, zu begreifen; niemals ohne die großen überindividuellen Wandlungen, in die er hineingeriet, die ihn bestimmten und die er bestimmte.« (S. 596) [11]

Es ist auffällig und zugleich typisch für das Geschichtsverständnis der Rezensenten, daß sie einzig das Fehlen der historisch-politischen Komponenten bemängeln bzw. wie Srbik in allgemeinen Formulierungen (»überindividuellen Wandlungen«) verharren, dagegen nicht das Fehlen sozialhistorischer oder gar ökonomischer Einordnungen rügen.

Mit dem Problemkreis ›Individualbiographie‹, wie sie die Autoren fordern, versus ›politischer Biographie‹, wie sie die Fachwissenschaft wünscht, ist ein zentraler Punkt in der Theorie der Biographik erreicht; es wird eine gründliche Analyse in den folgenden Kapiteln dazu erfolgen müssen. In diesem Überblickskapitel können wir direkt auf einen weiteren Angriff der Fachhistoriker eingehen, der sich aus dem vorherigen ableiten läßt.

Einige Fachhistoriker akzeptieren scheinbar bereitwillig den Anspruch der Autoren auf eine psychologische Durchdringung ihrer Biographien, um daran anschließend auch hier die mangelnden Fähigkeiten der Schriftsteller herauszustellen. So spricht Srbik zwar Ludwig teilweise »die Fähigkeit des Einfühlens in die Psyche« Napoleons zu (S. 600), dagegen Hegemann die »Gabe des Nachfühlens, des Eindenkens und der schöpferischen Phantasie« ab (S. 603). Ähnlich reserviert beurteilen die anderen Rezensenten die Leistungen der Autoren auf dem psychologischen Sektor. Nicht selten wird der Vorwurf erhoben, die Biographien seien unpsychologisch, da die Autoren »Wesen und Wandlung der Persönlichkeit« (Hartung) meist nicht erkannt hätten (S. 624). Wilhelm Mommsen gibt dann in seiner Einzelschrift eine wichtige Erklärung für diesen Vorwurf, indem er auf die Notwendigkeit einer Einlagerung der Persönlichkeit in die Umwelt verweist: »Gerade diese Nichtberücksichtigung des Milleus macht Emil Ludwigs ›psychologische‹ Biographien nicht nur unmodern, sondern auch unpsychologisch.« [12] Am eingehendsten hat sich jedoch Adolf Waas dieser Frage zugewandt. Als Außenstehender hat er zudem einen guten Blick für die Schwierigkeiten der Historiker: »Der große Fehler war es, diese Charakterstudien als Geschichte anzusprechen.« [13] Daß eine solche Wertung erfolgen konnte, hängt mit dem Selbstverständnis der Fachwissenschaftler zusammen, da sich auch bei ihnen ein »Sinn für das Irrationale, für Charakter und Schicksal« (Srbik) gebildet hatte (S. 603). Auch wenn sie gegenüber der modernen Psychologie oder gar der Psychoanalyse große Skepsis zeigten, so waren sie dennoch durchaus einer ›Einfühlung‹ im Sinne Diltheys geneigt. [14]

Wenn sich so Gemeinsamkeiten bzw. nur graduelle Unterschiede zwischen Historikern und Literaten einstellen, die entscheidend durch die geisteswissenschaftliche Tradition erklärbar sind, so kann es nicht verwundern, wenn auch in der wichtigen Frage des Kunstanspruchs die Historiker nicht zurückstecken wollten. Fritz Hartung spricht Paul Wieglers *Wilhelm I.* ebenso die künstlerische Leistung ab (S. 623) wie Wilhelm Schüßler Eulenbergs *Hohenzollern* (S. 626). Srbik betont, Geschichtsschreibung sei immer zugleich »Wissenschaft *und* Kunst« (S. 594). Damit mußte das Selbstbewußtsein der Autoren stark strapaziert werden, da sie mindestens die Kunst für sich reklamieren wollten.

Mögen auch offensichtliche Mängel in Methode und Durchführung der Geschichtsschreibung die Hauptansatzpunkte einer Kritik der Historiker an den Biographien sein, so ist doch nicht zu übersehen, daß ihre Aversion auch durch politische Momente bestimmt ist. Zwar gefällt sich z. B. Srbik gegenüber Ludwig in der Attitüde des unparteiischen Beobachters, wenn er schreibt: »An Ludwigs Weltbild habe ich selbstverständlich keine Kritik zu üben« (S. 599), aber einige Seiten später, bei Hegemann, vergißt er diese Zurückhaltung: »Hegemann verfügt anscheinend nur über zersetzenden Verstand und über politische Tendenz.« (S. 603) Am eindeutigsten ist Wilhelm Schüßler in seiner Rezension über das Werk des »Linkspolitiker[s] Eulenberg« (S. 626), wenn er am Schluß die Frage stellt, »warum gerade Schriftsteller, Künstler, Literaten jeder Gattung eigentlich alle der plattesten Schlagwort-Linken angehören, oder: warum gibt es (oder gab es) keine geistige Rechte?« (S. 631) Er hat seine Empörung über die »demokratisch-sozialistische Tendenz« der Autoren im Vorwort zur Sonderausgabe wiederholt (S. 6) und dankenswerterweise auch zugleich seine Abneigung verdeutlicht: »Ihre Verfasser [...] sind höhnende, ungerechte, deshalb verständnislose und jetzt noch haßerfüllte Gegner des alten Kaiserreichs, das Bismarck errichtet hat.« (S. 7)

Wilhelm Mommsen hat sich in seiner Broschüre von solchen radikalen Tönen distanziert, ohne sich jedoch damit zur politischen Einstellung der Autoren offen zu bekennen. Ein solches direktes Bekenntnis scheint nur der linksliberale Veit Valentin abgelegt zu haben, der sich zwar 1927 mit Werner Hegemann eine kleine Leserbriefschlacht in der *Frankfurter Zeitung* geliefert hat, aber auch schreibt: »Hegemann will dem *republikanischen, großdeutschen, demokratischen Deutschland* von morgen dienen. Auch ich habe keinen heißeren Wunsch als diesen, auch aus diesem Wunsche heraus nehme ich hier Stellung zu Hegemanns Buch.« [15]

Im Zusammenhang mit der politischen Diskussion muß etwas zur Sprache kommen, was für das spätere Schicksal der Autoren von großer Bedeutung ist. Schon in der zitierten Äußerung Srbiks zu Hegemann fällt das Wort vom »zersetzenden Verstand«, das sich auf den Typus des linken Intellektuellen und wohl auch auf den jüdischen Geist beziehen soll. Bleibt Srbiks Aussage nur Andeutung, so ist Schüßler wiederum direkter und offener; er spricht vom »Wirken des jüdischen Geistes« (S. 631) und erhofft sich eine Rettung auch durch den George-Kreis, »weil nur aus dem Kampfe starker Kräfte jene lebendige Synthese hervorgehen kann, die wir brauchen, um unser Volkstum zu retten.« (S. 633) Solche Töne wurden dann von Niels Hansen in seinem *Der Fall Emil Ludwig* verstärkt, wenn er über den »Juden« Ludwig nachdenkt: »Häufige Eigenschaften seiner Rasse, das opportunistische Denken, die ungrüblerische, dem Nichtjuden oberflächlich erscheinende, geistreiche Gescheitheit, die aufgeklärte Weltanschauung sind stark ausgeprägt.« (S. 13)

Es müßte schon aus der knappen Referierung der Positionen deutlich geworden sein, daß es hier um keinen Wissenschaftsstreit allein ging. Der akademische Außenseiter Ekkart Kehr hat 1930 als einziger klar ausgesprochen, was vielen Historikern bewußt gewesen sein muß: »Aber die Geschichtsforschung griff nicht nur als ›gute‹ Wissenschaft die ›schlechte‹ Wissenschaft der Belletristen an, sie griff auch als Zunftwissenschaft die Außenseiter an und sie griff als parteipolitische Reaktion die politische Demokratie der Weimarer Verfassung an.« [16]

Um die Reaktion der Schriftsteller und auch ihre literarischen Werke besser zu verstehen, soll in einem Exkurs eine Skizze zur Situation der Geschichtswissenschaft in der Weimarer Republik folgen. Ohne diese Kenntnisse könnte sonst allzu schnell eine Verurteilung der Literaten erfolgen, gibt es doch in ihren theoretischen Stellungnahmen, ihren autobiographischen Zeugnissen und vor allem in ihren Werken viel Kritisierbares, das besonders dem heutigen Leser, dem damit ein Urteilen scheinbar leicht gemacht wird, ins Auge springt. Aber es kann nicht nur auf die Erkenntnisse einer Rezeptionsästhetik verwiesen werden, die uns belehrt, welche Unterschiede im Leseakt verschiedener Individuen sich ergeben, sondern mehr noch muß der Blick auf die realhistorische Situation der 20er Jahre gelenkt werden. Mit Robert Weimann sind wir der Meinung, daß der wirkungsgeschichtliche Aspekt sehr ernst genommen werden muß, daß mit ihm sich wertvolle und weiterführende Erkenntnisse einstellen können, daß aber vor allem auch die Entstehungsgeschichte studiert werden muß. Die »Geschichtlichkeit der Literatur« kann nur verstanden werden »aus der historisch-ästhetischen *Korrelation* von Entstehung und Wirkung«, und gerade in dieser engen Verbindung sehen auch wir die »eigentliche ›Schwierigkeit‹« unserer Aufgabe. [17]

Jede Kritik an den Literaten, will sie nicht nur ideologiekritisches Besserwissen sein, hat sich auch um Verständnis zu bemühen, d. h. nicht nur die politische und soziale Situation, sondern auch z. B. die konservative Ausrichtung der Geschichtsschreibung in Anschlag zu bringen, gegen die sich die Literaten aufgelehnt haben. Im besten Fall müßte es gelingen, ein Feld abzustecken, das Fähigkeiten und Möglichkeiten der Literaten gleichermaßen erkennen läßt, ihr Verhaftetsein am zeithistorischen Boden und ihre eigenständigen Wegmarkierungen aufwiese. Daß ihr ›Aufstand‹ z. B. nicht konsequent genug war und schließlich scheiterte, weil zuviel gerade von dem Verhalten sich bei ihnen behauptet hat, das auch bei den Historikern erkennbar ist und das z. B. auch den idealistischen Aufstand der Expressionisten geprägt hat, muß bewertet werden, darf aber gleichzeitig nicht unsere Anerkennung der Bemühung um einen Neuansatz verhindern.

Die meisten Autoren haben ihr Eintreten für die Demokratie nicht nur mit dem Verlust ihres schriftstellerischen Wirkens in Deutschland, sondern auch mit der Existenzvernichtung bezahlen müssen. Ihr demokratisches Bekenntnis, ihr kosmopolitisches Denken, ihr Pazifismus und Humanismus und nicht zuletzt ihr Judentum mußten 1933 die Nationalsozialisten zu harten Maßnahmen veranlassen. Am 10. Mai 1933 verdammte der fünfte Rufer auf dem Opernplatz in Berlin Emil Ludwigs und Werner Hegemanns Werke: »Gegen Verfälschung unserer Geschichte und Herabwürdigung ihrer großen Gestalten, für Ehrfurcht vor unserer Vergangenheit.« Der sensible Österreicher Stefan Zweig nahm sich 1942 im Exil in Brasilien das Leben.

So sehr unsere Achtung und unser Mitgefühl den Schriftstellern gebührt[18], so bleibt doch die Aufgabe, ihre Vorstellungen und literarischen Werke gründlich zu überprüfen, um den Mißverständnissen auf die Spur zu kommen, die sich im Demokratieverständnis dieser Intelligenz offensichtlich eingestellt hatten und die – bedingt durch den Massenerfolg ihrer Werke – eine verhängnisvolle Wirkung auf das zu entwickelnde demokratische und republikanische Bewußtsein des verunsicherten Mittelstandes ausübten. War bei den meisten Historikern nicht einmal die Absicht gegeben, sich für die Republik einzusetzen, ja begleiteten sie deren Zerstörung mit Häme, so klafften bei den Schriftstellern persönlicher Anspruch und literarische Realisation ungewöhnlich weit auseinander. So versteht sich die folgende Untersuchung nicht als aus dem historischen Abstand besserwisserisches Urteilen, sondern vor allem als Beitrag zur Geschichte eines demokratischen Selbstfindungsprozesses – und seines Scheiterns.

b) Exkurs: Die Historiker in der Weimarer Republik

Im Gegensatz zu den hier behandelten Literaten haben deren Gegner, die Fachhistoriker, keine so einschneidende Wandlung durch den 1. Weltkrieg erlebt. Moderne Untersuchungen gelangen fast übereinstimmend zu folgender Erkenntnis: »der Wechsel des politischen Systems induzierte keine wirkliche Neuorientierung der Fachhistorie; in der deutschen Historie der Epoche zwischen Kaiserreich und NS-Diktatur dominiert das bewußte Bemühen um Kontinuität gegenüber den Ansätzen einer Revision: in der politisch-gesellschaftlichen Grundposition, in der Themenwahl und in der Methologie der Geschichtsschreibung.« (Faulenbach)[1] Solche Beharrungstendenzen wurden einmal durch die konservative Struktur der Hochschulen ermöglicht; zum anderen verursachten gerade die Ansätze einer Verunsicherung, die die meist monarchistisch gesinnten Historiker zu Beginn der Republik erfuhren, verstärkte Bemühungen um Gruppenkonformität und Standesbewußtsein, wie es sich z. B. auf den Historikertagen oder in der Berufspolitik bekundete. Die gesteigerte Empfindlichkeit und die herabgesetzte Reizschwelle gegenüber den historisierenden Literaten sind jedoch Indizien für die Veränderung des Selbstverständnisses und für das wohl vorherrschende Gefühl, aus einer staatstragenden zu einer des starken öffentlichen Einflusses beraubten Gruppe geworden zu sein. Während sich bei vielen Intellektuellen und Vertretern des kulturellen Lebens durch die

Kriegserfahrung ein bewußteres politisches Denken und auch Handeln einstellte, das z. B. mit einer positiven Einstellung gegenüber Demokratie und Republik verbunden war, reagierten viele Historiker mit Trotz oder gar Verachtung. Weiterhin vertraten sie ihre Vorkriegspositionen, »daß der Parlamentarismus in Deutschland angesichts des historisch erklärbaren Fehlens eines gefestigten Nationalbewußtseins, der Zerklüftung des deutschen Parteiensystems und der vertikalen wie horizontalen Fragmentierung der deutschen Gesellschaft nicht eine integrierende, sondern eine auflösende Funktion habe«, wie Bernd Faulenbach diese Haltung zusammenfaßt. [2]

Einige Historiker konnten sich allenfalls zu Friedrich Meineckes berühmten Ausspruch von 1919 bekennen: »Ich bleibe, der Vergangenheit zugewandt, Herzensmonarchist, und werde, der Zukunft zugewandt, Vernunftrepublikaner.« [3]

Bernd Faulenbach hat in seiner Untersuchung zur Situation der Fachwissenschaft in der Weimarer Republik einen politischen Einordnungsversuch unternommen. Dabei hat sich ergeben, daß die meisten bekannten Historiker rechts bzw. gemäßigt rechts standen, so Hans Rothfels, Gerhard Ritter, Hans Herzfeld und Fritz Hartung. Eine mittlere Position nahmen die sogenannten ›Vernunftrepublikaner‹ wie Friedrich Meinecke, Hans Delbrück und Hermann Oncken ein. Für die Republik traten die liberalen, aber auch nationalgesinnten Wilhelm Mommsen, Otto Becker und Willy Andreas ein; hinzu kamen die Meinecke-Schüler Hajo Holborn, Hans Rosenberg und Felix Gilbert, die später emigrierten. Als linksliberale Vertreter nennt Faulenbach Veit Valentin, Johannes Ziekursch und Gustav Mayer. »Außerhalb der Zunft standen praktisch der als radikal empfundene Eckart Kehr und der Marxist Arthur Rosenberg.« [4] Für unseren Zusammenhang müßte noch hinzugefügt werden, daß die Historiker Otto Westphal, Heinrich von Srbik und Wilhelm Schüßler, die alle zu den heftigsten Kritikern der literarischen Biographien gehören, ebenfalls im rechten politischen Lager anzusiedeln sind.

Neben dem politischen gilt es außerdem auf den methodologischen Konservatismus abzuheben. Gemeint ist damit eine Geschichtswissenschaft, die sich im wesentlichen auf die politische – besonders die außenpolitische – Entwicklung der Staaten konzentriert, dabei die für die modernste Geschichtsforschung so wichtigen sozialen, ökonomischen und soziologischen Aspekte vernachlässigt. Statt einer heute propagierten ›Strukturgeschichte‹ wird einer individualitätsbezogenen Geschichte der Vorzug gegeben.

Dennoch darf man keine einheitliche Ausrichtung in der Geschichtswissenschaft nach dem 1. Weltkrieg annehmen. In der Methodologie sind doch Unterschiede zu erkennen. Wenn auch manche der folgenden Forschungsansätze sich jeweils mit anderen mischten bzw. überschnitten, so können wir doch einige Richtungen herausstellen: Es gab immer noch die strengen Positivisten, die eine wertneutrale und kausale Betrachtung der Geschichte anstrebten (diese meinten vor allem die Literaten, wenn sie den Historikern ihre Verachtung bekundeten); es gab aber auch immer noch die »politische Tendenzhistorie« (Meinecke) [5] der Kaiserzeit, die ihre politischen Ansichten recht unverblümt als Movens historischer Forschung einsetzte. Als jüngste Ausrichtung stellte sich die Ideengeschichte vor, die sich kulturellem und staatsphilosophischem Denken verpflichtet fühlte und in Friedrich Meinecke ihren überragenden Repräsentanten fand. Eine materialistische Geschichtswissenschaft, die sich auf soziale und ökonomische Bedingungen auch für die historische Entwicklung festlegte und sich damit gegen die herrschende individualisierend-beschreibende Historie wandte, fand nur wenig Zustimmung. [6] Die meisten Historiker hatten sich in dem Streit um Karl Lamprechts Forderungen nach Berücksichtigung der Kultur-, Wirtschafts-, Rechts- und Geistesgeschichte schon um die Jahrhundertwende auf den Primat der Politik und die Rankesche Ideenlehre festgelegt. Selbst das wissenschaftliche Renommee eines Max Weber konnte die Historiker nicht für eine sozialgeschichtliche Betrachtungsweise gewinnen. Die historische Fachwissenschaft hat im Gegenteil ihre starke Stellung an den Universitäten dazu benutzt, die Entwicklung der Politik- und Sozialwissenschaft zu behindern.

Im wesentlichen hatte sich das Individualitätsaxiom des Historismus über den 1. Weltkrieg hinaus behauptet: dabei ist nicht nur an eine personenzentrierte Geschichtsforschung zu denken – für die Weimarer Republik wäre auf die Bemühungen um die Figur des Reichskanzlers Bismarck zu verweisen [7] –, sondern auch an die sogenannten ›Kollektivindividuen‹, wie Staat und Nation, an Rankes *Große Mächte,* die er auch als »real-geistige Individualitäten« sah. Wir werden in den folgenden Kapiteln feststellen können, wie sehr – trotz heftigster Kontroversen – gerade durch dieses Individualitätsdenken die Einstellungen von Historikern und Schriftstellern konvergieren.

Da die Historiker in ihrer größeren Zahl konservativ und gegenüber der Republik skeptisch waren, blieben sie ihrer idealistischen Tradition verpflichtet und demonstrierten gern den »aristokratischen Charakter« ihrer Wissenschaft [8], indem sie ihre Arbeit z. B. als »Dienst am Göttlichen« (Meinecke) verklärten. [9] Eigentlich hätten sie deshalb zeitgeschichtlicher Forschung abhold sein müssen, doch der verlorene Krieg verdrängte solche Bedenken. Um nationale Reputation bemüht, wandten sie sich eifrigst der Kriegsschuldfrage zu, um Deutschlands Politik zu rechtfertigen; diese Diskussion schien zudem »ein Ansporn zu sein, von neuem die Politik Bismarcks und die Berechtigung der geistigen Tradition Deutschlands zu verteidigen« (Iggers) [10]; sie diskutierten und klagten auf ihren Historikertagen über die verlorenen Reichsgebiete und suchten Kompensation in dem Wunsch nach Anschluß Österreichs an das Reich; auf dem Historikertag 1924 ließen sie den Kaiser hochleben, 1927 konnte in einem Schlußwort ein Bekenntnis zur völkischen Idee abgelegt und 1932 eine Debatte über den Osten (besonders Polen) als »Dienst am Volksganzen« (Brandi) bezeichnet werden. [11] Bernd Faulenbach hebt hervor, daß »Wahl und Behandlung der Themen der neueren und neuesten deutschen Geschichte zeigen, wie stark der politisch-gesellschaftliche Standort die erkenntnisleitenden Interessen der Historiker determinierte.« [12] Wenn auch damit nicht alle Historiker der Weimarer Republik zu Nationalisten gestempelt werden sollen, so waren doch die meisten durch ein traditionelles Nationalstaatsdenken geprägt und »blieben dem idealistischen Erbe bis zum Zusammenbruch des Nationalstaates 1945 meistens treu, obschon die geistigen und sozialen Grundlagen ihres Glaubens mit der modernen Wirklichkeit kaum noch etwas zu tun hatten« (Iggers). [13]

Mit diesem ›idealistischen Erbe‹ war bei vielen Historikern eine »Furcht vor revolutionären Massen, vor Nivellierungs- und Egalisierungstendenzen, allgemein vor sozialem Wandel und gesellschaftlicher Modernisierung« (Faulenbach) verbunden. [14] Die jüngste Wissenschaftsgeschichte hat deshalb im Blick auf das Verhältnis der Historiker zum NS-Staat festgestellt: »Die deutsche Geschichtswissenschaft hat gegenüber dem NS-System geistig versagt, weil sie schon längst vor Hitler, von wenigen, denkwürdigen

Ausnahmen abgesehen, sich kaum mit der gesellschaftlichen Analyse der politischen Erscheinungen, den innenpolitischen Voraussetzungen und Motiven außenpolitischer Machtentfaltung beschäftigt hatte.« (K. F. Werner) [15]

c) Biographie als »Seelenkunde«

In ihrem Bestreben sich von der konservativen Fachhistorie abzusetzen und den Blick auf neue Dimensionen in der Biographik zu lenken, haben Autoren wie Ludwig und Zweig die Psychologie für die Biographie in den Vordergrund geschoben. Jan Romein, der ihnen viel Sympathie entgegenbringt, kann deshalb »als wichtigste Kennzeichen der ›modernen‹ Biographie unterscheiden«: » 1. die Unbefangenheit des Biographen, 2. sein psychologisches Einfühlungsvermögen, 3. die komplizierte Struktur des seelischen Bildes.« (S. 63)

Daß die Autoren dabei in einem breiten Strom mitschwammen, hat Emil Ludwig nicht verheimlicht, stellt er doch in seiner Replik an die Historiker, *Historie und Dichtung*, die rhetorische Frage: » Wie, wenn die alte Schule die Wendung der gesamten Kulturwelt zur Seelenkunde hin doch ein wenig verschlafen hätte? « [1] In ihrer selbstgewählten Mittelstellung zwischen Kunst und Wissenschaft partizipierten die Biographen damit an Entwicklungen auf beiden Seiten; wobei der Begriff ›Seelenkunde‹ ein breites Spektrum umfaßt.

Hatte den modernen Schriftsteller, besonders den Romancier, seit dem 18. Jahrhundert die psychologische Durchdringung seiner Helden gereizt, so wächst um 1900 dieses Interesse noch an und erfährt zugleich durch die Psychoanalyse eine Erweiterung. Autoren wie Thomas Mann und Arthur Schnitzler, später Arnold Zweig – er korrespondierte 1934 mit Sigmund Freud über die Abfassung einer *Nietzsche*-Biographie [2] – und Gottfried Benn, der sich dem Genieproblem zuwandte, zeigen sich an psychologischen und psychoanalytischen Fragestellungen interessiert. In wissenschaftlichen Periodika wie *Imago* (seit 1912) und später dem *Jahrbuch für Charakterologie* (seit 1925) finden wir anschauliches Material für eine emphatische Zuwendung zur Persönlichkeitsforschung und -theorie: [3] Psychogramme von Dichtern, bildenden Künstlern und Politikern werden von so bekannten Psychologen wie Eduard Hitschmann und Josef Sadger verfaßt und lassen sich als Ausdruck der Bemühungen einer Gesellschaft um Selbsterforschung und Selbstbestimmung verstehen: » Nie war der Mensch neugieriger auf sein eigentliches Ich, auf seine Persönlichkeit, als in diesem unseren Jahrhundert der fortschreitenden Monotonisierung des äußeren Lebens«, schreibt Stefan Zweig 1931 in seinem *Freud*-Essay. [4]

Neben die seit dem 19. Jahrhundert traditionelle psychisch-physiologische Ausrichtung treten nun noch die Psychoanalyse, die Gestalt-, Typen- und Ausdruckslehre und die Charakterologie. 1903 erscheint Otto Weiningers *Geschlecht und Charakter*, 1910 Ludwig Klages' *Prinzipien der Charakterologie,* 1921 Ernst Kretschmers *Körperbau und Charakter*. Kretschmers Versuch einer biologisch fundierten ahistorischen Typik tritt noch eine funktionspsychologische Typenlehre zur Seite, wie sie z. B. C. G. Jungs Aufteilung in extra- und introvertierte Typen darstellt. [5]

Für die Entwicklung der Biographik sind die sogenannten ›Psychopathographien‹ von Interesse, wie sie durch die Forschungen der Franzosen Jacques-Joseph Moreau und Benedict Augustin Morel und besonders durch den weltweiten Erfolg der Arbeiten des Italieners Cesare Lombroso angeregt wurden: 1864 erschien dessen *Genio e follia* (1887 als Reclamband: *Genie und Irrsinn*) und 1897 *Genio e degenerazione* (1910: *Genie und Entartung*), wo Lombroso Psychopathographien von z. B. Napoleon, Byron, Zola und Poe vorlegte. (In Deutschland sorgte Max Nordaus *Entartung*, 1892/93, für eine Popularisierung dieser Ideen.) Ohne auf bestehende Unterschiede einzugehen, seien im folgenden kurz einige Beispiele für die Wirkung in Deutschland genannt: Am bekanntesten sind die Arbeiten von Paul Möbius, der Psychopathographien z. B. über Rousseau, Schopenhauer, Nietzsche und Goethe um die Jahrhundertwende verfaßte; 1910 erschien Wilhelm Weygandts *Abnorme Charaktere in der dramatischen Literatur: Shakespeare, Goethe, Ibsen, Gerhart Hauptmann*; 1922 von Karl Jaspers *Strindberg und van Gogh*, 1930 Hanns Sachs' *Bubi. Die Lebensgeschichte des Caligula*. Auch Wilhelm Lange-Eichbaums umfangreiches und bis heute immer wieder aufgelegtes Werk *Genie. Irrsinn und Ruhm* (1928) und Ernst Kretschmers *Geniale Menschen* (1929) gehören in diesen Rahmen. [6]

Das wichtigste Beispiel einer psychoanalytischen Analyse von historischen Personen liegt uns von Sigmund Freud in seinem *Eine Kindheitserinnerung des Leonardo da Vinci* (1910) vor, wo Freud mit den Methoden einer klinischen Psychoanalyse eine »Erklärung der Hemmungen in Leonardos Sexualleben und in seiner künstlerischen Tätigkeit« zu geben versucht. [7] Posthum ist noch eine Studie zu Woodrow Wilson erschienen (1967), die Freud zusammen mit dem amerikanischen Botschafter in Berlin, W. C. Bullitt, Anfang der 30er Jahre verfaßt hat. [8]

Psychoanalytische Arbeiten zu historischen Persönlichkeiten sind inzwischen so zahlreich geworden, daß wir hier nur auf die Sammlungen von Alexander Mitscherlich und Johannes Cremerius verweisen können. [9] Ein Name verdient jedoch noch eine Hervorhebung, da durch ihn diese Forschungsausrichtung Popularität gewonnen hat: Erik H. Erikson. Die Studien des amerikanischen Psychoanalytikers, z. B. zu Hitler, Gandhi und besonders zu Luther, haben auch in Deutschland ein großes Lesepublikum gefunden. [10] Im *Luther* (1958; dt. 1970) führt uns Erikson in einer glänzenden Mischung von wissenschaftlich-kritischer Analyse und behutsam-phantasievoller Einfühlung, von Spekulation und spannender Darstellung die Identitätskrise des jungen Reformators vor.

Wenn sich die Verfasser der literarischen Biographien in den 20er Jahren auf die von ihnen betriebene Psychologisierung berufen, so ist das also kein singuläres Phänomen. Andererseits haben sie durchaus einen eigenständigen Weg gesucht: Sie blieben skeptisch gegenüber der Psychoanalyse und beriefen sich lieber auf die dem Künstler eigene Einfühlungsgabe. Sprechen die Autoren von »Seelenkunde« (Ludwig) oder der »seelische[n] Wahrheit«, wie Zweig im Vorwort zu *Marie Antoinette,* oder geben sie vor, das »Bildnis eines mittleren Charakters« (Untertitel von *Marie Antoinette*) zu entwerfen oder »aus rein seelenwissenschaftlicher Freude« zu schreiben, so Zweig im Vorwort zum *Fouché,* so spüren wir zwar überall die Nähe zur wissenschaftlichen Psychologie und besonders zur Charakterologie, dürfen uns andererseits aber nicht täuschen lassen und eine angewandte wissenschaftliche Psychologie vermuten. Was die berühmte psychographische Methode dieser Autoren ausmacht, ist im wesentlichen Laienpsychologie, »freie und beschwingte Kunst der Seelenschau« (Zweig). [11] Die Autoren konnten sich aus ihrem Selbstverständnis heraus nicht für eine klinische Psychoanalyse, methodische Psychologie oder empirische Charakterkunde begeistern.

Stefan Zweig hat Freud bewundert, ihn auch persönlich kennengelernt, sich aber doch vorsichtig von der Psychoanalyse distanziert. Er sei »unabhängig geblieben«, schreibt er im Vorwort zu seiner Essaysammlung *Die Heilung durch den Geist* (1931), die sein *Freud*-Porträt enthält. [12] Emil Ludwigs 1946 erschienenes Buch *Der entzauberte Freud* steckt dagegen voller Aggressionen und Überheblichkeiten und lehnt Freuds Methode für die Biographie ebenso ab wie der Aufsatz *The Ethics of Biography* von André Maurois (1942). [13] Damit ergibt sich schon eine erste Übereinstimmung zwischen Fachhistorikern und Literaten, denn auch dort gab es mehr Ablehnung – sogar Eckart Kehr sprach von der »psychoanalytischen Dekadenz« – als Zustimmung. (Diese Einstellung hat sich bis heute nur geringfügig verändert.) [14] Die Verfasser literarischer Biographien werden es mehr mit André Maurois gehalten haben, der Mark Longaker zustimmend zitiert: »As a matter of fact every good biographer is a good psycho-analyst, but every good psychoanalyst is not necessarily a good potential biographer.« [15]

Statt auf empirischer Basis zu arbeiten, die Subjekt-Objekt-Relation und die damit einhergehenden ›Übertragungs‹phänomene zu beachten, Rationalität und intersubjektive Überprüfbarkeit, kurz: Wissenschaftlichkeit anzustreben, betonen die Autoren lieber das Wesensverwandte – Zweig fühlt sich seinen Gestalten »zutiefst verbunden« und Ludwig den seinen »irgendwie verwandt« [16] – und sind der Meinung, der Biograph müsse eben »a better connoisseur of human nature« sein als andere (Maurois). [17] Wie er zu solchen Einsichten in die Psyche historischer Personen gelangt, hat uns Emil Ludwig recht drastisch beschrieben:

> »Und ist es denn so schwierig, die Gefühle anderer vorzustellen? Hat nicht jeder, der Schreibende wie der Lesende, nach irgend etwas gestrebt, das nur in den Maßen, nur vor den Menschen und nicht vor Gott sich von dem unterscheidet, was die größten Männer der Vorzeit erstrebten?
>
> Sollte ich die Gefühle eines Königs mir vor- und anderen darstellen, der zwischen zwei streitenden Ministern zu entscheiden hatte, so dachte ich an meine Lage, als sich einmal der Gärtner mit der Köchin verzankt hatte, denn menschlich waren die Situationen ähnlich. Gelingt es mir, Streben und Ehrgeiz Bismarcks in menschliche Elemente so aufzulösen, daß alle starren Formeln der Geschichtsschreibung in diesem Golfstrom schmelzen, so fühlt sich der Lehrer, der Schankwirt, die Näherin getroffen; denn wenn sie auch nicht nach der Macht über das Deutsche Reich streben und nicht nach der Einigung der deutschen Stände, so strebt doch einer nach dem Rektorposten, der andre nach der Vereinigung mit dem Café nebenan zur Minderung der Kosten, und die Näherin denkt vielleicht, daß ihr Chef manchmal auch Launen hat und unausstehlich ist, wie König Wilhelm in diesem Kapitel.« [18]

Man könnte hier von einer demokratisierten Einfühlungstheorie sprechen: Ist Diltheys Idee des »Hineinversetzens«, der »Transposition«, als »höchste Art, in welcher die Totalität des Seelenlebens im Verstehen wirksam ist – das Nachbilden oder Nachleben« [19] ein elitärer Akt, der ›Kongenialität‹ voraussetzt, so glauben die Biographen an die Einfühlungsfähigkeit aller dazu bereiter Menschen. Sie erweitern den einlinigen Subjekt-Objekt-Bezug noch durch den ergänzenden Vergleich auch mit anderen Personen, wie es Ludwig beschrieben hat und wie es ebenso André Maurois meint: »He may find either in his own experience, or in the lives of other people he observed or wrote about, ideas, situations, reactions, very similar to those of the hero.«[20] Dennoch geraten die Biographen in die gleichen Schwierigkeiten wie die Diltheysche Verstehenslehre, die das »Nacherleben des Fremden« »durch Rückbeziehung auf die Erlebnisse der eignen Person« gefördert sieht.[21] Notwendigerweise muß sich damit eine enge Verflechtung von Gegenwart und Vergangenheit, von Autobiographie und Biographie einstellen: »Der literarische Ausdruck dieser Besinnung des Individuums über seinen Lebenslauf ist die Selbstbiographie. Indem aber diese Besinnung über den eigenen Lebenslauf auf das Verständnis fremden Daseins übertragen wird, entsteht die Biographie als die literarische Form des Verstehens von fremdem Leben.«[22] Wenn bei Dilthey eine »Intimität des Verstehens« als möglich erscheint, so dürfen wir nicht auf puren Subjektivismus schließen, denn – wie schon im Kapitel zur Biographik im 19. Jahrhundert betont wurde – bei ihm spielt die gründliche wissenschaftliche und historische Einlagerung eine überaus wichtige Rolle und erhält so die Funktion eines Korrektivs für den subjektiven Erkenntnisprozeß.[23] Das Fehlen der historischen Welt und die Vernachlässigung der Wissenschaftlichkeit, beides wird in eigenen Kapiteln noch thematisiert, führt bei den ›modernen‹ literarischen Biographen zu einer Steigerung des subjektiven Moments. Daß die Autoren sich solcher Verengung nicht bewußt geworden sind, liegt nicht zuletzt daran, daß sie sich gerade auf die historische Wissenschaft beziehen konnten, wo z. B. für die Biographik die geisteswissenschaftliche Intuitionslehre zur Wirkung kam. Droysen schreibt in seiner *Historik*: »Die Biographie kann nicht anders, als sich in die Persönlichkeit, die sie darstellt, gleichsam hineinleben, um ihre Empfindungsweise, ihren Gedankenkreis, ihren Horizont zu gewinnen, sie darstellend gewissermaßen aus ihr selbst heraus zu sprechen.«[23a] Hatte Droysen aber gleichzeitig, wie wir schon gezeigt haben, seine Bedenken gegen die bewußte künstlerische Gestaltung angemeldet, so verwischt ein Mann wie Friedrich Meinecke, der zu den bekanntesten Historikern des 20. Jahrhunderts zählt, die Grenzen, wenn er feststellt:

> »Es gilt, sich in die Seelen der Handelnden dabei selbst zu versetzen, von ihren Voraussetzungen aus ihr Werk und ihre Kulturleistung zu betrachten und letzten Endes durch künstlerische Intuition ihr vergangenes Leben neu zu beleben, was ohne Transfusion eigenen Lebensblutes nicht möglich ist. Nur ein allem Menschlichen liebevoll und duldsam geöffneter Sinn wird dabei denjenigen Grad von Objektivität erreichen, der überhaupt möglich ist.«[24]

Steckt darin auch ein Kern richtiger Erkenntnis, da Anteilnahme das Verstehen durchaus fördern kann, so besteht bei diesem Verfahren jedoch die Gefahr, sich im Subjektivismus zu verlieren. Das folgende Zitat von Lion Feuchtwanger demonstriert nicht nur die Nähe der Dichter zu geistesgeschichtlichen Positionen, sondern zugleich auch eine zunehmende Verengung. »Ich habe keine Berührung mit irgendeiner historischen Person«, so zitiert Feuchtwanger zustimmend George Bernard Shaw, »als in dem Teil von ihr, der auch ich selber bin. Dieser Bruchteil ist alles, was ich von ihrer Seele erfahren kann.«[25] Ludwig und Zweig haben ebenso gedacht; jener stellt fest: »Je mehr Menschen einer in sich trägt, um so mehr kann er aus sich herausstellen«, und dieser bestimmt den Schriftsteller in der klassischen Vorstellung als »Seher«.[26]

Wenn autobiographische Elemente so stark Einfluß nehmen auf den Erkenntnisvorgang und die Darstellung fremden Lebens, dann besteht im Idealfall tatsächlich die Möglichkeit einer (annähernden) Erfassung der intimsten Strukturen der Persönlichkeit, wenn es eine Art ›Sympathieschiene‹ gibt, die es dem Autor ermöglicht, die seelischen Vorgänge seines Helden ›nachzufühlen‹, kongenial zu erfassen. Doch bedürfte es einer gründlichen Analyse jeder Biographie – z. B. von Stefan Zweigs *Erasmus*, da er selbst von einer »verschleierte[n] Selbstdarstellung« spricht[27] – zur Bestätigung dieser These. Es spricht allerdings vieles dagegen, daß *alle* Biographien eines Autors diesem Prinzip gehorchen, auch wenn Ludwig eine jeweils »stürmische Passion« für die Abfassungszeit seiner Porträts behauptet.[28] Siegfried Kracauer hat in seinen Überlegungen zur Geschichtsschreibung in jüngster Zeit gegen die Historiker argumentiert, die sich ebenfalls auf die »Sympathie« berufen, und deren Schwierigkeiten markiert. Gegen ihren Hauptvertreter Robert George Collingwood wendet er ein:

> »Er behauptet, Historiker sollten sich lieber auf Ereignisse und Entwicklungen konzentrieren, zu denen sie eine echte Affinität vorweisen. [...] was geschieht mit jenen Teilen der Vergangenheit, die keine Sympathiesaite in ihm anschlagen? Fallen sie der Vergessenheit anheim? Hinzu kommt, daß die Devise, zu der Collingwood Zuflucht nimmt, auf dem Glauben beruht, daß Liebe sehen macht. Mit Recht. Jedoch trifft das Gegenteil ebenso zu, zumal in dem Fall, wo die Liebe mit Gegenwart-Interesse sich unzertrennlich paart. Dann wird aller Wahrscheinlichkeit nach die Affinität eines Historikers zu seinem Thema ihn eher blind machen, als ihm die Augen zu öffnen für seine spezifischen Vorzüge.«[29]

Die verkappte Autobiographie als Grenzfall einer Biographie steht so immer in der Gefahr, grobe Verzeichnungen vorzunehmen. Die Konzentration auf die Seele hat schon Herder veranlaßt zu warnen, indem er den Verzicht bei einer Darstellung eines Menschen auf »Thaten und Handlungen, die bis auf die kleinsten Nüancen, Verräther seiner Seele sind«, beklagt, weil damit allzuleicht die Biographie zum »Roman ihres Autors« gerate.[30] In der modernen Theorie der Biographik ist diese enge Verknüpfung immer wieder diskutiert worden. Selbst ein Biograph wie Harold Nicolson schreibt in seinem Plädoyer für *Die Kunst der Biographie:* »Der Biograph muß daher sorgfältig vermeiden, daß seine eigene Persönlichkeit diejenige, die er zu beschreiben unternimmt, nicht [sic!] allzu aufdringlich überdeckt«.[31]

Es wäre falsch, vom Biographen zu verlangen, die emotionale Bindung an seinen ›Helden‹ zu verleugnen, denn geschichtliche Erkenntnis kann dadurch, wie schon gesagt wurde, dennoch gefördert werden. Doch wie der »Kultus des Genies«, den Droysen an den Biographien seiner Zeit tadelt[32], eine Art ›Boswell-‹ bzw. ›Eckermann-Effekt‹ erzeugen kann, d. h. eine kritiklose und ehrfurchtsvolle Haltung, die zur Hagiographie führt, so gerät die Biographie als verkappte Autobiographie in die Gefahr, Grenzen zu verwischen: »die Grenze zwischen Forscher und seinem Gegenstand ist nicht mehr zu ziehen, die Biographie ist dann ›an image of an image of himself‹ (d. i. des Biographen) ›and of his identifications and distortions‹« (Groeben).[33]

Wissenschaftlichkeit, die die Literaten ja ausdrücklich anstreben, erfordert also Einsicht in solche Phänomene. Bekennt sich Sigmund Freud in seiner Einleitung zu der *Woodrow-Wilson*-Studie zu diesen Gefährdungen: »wenn sie [die Darstellungen – H. S.] auch nicht ohne Beteiligung starker Affekte entstanden sind, so haben diese Affekte doch eine ausgiebige Bändigung erfahren«[34], so verweigert sich z. B. Emil Ludwig solchen Einsichten und macht aus der Not sogar noch eine Tugend: »Dabei spielen meine Sympathien für oder gegen Frauen und Männer in jeder Schattierung mit hinein, die auf analoge

Erscheinungen in meinem Leben zurückgehen. So geht es allen, nur daß es die Professoren in priesterlicher Würde leugnen. Welcher Porträtist hätte sich nicht in seinen Bildnissen mitgemalt?« [35] So berechtigt Ludwigs Vorwurf gegen die Historiker ist, so verstellt er sich jedoch damit die Sicht auf das eigentliche Anliegen seiner Biographien. Denn der Streit um die Wissenschaftlichkeit gibt den falschen Kampfplatz ab; ein Mann wie Alfred Döblin hat sich auf solche Auseinandersetzung deshalb auch gar nicht eingelassen und die ›Wahrheit‹ auch beim Schriftsteller gesehen. [36] Da es den Autoren vor allem um die ›Botschaft‹ bei ihren Biographien ging, hätte die Art und Weise, wie diese den Leser erreicht, eigentlich keine Rolle spielen müssen. Gerade bei Heinrich Mann haben wir auch die autobiographischen Elemente in seinem *Zola* erkannt, aber zugleich hat Mann damit ein Programm befördert, die Demokratie; dagegen mangelte es Gundolfs *Hutten* an jeder Präzisierung seines Ziels. In der hier zu behandelnden Biographik der Ludwig und Zweig finden wir nun eine Mischung beider Positionen: sie übernehmen den *Anspruch* Heinrich Manns und bieten in den Biographien Gundolfs *Unbestimmtheit*. Denn um nichts anderes handelt es sich bei dem Primat der ›Seele‹: er verschiebt Gundolfs Vorrang des Geistigen nur ins Psychische, schafft aber einen ähnlichen Innenraum, dem der Weltbezug abgeht.

Mit der ›Affinitäts-‹ bzw. ›Einfühlungs‹theorie hat sich der Anspruch an den Biographen verändert: Einerseits kann sich der Biograph auf seine Subjektivität berufen und so auf den philologischen Legitimationszwang verzichten, zum anderen wertet er dabei seine Rolle sogar noch auf, indem er sich und seine Interpretation mit der Aura des Porträtierten adelt. Hat Wilhelm Dilthey – trotz der gefährlichen Beziehung, die er zwischen ›Erleben‹ und ›Verstehen‹ konstruierte – dem Biographen eine hohe Verantwortung zugewiesen und dabei noch auf die Verbindung der subjektiv-intuitiven Vorgehensweise mit einer philologisch-historischen Methode bestanden [37], so ist in seiner Nachfolge allzuoft nur noch die subjektive Seite berücksichtigt worden. Im George-Kreis wird die Reduktion des äußeren Menschen betrieben, an die Stelle des ›Bios‹ tritt der ›Mythos‹; nicht mehr die biographischen Details und die historischen Zustände sind wichtig, sondern einzig der ›Geist‹, die ›Idee‹, das ›Wesen‹, die ›Gestalt‹. Weitere beliebte Begriffe im George-Kreis, wie ›Einbildungskraft‹, ›Schöpfertum‹, ›Phantasie‹, ›Dämon‹, ›Genius‹, ›Seele‹, finden wir auch bei Ludwig und Zweig wieder. Damit erweist sich die Macht der neuromantischen Vergangenheit der Autoren, die einen Übertritt zur Neuen Sachlichkeit erschwerte.

Vergleichen wir die Überschriften in Gundolfs *Goethe* – »Sinn und Werden«, »Bildung«, »Entsagung und Vollendung« – mit denen in Ludwigs *Goethe*, so finden wir nicht nur die Dreiteilung wieder, sondern auch deutliche Anklänge in der Sprache: »Genius und Dämon«, »Erdgeist« und »Tragischer Sieg«. Auch bei Stefan Zweig können wir vielfältige Belege für solche Übereinstimmungen finden, gehört doch das Wort »Dämon« z. B. zu seinen Lieblingsvokabeln. Seine »drei heroischen Gestalten« Hölderlin, Kleist und Nietzsche, die der Essayband *Der Kampf mit dem Dämon* zusammenfaßt, sind für ihn »Hörige, sind [...] Besessene einer höheren Macht, der dämonischen.« [38]

Dennoch sind die ›modernen‹ Biographien nur bedingt mit den Mythographien des George-Kreises zu vergleichen; am ehesten möglich ist ein Vergleich noch bei den biographischen Essays von Stefan Zweig, da hier auch geistes- und kulturgeschichtliche

Aspekte ins Blickfeld geraten. Es ist jedoch aufschlußreich für die Entwicklung der Biographik, Ähnlichkeiten und damit Traditionskohärenz und Unterschiede und damit Traditionsbrüche aufzuweisen.

Auffällig ist bei beiden Autorengruppen die ähnliche Anspruchshaltung: Hier wie dort finden wir die gleiche Verachtung der annalistisch-philologischen Methode und dafür die Hochschätzung der Geschichte als »Seelenwissenschaft und Seelenkündung« (Bertram). [39] Solche Gemeinsamkeiten sind durchaus auch von Zeitgenossen gesehen worden; auf dem Historikertag 1930 in Halle hielt es Ernst Kantorowicz deshalb für nötig, sich von den »historischen Belletristen« zu distanzieren. [40] Tatsächlich sehen aber die Ergebnisse der jeweiligen »Seelenkunde« (Ludwig) sehr verschieden aus. Bertram z. B. ist sich bewußt, daß er ein vergangenes Leben niemals restlos erfassen kann, und setzt dafür seinen ›Legenden‹-Begriff ein. Einmal ist das im Sinne einer modernen Rezeptionsästhetik zu verstehen, für die Bertram also ein früher Zeuge wäre, die auf die subjektive Aneignung der Traditionselemente verweist, zum anderen deckt sich hier auch ein Individualitätsverständnis auf, das sich aus der Tradition des Historismus herleitet. Ranke hat im Zusammenhang mit Wallenstein vom notwendigen »Dunkel menschlicher Antriebe« gesprochen und damit auf das letztlich Unausdeutbare im Individuum angespielt. [41] Am treffendsten manifestiert sich diese Einstellung in Goethes Ausspruch, den Dilthey als Motto seinem *Schleiermacher* vorausschickt: »Individuum est ineffabile«. [42]

Wo die George-Schule sich im kongenialen Nachfühlen übt und damit Nähe sucht, aber zugleich auch Überhöhung und Zeitlosigkeit und damit Distanz herstellt, da suchen die literarischen Biographien nur noch die Nähe. Hier kommt etwas von dem wissenschaftlichen Ehrgeiz einer Psychologie ins Spiel, die sich der innersten Antriebe des Menschen vergewissern will. Mit Recht spricht Walter Benjamin davon, Ludwig versuche für sich und den Leser, den Helden innerlich total zu erfassen: »Er verleibt ihn sich ein, er saugt ihn auf, es bleibt nichts.« [43]

Zwar konstruiert der George-Kreis eine bedenkliche Leib-Seele-Einheit und verstellt sich damit den Blick für viele Aspekte der individuellen Leistungen, aber dennoch sind mit solcher Einseitigkeit durchaus überzeugende Erkenntnisse möglich, wie z. B. die Arbeiten von Kommerell beweisen, die selbst dem kritischen Walter Benjamin Respekt abringen. [44] Die bewußte Versenkung ins ›Sein‹, das für die Georgeaner gerade im Werk sich manifestiert, hat immerhin so beachtliche Erfolge erzielt, daß auch der marxistische Literaturhistoriker Hans-Heinrich Reuter Conrad Wandreys *Fontane* (1919), der sich dem George-Kreis verpflichtet zeigt, anerkennt:

>»Der radikal unhistorischen Konzeption Wandreys zum Trotz – bei einem Buch über Fontane, wie man glauben soll, ein Widersinn, ja eine Unmöglichkeit –, antwortete doch auf dessen einseitig ›seelenkundlich‹ gerichtetes Fragen nach Ursprung und Wesen der Kunst Fontanes immerhin so viel in dessen Werk, daß daraus zwar kein Gesamtbild des Menschen und Schriftstellers, aber doch eine Reihe verständnisvoller und in zahlreichen Detailbeobachtungen auch treffender Einzelskizzen aneinandergefügt werden konnte.« [45]

»Die Darstellung der einzelnen psycho-physischen Lebenseinheit ist die Biographie«, so heißt es bei Dilthey. [46] Im George-Kreis ist daraus eine verschwommene, sich bewußt mysteriös präsentierende ahistorische ›Gestaltpsychologie‹ geworden, die aber immerhin Facetten der geistigen Leistungen – und damit auch etwas Singuläres – erfaßt; dagegen verzichten Ludwig und Zweig weitgehend auf die künstlerischen, politischen und sonstigen Leistungen ihrer Helden. (Am ehesten berücksichtigt sie noch Zweig.) Sie vergaßen damit eine Einsicht, die schon Plutarch hatte und die Herder in der »Vorrede« zu seinem *Abbt* wiederholte: »so hat der Geschichtschreiber seinen Autor desto mehr von *außen* zu studiren, um die Seele desselben in Worten und Handlungen aufzuspähen.« [47]

Die »Entdeckung einer Menschenseele« (Ludwig) [48], die für Ludwig und Zweig das wichtigste Anliegen ihrer Biographik bedeutete, mußte so schon im Ansatz auf falsche Bahnen gelenkt werden. Wem es nur auf die »Stimmungen des Herzens« (Ludwig) [49] ankommt, beraubt sich der politischen Wirkung, wenn er alles im unverbindlichen Gefühlsbereich angesiedelt sein läßt. Der notwendige Brückenschlag zum Leser, den auch gerade der engagierte Schriftsteller braucht, wie wir bei Heinrich Mann gesehen haben, gerät so zur reinen Gefühlsansprache: »Um die Gefühle der Menschen drehte sich meine Arbeit, erst in zweiter Linie um ihre Gedanken, denn das Gedachte ist immer irgendwie zweckvoll, während das Herz im Takte Gottes schlägt.« (Ludwig) [50] (Daß bei solcher Gefühlsansprache auch politische Momente zu ihrem Recht kommen *können,* werden wir am Beispiel von Ludwigs *Juli 14* und *Wilhelm der Zweite* noch sehen.) Ludwig und Zweig haben den einfachsten und unverbindlichsten Brückenschlag zum Leser gesucht, indem sie auf der Skala der Gefühlstöne besonders diejenigen anschlagen, die bei möglichst vielen Lesern Emotionen wecken.

Aus einer verständlichen Wendung gegen eine politische Geschichtsschreibung, die den Menschen hinter den Taten vergißt, oder gegen eine geistesgeschichtliche Überhöhung verfielen die Verfasser literarischer Biographien oft ins andere Extrem und sahen nur noch den Menschen und das ›Ewig-Menschliche‹. Zweig und Ludwig geraten damit in die Nähe zu Trivialmustern der historischen Erfolgsliteratur: dem vermuteten Voyeurismus breiter Leserschichten wird mit einem Blick ins Intimleben der Großen entsprochen. Berühmt geworden ist diese Methode durch Lytton Strachey, der in *Elisabeth und Essex* sich und seine Leser auffordert: »treten wir näher – wir werden dieser Majestät nichts zuleide tun, wenn wir ihr unter die Kleider schauen.« [51] Die vita intima soll die Funktion der Charakteraufschlüsselung übernehmen. So begründet Stefan Zweig dieses Vorgehen in *Marie Antoinette:* »Ist wirlich die Betonung solch intimster Einzelheiten unentbehrlich für die charakterologische Darstellung? Jawohl, sie ist unentbehrlich, denn all die Spannungen, Abhängigkeiten, Hörigkeiten und Feindseligkeiten [...] bleiben unverständlich, wenn man nicht offenherzig an ihren eigentlichen Ursprung herangeht.« (S. 366) Legitimiert konnte sich der Freud-Kenner Zweig durch folgende Passage aus Freuds *Leonardo*-Studie fühlen: »Wenn ein biographischer Versuch wirklich zum Verständnis des Seelenlebens seines Helden durchdringen will, darf er nicht, wie dies in den meisten Biographien aus Diskretion oder aus Prüderie geschieht, die sexuelle Betätigung, die geschlechtliche Eigenart des Untersuchten mit Stillschweigen übergehen.« [52]

Eine solche Forderung, die sich gegen die gern von Historikern geforderte »Kunst des Auslassens« (Max Lenz) [53] richtet, hat ihre Berechtigung; nicht nur bei einer psychologischen, sondern auch bei einer historischen Betrachtung. Die Psychohistorie, in angelsächsischen Ländern weitaus üblicher als in Deutschland, kann politisch-historische

Phänomene um entscheidende Aspekte bereichern. Wenn auch die Beobachtung von Kollektivphänomenen und damit sozialpsychologischer Aspekte eine auf Struktur- und Sozialgeschichte ausgerichtete Historie mehr reizt, so kann auch die individualpsychologische Forschung ihren Beitrag zum besseren Geschichtsverständnis leisten. [54] Aufgeschlossene Historiker haben deshalb z. B. die Arbeiten Erik H. Eriksons durchaus akzeptiert, da »durch diese Interpretation der Horizont unseres Verstehens erweitert worden ist« (Wehler). [55] Werden solche Verfahren jedoch absolut gesetzt, dann besteht die Gefahr gröbster Vereinfachungen. Welthistorische Vorgänge werden auf ihre individualpsychologischen Anlässe reduziert – »fast jedes Weltgeschehnis« sei doch Spiegelung innerer persönlicher Konflikte, heißt es in Zweigs *Marie Antoinette* (S. 373), und Emil Ludwig bekennt im Vorwort zu *Wilhelm II.:* »Hier ist der Versuch gemacht, aus den Charakterzügen eines Monarchen unmittelbar die weltpolitischen Folgen, aus seinem Wesen das Schicksal seines Volkes zu entwickeln.«

Um vorschnellem Spott vorzubeugen, muß hier wiederum auf die Verbindung zur Wissenschaft verwiesen werden, die die Autoren in ihren Ansichten gestützt hat. Es gehört in die Tradition der schon erwähnten Psychopathographien, daß sie allzu schnell – und oft auch zu simpel – individualpsychologische Vorgänge mit allgemeinen äußeren Geschehnissen koppeln. Deshalb haben sich immer wieder Biographen zu der Ansicht verleiten lassen: »Denn wie viel Entscheidungen, aus denen große Weltgeschichte erwuchs, sind im Irrationalen eines einsamen einzelnen Menschenwesens gefallen«. [56] Werner Richter, von dem dieses Zitat aus dem Jahre 1949 stammt und dessen Biographien sich willig diesem Prinzip beugen, übernimmt damit einmal die der modernen epischen Dichtung eigene Bevorzugung individueller Schicksale, aber er hätte sich andererseits auch wissenschaftlich absichern können. Bei einem Universitätslehrer und Psychoanalytiker wie Johannes Cremerius können wir noch 1968 in seiner Studie *Die Reaktionsbildung im Leben Philipps II. und ihre Bedeutung für das Schicksal Spaniens* lesen: »So wird der ›Fall‹ Philipp II. exemplarisch dafür, wie die politischen Ereignisse und damit die Geschicke der Völker unter bestimmten Bedingungen stärker durch die intimen Triebkonflikte der Regierenden bestimmt werden als durch historische Konstellationen.« [57]

So berechtigt es ist, auf solche individuellen Konstellationen einzugehen, so geht damit in den Biographien die Geschichtlichkeit und – was sich folgenschwer auswirkt – die Bemühung um Erklärung geschichtlicher Prozesse verloren. Es besteht bei dieser Art ›Seelenkunde‹, wie sie Zweig und Ludwig betreiben, außerdem noch die Gefahr, daß sich die drei wichtigen Kriterien, die Romein für diese ›moderne‹ Biographik benannt hat und die wir eingangs zitiert haben, nicht einstellen. Von Unbefangenheit kann nach dem bisher Ausgeführten wohl kaum die Rede sein; das psychologische »Einfühlungsvermögen« und »die komplizierte Struktur des seelischen Bildes« sind ebenfalls gefährdet. Wie verschwommen z. B. Stefan Zweig die Persönlichkeitstheorie auffaßt, zeigt sich im *Freud*-Essay:

> »Die Typenlehre, die Deszendenzwissenschaft, die Erbmassentheorie, die Untersuchungen über die individuelle Periodizität bemühen sich, das Persönliche vom Generellen immer systematischer abzugrenzen; in der Literatur erweitert die Biographie die Kenntnis der Persönlichkeitskunde, und längst abgestorben vermeinte Methoden zur Erforschung der inneren Physiognomie, die Astrologie, Chiromantie, Graphologie, gelangen in unseren Tagen zu unvermuteter Blüte.« [58]

Zwar steht als Absicht hinter diesem Zitat, Zugänge zur Singularität einer Person zu öffnen, aber es ist nicht zu übersehen, wie stark hier einer generalisierenden und typisierenden Methode das Wort geredet wird. Wenn wir auch nicht wissen, welche Wertung Zweig der Chiromantie und Astrologie zukommen läßt, so wissen wir doch von seiner Hochschätzung der Graphologie und Physiognomik. Er war ein beinahe besessener Sammler von Autographen und hätte sich wahrscheinlich ebenfalls als »Augenmenschen« bezeichnet, wie es Emil Ludwig tat. Ludwig will Goethe aus 167 Porträts ›erkannt‹ haben[59]; Stefan Zweig hat in *Castellio gegen Calvin* den Reformator und seine Idee über die Gesichtszüge zu bestimmen versucht: »Unausbleiblich muß die Lehre Calvins als geistige Schöpfung ihrem Schöpfer physiognomisch ähnlich werden, und man braucht nur in sein Antlitz zu blicken, um vorauszuwissen, daß sie härter, moroser und unfreudiger sein wird als je vordem eine Exegese des Christentums.«[60] Scheint dieses Verfahren noch einleuchtend, wenn man das beigefügte Calvin-Porträt ansieht, so deckt sich die Willkürlichkeit eines solchen Zugriffes einige Seiten weiter auf, wenn uns der Gegenspieler Castellio mit ›mildem‹ Gesicht vorgestellt wird[61], obwohl der Kupferstich eine ähnlich starre und maskenhafte Person zeigt. (Das liegt wohl an der erst jungen Porträtkunst im 16. Jahrhundert.) Was sich *wissenschaftlich* als bedenklich erweist, ist als *künstlerisches* Mittel durchaus legitim. Wenn André Maurois in seinem *Strachey*-Essay von der meisterhaften Darstellung schwärmt, die Strachey mit seiner Beschreibung der Nase der Lady Hester geliefert habe[62], so liegt es nahe, z. B. auf die gleichzeitige literarische Porträtkunst bei Thomas Mann zu verweisen.

Doch solche künstlerischen Aspekte werden wir noch an anderer Stelle im Zusammenhang betrachten, hier geht es zunächst um die Subjektivität des psychologischen Zugriffs. Der Psychologe F. Baumgarten hat 1937 bei einem Vergleich der Maria-Stuart-Biographien von Zweig und Bowen ein aufschlußreiches Ergebnis erzielt, das Norbert Groeben in seinem Buch *Literaturpsychologie* zum Anlaß nimmt, das Problem »Psychologie und Biographie« bei den ›modernen‹ Biographen zu erörtern:

> »Jeder Biograph besitzt hier seine eigene Alltagspsychologie, so daß die Integrationsdimensionen stark unterschiedlich sind; damit aber ist eine so gehandhabte biographische Methode weder *valide* (gültig) noch *reliabel* (zuverlässig), d. h. sie erfaßt ihren Gegenstand weder zutreffend (adäquat) noch konstant. Als Beispiel dafür hat BAUMGARTEN die Maria-Stuart-Biographien von Zweig und Bowen analysiert; von 99 Persönlichkeitszügen, die ZWEIG Maria Stuart zuschreibt, sind ca. 54 Prozent positive Qualitäten, 36 Prozent negative. Bei den 119 Zügen nach BOWEN verhält es sich 27 Prozent zu 67 Prozent. Dieses umgekehrte Verhältnis beinhaltet dann auch noch einige explizite Gegensätze, durch die Maria Stuart kontradiktorische Persönlichkeitszüge zugeschrieben werden (BAUMGARTEN 1937). Der Einsatz der Psychologie sollte im Optimalfall bei übereinstimmenden Daten zum selben Persönlichkeitsbild führen, d. h. die Objektivität der Daten nicht schmälern und optimale Validität und Reliabilität aufweisen.«[63]

Zweig wird solche Kritik wenig angefochten haben, kam es ihm doch auf die ›Stimmigkeit‹ und Einheitlichkeit seines psychologischen Porträts an. Für ihn war die Psyche der schottischen Königin leicht zu entschlüsseln:

> »Denn an sich ist der Charakter Maria Stuarts gar nicht so geheimnisvoll: er ist uneinheitlich nur in seinen äußeren Entwicklungen, innerlich aber vom Anfang bis zum Ende einlinig und klar. Maria Stuart gehört zu jenem sehr seltenen und erregenden Typus von Frauen, deren wirkliche Erlebnisfä-

higkeit auf eine ganz knappe Frist zusammengedrängt ist, die eine kurze, aber heftige Blüte haben
die sich nicht ausleben in einem ganzen Leben, sondern nur in dem engen und glühenden Raum eine:
einzigen Leidenschaft.« (S. 9)

Von Romeins komplizierter Struktur des seelischen Bildes kann bei Zweigs *Maria Stuart* also keine Rede sein. Die schottische Königin ist als ein Typus angelegt, den »unge-
heure Leidenschaftsfähigkeit« (S. 68) auszeichnet, dessen Aufstieg »in derart raketenhaft
geschwinder Kurve« verläuft (S. 35) und dem dann ein tragisches Geschick den Tod
bringt.

Aber nicht nur fehlt hier die komplizierte Struktur innerhalb der Biographie, sondern
Maria Stuart ist zudem keineswegs jener sehr seltene Typus, von dem Zweig spricht,
denn schon die zitierte Charakterisierung der Königin hätte unverändert im Vorwort der
Marie Antoinette stehen können. In einem eingehenden Vergleich ließe sich leicht nach-
weisen, daß hier ähnliche Konstruktionsprinzipien und Typenzeichnungen vorliegen:
Beide Frauen sind jung in hohe Stellungen geraten, bei beiden kommt das ›Blut‹ nicht zu
seinem Recht: »Auch in einer Königin fordert die Frau einmal ihr heiligstes Recht, das
Recht, zu lieben und geliebt zu werden«, heißt es in *Maria Stuart* (S. 90), und mit fast den
gleichen Worten werden die Nöte der Marie Antoinette beschrieben: »es hilft nichts, die
Natur will bei jeder, also auch bei dieser durchaus natürlichen und normalen Frau allmählich ihr Recht.« (S. 454) Der Kinderehe der einen mit Franz II. »als eine[r] Art uner-
löster Kameraderie« (S. 91) entsprechen »diese sieben pseudoehelichen Jahre« der anderen mit Ludwig XVI. (S. 370). Beide Frauen finden ›Erlösung‹ durch einen anderen
Mann: »nun ist plötzlich ein Mensch, ein Mann da, dem dieser Überschuß aufgetauter
und aufgestauter Empfindung wie ein Wildbach zustürzen kann« (S. 91), und: »daß Marie Antoinette wie mit ihrer ganzen enttäuschten Seele auch mit ihrem lange mißbrauch-
ten und enttäuschten Leib die Geliebte Hans Axel von Fersens gewesen ist« (S. 560).

Es ließen sich weitere Belege anführen, die immer wieder bewiesen, daß hier eine gleiche Struktur und Typik herrschen und daß die Weltgeschichte auf die vita intima der
›Großen‹ reduziert wird. Die Wissenschaft von der Psyche des Menschen ist Zweig allenfalls gut genug, um ein erzählerisches Überzeugungsspiel durchzuführen, das ›beweisen‹
soll, Marie Antoinette habe wirklich ein intimes Verhältnis zu dem schwedischen Diplomaten Fersen gehabt. Da wird ›untersucht‹, ›überprüft‹, von ›Psychologie‹ und ›Seelen-
kunst‹ gesprochen, ›dokumentarische Beweise‹ werden angeführt, das ›Gesetz der Krimi-
nologie‹ beschworen und ein ›vorurteilsloses‹, ›kühles‹ und ›gerechtes‹ Urteilen behauptet
– alles, um zu erfahren »War er es, war er es nicht?«, wie die Kapitelüberschrift lautet
(S. 552 ff.). Alles dient letztlich bei Zweig einem dramaturgischen Konzept, das Aufstieg
und Fall – »immer tiefer und tiefer und unerbittlich bis in die letzte Tiefe hinab« (S. 346)
– einer Person nachzeichnen will.

Ganz offensichtlich hat damit die ›Seelenkunde‹, der es doch gerade um das Individuelle gehen sollte, eine Entindividualisierung eingeleitet, die wir auch schon im George-
Kreis festgestellt haben, und eine Typik die Oberhand gewonnen. Im nächsten Kapitel
soll diesem Problem nachgegangen werden.

d) Singularität und Typik

Das Problem dieses Kapitels ist schon kurz für den George-Kreis zur Sprache gekommen, wo der Hinweis auf Dilthey erfolgt war und wo die Verklärung der Helden durch die Georgeaner zu »Menschheitssymbolen« (Vallentin) und die Herausstellung des ›Ewigen‹ als Voraussetzung für die Typik bezeichnet wurde.[1]

Ludwig und Zweig haben sich ähnlich verhalten, wenn sie auch andere Ziele mit ihrer Typik anstreben. Ludwig hat wiederholt betont, »daß das Ewig-Menschliche fesselnder und zugleich belehrender ist als das Zeitlich-Gewandelte«.[2] Beide Behauptungen bedürfen einer Überprüfung: Das Fesselnde soll sich ohne Zweifel über die ›Seelenkunde‹ einstellen, die das vorhergehende Kapitel umrissen hat; was allerdings das Belehrende in diesen Biographien ausmacht, muß erst im folgenden geklärt werden.

Die Autoren haben sich zu ihrer Typisierung bekannt. In der Ausgabe von 1935 seiner biographischen Essaysammlung *Baumeister der Welt* hat Stefan Zweig in der Einleitung geschrieben, es sei sein Anliegen gewesen,

> »in jedem dieser Bücher einen bestimmten gemeinsamen Typus des Dichterischen sichtbar zu machen. Die erste Reihe ›Drei Meister‹ (erschienen 1920) wollte in den drei national verschiedenen Typen Balzac, Dickens, Dostojewski, den Weltbildner, den Romancier in Werk und Leben zeigen, die dritte Reihe ›Drei Dichter ihres Lebens‹ (erschienen 1928) mit Casanova, Stendhal und Tolstoi wiederum den Selbstbildner, den Meister der Autobiographie. Zwischen diesen beiden Büchern stand ›Der Kampf mit dem Dämon‹ (erschienen 1925), in dem ich versuchte, mit Hölderlin, Kleist und Nietzsche – im Gegensatz zu Goethe, dem Genie der Selbstbewahrung –, den Typus des sich selbst zerstörenden Dichters darzustellen, der von seinem Dämon gleichzeitig emporgerissen und in den inneren Abgrund hinabgestoßen wird.« [3]

In der Einleitung zu *Der Kampf mit dem Dämon* (1925) hat er dann noch eingehender seine Theorie dargelegt und an den drei gewählten Helden exemplifiziert. Seine Frau Friderike hat deshalb behaupten können, seine Biographien seien nicht wegen »bedeutender Menschen geschrieben, sondern wegen der Möglichkeit des einprägsamen Rückschließens auf allgemein Menschliches.« [4] Emil Ludwig ist in der Eindeutigkeit nicht hinter Zweig zurückgeblieben. In seinem Bericht *Aus meiner Werkstatt* verrät er seine Art der Annäherung an die Helden und die anschließende Verarbeitung:

> »Denn zugleich suchte ich überall das Allgemeine. In Napoleons Leben suchte ich zugleich das typische Leben jedes vom Macht- und Ordnungswillen besessenen Usurpators, in Rembrandt die Tragödie jedes weltsüchtigen, doch der Welt unterlegenen Künstlers darzustellen, in Bismarck das Drama jedes von Königen abhängigen Genius, in Lincoln das Trauerspiel des Volksfreundes, im Menschensohn das des Propheten, in Wilhelm dem Zweiten das Verhängnis der unkontrollierbaren Erbschaft.« [5]

Wollte man diese die Werke charakterisierenden Aussagen Zweigs und Ludwigs präzisieren, so bräuchte man nur die Vor- bzw. Nachworte, Briefe und autobiographischen Schriften durchzusehen, um eine Fülle weiterer Hinweise zu den jeweiligen Biographien zu erhalten. So hat Zweig z. B. Ludwig geschrieben, sein *Fouché* solle »ein Bildnis des reinen Politikers« geben, »der jeder Überzeugung dient, jeden Posten annimmt, in allen Sätteln sitzt und nie eine eigene Idee hat und die gewaltigsten Menschen seiner Zeit eben durch diese Flexibilität überdauert.« [6]

Ganz offensichtlich wird von den Autoren ein Denken in Analogien gewünscht, indem sie die vergangene historische Situation oder die historische Figur mit gegenwärtigen Erfahrungen und Erkenntnissen vergleichen und damit eine ›Horizontverschmelzung‹ einleiten wollen. Für das politische Selbstverständnis Zweigs ist es dabei aufschlußreich, daß er für seine einzige politische Biographie eine negative Figur gewählt hat.

Daß der Historiker mit Analogieschlüssen operiert, ist nicht erst seit der hermeneutischen Diskussion bewußt gemacht worden, sondern schon Schiller hat die Analogie als »ein mächtiges Hülfsmittel« in der Geschichte bezeichnet. [7] Die komparative Methode und der analogische Vergleich zeitigen im 19. Jahrhundert z. B. in der textphilologischen Arbeit oder der vergleichenden Sprach- oder Rechtswissenschaft ihre Erfolge. Und selbst ein so nüchterner Wissenschaftler wie Wilhelm Scherer akzeptierte die historische Analogie, die er als »wechselseitige Erhellung« verstand. [8] Durch Droysens *Historik* und das darin vertretene hermeneutische Verfahren ist diese Methode dann ins allgemeine Bewußtsein der Historiker gerückt und wissenschaftlich legitimiert worden. Im § 39 hat Droysen einen bildkräftigen Vergleich gewagt: »Was in der Natur der Sache gegeben sei, schöpften wir aus unserer anderweitigen Erfahrung und Kenntnis von analogen Verhältnissen, wie der Bildhauer, der einen alten Torso restauriert, diese leitende Analogie in dem konstanten Bau des menschlichen Körpers hat.« [9] Da Droysen – ähnlich wie Dilthey – zudem den Verstehensprozeß fremder Individuation durch ›Kongenialität‹ gefördert sieht (»Ganz versteht nur der Mensch den Menschen«) [10], liegt der Schluß nahe, daß ähnlich wie z. B. im physiologischen auch im psychologischen Bereich die Analogie das wertvollste Hilfsmittel sein kann.

Tatsächlich sind z. B. Erfahrungen, Reife, Menschenkenntnis, Einfühlungsvermögen und Phantasie wichtige Hilfen für den Verstehens- und Erkenntnisprozeß. Wenn Friedrich Sengle meint, »der Biograph selbst sollte eine Fachwissenschaft, aber auch ein beträchtliches Stück der Welt und seines eigenen Lebens durchschritten haben«, so hätte er sich auf Theodor Mommsen berufen können, der behauptet hat, den guten Historiker mache erst das Alter. [11] Auch moderne Historiker haben das analogische Verfahren anerkannt und die unterschiedliche »Weite und Intensität« des Erfahrungshorizonts in Anrechnung gebracht (Wehler). [12] Daß dabei die Grenzlinie zur Subjektivität leicht überschritten werden kann, haben wir im vorhergehenden Kapitel schon aufgezeigt. Was dort als Schlußfolgerung gezogen wurde, gilt auch in diesem Zusammenhang: Das Bild eines Menschen allein aus der ›intuitiven‹ Schau entstehen zu lassen, führt in der Alltagswelt häufig zu Enttäuschungen, in der Wissenschaft oft zu falschen Ergebnissen. Im Schutz der behaupteten Subjektivität und Kongenialität wird zudem jede Kontrolle und Überprüfbarkeit vereitelt. Daß das Analogieverfahren mit »eben soviel Vorsicht als Beurtheilung in Ausübung gebracht werden« muß, wie Schiller meinte [13], haben allerdings nicht nur die Literaten in den 20er Jahren gern vergessen, wie die Kritik Hans-Ulrich Wehlers an den Fachhistorikern bezeugt, denen er vorhält, »daß außer der Menschenkenntnis des Alltags, außer Intuition und Einfühlungsvermögen, die natürlich in jeder Sozialwissenschaft immer ihren Wert behalten werden, auch die Theorien und Ergebnisse der wissenschaftlichen Psychologie und Psychoanalyse zum ›Werkzeug des Historikers‹ gehören sollten«. [14]

Die vorgegebene Objektivität ist auch bei den Historikern oft Selbsttäuschung. Dilthey hat mit Recht festgestellt: »Ein Typus der Menschennatur steht immer zwischen dem Geschichtschreiber und seinen Quellen, aus denen er Gestalten zu pulsierendem Leben erwecken will«. [15] Auch wenn erst endgültig – nach Ansätzen im wissenschaftlichen Positivismus – durch die Institutionengeschichte (Otto Hintze) und die Soziologie (Max Weber) das Problem der Generalisation und des Typisierens ins Bewußtsein der Historiker gerückt wurde[16], so gehörte zum Historismus schon immer – neben dem Individualitätsaxiom – auch das (unbewußte) Typisieren. (Natürlich spielt die Typik, wie z. T. in dem einleitenden Teil zum Kapitel »Seelenkunde« skizziert wurde, gerade in der Psychologie eine wichtige Rolle. [17]) Die Herdersche, Humboldtsche und Rankesche Ideenlehre, die im Besonderen das Allgemeine, im Individuum die Idee sich finden läßt, hat auch ein generalisierendes Verfahren begünstigt. Hans-Ulrich Wehler hat im Anschluß an Burckhardts berühmten Ausspruch: »vom duldenden, strebenden und handelnden Menschen, wie er ist und immer war und sein wird«, die Behauptung aufgestellt, daß die Verstehenslehre des Historismus gerade »wegen ihrer individualistischen Zuspitzung, wegen ihres Zuschnitts auf die bedeutenden historischen Persönlichkeiten« letztlich die »historische Erfassung« erschwert hat: »Sie hat, der Kantschen Kategorienlehre ungeachtet, der unhistorisch anthropologischen und erkenntnistheoretischen Auffassung zugeneigt, eine Gleichartigkeit der Denkmuster und Reaktionsweisen über die Jahrhunderte und Jahrtausende hinweg unterstellt.« [18]

Wenn sich die Geschichtswissenschaft im 19. Jahrhundert ein »Modell des Menschen als eines rationalen Wesens« erschuf – geleitet von »einer gleichbleibenden Antriebsstruktur von rational verstehbarem Macht-, Sicherheits-, Wohlstands- oder Heilsstreben« (Nipperdey) [19] – und wenn selbst Burckhardt der Typik zuneigte und den griechischen Menschen oder den Renaissance-Menschen vorstellen wollte, dann kann es nicht ganz so verwunderlich sein, daß die Literaten auch eine anthropologische Typik anstrebten, fühlten sie sich doch zudem durch die Tradition der Dichtung und Kunst und nicht zuletzt auch der Wissenschaft bestätigt. (Es sei nur z. B. auf Nietzsche, Strich, Weininger, Wölfflin, Worringer verwiesen.) Schon Schillers historischen Schriften wurde der Vorwurf gemacht, sie gewährten zu sehr generalisierender und vor allem moralisierender Betrachtung den Vorrang. Es ist kein Zufall, daß Friedrich Meinecke, dessen Grenzgang zwischen Kunst und Wissenschaft wir schon im Kapitel »Seelenkunde« zitiert haben, in seinem Aufsatz *Schiller und der Individualitätscharakter* am meisten Verständnis für eine solche *Kunst* der Geschichtsschreibung aufbringen konnte. [20] Daß historische Singularität in anthropologische Typik umschlägt, gilt aber nicht nur für die Dichtung, sondern auch für eine Geschichtsschreibung, die aus starker moralischer und damit didaktischer Absicht lebt: »Auch in der Darstellung der Geschichte«, so leitet Treitschke seinen Essay über Hans von Gagern ein, »bewährt sich der Glaubenssatz jedes Künstlers, daß das Individuelle zugleich das Allgemeine bedeutet.« [21]

Für Dilthey ermöglicht die »Kunst des Geschichtsschreibers«, daß »das Allgemeine des Zusammenhangs menschlicher Dinge im Besonderen« sichtbar wird und daß damit ein Interesse »des Gemüts, der Mitempfindung und des Enthusiasmus« angeregt wird. [22] Eine solche Einstellung entspricht völlig der der Literaten, sind doch für Ludwig die großen Männer immer »Paradigmen« und liefern »dem Betrachtenden Zeichen und Merkmale, die ins Allgemeine führen«. [23] Aber die Übereinstimmung erstreckt sich z. B.

auch noch bis in die marxistische Auffassung von der Typik, wie sie von Engels eher bei-
läufiger Bemerkung über »typische[r] Charaktere unter typischen Umständen« (Brief an
Miss Harkness, April 1888) [24] über Lukács' Bemühung um die Typik, wobei es diesem
um eine Trennung von wissenschaftlicher und künstlerischer Arbeit geht (Kunst biete
bildhafte und anschauliche Momente), in Brechts Definition einmündet:

> »Historisch bedeutsam (typisch) sind Menschen und Geschehnisse, die nicht die durchschnittlich
> häufigsten oder am meisten in die Augen fallenden sein mögen, die aber für die Entwicklungspro-
> zesse der Gesellschaft entscheidend sind. Die Auswahl des Typischen muß nach dem für uns Positi-
> ven (Wünschbaren) wie nach dem Negativen (Unerwünschten) hin erfolgen.« [25]

Brechts Forderung nach ›Auswahl‹ und engagierter Behandlung (positiv-negativ) der
historischen Figuren gibt damit offen die Parteilichkeit zu, die bisher – besonders von Historikern – gern verdeckt, wenn nicht gar empört zurückgewiesen wurde.

Daß in der Geschichtsschreibung Typisches und Individuelles zusammengehören, »ineinander wirken«, wie selbst Friedrich Meinecke zugesteht [26], führt Literaten und Wissenschaftler einerseits eng zusammen, trennt sie andererseits jedoch zugleich wieder, da
in der Zielprojektion, d. h. in der Benennung dessen, *wofür* die Typik eintreten soll, keine
Einigkeit besteht. Auch hier können wir mit Friedrich Meineckes Ansichten die unterschiedlichen Positionen herausarbeiten, indem wir seinen Aufsatz *Kausalitäten und
Werte in der Geschichte,* der 1928 erschien, zugrunde legen. [27] Trotz Bedenken wegen
der Wissenschaftlichkeit und Objektivität bekennt sich Meinecke zur didaktischen Funktion der Geschichte – »Lehre, Vorbild oder Warnung« (S. 290) – und gibt seine Ziele bekannt:

> »die höheren, die geistigen Lebenswerte oder Kulturwerte, die die eigentliche Interessensphäre
> des Historikers bilden, deren Erfassung sein höchstes Ziel ist. Wir verstehen unter Geist nicht das
> Psychische schlechthin, sondern im alten Sinne das höher entwickelte seelische Leben, eben das,
> welches ›unterscheidet, wählt und richtet‹ und dadurch Kultur hervorbringt.« (S. 285)

Scheint Meinecke mit dieser Kulturbeflissenheit in der Nähe des George-Kreises zu
stehen, so distanziert er sich ausdrücklich von dessen wissenschaftlichen Arbeiten:

> »Subjektivistische und mystische Empfindungen regen sich und drängen, ohne den mühseligen
> Umweg der Detailforschung, zu unmittelbarer Vereinigung mit der Seele der Vergangenheit. [...]
> Man konstruiert es [das Ewige‹ und ›Zeitlose‹ – H. S.] sich ohne viel Induktion, aus einigen frappan-
> ten Spuren in der Überlieferung und mit übermäßigem Zuschuß eigener Ideale, und umarmt dann
> das selbstgeschaffene Phantasiegebilde.« (S. 283)

Zugleich hat Meinecke damit aber auch die historischen Belletristen treffen wollen, bei
denen er die Berücksichtigung der »niederen, rein animalischen Lebenswerte[n]«
(S. 285) vorherrschen sieht: »Rein kausal betrachtet sind die groben physischen Lebens-
bedingungen und Lebensbedürfnisse, Boden und Sonne, Hunger und Liebe die ›wirksam-
sten‹ Faktoren menschlichen Geschehens« – für den Historiker sind sie jedoch nur
»selbstverständliche kausale Voraussetzungen für diejenigen Vorgänge, die ihn eigentlich interessieren« (S. 278). Damit sind unterschiedliche Reaktionen auf »die geistige Ge-
samtkonstellation« der Zeit benannt, die sich »gegen die drohende zivilisatorische Mechanisierung des Lebens und gegen die ungeheuren Massengewalten« wenden (S. 283).

Zeichnen sich alle Positionen durch ein anthropozentrisches Geschichtsdenken aus, so stimmen sie auch in ihrer Sehnsucht nach den vorbildlichen Leistungen großer Menschen überein: nur, wo die einen – Meinecke und der George-Kreis – die geistig-kulturelle Legitimation suchen, da wünschen die anderen, Ludwig und Zweig, auch die menschliche Komponente ins Spiel zu bringen. Aber für sie alle gilt wiederum Nietzsches Bewertung der monumentalen Geschichte, die immer »das Ungleiche annähern, verallgemeinern und endlich gleichsetzen« will: »immer wird sie die Verschiedenheit der Motive und Anlässe abschwächen, um auf Kosten der *causae* die *effectus* monumental, nämlich vorbildlich und nachahmungswürdig, hinzustellen«. [28]

Tatsächlich – so dürfen wir nun zusammenfassend feststellen – ist auch die auf Singularität gerichtete Geschichtsschreibung darauf angewiesen, mit Typisierungen und Verallgemeinerungen zu operieren. Die sozialwissenschaftliche Methode, wie sie sich für diese Zeit besonders mit Max Webers Namen verbindet, hat die Typik dagegen bewußt für ein generalisierendes Verfahren eingesetzt, um der Vielfalt historischer Erscheinungen eventuell in einem Typus eine ›ideale‹ Gestalt verleihen zu können. Die moderne sozialpsychologische und auch sozialhistorische Forschung hat sich sogar der durchschnittlichen Person, der »Modal Personality« zugewandt, um »das für ihre Zeit Typische, Repräsentative herauszuarbeiten« (Wehler). [29] Auch die moderne historische Methodologie hat sich solchen Erkenntnissen aufgeschlossen gezeigt und differenziert nun paradigmatische, analogische, generalisierende, individualisierende und synthetische Vergleichsverfahren. [30] Zwischen dem künstlerischen und wissenschaftlichen Verfahren bestehen also keine prinzipiellen Unterschiede, sondern allenfalls graduelle. Die Frage ist also nicht, *ob* typisiert und verglichen werden darf, sondern *wie* und – vor allem – *mit welchem Anliegen* die »Auswahl des Typischen« (Brecht) geschieht.

Es wird einleuchten, daß die Typik abhängig ist vom Selbstverständnis des Autors und besonders auch von dem des anvisierten Lesers. Hatten Meinecke und der George-Kreis gleichermaßen das gebildete Kulturbürgertum im Auge, so wandten sich Ludwig und Zweig an alle; sie wollten ganz entschieden die breite Popularität ihrer Werke erreichen. Dabei zeigt es sich, daß der Prozeß der Aneignung und des Verstehens historischer Individualitäten durch ein komparatives Verfahren nicht nur beim Autor, sondern auch im folgenden Prozeß der Vermittlung und Rezeption gefördert wird. Um die Singularität faßbar und verstehbar werden zu lassen, *muß* ja nicht nur eine ›allgemeine‹ Sprache für die individuellen Vorgänge gewählt werden [31], sondern es liegt auch im Interesse des Autors, Verallgemeinerungen und Vergleiche anzustreben, kann er doch so auf besseres Verständnis beim Leser rechnen.

Für einen beim Leser erfolgreichen Aneignungsvorgang historischer Beschreibung ist also ein Eingehen auf dessen Erfahrungs-, Wissens- und Vorstellungsbereich notwendig. Damit erfassen wir den entscheidenden Unterschied zwischen den Biographien Ludwigs und Zweigs auf der einen und den geistesgeschichtlichen, politischen oder mythographischen Biographien auf der anderen Seite. Es werden verschiedene Leserschichten von den Biographen angesprochen – oder vorsichtiger: Zweig und Ludwig zielen auch auf *die* Leser, die Meinecke und Gundolf nicht im Auge haben, z. B. den Kleinbürger. Damit fallen notwendigerweise die Typisierungen unterschiedlich aus. In dem Bestreben, Identifikationsangebote zu unterbreiten, nehmen die Biographen selektive Aufgaben wahr, indem sie sich von ihrem erkenntnisleitenden Interesse zur Auswahl bestimmen lassen. Jeder Autor entscheidet (bewußt oder unbewußt) nicht nur, *wie* er die historischen Figuren, sondern auch *was* er mit diesen vermitteln will.

Die politische Geschichtsschreibung hat sich für die von den Individuen durchgeführten Haupt- und Staatsaktionen entschieden, die ideengeschichtliche Forschung erfreut sich an historischen Individualitäten, »die irgendeine Tendenz zum Guten, Schönen oder Wahren in sich haben« (Meinecke)[32], und steht damit einer kultur- und geistesgeschichtlichen Betrachtung nahe, die die große Persönlichkeit als Vorbild und damit auch als Möglichkeit menschlicher Selbstverwirklichung sucht. Eine extreme Ausformung dieser Vorstellung haben wir in den Mythographien des George-Kreises kennengelernt: »Eben das Immer-anders-erscheinen des ewiggleichen Seins«, wie es bei Gundolf heißt.[33]

e) Identifizierungsangebote

Die Autoren literarischer Biographien haben sich ebenfalls für das Ewiggleiche interessiert, aber auf einer anderen Ebene: Sie suchten nicht die Konstanz geistiger Größe, sondern die ewigmenschlichen Verhaltensweisen und typischen Charaktereigenschaften. Zwar hätten die Autoren wegen des behaupteten wissenschaftlichen und historischen Anspruches eine Verbindungslinie ihrer Biographien zur ahistorischen Charakter- und Typenlehre, wie wir sie seit der Antike durch Theophrast und Galen und in der Neuzeit durch La Bruyère und Molière oder, als jüngstes Beispiel, durch Elias Canetti kennen[1], nur ungern zugegeben und sich lieber auf den mit Realfiguren operierenden Plutarch berufen, aber Zweigs Eintreten für die Typologie und Ludwigs Betonung des Ewigmenschlichen sprechen eine deutliche Sprache. Beide teilen nicht nur die zeittypische Vorliebe für Nationalcharaktere[2], sondern lassen ihre historischen Personen zugleich als menschliche ›Grundtypen‹ erscheinen und huldigen damit der traditionellen Affektenlehre, die die Konstanz menschlicher Reaktionsweisen behauptet. Emil Ludwig hat sich für dieses Verfahren sogar eine spezielle Theorie entworfen: Um das Individuelle mit dem Typischen zu verbinden, sucht er besondere historische und schicksalhafte Augenblicke, die er als »symbolische Szenen« auffaßt, in denen sich nach seiner Meinung die menschliche Existenz verdichtet und sich so »der Grundriß eines Menschenlebens« abzeichnet.[3] Da es seine Absicht ist, mit der *Bismarck*-Biographie »das Bildnis eines siegenden und irrenden Kämpfers zu geben« und dessen Charakter in den »Grundelementen« »Stolz, Mut und Haß« zu erfassen, wie es im Vorwort heißt, kann mit diesen allgemein menschlichen Eigenschaften die Brücke zum Leser geschlagen werden. Für Ludwig ist nämlich der »Grundakkord jeder Lebensmelodie« wiederholbar und nachvollziehbar:

»Waren mir Liebe, Ehrgeiz, Eifersucht, waren mir Neid, Verleumdung, Haß nicht bitter bekannt geworden? Setzte ich meine Gefühle dort ein, wo der historische Mensch aufleben sollte, so lockte ich zugleich auf magische Art dieselben Gefühle aus meinem Leser heraus: ich traf ihn, und so fühlt er sich getroffen. Nur wer in seinem eignen Leben das Gleichnis belauscht hat, wer sich doppelsinnig für sich und als ein Beispiel empfindet, vermag das Allgemeine auch im fremden Leben zu spüren.«[4]

Wie man die sogenannten »symbolischen Szenen« im speziellen Fall bei Bismarck zu verstehen hat, beschreibt Ludwig in seinen Erinnnerungen:

> »Hier lagen die symbolischen Szenen etwa in seinem Weinkrampf zu Nikolsburg, als er seine staatsmännische Höhe erreichte, dann in Versailles, als der neue Kaiser von Bismarcks Gnaden grollend an ihm vorüberging, schließlich in jener Szene, kurz vor dem Ende, wo er an seinem Tische beim Champagner dem jungen Kaiser warnende Worte zurufen will, und der andre ihm immer ausbiegt.« [5]

Das ist einmal ein Bekenntnis zur historischen Kleinkunst, zur anekdotenhaften Ausschmückung, weil sich dort nach Ludwigs Meinung »am schärfsten die Gestalt« abzeichne[6], zum anderen aber auch eine Erklärung, warum hier gerade das Individuelle der Person leicht verlorengehen kann. Die Form der Anekdote ist zwar ein aufschlußreiches und oft treffend-knappes Element zur Charakterisierung eines Menschen, sie trägt aber zugleich die Belastung, in der Nähe unzulässiger Pointierung oder gar des Erfundenen zu stehen. Da die Anekdote meist ein Konstrukt einer bestimmten Perspektivik ist, verrät sie nicht selten mehr über die historische Legendenbildung als über die historische Realfigur: ein gutes Beispiel dafür sind die Anekdoten um Friedrich den Großen, die Werner Hegemann in seinen zwei Büchern über Friedrich mit Sarkasmus als Legenden entlarvt hat. Für den Historiker stellt die Anekdote deshalb eine mit Vorsicht zu benutzende Quelle dar. Droysen hat in seiner *Historik* auf den Drang der mündlichen Überlieferung, die ja meist das Arsenal der Anekdoten abgibt, zur Vereinfachung hingewiesen, d. h. »von den Tatsachen nur die Spitzen, von den Personen nur die bezeichnende Anekdote festzuhalten, alles auf einfache, stark ausgeprägte, plastische Vorstellungen zu reduzieren, zu idealisieren.« [7]

Die Rekonstruktion einer historischen Persönlichkeit aus Anekdoten gehört zur Geschichte der Biographik seit ihrem Entstehen, wie ein Blick z. B. in Plutarchs *Parallelbiographien* oder Suetons *Kaiserviten* bestätigt. Gibt die Anekdote in der Biographie, wie Walter Muschg bemerkt hat, »nur den Charakter, nicht die geschichtliche Wirksamkeit des Helden wieder«, so wird sie auch zur »Grundlage einer symbolischen Biographie« (Muschg).[8] Hier wäre auch auf die Nähe zum Legendenbegriff im George-Kreis zu verweisen, hat doch Bertram in seinem *Nietzsche* ein Kapitel »Anekdote« überschrieben und Nietzsches Behauptung zitiert: »Nur das Persönliche ist das ewig Unwiderlegbare. Aus drei Anekdoten ist es möglich, das Bild eines Menschen zu geben; ich versuche es, aus jedem System drei Anekdoten herauszuheben, und gebe das übrige preis.« [9] Eine solche reduktionistische Geschichtsbetrachtung birgt für die Persönlichkeitszeichnung Gefahren, indem die Autoren hier, statt der Vielfalt in der personalen Psyche nachzuspüren, eher auf konstante Grundzüge aus sind. Mit dem Blick auf den Leser neigen die Autoren zu einleuchtenden Analogiebeziehungen. Wiederum wird der anvisierte Lesertyp für den Typus in der Biographie ausschlaggebend:

> »Da ich den historischen Menschen«, schreibt Ludwig, »immer mit den Lebenden verglich, ist die Folge, daß sich die lebenden Leser nun mit der historischen Gestalt vergleichen: jeder findet ein Stück von sich darin wieder. Der Kaufmann findet sich im Kolonisator, der Advokat im Volkstribun, der Künstler im Künstler, der Diplomat im Staatengründer, und ein Tellerwäscher aus Cincinnati schreibt, wie er sich getröstet fühle, weil auch Stanley angefangen habe wie er.« [10]

Emil Ludwig bekennt sich damit zu einem bewußten Identifizierungsangebot an den Leser:

> »dann wird er hingegebener lauschen und einige Augenblicke glauben, selbst Lincoln zu sein, der vor der Abreise nach Washington als Präsident sich nicht entschließen kann, das Firmenschild an der Tür seines kleinen Anwaltbüros abzunehmen und im stillen auf Rückkehr hofft. Oder Rembrandt, der das Grab seiner ersten Frau verkaufen muß, um seine zweite zu begraben, oder Stanley, der sich nach monatelangem Suchen, Livingstone als Retter gegenübersieht und kalt empfangen wird, oder Goethe, der Schiller, den langjährigen Freund, an seiner Frau und seinem Kind vorübergehen sieht, weil sie nicht legitim sind, oder Napoleon, der Brief auf Brief folgen lassen muß, um die Gunst einer armen polnischen Gräfin zu erhaschen, der er nach antiken Siegerrechten befehlen konnte.« [11]

Dieses Bekenntnis ist in mehrfacher Weise aufschlußreich für die ›moderne‹ Biographik: Einmal beweist es die Konzentration auf den affektiven Bereich, daneben wird aber auch die Neigung deutlich – ganz im Gegensatz zu Romeins Behauptung von der komplizierten seelischen Struktur –, überschaubare und eingängige psychologische Grundmuster zu entwerfen. Damit gerät Ludwig – ebenso wie Zweig, bei dem sich Ähnliches beobachten läßt – in die Nähe trivialliterarischer Muster. Gehört doch gerade zur massenhaft verbreiteten Literatur die »Reduzierung des Spektrums von Identifizierungsangeboten auf wenige standardisierte *Typen*«, verbunden mit einem »Eliminieren von Ambivalenzen« in der persönlichen Struktur der Helden, wie es Michael Kienzle in seiner Analyse der Gustav Freytagschen und Marlittschen Romane aufgewiesen hat. [12] Ist es auch prinzipiell bedenklich, Wertungen für das 19. Jahrhundert auf die Literatur des 20. Jahrhunderts zu übertragen, weil sich damit die Gefahr ahistorischer Urteilskriterien einstellt, so trifft Kienzles Beobachtung dennoch für die Biographik der Ludwig und Zweig zu; nicht zuletzt, weil diese immer noch durch eine starke Bindung an die Erzähltradition geprägt sind. Hiermit wird eine Konstante der Erfolgsliteratur erkennbar, von der auch z. B. Johannes Mario Simmel weiß, wenn er sagt: »Ich will Bücher schreiben, in denen Menschen vorkommen, die jeder kennt, damit alle Menschen sich in den Gestalten meiner Bücher wiederzuerkennen vermögen.« [13] Dieses Argument hätte auch von solchen Autoren wie Dickens, Fontane oder Zola stammen können, denen Identifizierungen sicherlich ebenso wichtig waren. Es ist also nichts gegen die bewußte Identifizierungsintention zu sagen, sondern es kommt einzig darauf an, *welche* Angebote unterbreitet und welche Anforderungen an den Leser gestellt werden.

Der naheliegende Einwand, bei Simmels Gegenwartsmenschen sei die Identifizierung einfacher als bei historischen Gestalten, die einer anderen Welt als der des Lesers entstammen, löst sich auf, wenn man das Verfahren der literarischen Biographien genauer anschaut. Zunächst kann aber noch Ludwigs oben zitierte Behauptung, daß jeder »ein Stück« von sich selbst in den historischen Personen finden kann, mit Freud legitimiert werden, der auf partielle Identifikationsvorgänge verweist. »Das eine Ich hat am anderen eine bedeutsame Analogie in einem Punkte wahrgenommen [...] es bildet sich daraufhin eine Identifizierung in diesem Punkte«. [14] Freud hat darüber hinaus in seiner kurzen Überlegung *Psychopathische Personen auf der Bühne* eine Erklärung für die Wirkung literarischer Figuren gegeben, die ohne Schwierigkeiten auch auf die Biographien übertragen werden kann:

> »Der Zuschauer erlebt zu wenig, er fühlt sich als ›Misero, dem nichts Großes passieren kann‹, er hat seinen Ehrgeiz, als Ich im Mittelpunkt des Weltgetriebes zu stehen, längst dämpfen, besser ver-

schieben müssen, er will fühlen, wirken, alles so gestalten, wie er möchte, kurz Held sein, und die Dichter-Schauspieler ermöglichen ihm das, indem sie ihm die *Identifizierung* mit einem Helden gestatten. Sie ersparen ihm auch etwas dabei, denn der Zuschauer weiß wohl, daß solches Betätigen seiner Person im Heldentum nicht ohne Schmerzen, Leiden und schwere Befürchtungen, die fast den Genuß aufheben, möglich ist; er weiß auch, daß er nur *ein* Leben hat und vielleicht in *einem* solchen Kampf gegen die Widerstände erliegen wird. Daher hat sein Genuß die Illusion zur Voraussetzung, das heißt die Milderung des Leidens durch die Sicherheit, daß es erstens ein anderer ist, der dort auf der Bühne handelt und leidet, und zweitens doch nur ein Spiel, aus dem seiner persönlichen Sicherheit kein Schaden erwachsen kann. Unter solchen Umständen darf er sich als ›Großen‹ genießen, unterdrückten Regungen wie dem Freiheitsbedürfnis in religiöser, politischer, sozialer und sexueller Hinsicht ungescheut nachgeben und sich in den einzelnen großen Szenen des dargestellten Lebens nach allen Richtungen austoben.«[15]

Vermittelt uns Freud damit einen Erklärungsansatz für *alle* Identifizierungsvorgänge mit literarischen Figuren, so haben die Verfasser der hier behandelten Biographien solche Prozesse noch entscheidend erleichtert, wie wir gleich sehen werden. Zuvor sei noch auf einen beinahe schon zum Bewertungstopos gewordenen Vorwurf gegen die Biographien verwiesen: »sie verhelfen einem jeden zu einem kleinen ›Inneren Napoleon‹, einem ›Inneren Goethe‹« (Walter Benjamin); tatsächlich vermerkt Ludwig unter seinen größten Erfolgen das Eingeständnis eines Liftboys in Amerika: »I feel like Napoleon.«[16] Damit ist die Freudsche Beobachtung nur bestätigt worden, die in ähnlicher Weise auch Benjamin gemacht hat:

»Wie man geistvoll aber richtig bemerkt hat, daß es wenige Leute gibt, die nicht einmal im Leben aufs Haar Millionäre geworden wären, so kann man von den meisten sagen, daß ihnen die Gelegenheit, ein großer Mann zu werden, nicht gefehlt hat. Ludwigs Geschicklichkeit ist, seine Leser auf schlüpfrigen Pfaden zu diesen Wendepunkten zurückzuführen und ihr verwaschenes, abgelebtes Dasein als großen Aufriß eines Heldenlebens ihnen vorzuführen.«[17]

Obwohl diese Kritik ihre Berechtigung hat, befremdet an ihr nicht nur die Überheblichkeit, sondern auch die Bösartigkeit. (Adorno ist mit Zweig nicht weniger selbstherrlich ins Gericht gegangen.[18]) Benjamin hat offensichtlich nicht sehen wollen, daß es Ludwig vor allem um eine ›Demokratisierung‹ der ›Großen‹ ging, daß er sie *allen* Menschen nahebringen und daß er deshalb die Leser auf Sympathie und Mitgefühl einstimmen wollte. Für Benjamin ist Ludwigs Biographik außerdem nur als »Aufriß eines Heldenlebens« vorstellbar; da ist er jedoch der Faszination der großen Namen erlegen, die Ludwigs Biographien tragen. Ludwig wollte gerade die Distanz, wie sie in der Heldenbiographik üblich war, abbauen und vertrauliche Nähe herstellen, die eine wichtige Voraussetzung für den gewünschten Identifizierungsvorgang sein sollte. Könnten wir nach der Freudschen Auslassung zum dramatischen Heldentypus davon sprechen, hier versichere sich der Zuschauer/Leser zeitweilig einer ›sekundären Identität‹, wie der Mythos im George-Kreis ja auch die Inbesitznahme einer fremden Identität erleichtert, so lag Ludwig und Zweig eher daran, die ›primäre Identität‹, d. h. das Selbstverständnis ihrer Leser, zu bestätigen: Sie wollten diese eben nicht aus ihrer Welt herausreißen, keinen ›Horizontwandel‹ einleiten und die literarische Rezeption angenehm und leicht verständlich gestalten. Das zieht für die Zeichnung der Helden Konsequenzen nach sich.

Die von Ludwig und Zweig immer wieder gerühmte ›Vermenschlichung‹ ihrer Helden – das ›Ewigmenschliche‹ – hat zwar einerseits den Heroensturz einleiten sollen, aber andererseits auch ein Operieren mit leicht eingängigen psychologischen Versatzstücken gefördert. Denn im berechtigten Blick auf ein Publikum, das nicht die Bildungstradition der Leser von fachhistorischen oder geistesgeschichtlichen Biographien besaß, haben sie vor allem spannende Lektüre und vergnügsame Aufklärung bieten wollen. Nur scheint es so, daß ihnen dabei das Mittel zum Zweck geriet, denn in ihren Biographien herrscht im wesentlichen das ›Menschliche‹; einzig auf der Ebene der Affekte bieten sie Identifizierungsmöglichkeiten an.

Stefan Zweig hat z. B. seine Marie Antoinette ausdrücklich als »die Durchschnittsfrau von gestern, heute und morgen« (S. 344) bezeichnet: »eine laue Seele, ein mittlerer Charakter und, historisch gesehen, anfangs nur Statistenfigur. Ohne den Einbruch der Revolution in ihre heiter unbefangene Spielwelt hätte diese an sich unbedeutende Habsburgerin gelassen weitergelebt wie hundert Millionen Frauen aller Zeiten« (S. 345). Zweig vergißt nicht, dieses Leben einer Durchschnittsfrau in der Biographie zu schildern; wir können uns allerdings auf die summierende Beschreibung in seinem Vorwort beschränken: »sie hätte getanzt, geplaudert, geliebt, gelacht, sich aufgeputzt, Besuche gemacht und Almosen gegeben; sie hätte Kinder geboren und sich schließlich still in ein Bett gelegt, um zu sterben« (S. 345). Wie er selbst die Identifizierung sieht, spricht Zweig auch im Vorwort aus: »Ein mittlerer Charakter muß erst herausgetrieben werden aus sich selber, um alles zu sein, was er sein könnte, und vielleicht mehr, als er selber früher ahnte und wußte; dafür hat das Schicksal keine andere Peitsche als das Unglück.« (S. 345).

Wie sehr Zweig auf den Leser schaut und wie sehr er ihm Identifizierungen nahelegen will, verraten seine ungewöhnlich zahlreichen Sentenzen, die das Sinnlich-Anschauliche der individuellen Handlung ins Begrifflich-Allgemeine heben und zugleich ein Zeichen für das mangelnde Vertrauen des Autors in die Erkenntnisleistung der Leser sind. Gern beginnt er solche Adressen an den Leser mit einem verstärkenden und verallgemeinernden ›immer‹, »das irgendwelchen Folgerungen aus zufälligen Befunden den Adel des Normativen verleiht« (Leo Löwenthal)[19]: »Immer enthüllt erst die Leidenschaft in einer Frau die innerste Seele, immer erst in der Liebe und im Leiden erreicht sie das eigene Maß«, heißt es in *Maria Stuart* (S. 30). Um auch hier die schon aufgezeigte Übereinstimmung in der Typenzeichnung zu belegen, sei auch eine Sentenz aus *Marie Antoinette* zitiert: »Denn nie ist eine Frau ehrlicher und edler, als wenn sie ganz frei ihren untrüglichen, jahrelang geprüften Gefühlen folgt, nie eine Königin königlicher, als wenn sie am menschlichsten handelt.« (S. 561)

Wenn sich solche Sentenzen als didaktisches Anliegen aufdecken, so fehlt ihnen doch jedes Moment, das über die menschliche Situation hinauswiese. Es sind keine dynamischen Elemente darin, sondern ganz entschieden statische, legen sie doch die Vorstellung einer anthropologischen Typenkonstanz über die Jahrhunderte nahe. (Der allerdings nicht nur Literaten wie Ludwig und Zweig huldigen, sondern auch wissenschaftliche Autoren von heute, wie z. B. Golo Mann.)[20] So wichtig eine anthropologisch-psychologische Methode sein kann, wie sie Dilthey fordert – er selbst hat in seiner Betrachtung Goethes und der darin eingearbeiteten Überlegung zur dichterischen Phantasie ein vorzügliches Beispiel geliefert –, so ist bei Zweig und Ludwig ein Punkt erreicht, wo die Bemühung um die singuläre Leistung und das Individuum umschlägt in Unverbindlichkeit und Subjektivität. Ihre Biographien geraten damit zu ›Steinbrüchen‹, in denen sich der Leser

seine je individuell benötigten Bausteine zur ›Erklärung‹ seiner eigenen Psyche heraus-
bricht und so eine partielle Identifizierung vollzieht – oder mit Ludwigs Worten: wo er
»ein Kompendium seiner Motive, Fähigkeiten, Narrheiten, Wildheiten« findet.[21]

Diese generalisierende Aussage läßt sich nicht ohne Abstriche und Korrekturen auf die
jeweiligen Biographien übertragen, da in Einzelfällen durchaus eine Annäherung an die
historische Person und damit an ihre Individualität möglich ist. Es ist aber bezeichnend,
daß solche Erfolge Ludwig z. B. bei einem Zeitgenossen wie Wilhelm II. gelingen. Diese
Biographie hat nicht nur die konservativen zeitgenössischen Historiker erregt, sondern
auch noch in unserer Gegenwart schien es einem Geschichtswissenschaftler wie Imanuel
Geiss angebracht, den *Wilhelm II.* wieder herauszugeben, weil diese Biographie an-
scheinend immer noch die nicht abgeschlossene Diskussion um den letzten deutschen
Kaiser zu beleben vermag. (Aus dem gleichen Grunde hat 1961 Fritz Fischer Ludwigs
Juli 14 erneut publiziert.) Im Nachwort vergißt Geiss aber nicht anzumerken: »Von einem gewissen Punkt an verwandelt sich allerdings Ludwigs Stärke – seine psychologische
Einfühlungsgabe – zu einer Schwäche.« (S. 309) Bei einer zeitlich so ›nahen‹ Figur konnte
Ludwigs ›Einfühlung‹ deshalb besser geraten, weil er aus eigener Zeiterfahrung Beobach-
tungen einbringen konnte, die zudem auch mit denen seiner Leser übereinstimmten. Hier
erleichtert die Zeitgenossenschaft von Held – Autor – Leser die Identifizierung, die in diesem Fall auch als eine ›negative‹ Identifizierung gesehen werden kann.[22] Das psychologische Porträt stand auch keineswegs historisch und sozial isoliert da, es bewegt sich im
Rahmen vertrauter sozialer und politischer Vorgänge, weil der Leser einen ›Zuschuß‹ an
Kenntnissen – und vor allem auch ein motivierendes Leseinteresse – einbrachte, die eben
bei einer historisch ›fernen‹ Gestalt, wie z. B. Napoleon, nicht direkt gegeben waren. Hier
erweist sich nun die Reduktion auf die »Geschichte eines großen Herzens« (Ludwig)[23]
als Enthistorisierung geschichtlicher Prozesse.

Daß damit die ursprüngliche Intention der Biographen, Gegenmodelle zu bestehenden
gesellschaftlichen Denkmustern zu entwerfen, scheitern mußte, wird uns im folgenden
noch beschäftigen. Aber diese Reduktion auf das Ewigmenschliche zieht auch für die Persönlichkeitszeichnung der historischen Figuren eine Entpersönlichung nach sich, wird
den Gestalten doch gerade ihre Exzeptionalität, ihre je singuläre Struktur vorenthalten.

Wenn wir nun die soziale und politische Situation der 20er Jahre beachten und dabei
von einer bürgerlichen Identitätskrise sprechen können, dann muß die Behauptung Emil
Ludwigs, die »Geschichte eines großen Herzens« sei nicht nur fesselnder, sondern auch
belehrender als die politische Geschichte, überprüft werden.[24] Was war eigentlich an
Lehren aus diesen Biographien zu entnehmen?

Ludwig und auch Zweig hätten wohl eine moderne Definition wie die folgende von
Hermann Lübbe unterschrieben: »Historisch erzählte Geschichten sind Medien der
Identifikation fremder und eigener Identität. Dabei ist diese historisch-genetische Identifikation fremder und eigener Identität ein Moment des Aufbaus und der Selbsterhaltung
dieser jeweils eigenen Identität selbst.«[25] Wenn nun Identität mit Erik H. Erikson erstens bedeutet, »sich mit sich selbst – so wie man wächst und sich entwickelt – eins fühlen« und zweitens, »mit dem Gefühl einer Gemeinschaft, die mit ihrer Zukunft wie mit
ihrer Geschichte (oder Mythologie) im reinen ist, im Einklang zu sein«[26], wir aber gerade für die 20er Jahre den Verlust solcher Sicherheit und Harmonie – als Verlust einer

sozialen Zugehörigkeit – konstatieren können, dann wächst den Biographien eine besondere Funktion zu, indem sie einen Beitrag zur Erzeugung einer *neuen* Identität leisten sollen. Tatsächlich liegt das ganz im Interesse der Autoren. Aber die damit verbundenen Schwierigkeiten – eine neue Identität lasse sich nicht »sozusagen aus dem Boden stampfen«, meint Erikson[27] – haben sie nicht gemeistert. Wenn Erikson besonders ein »neues *Realitätsbewußtsein*« fordert, das »die gegebenen Tatsachen, Zahlen und Techniken in einem Bewußtsein« vereinigt und auch »visionäre Elemente enthält«[28], dann stimmt das mit Jürgen Habermas' Überlegungen überein, der eine »produktive Neuorientierung, die über die bestehenden Diskrepanzen hinweg die Kontinuität der Lebensgeschichte und die symbolischen Grenzen des Ich ermöglicht«, fordert.[29]

Wenn Habermas dann eine sozialpsychologische Reaktion auf eine Bedrohung der Identität vorführt: »man rettet seine Haut durch räumliche und zeitliche Segmentierung, also durch eine Abschnürung der unvereinbaren Lebensbereiche oder Lebensphasen, um wenigstens innerhalb dieser Parzellen den üblichen Konsistenzforderungen gehorchen zu können«[30], so haben wir damit eine gute Erklärung für die Reaktionen im George-Kreis gefunden. Daß es Ludwig und Zweig ebenfalls um solche »Konsistenzforderungen« gegangen ist, dürfen wir als sicher annehmen. Gerade die Beschäftigung mit der Geschichte verhilft zu einer Identitätsbestimmung, das hat sowohl Erikson mehrfach betont[31] als auch die moderne Geschichtstheorie und -philosophie. In Krisenzeiten übernehme die Geschichtsschreibung eine »identitätsdefinierende Funktion«, die jedoch zugleich mit Problemen verbunden ist, denn der Geschichtsschreiber soll helfen, die Unsicherheit zu beseitigen, »mit welchen Geschichten man sich identifizieren und mit welchen man sich nicht identifizieren kann, welche wichtig und welche unwichtig sind« (H. Lübbe).[32]

Damit sind wir wieder bei Brechts Zitat zur Typik angelangt und bei seiner Forderung nach einer klaren Wertentscheidung. Die Verfasser der literarischen Biographien haben sich zwar für eine Wertung im Sinne der Demokratie und Humanität entschieden, aber es ist ihnen nicht gelungen, diese Wertung in ihren Biographien anderen mitzuteilen. Das ist sicherlich einmal durch ihr Verhaftetsein in traditionellen Wertungsklischees und Vorstellungen zu erklären, andererseits hat auch ihre literarische Bearbeitung dazu beigetragen, solche möglichen Ansätze zu einer Wertung zu verhindern. Da sie sich im wesentlichen der Erzählmuster des 19. Jahrhunderts bedienen und dabei auf eine geschlossene und ›stimmige‹ Darstellung achten, sorgen sie für eine »Abfuhr der Affekte durch Einfühlung in das bewegende Geschick des Helden«. Diese von Walter Benjamin beschriebene Funktion der aristotelischen Katharsis trifft auch für solche Literatur zu, die sich immer wieder ans Gefühl ihrer Leser wendet.[33]

Indem die Autoren sich allein auf die Affekte konzentrieren, verlieren ihre Figuren die Singularität. Gleichzeitig wird dadurch auch die Absicht der Autoren, Vorbilder und Beispiele zu geben, paralysiert bzw. ins Unverbindlich-Emotionale abgelenkt. Hat die Typik im George-Kreis immerhin noch Bildung vermittelt, weil sie die Werke der Helden berücksichtigt hat, so gleicht die Typik bei Zweig und Ludwig die historischen Helden an die Gefühlswelt der Leser an und engt damit den Spielraum für erwünschte Lernprozesse und Spontaneitätserlebnisse ein. Gehört doch zum Lernen auch gerade das Fremde bzw. Neue, das die Neugierde reizen, zum Vergleich anregen und eventuell sich als überzeugend und nachahmenswert darstellen kann. So richtig es ist, daß man im anderen auch das Ich entdeckt, so wichtig ist aber auch das Erkennen des *anderen,* denn nur so stellt sich – aus der Erfahrung der Differenz – ein *Selbst*bewußtsein ein: »Ich schaue in ihm als Ich mich selbst an, aber auch darin ein unmittelbar daseiendes, als Ich absolut gegen mich selbständiges anderes Objekt.« (Hegel)[34]

Aber gerade mit dem Verlust der Exzeptionalität der historischen Figuren geht auch ihre Funktion als Beispiel und Vorbild verloren, gerät doch den Autoren die historische Gestalt nur noch zum Spiegelbild des gegenwärtigen ›durchschnittlichen‹ Menschen. Damit ist die Aufgabe, die Erikson und Habermas für die Erzeugung einer neuen Identität beschrieben hatten, nicht mehr zu leisten: Weder gibt es visionäre Momente in den Biographien, noch handlungsanleitende Perspektiven, noch Aufklärung über Möglichkeiten der Selbstverwirklichung und der Wirklichkeitserfassung. So verkehrt sich die Intention der Autoren sogar in ihr Gegenteil: Statt mit ihren so gern als ›Individualbiographien‹ bezeichneten Werken – weil sie sich ganz auf die Person konzentrieren – das Individualitätsgefühl ihrer Leser zu stärken, präsentieren sie diesen das Vergangene als etwas Gegenwärtiges und bestätigen dem Leser letztlich nur die empfundene Identitätsverunsicherung.

Da die Erfahrung der Differenz im Lernprozeß eine so wichtige Rolle spielt, kann die Biographie eine identitätsstiftende Funktion nur übernehmen, wenn es ihr gelingt, den Leser anzuregen, individuelles Handeln und Denken der historischen Figuren, historische Lebenssituationen und Sozialisationsweisen, Verschränkung von individuellem mit klassen- bzw. gruppenspezifischem Verhalten sowohl als Fremdes und Einmaliges zu erkennen als auch in einem Prozeß der Anteilnahme und des Vergleichens auf sich selbst zu beziehen. Wenn sich – wie uns die moderne Sozialpsychologie lehrt[35] – eine stabile Ich-Identität nur im Zusammenspiel von personaler und sozialer Selbstverwirklichung erreichen läßt, dann darf sich das Identifizierungsangebot nicht nur auf den emotional-affektiven Bereich beschränken. Der Verlust eigener Handlungsfähigkeit und traditioneller kommunikativer Lebensformen, der die Sozialisation des modernen Individuums erschwert, kann mit einer Biographik teilweise aufgefangen werden, wenn mögliche Verhaltens-, Handlungs- und Meinungsdispositionen aus der Beobachtung fremder Individuation gewonnen werden. Einem wünschenswerten und notwendigen Lernprozeß in der eigenen Umwelt tritt als Hilfe ein Lernprozeß in einer fremden (historischen) Umwelt zur Seite. Dem Leser, der in vielen Lebenslagen sich selbst überlassen bleibt, eröffnet sich die Chance, sich im ›Umweg‹ über die Geschichte einschätzen zu lernen und Selbstbewußtsein zu entwickeln.

f) Größe

Das zentrale Problem jeder Biographik wird durch die Frage nach der Wechselbeziehung zwischen Individuum und Welt gekennzeichnet. Die traditionelle Biographik des 19. Jahrhunderts hatte sich im wesentlichen dem berühmten Treitschkeschen Diktum »Männer machen die Geschichte« gebeugt und damit einer individualistischen Geschichtsbetrachtung entsprochen. Andererseits setzt auch schon im 19. Jahrhundert mit Marx' Vorstellung vom Individuum als »Ensemble der gesellschaftlichen Verhältnisse«

(6. Feuerbach-These) und der positivistischen Milieutheorie eine Gegenbewegung ein, die ihre Variationen durch die Sozialgeschichte des 20. Jahrhunderts erfährt. Eine materialistische Geschichtsbetrachtung – sei es als Institutionen-, Wirtschafts- oder Sozialgeschichte – führte zu der heute so propagierten ›Struktur-‹ oder ›Prozeßgeschichte‹, wie sie sich in Anlehnung an die französische Historikerschule um die Zeitschrift *Annales. Economies, Sociétés, Civilisations* und ihre Hauptvertreter Lucien Febvre, Marc Bloch und Fernand Braudel entwickelt hat. Aber immer noch – es sei nur an die jüngste Auseinandersetzung um die Bedeutung Hitlers erinnert – wird die Diskussion über die Rolle des ›Menschen in der Geschichte‹ und die damit verbundenen konträren Haltungen geführt: »die Übersteigerung, der Mensch sei Herr der Geschichte, und die Unterschätzung, der Mensch sei nur ein Spielball der Geschichte« (Theodor Schieder). [1]

Daß gesellschaftliche Prozesse und Entwicklungslinien, die neben den von der traditionellen Geschichtsschreibung an Personen gebundenen Haupt- und Staatsaktionen laufen, für die Erkenntnis geschichtlicher Entwicklung überaus wichtig sind, scheint sich heute bei allen Historikern – wenn auch in gradueller Abstufung – als Voraussetzung historischer Arbeit durchgesetzt zu haben; dagegen hat in der Weimarer Republik die Nachwirkung der Diskussion um Karl Lamprechts Kultur- und um Max Webers Sozialgeschichte eine verstärkte Weiterführung der personen- oder auch ideengeschichtliche Geschichtsschreibung bewirkt. »Dies zeigt sowohl die fortdauernde Beliebtheit der literarischen Form der Biographie«, schreibt Faulenbach in seiner Analyse der Situation in den 20er Jahren, »als auch die in den anderen Gattungen vorherrschende Tendenz, Geschichte von Mittelpunktsfiguren her zu schreiben.«[2] Daß das Individuum, »wie es sich selbst Mittelpunkt ist, so auch vom Biographen zum Mittelpunkt gemacht wird« (Dilthey)[3], gehört zu den wesentlichen Axiomen der Biographik und schafft zugleich die Grundlage für kritische Einwände. Es ist ja nicht nur der »point de vue«, »alles durch den Helden zu sehen«, wie es André Maurois in seinem Aufsatz *Die Biographie als Kunstwerk* (1929) fordert[4], sondern damit erfolgt auch eine geschichtsphilosophische Festlegung im Sinne einer Individualgeschichtsschreibung. Denn der starke didaktische Impetus der Biographik korreliert mit einer personenzentrierten Geschichtsauffassung, die sich im Zuge der Entwicklung des Individualismus seit der Renaissance zunehmend verstärkt und auch verändert hat. Daß die »Geschichte der Welt« als »Lebensgeschichte großer Männer« – zu verstehen sei, hat Thomas Carlyle in seinen Vorlesungen *On Heroes, Hero-Worship and the Heroic in History* (1841) am nachdrücklichsten ausgesprochen. Da es hier nicht um einen lückenlosen Nachweis der Entwicklung gehen kann, sondern nur um die Wirkung und Intensität solchen Denkens bis ins 20. Jahrhundert, bis zu den Autoren literarischer Biographien, so können wir es bei einigen Hinweisen bewenden lassen und dabei an Hegels Einschätzung der weltgeschichtlichen Individuen als »Geschäftsführer des Weltgeistes« erinnern, wobei allerdings die aktive, selbstherrliche Funktion durch die notwendige vernünftige Lösung eingeschränkt wird, an Nietzsches Hochschätzung der großen Individuen in ihrer schrankenlosen Selbstverwirklichung und an Jacob Burckhardts Überlegungen zur historischen Größe in den *Weltgeschichtlichen Betrachtungen.* Burckhardts Überzeugung, »die großen Männer sind zu unserem Leben notwendig«[5], findet zu Beginn des 20. Jahrhunderts noch breiteste Zustimmung. Am eindeutigsten haben sich die Georgeaner zum großen Individuum bekannt; ihre Biographien haben wir als Verherrlichung und Mythisierung historisch großer Gestalten kennengelernt.

Daß sich die Geschichtswissenschaft in der Weimarer Republik durch das aus dem Historismus stammende Individualitätsdenken leiten ließ, ist in unserer Untersuchung schon mehrfach festgestellt worden. Friedrich Meinecke hat sich 1928 ausdrücklich zu dieser Tradition bekannt: »Das tiefere Verständnis für die Individualität, sowohl die der Einzelpersönlichkeit wie die der überpersönlichen menschlichen Gebilde, war die große Errungenschaft, die in Deutschland durch Idealismus und Romantik gemacht wurde und den modernen Historismus *schuf*.«[6]

Daß die Historiker – trotz mancher Bedenken, wie sie z. B. Meinecke vorträgt – mit ihrer Hochschätzung des »persönlichen geistig-sittlichen Handelns« und der »Kulturwerte« (Meinecke) dem George-Kreis-Denken nahestanden[7], beweist die freudige Zustimmung, die Ernst Kantorowicz 1930 auf dem Historikertag in Halle zuteil wurde.[8] Tatsächlich übernimmt auch die Biographik in der Geschichtswissenschaft gern die Funktion der Heldenverehrung und verrät nicht selten die Sehnsucht nach einer starken Führerpersönlichkeit, wie z. B. das Vorwort zu einem Sammelwerk wie *Meister der Politik* (1922/23) belegt:

> »Unsere eigene, gärende, übergangsvolle Gegenwart, unser eigenes niedergebrochenes, aus der Bahn geworfenes deutsches Volk haben d(ies)en neuen schöpferischen Gestalter noch nicht gefunden. Indem wir diese Bildnisse seiner Vorgänger aus der Vergangenheit sammeln, lauscht unsere Hoffnung in die Zukunft, durch die dunkle Nacht der Ratlosigkeit, in der nicht nur Deutschland, sondern Europa heute lebt, auf das erste Blitzen, das ihn verkünden wird.«[9]

Bernd Faulenbach hat ein sehr hartes, aber dennoch überzeugendes Urteil über die größere Gruppe der Historiker in der Weimarer Republik gefällt: Nachdem er festgestellt hat, die Historiker interpretierten Politik vor allem »als Kunst eines genialen Staatsmannes«, »dessen Fähigkeiten mehr irrationaler als rationaler Natur seien«, fährt er fort: »Geradezu als präfaschistisch wird man die von ›rechts‹-stehenden Historikern vertretene These klassifizieren müssen, ›daß die deutsche Geschichte in allen Hauptmomenten von großen überragenden Einzelpersönlichkeiten hinausgeführt [!] worden ist‹«.[10] Wenn im folgenden nun die Einstellung der Literaten zur Rolle der Persönlichkeit, der Größe und dem damit zusammenhängenden Geschichtsverständnis nachzuzeichnen versucht wird, so verzichten wir selbstverständlich nicht auf heutige Erkenntnisse und Beurteilungen, die uns aus dem historischen Abstand ermöglicht werden, dennoch darf der Hinweis auf die skizzierte Situation in der Geschichtswissenschaft nicht unterbleiben, verhilft er uns doch zu einer gerechteren Beurteilung der Möglichkeiten und Fähigkeiten der Autoren.

Mit der Entscheidung für die Biographie war auch bei den Literaten eine Festlegung auf eine individualisierende Geschichtsschreibung erfolgt. Allerdings können wir nicht nur gegenüber der Fachwissenschaft Unterschiede herausstellen, sondern auch innerhalb der Autorengruppe selbst. So schwankt die Einstellung von einer mehr traditionellen Heldenverehrung (Ludwig) über eine »Umstellung der Heldenverehrung« (Zweig) bis zur Heldenzerstörung (Hegemann).[11]

Daß ausgerechnet der Autor, der eine dezidiert politische Biographik vertrat, auch am stärksten durch die Tradition der Individualitätserhöhung beeinflußt war, hatte für die Wirkung seiner Biographien schwerwiegende Folgen. Emil Ludwig hatte sich bereits 1914 in seinem Essay *Charaktere und Biographien* für die Burckhardtsche Definition von Größe entschieden – »der große Mann ist ein solcher, ohne welchen die Welt uns unvollständig schiene«, heißt es in Burckhardts *Weltgeschichtlichen Betrachtungen* [12] – und behauptet: »Wer wert ist, Objekt einer Biographie zu werden, ist stets Genie oder ein Stück davon.« [13] Diese Einstellung hat Ludwig im wesentlichen beibehalten, wie die Wahl seiner Helden und sein Bekenntnis von 1931 belegen: »Ich suchte immer Objekte der Verehrung«. [14] Doch zugleich hat sich Ludwig um einen Trennungsstrich gegenüber der Fachwissenschaft bemüht und sich gegen »die strahlenden Bilder von fleckenlosen Genien« gewandt und für eine Darstellung plädiert, die »diese großen Männer als kämpfende Menschen in Siegen und Niederlagen« vorführt. [15]

Es ist in dieser Untersuchung schon mehrfach auf die gewünschte ›menschliche‹ Perspektive der Autoren verwiesen worden. Wenn Ludwig solche Aspekte einer Darstellung der auch vom allgemeinen historischen Verständnis als ›große Individuen‹ Eingestuften hinzufügen wollte, so ging Stefan Zweig einen Schritt weiter und suchte sich neue Helden. Damit leistet er tatsächlich einen entscheidenden Beitrag zu der von ihm gewünschten »Umstellung der Heldenverehrung« [16], die ihn mit gleichen Bestrebungen Bertolt Brechts verbindet, der in den 20 er Jahren in seinem *Kleinen Rat, Dokumente anzufertigen* auch neue vorbildliche Helden gefordert hat. [17] Als engagierten Pazifisten störte Zweig die sich als »Kriegsgeschichte« verstehende Fachwissenschaft; in seinem Entwurf einer »Geschichtsschreibung von morgen« setzt er dagegen:

> »Nicht mehr die Alexander, die Napoleons, die Attilas werden in dieser Geschichte von morgen die Vorbilder sein, sondern als ihre Helden wird sie nur diejenigen anerkennen, die dem Geist gedient, die ihm neue Formen und neuen Ausdruck gegeben, die unser Wissen vermehrt und unseren irdischen Sinnen Macht über die Elemente und Erkenntnis so vieler Geheimnisse des Himmels und der Erde verliehen haben.« [18]

Mit seinen *Baumeistern der Welt* – Balzac, Dickens, Dostojewski (1920), Hölderlin, Kleist, Nietzsche (1925), Casanova, Stendhal, Tolstoi (1928) – wollte Zweig geistige Größen vorstellen, die an die Stelle der politischen treten sollten, aber nicht nur die Auswahl muß schon bedenklich erscheinen, sondern auch die rein psychologisierende Behandlung. Es ist deshalb aufschlußreich, daß Zweig nach eigenem Eingeständnis vom »Problem der seelischen Superiorität des Besiegten« fasziniert war, läßt sich doch darin eine Ersatzkonstruktion vermuten, die auch autobiographisch bedingt ist: »Erasmus und nicht Luther, Maria Stuart und nicht Elisabeth, Castellio und nicht Calvin.« [19]

So sehr Zweig damit einen Beitrag zu einer ›Heldenumstellung‹ geleistet hat, indem er den Blick von der bürgerlichen Erfolgsmentalität – Adorno spricht im Zusammenhang des Persönlichkeitskultes von »der bürgerlichen Erfolgsreligion« [20] – und einer Geschichtsschreibung aus der Sicht des Siegers abgelenkt hat, so scheint hier doch die melancholische Zuneigung gegenüber den Scheiternden durch, die wir auch bei Gundolf beobachten konnten. Wie bei Gundolf liegt es auch bei Zweig nahe, einen Vergleich mit Heinrich Mann zu ziehen, zumal wir von beiden ein Stendhal-Porträt besitzen: Rühmt Zweig den »subtilen Genießer« (S. 78), den selbstbewußten »Egotisten«, dem Politik und Handeln fremd blieben, der nicht eingefärbt gewesen sei »vom Farbstoff seiner Epoche« (S. 96), so hebt Heinrich Mann den »soziale[n] Freigeist« (S. 63) und Zeitkritiker hervor. Herrscht bei Zweig ein gemächlich-ausladender Erzählduktus, der mit der heiter-müden Selbstzufriedenheit seines ›Helden‹ korrespondiert, so beeindruckt Manns Prosa durch ihre direkte und straffe Diktion, die viel von jener »Energie« ausstrahlt, die er mehrfach Stendhal zuspricht. Sieht Manns ›Held‹ »das Handeln mit dem Denken und Fühlen als dieselbe Größe« an (S. 43), so lautet Zweigs Ideal: »Der Genuß in der Einsamkeit und die Einsamkeit im Genuß« (S. 100). Könnte der Verlust an öffentlicher Anteilnahme und der freiwillige Verzicht auf Handeln besser umschrieben werden?

Im Grunde neigte auch Zweig eher der Heroenbiographie zu, der er im Vorwort zum *Fouché* »die seelenausweitende, die kraftsteigernde, die geistig erhebende Macht« zuspricht (S. 12). Nur hat ihn die Erfahrung mit der politischen Welt – sie fließt ein in die einzige politische Biographie, die mit Fouché ein Negativporträt des Politikers entwirft – und dem Pathos der politischen ›Größe‹ auf die geistige Welt gelenkt; hier ist ihm dann wieder möglich, ein Gefühl »der Ehrfurcht für jede irdische Manifestation des Genius« zu empfinden. [21] Damit hat Zweig aber nur die Tradition der Biographik des 19. Jahrhunderts fortgeführt, die aus der politischen in die ›höhere Welt‹ flüchtete.

Eine radikale Negierung des Helden – oder besser: bestimmter kanonisierter Helden – findet sich nur bei Werner Hegemann. Ihm spricht Walter Benjamin »die Rolle des Querulanten beim Weltgericht« zu, da er alles nur mit »mißvergnügten« Augen sehe. [22] (Was Benjamin durchaus positiv meint.) Hegemanns *Fridericus* stuft Benjamin als »den radikalsten Versuch« ein, »die ›Größe‹ dieses Monarchen zu erledigen«. [23] Hegemann zerstörte nicht nur das Heldenporträt Friedrichs des Großen, sondern auch das Napoleons. Schon im Untertitel »Kniefall vor dem Heros« wendet sich Hegemann gegen die Verehrer Napoleons, die den Kaiser – wie es dann in der ironischen Widmung heißt – »als Nationalhelden der Deutschen begründet haben«. Neben Nietzsche und Goethe, Ranke und Max Lenz wird auch Emil Ludwig genannt. Wie schon im *Fridericus* – einzig das *Jugendbuch vom großen König* macht da eine Ausnahme – läßt Hegemann in einer fiktiven Gesprächsrunde Kenner der französischen Geschichte ihre Ansichten austauschen und sich bloßstellen. Hegemann hatte frühzeitig erkannt, daß die traditionelle Geschichtswissenschaft – in der ihm eigenen polemischen Zuspitzung beschimpft er die Historiker als »geschichtsschreibende Speichellecker« [24] – ein Heldenporträt zur Verfügung stellte, das sich als »Typ des politischen Führers« unschwer auf Adolf Hitler übertragen ließ. [25] Damit hatte Hegemann allerdings nicht auf die Funktion großer Individuen als Vorbild verzichten wollen, nur sah er seine vordringliche Aufgabe in der Zerstörung der überlieferten Heldenporträts.

Hegemann steht in der Tradition einer Biographik, die seit Beginn des 20. Jahrhunderts verstärkt auszumachen ist und der es vor allem um Entmythologisierung und um eine Helden- bzw. Genie›entwertung‹ geht. Das ist einmal als Antwort auf die bisherige Mythisierung zu verstehen – die Reaktion z. B. von Friedrich Gundolf deckt die Betroffenheit der Vertreter der alten Biographik auf, wenn er von »eignen Gewohnheiten und Gemeinheiten« spricht, die die Verfasser neuer Biographien in den Vordergrund stellten [26] –, aber zugleich auch als Versuch einzustufen, eine demokratische Geschichtsschreibung einzuführen.

»es handelt sich keineswegs darum, zu zeigen, dass auch der Held nur ein gewöhnlicher, kleiner und pfuschender Mensch ist. Eher möchten wir das Bestreben der modernen Biographie so umschreiben: sie geht von der allernüchternsten Tatsache aus, wonach alle Menschen gewöhnlich klein und pfuschend sind, um dann zu zeigen, dass ein einziger unter ihnen ein einzigesmal unter besonderen Umständen doch ausserordentlich, gross und gradaus sein kann. Es ist also nicht so, dass dem Bedürfnis, zu verherrlichen, das Bedürfnis, herabzusetzen, folgte.« (Romein)[27]

Tatsächlich bedürfte es für jeden Autor und jede Biographie einer gesonderten Untersuchung, um zu erfahren, welche Motive hinter der Entheroisierung stehen.

Neben die Biographien z. B. im Stile Lytton Stracheys, die sich um eine ›Vermenschlichung‹ und Distanzverringerung bemühen, sich dabei besonders gern der Intimsphäre annehmen, trat eine moderne Aufsteiger-Biographik, die einer ›Selfmademan‹-Gesinnung entspricht. Mit Napoleon ist das bekannteste Beispiel aus der Geschichte genannt, aber auch Goethe wurde so von Emil Ludwig vorgestellt:

»Denn Goethes Gaben waren nicht unbedingt viel größer als die einiger andrer Dichter, nur der Sturm seines Innern war in der Jugend stärker und jene Gaben um so gefährdeter. Was er selber daraus gemacht hat, ist seine Leistung, gespiegelt in der Geschichte seines Antlitzes.
Darum wurde er mir und könnte er jedem zum feurigen Ansporn werden, das Mögliche aus sich herauszuholen, um ihm nachzustreben. Nur so und nicht, indem man geniale Menschen vergöttert, werden sie Vorbilder und wirken auf die Nachgeborenen produktiv.«[28]

Sowohl Hegemanns Mythenzerstörung als auch Ludwigs ›Vermenschlichung‹ entsprechen wohl nicht dem Typus der amerikanischen »debunking-biography«, wo es zwar einerseits um Legendenzerstörung geht – William E. Woodwards Roman *Bunk* (1923), der als literarisches Grundmuster gilt, bemüht sich um die Biographie eines Autotykoons, »to take the bunk out of that family by showing it up in its true relations«[29] –, aber sich auch die Nähe zu einem Sensationsjournalismus einstellt, dem es nicht um Aufklärung oder Sozialkritik geht.

Hegemann hat seine Form der ›Genieentwertung‹ nicht als Selbstzweck gesehen, sondern sich auf Nietzsche berufen, der im *Vom Nutzen und Nachteil der Historie für das Leben* geschrieben hat: »Er [der Mensch – H. S.] muß die Kraft haben und von Zeit zu Zeit anwenden, eine Vergangenheit zu zerbrechen und aufzulösen, um leben zu können: dies erreicht er dadurch, daß er sie vor Gericht zieht, peinlich inquiriert und endlich verurteilt«.[30]
Eine solche von Nietzsche als »kritische Historie« eingestufte Betrachtung der Vergangenheit ist ohne Zweifel eine wichtige Aufgabe jeder Geschichtsschreibung, und mit guten Gründen konnte Hegemann Nietzsches Spruch gegen die Historiker wenden, da diese sich in Heldenverehrung übten.

Wenn nach dem bisher Ausgeführten in der Grundtendenz Übereinstimmung der belletristischen Biographien mit einer individualisierenden Fachgeschichtsschreibung erkennbar ist, so läßt sich jedoch gerade auch am Beispiel der Individualitäts*auffassung* und -*darstellung* ein überaus wichtiger Unterschied feststellen: Die Autoren literarischer Biographien reklamierten für sich das ›Seelenporträt‹, wie wir gesehen haben, und verbanden damit den Anspruch, die eigentliche Individualität der historischen Personen erfassen zu können. Haben wir schon in den vorgehenden Kapiteln Zweifel an dieser These anmelden müssen, so werden wir aus einer anderen Perspektive im nächsten Kapitel darin nur noch bestärkt.

g) Die Umwelt

»Wenn einem neuen Buch über Napoleon vorgehalten wird, ›die Bedeutung des Friedens von Tolentino, die Mittelmeerpolitik des königlichen Frankreich, die Neuordnung von Lunéville, der Frieden von Amiens, das Verhältnis zu Paul I. bilden lauter Lücken‹, so würde ich, wenn ich etwa der Autor wäre, erwidern, ich könnte nichts Angenehmeres hören, denn genau auf diese Lücken kam es dem Autor an. Vielleicht war sein Geist nicht auf diese schon zu Napoleons Lebzeiten sich ständig wandelnde Materie, – vielleicht war er mehr auf die Stimmung gerichtet, unter deren Druck oder Antrieb er beim Frieden mehr oder weniger nachgab, auf die Einflüsse, die von seiner Frau, seinen feindlichen Freunden, von seinen Brüdern oder einer Geliebten ihn erreichten und ganze Reihen von neuen Tatsachen ermöglichten oder ausschlossen. Vielleicht hatte der Autor erkannt, daß das Ewig-Menschliche fesselnder und zugleich belehrender ist als das Zeitlich-Gewandelte, daß die Geschichte eines großen Herzens bedeutungsvoller ist als die Veränderung einer Spezialkarte zwischen 1790 und 1810.«[1]

Dieses Zitat, mit dem Ludwig ironisch den Vorwürfen Srbiks gegenüber seinem *Napoleon* begegnet und von dem wir einzelne Teile schon kennengelernt haben, faßt vorzüglich die Haltung der Literaten zusammen und umreißt ihre Einstellung zur politischen Geschichtsschreibung, die sich nicht mit dem »Innenproblem« zufriedengeben will, sondern auch die »Außenorientierung« verlangt (Srbik).[2] Im Rahmen der geistesgeschichtlichen Biographik war schon das Problem Individuum und Umwelt, verbunden mit Kampfbegriffen wie ›Freiheit‹ und ›Notwendigkeit‹ bzw. ›Milieu‹ zur Sprache gekommen, als der Unterschied zwischen positivistischer und geistesgeschichtlicher Biographik skizziert wurde. Rankes Auseinandersetzung mit dem Begriff ›Biographie‹, wie er sich durch die Plutarchsche Tradition gebildet habe, die mehr auf das ›Seelische‹ abhebe, und sein Plädoyer für eine *Geschichte* in der Biographie hat konträre Konzepte biographischer Arbeiten aufscheinen lassen, die wir hier wiederum aufgreifen können. Dabei kann eine Überlegung Droysens aus der *Historik* den Ausgangspunkt abgeben.

Droysen ist der Meinung, die »bedeutendsten« Menschen der Weltgeschichte müßten den Rahmen biographischer Darstellung sprengen: »es wäre geradezu töricht, eine Biographie Friedrich des Großen oder Cäsars schreiben zu wollen.« Daß auch Droysen der durch Plutarch geprägten Vorstellung von Biographik verhaftet ist, zeigt der nächste Satz:

»Denn daß Friedrich auf der Flöte blies oder Cäsar einige grammatische Schriften verfaßt hat, ist zwar sehr interessant, aber für die große geschichtliche Tätigkeit beider äußerst gleichgültig. Ebensowenig sollte man eine Biographie von Scharnhorst schreiben wollen: die militärische Organisation Preußens von 1796 bis 1813 ist sein biographisches Denkmal. Aber Alkibiades, Cäsar Borgia, Mirabeau, das sind durch und durch biographische Figuren. Die geniale Willkür, die ihre geschichtliche Tätigkeit bezeichnet und die kometenhaft die geregelten Bahnen und Sphären störend ihr persönlichstes Wesen zu beachten zwingt, macht ihre Biographie zum einzigen Schlüssel für die Bedeutung, die sie in ihrer Zeit hatten.«[3]

Sehen wir einmal davon ab, daß Droysen anscheinend selbst sein Biographieverständnis geändert hat – hatte er doch 1851/52 eine Biographie Yorks von Wartenburg geschrieben, die gerade die preußischen Befreiungskriege in großen Gestalten in den Blick rücken sollte[4] –, so wird von ihm der Primatanspruch der *politischen* Welt vertreten und die Biographie für solche Individuen reserviert, bei denen eben nicht – nach Hegel –

die »individuelle Gesinnung« sich als »das Rechte und Sittliche« ausweist und sie damit zu Werkzeugen der »Weltvernunft« macht.[5]

Bei Wilhelm Dilthey können wir die Bemühung erkennen, eine Zusammenführung beider Elemente – der historischen und persönlichen – zu erreichen. Im Kapitel vier von *Der Aufbau der geschichtlichen Welt in den Geisteswissenschaften,* das sich mit der Biographie befaßt und aus zwei Unterkapiteln: »1. Der wissenschaftliche Charakter der Biographie« und »2. Die Biographie als Kunstwerk«, besteht, knüpft Dilthey an die Schwierigkeiten der Historiker an, »den wissenschaftlichen Charakter der Biographie« und die Biographie als Teil der Geschichtswissenschaft anzuerkennen. Dieses ist für ihn »im letzten Grunde eine Frage der Terminologie«; dagegen wird die Wissenschaftlichkeit eingehend diskutiert: »Aber am Eingang jeder Diskussion über die Biographie steht das erkenntnistheoretische und methodische Problem: ist Biographie als allgemeingültige Lösung einer wissenschaftlichen Aufgabe möglich?« Indem er nun den »Gegenstand der Geschichte« »in dem Inbegriff der Objektivationen des Lebens« faßt, kann er die »Aufgabe des Biographen« damit bestimmen, »den Wirkungszusammenhang zu verstehen, in welchem ein Individuum von seinem Milieu bestimmt wird und auf dieses reagiert. Alle Geschichte hat Wirkungszusammenhang zu erfassen.«[6] Dilthey sperrt sich auch gegen eine Beschränkung biographischer Arbeit nach der Bedeutung der Persönlichkeiten: »Jedes Leben kann beschrieben werden, das kleine wie das mächtige, das Alltagsleben wie das außerordentliche. Unter ganz verschiedenen Gesichtspunkten kann ein Interesse entstehen, dies zu tun.«[7]

Hat Dilthey damit der Biographie eine neue Wertbestimmung gegeben, so hat er doch nicht vergessen, hinzuzufügen: »Die Biographie als Kunstwerk kann sonach die Aufgabe nicht lösen, ohne zur Zeitgeschichte fortzugehen.« Da er den Menschen in den Mittelpunkt der historischen Interessen stellt, sieht er auch im Studium der »höchsten menschlichen Persönlichkeiten« die Chance, »Grenzen der Menschheit« zu erkennen. Ausdrücklich plädiert er für eine Berücksichtigung der geschichtlichen Momente, denn »durch Introspektion erfassen wir die menschliche Natur« nicht. Dieser Seitenhieb gegen Nietzsche kann ebensogut gegen die literarischen Biographien geführt werden, wo wir auch einen ›Kurzschluß‹ zwischen eigener und fremder Seelenschau erleben. Damit sind jedoch nicht die jeweils besonderen, die je individuellen Aspekte – jene »Grenzen«, von denen Dilthey spricht – aufweisbar. Diese Singularität ist nur durch eine Erweiterung erreichbar: »Carlyles Biographie, Jakob Burckhardts Erfassung eines einzelnen Kulturganzen von seinen Grundlagen aufwärts, Macaulays Sittenschilderungen waren die Ausgangspunkte. (Gebrüder Grimm.) Dies ist die Grundlage, auf welcher die Biographie als Kunstwerk eine neue Bedeutung und einen neuen Gehalt erhielt.« (Dilthey)[8]

Die Autoren der literarischen Biographien stellen sich anscheinend wie selbstverständlich in diese Tradition: »ganze Zeiten uns vorzuzaubern, dies Wagnis ist ja eben die vornehmste Aufgabe des Historikers, und jeder, den wir groß nennen, Burckhardt und Mommsen, Carlyle und Macaulay, hat diese Kraft besessen.« (Ludwig)[9] In Wirklichkeit haben sie eine von Dilthey gerade abgewiesene Reduktion der Geschichte auf das rein Psychologische vorgenommen. Wobei sie sich scheinbar auf die Tradition der Plutarchschen Biographik berufen konnten: Allerdings haben die Autoren den ›Seelen‹-Begriff – Plutarchs›ethos‹ – wiederum verengend ausgelegt und gerade dessen oft breite historische Darstellung vernachlässigt. Auch das von Dilthey geforderte Studium der Sitten verstehen sie meist nur als ein Studium der vita intima, während Dilthey darunter noch ein weites Kulturverständnis subsumierte.

Man braucht nicht Max Lenz zustimmen, der in einem Vortrag über *Rankes biographische Kunst* 1912 für die »Kunst des Auslassens« plädiert und damit einer unter Historikern weit verbreiteten Meinung entspricht, daß zwar an jeder großen historischen Figur »Allzumenschliches« hafte, der Biograph jedoch solche persönlichen Details zu verschweigen habe [10], doch eine Biographie, die sich allein solcher ›Menschlichkeiten‹ annimmt, muß mißraten. Wenn Ranke in seinem *Wallenstein* durch jeweils kleine Charakteristiken und Personalskizzen die politisch Agierenden auch menschlich erfassen will – diese Einblendtechnik stellt eine Variante biographischer Kleinkunst dar, die seit der Antike gepflegt wird [11] – und z. B. bei dem Condottiere Mansfeld allenfalls andeutet, dieser habe sich »von verdächtigen Weibspersonen« begleiten lassen [12], so reizt es die Literaten, solche Vorgänge auszumalen und damit das Hauptgewicht auf die menschlichen Probleme zu legen. Ludwig Marcuse hat versucht, diese Darstellungstechnik in einem bildkräftigen Vergleich zu erfassen: Er spricht davon, daß »die Zeit so hinter der Person wie beim Photographen das Brandenburger Tor hinter dem photographierten Schupo« zurücktrete. (Siegfried Kracauer wiederholt diesen Vergleich mit der Photographie im Vorwort zu seiner »Gesellschaftsbiographie« *Jacques Offenbach und das Paris seiner Zeit.)* [13]

Die Autoren der literarischen Biographien haben sich damit verteidigt, daß es ihnen frei stünde, *wie* sie ihre Personen zeichnen. So hat André Maurois in seinem Essay *The Ethics of Biography* wiederum mit einem Vergleich geantwortet, indem er auf die Freiheit des Malers verwies, eine Figur isoliert oder z. B. in familiärer Umgebung oder vor einem historischen Hintergrund zu malen: »In the same way, a biographer has a right to leave around his central figure a margin, more or less wide, of contemporary facts.« [14] Auf den ersten Blick scheint dieses Argument überzeugend, denn tatsächlich kann niemand einem Autor vorschreiben, wie er seine Personen vorstellen soll: ob in einem engen oder weiten oder gar keinem Zeitzusammenhang. Nur für Biographien, die einem wissenschaftlichen Anspruch genügen, die aber vor allem ein neues politisches und gesellschaftliches Bewußtsein wecken wollen, kann Maurois' Antwort uns nicht befriedigen.

Denn die Isolierung der Person ist ja nicht nur eine Darstellungstechnik, wie wir auch schon im Zusammenhang des Geschichteschreibens von Mittelpunktfiguren her betont haben, sondern zugleich wird damit auch ein bestimmtes Geschichtsverständnis vermittelt. Stefan Zweigs Behauptung von der »Unverbundenheit mit der Welt« seiner Helden Hölderlin, Kleist und Nietzsche ist ebenso entlarvend wie Ludwigs »Vorrede« von 1920 zu seinem *Goethe:* »Auch alle Zeitumstände bleiben in schwachem Umriß, denn ihre entscheidende Wirkung auf Goethe war fast so gering, wie Goethes Rückwirkung auf seine Zeit.« [15] Stellt sich damit erneut eine verblüffende Parallele zur geistesgeschichtlichen Biographik ein, so bringt die folgende Äußerung Emil Ludwigs die Autoren sogar in die Nähe der Georgeaner. Zwar ist es eine Bemerkung aus dem Jahre 1912, aber bei Durchsicht der Biographien ist sie eher bestätigt als widerlegt worden:

»uns fesselt die Persönlichkeit, die Maße, Spannung und Lähmung ihrer Lebenskräfte, der Trieb zur Tat und die Hemmung des Gedankens, Leidenschaften und ihr Widerspiel, und das wechselnde Fluidum ihrer Stimmung. Während unsere Väter, in Konsequenz jener Theorie, fragten: wie harmoniert der Einzelne mit der Welt?, fragen wir zuerst: wie harmoniert er in sich selber? Siege und Verantwortungen sind mehr und mehr aus dem Milieu in die Seele des Einzelnen zurückgelegt worden, und solcher Weltauffassung muß die Darstellung folgen. Ins Innere muß sie zu dringen suchen, wo sie früher der Sphäre gewidmet war.«[16]

Ganz offensichtlich interessiert Ludwig nicht so sehr die Handlung, sondern ihre psychologische Motivation. Solches Denken fließt nicht nur in die Biographien ein, sondern z. B. auch in ein historiographisches Werk wie *Juli 14*, dessen Buchumschlag bezeichnenderweise vier Porträts (Berchtold, Iswolski, Liebknecht und Jaurès) zeigt. In diesem Werk wird der Kriegsausbruch erklärt durch »Lüge, Leichtsinn, Leidenschaft und Furcht von dreißig Diplomaten, Fürsten und Generalen« (S. 241) und die Politik gerät zum Spielball verantwortungsloser Einzelner. Selbst in dieser Kritik bestätigt Ludwig nur die Vorstellung von der Allmacht einiger selbstherrlicher Individuen und der Ohnmacht der anderen. Die Konzentration auf die wenigen Einzelnen läßt beinahe notwendigerweise das Volk als ›Masse‹, als »die Namenlosen« und »Sklaven« (S. 105) und damit der Verfügungsgewalt der ›Großen‹ ausgeliefert erscheinen: »Dumpf und schwitzend murren sie; hinter ihren Schraubstöcken und Drehbänken, Kesseln und Dampfhämmern, Motoren und Walzen hören sie, was ihnen die Zeitung vom drohenden Gewitter spricht.« (S. 105) Schildert Ludwig so unter der sich positiv verstehenden Überschrift »Die Protestierenden« in *Juli 14* selbst die seine Sympathie tragenden Arbeiter, so scheint bei Zweig zudem noch eine Verachtung der Masse durch. Die revolutionäre Bewegung der Französischen Revolution flößt ihm allen Anschein nach nur Schrecken ein, spricht er doch in *Marie Antoinette* von »dämonischen Urkräfte[n]« (S. 628) und dem »schmutzigen Sturzbach« (S. 674) und dem »wütende[n] Pöbel« (S. 751). Er wendet sich gegen die Idee einer »gewaltsamen Gleichmachung« (S. 693) und redet lieber einem sozialen status quo das Wort, wo das »einfache« oder »nieder[e] Volk« (S. 673 und S. 705) dem Bild eines »echte[n] und rechte[n] Proletarier[s]« entsprechen soll (S. 693), dem »eine rührende Kraft der Teilnahme für die in ihren Glückstagen so verhaßte Fürstin« eignet (S. 705).

Obwohl die Autoren gerade die Mythisierung der historischen Individuen beseitigen wollen, zeigen sie doch einzig diese als Handelnde und Lenkende. Der Verzicht auf die Markierung politischer und sozialer Gegenkräfte, wie sie einem demokratischen Anliegen entsprochen hätten, zwingt die Autoren nun dazu, die gewünschte Entmythologisierung mit einer neuen Mythisierung zu betreiben. Da es nicht in ihrem Interesse liegen kann, Handlungsfreiheit nur bei den ›Großen‹ zu sehen, weil sie damit ja nur die Heroisierung verstärkt hätten, paralysieren sie die individuelle Leistung durch den Rekurs auf ein irrationales und mythisches Geschichtsverständnis, dem auch die ›Großen‹ sich zu unterwerfen haben. Als Folge der Vernachlässigung politischer und sozialer Umstände, die eine Abhängigkeit der Handelnden hätten sichtbar werden lassen, greifen die Autoren ins Vorstellungsarsenal eines schicksalhaften Geschichtsdenkens und erklären die welthistorischen Ereignisse mit der Bilderwelt der Naturkatastrophen: »Aus der Höhe der Könige und Minister ist von unsicheren Händen ein Stein geworfen worden, schon rollt er, schon wächst er auf dem Wege nach unten mit rasender Schnelle an: eine Lawine.« (*Juli 14*)[17]

Dieser ›Erklärung‹ des Weltkriegsbeginns durch Ludwig entspricht Zweigs Vorstellung vom Verlauf der Französischen Revolution, die er in der für ihn typischen Weise zugleich verallgemeinert: »Aber jede Revolution ist eine vorwärts rollende Kugel. Wer sie führt und ihr Führer bleiben will, muß nach Art eines Kugelläufers ohne Pause mit ihr weiterrennen, um sich im Gleichgewicht zu erhalten: es gibt kein Stehenbleiben in einer fließenden Entwicklung.«[18] Zu einem solch irrationalen und fatalistischen Geschichtsverständnis, das gerade in der geistesgeschichtlichen Biographik Platz greift, paßt es, daß beide Autoren das dunkel-bedeutungsschwere und letztlich doch nichtssagende Wort ›Schicksal‹ lieben, weil ihnen so die Erklärungs- und Antwortpflicht abgenommen wird. Damit wird die gern behauptete Selbständigkeit auch ihrer positiven Helden immer wieder relativiert – ein Vorgang, den wir schon bei den ›Tätern‹ im George-Kreis konstatieren konnten. So stellt Ludwig seinen Napoleon als Typus des auf die eigene Tatkraft setzenden Kämpfers vor:

> »Was ein Mann durch Selbstgefühl und Mut, Leidenschaft und Phantasie, Fleiß und Willen erreichen kann: er hat's bewiesen. Heut, in der Epoche der Revolutionen, die aufs neue dem Besten jede Bahn eröffnen, findet die glühende Jugend Europas als Vorbild und Warnung keinen Größeren als ihn, der unter allen Männern des Abendlandes die stärksten Erschütterungen schuf und litt.« (S. 676)

Wird hier Handeln und Leiden der großen Figur einzig auf die Affekte gegründet, so kann der politische Fehlschlag Napoleons auch einzig eine irrationale Erklärung finden. Ludwig greift zu dem probaten Mittel, das uns aus Kantorowicz' *Friedrich II.* schon bekannt ist: er hebt alles in die Ebene jenes sehenden aktiven Fatalismus. In Ludwigs *Napoleon* heißt es: »Dem allein, der sich keiner Phantasie hingibt [!], nur dem großen amor fati, wird sich zuletzt dieses vom Schicksal geschriebene Epos rein enthüllen.« (S. 676) Das ausdrücklich zum Vorbild erhobene Individuum und den Leser eint ein Schicksalsbegriff, der auf der Lebenswaage das Gewicht vom Handeln zum (Er-) Leiden verschiebt. Stefan Zweig gelingt es sogar noch, aus dieser Hilflosigkeit das Kapitel einer Lebensmaxime zu schlagen: »aber unter dem Hammer des Schicksals härtet sich ein heißes Herz«, verkündet er in *Maria Stuart* (S. 118).

Eine Biographik, die sich bewußt der Umwelt und der Handlung begibt, kann auch keine handlungsanleitenden Impulse vermitteln. Zwar findet der Leser sich und seine Situation in den Biographien gespiegelt, erhält aber dennoch keine Hilfe bei der individuellen Sinn- und Wertbestimmung, denn gerade die ihn belastende Bindungslosigkeit, die fehlende Beziehung zwischen individuellen Erfahrungen und gesellschaftlichen Vorgängen, wird in den literarischen Biographien reproduziert. Statt dem offensichtlichen Sinn- und Erfahrungsverlust in der modernen Welt mit einer Aufklärungsfunktion gegenzusteuern, neigen die Autoren dazu, die segmentierte Sicht ihrer Leser beizuhalten und diese Partialität als Ganzes auszuweisen: So wird schließlich die Reduktion der lebensweltlichen Erfahrung des Lesers auch noch historisch festgeschrieben. Denn erst in der historisch-konkreten Situation – oder eingeschränkter auch: in der individuell-psychologischen Lage – hätte das Individuum seine Handlungsfähigkeit zu beweisen und könnte damit auch seine Vorbildlichkeit erweisen. Ludwig und Zweig bieten dagegen seelische Innenräume und Fatalismus und können deshalb allenfalls Trost vermitteln: Trost für das Leiden der Leser.

h) Personalisierung und politische Aufklärung

Die bisher beschriebenen Züge der literarischen Biographik sollen im folgenden in eine zusammenfassende Betrachtung zum Problem der Individualisierung einmünden, wobei nochmals Ludwigs Behauptung, seine Art Biographik sei nicht nur fesselnder, sondern auch belehrender als die traditionelle Lebensbeschreibung, überprüft werden soll. Darüber hinaus können die hier behandelten Probleme auch auf die Literatur insgesamt bezogen werden, gehört doch gerade die Konzentration auf die Personen zu den Grundzügen der Literatur. Diese ›Personalisierung‹, wie die Geschichtswissenschaft sie heute diskutiert[1], muß natürlich auch unter einem historischen Aspekt gesehen werden, gehörte doch ursprünglich der Anspruch des Individuums auf Selbstverwirklichung zu den wichtigen klassenkämpferischen Zielen des Bürgertums. Die historische Darstellung der Biographik vom 18. bis zum 20. Jahrhundert hat uns allerdings schwerwiegende Veränderungen erkennen lassen. Hier wäre nun die Frage zu stellen, mit welchen Mitteln die Autoren der literarischen Biographien der Weimarer Republik – als Beispiel Emil Ludwig und Stefan Zweig herausgegriffen – ihren Beitrag zur von ihnen angestrebten Menschheitsgeschichte und damit einer modernen Demokratisierung geleistet haben – und warum sie schließlich damit scheiterten.

Daß wir es tatsächlich mit einem weiteren Bereich als nur der Biographik zu tun haben, kann hier nur angedeutet werden. Walter Schiffels hat in seiner Dissertation *Geschichte(n) Erzählen* (1975) ein ähnliches Problem bezeichnet: »Gegen den Befund, Geschichte werde als Unterhaltung dargeboten, ist sicher nichts weiter einzuwenden; nur verlieren historische Romane dieses Typs die Qualität ihres historischen Inhalts als handlungsorientierender Aufklärung.« [2] Leuchtet diese Beobachtung bei einem ›benachbarten‹ literarischen Genre unmittelbar ein, so hat Peter Hacks in seinem *Versuch über das Theaterstück von morgen* (1960) die Personalisierung auch als Problem des Dramas aufgewiesen, macht er sich doch in einzelnen Kapiteln unter anderem Gedanken über »Streben nach Größe«, »Gesellschaft und Charakter«, »Große Handlungen, große Charaktere«. Dabei ist nicht nur seine Forderung nach mehr »Welt«, sondern gerade die damit verbundene Schlußfolgerung für unsere Biographik wichtig. Denn was Hacks gegen Hofmannsthal und Anouilh einwendet, trifft auch für Ludwig und Zweig zu und belegt damit die gemeinsamen Schwierigkeiten einer spätbürgerlichen Intelligenz, aus deren ideologischen Fesseln die Biographen sich eigentlich befreien wollten:

> »Die Erfindung des Helden gegen die Gesellschaft ist sinnvoll in Klassengesellschaften. Die Erfindung des Helden ohne Gesellschaft ist Ergebnis äußerster Produktionsanarchie. Der kleinbürgerliche Ideolog erkennt die sozialen Zusammenhänge nicht und macht aus dem Jammer eine Tugend: große Seelen beschreibt er ohne große Taten. Die menschliche Größe wird ihres Handlungscharakters entkleidet und zur metaphysischen Seinsqualität erniedrigt: zur nicht meßbaren, sich nicht auswirkenden Größe. Das ist, als schnitte man einem Menschen, um aufs Wesentliche zu kommen, Arme, Augen, Geschlechtsteil ab.« [3]

Hacks fordert die Darstellung eines großen Charakters, der für ihn »produktiv, unbedingt, eigenwillig« ist: »er bedarf der Macht. Er ist nicht passiv, nicht erleidend. Er ist Subjekt des Geschehens. Subjekt des Geschehens kann im Sozialismus jedermann sein«. [4] Ohne Zweifel zeichnet sich hier auch das Wunschbild der Biographen der 20er

Jahre ab, besonders in der ›Subjekt‹-Erklärung *aller* Menschen. Hat die sozialistische »heroische Darstellung des menschlichen Lebens«, wie sie sich auch Brecht wünscht[5], ihre Gefährdungen z. B. im Typus des ›Helden der Arbeit‹, den wir besonders aus der ersten Phase der DDR-Literatur kennen, erfahren, so fehlt bei den Biographen der 20 er Jahre meist sogar der *Versuch* zur Zeichnung eines solchen aktiven, sich um Selbstverwirklichung bemühenden Heldentypus.

Um nochmals den Unterschied herauszuheben: Ludwig und Zweig haben sich eigentlich nicht um die Darstellung von Vorbildern bemüht – am ehesten ist das noch Zweig mit seinen Versuchen um den Antihelden (*Castellio, Erasmus*) gelungen –, sondern im Rückgriff auf bekannte historische Figuren eine diffuse ›Größe‹ vorausgesetzt. Nicht zuletzt deshalb glaubten sie auf eine Nachzeichnung der individuellen Leistung und geschichtlichen Situation verzichten zu können. Damit wurde aber nicht nur ein recht subjektiver Zugriff möglich, sondern die historische Figur verlor sowohl ihre Singularität als auch ihre Vorbildlichkeit. Denn wie soll der Leser z. B. Wallensteins Leistung ohne den Dreißigjährigen Krieg, Napoleon ohne die Französische Revolution, Bismarck ohne Preußen, Goethe ohne die kulturelle Situation um 1800 verstehen? Indem alle entscheidenden Vergleichs-, Einordnungs- und Wertungskriterien fehlen – dazu gehören z. B. soziale, soziologische, ökonomische, psychologische, kulturelle Aspekte –, kann sich dem Leser eben nicht der ›ganze‹ Mensch erschließen, wie es die Autoren behaupteten.

So aufschlußreich und auch vergnüglich die Sicht auf die historischen Individuen geraten kann, wenn sich das Bild im wesentlichen aus persönlichen Zeugnissen – Tagebücher, Briefe, Augenzeugenberichte, Anekdoten – zusammensetzt, so kann ein solches Verfahren allenfalls Korrekturen, Ergänzungen und manchmal sicherlich auch Revisionen liefern, aber für die Biographie gilt auch Georg Lukács' Feststellung zum historischen Roman: »Demgegenüber muß nun in aller Schärfe die Notwendigkeit der Darstellung der großen objektiven Zusammenhänge gestellt werden.« [6]

Indem die modernen Biographen sich im wesentlichen auf die Person, d. h. auf den Charakter und die Seele, konzentrierten, konnten sie die selbstgewählte Aufgabe einer Umwertung der Helden nicht erfüllen, weil sie eben das Entscheidende, was die Konstituierung des Heldenbildes ermöglicht hatte, nicht aufgriffen: Indem sie die Taten und Leistungen nicht neu bewerteten und in den Mittelpunkt der Biographien stellten, konnten diese allenfalls als amüsante Variante einer Persönlichkeitsannäherung vom Kenner goutiert werden – neben Herman Grimms oder Friedrich Gundolfs tritt Emil Ludwigs *Goethe* – und stellten so bestenfalls eine Bereicherung für den bildungsbürgerlichen Leser dar. Da die Autoren aber nicht die bisherige Biographik *ergänzen,* sondern, im Geiste der neuen Demokratie, *ersetzen* wollten, hat die Reduktion auf das Leben bzw. die Person bedenkliche Konsequenzen bei den Lesern, die keine umfassenden historischen Kenntnisse mitbringen: Ihnen ist meist nur die zugesprochene ›Größe‹ der jeweiligen historischen Personen bekannt, aber keineswegs, wie diese sich ergeben hat und auf welche Taten und Werke sie zurückgeführt wird. Indem die Autoren auf eine gründliche Darlegung des historischen Prozesses verzichten, lassen sie nicht nur ihre Leser im Stich, sondern begeben sich zugleich der Chance, eine mehr oder weniger starke Vorstellung vom jeweiligen Helden, die entscheidend durch die bildungsbürgerliche Mentalität geprägt worden ist, zu zerstören bzw. zu verändern. Ein so realistischer Denker wie Werner Hegemann hat das erkannt und nicht zufälligerweise wird er und nicht so sehr die sich als Dichter verstehenden anderen Autoren zum Objekt härtester Kritik aus dem bürgerlich-konservativen Lager. Es ist kein Zufall, daß Stefan Zweigs unpolitische Biographien kaum ins Schußfeld gerieten, während bei Ludwig wiederum vor allem sein *Wilhelm II.* zum Ärgernis wurde. Die Kritiker hatten mit gutem Gespür erkannt, daß hinter der Psychologisierung noch genügend sozialer und politischer Sprengstoff wirksam wurde, weil hier der Leser eben eigene Kenntnisse und Erfahrungen hinzufügen und damit die Vorstellungen aus der Biographie komplettieren konnte. Aber gerade solche ›Hintergrund‹-Informationen fehlten den meisten Lesern bei den historischen Porträts.

Die Autoren literarischer Biographien hatten sich ohne Zweifel eine ungewöhnliche und schwierige Aufgabe zugemutet, konnten sie doch nicht auf ein bildungsbürgerliches Verständnis rechnen und damit mit einem Leser, der notfalls ergänzt, korrigiert und vor allem kritisch einzuordnen weiß. Ihre Figuren müssen allein aus der Gestaltungskraft ihrer Biographen Überzeugung und Anschaulichkeit gewinnen. Aus der durchaus richtigen Erkenntnis, daß man den Leser nicht überfordern dürfe, daß man ihm und seinem Weltverständnis entgegenzukommen habe, wenn man ihn für eine geschichtliche Betrachtung gewinnen wolle – eine Einsicht, der sich weder Historiker noch Bildungsaristokraten wie die Georgeaner bequemen wollten –, haben die Autoren nach Kompromissen gesucht. In dieser *Intention* steckt etwas von der Brechtschen ›Volkstümlichkeits‹vorstellung, aber in der *Durchführung* geriet dann doch vieles zur Kolportage. Im Bemühen, dem Leser den Einstieg in die Geschichte zu erleichtern, bieten die Autoren gern das ›Menschliche‹ an, das Neugier, Anteilnahme und auch Identifizierung bewirken soll, aber meist zur Kapitulation vor der schwierigsten Aufgabe führt: der Verbindung der historischen Person mit der geschichtlichen Welt. Der Versuch, indifferente Leserschichten in die Geschichte einzuführen, bewirkte wahrscheinlich das Gegenteil: die Flucht aus der Geschichte.

Bemäntelt wird die Reduktion der geschichtlichen Dimension durch den *dichterischen* Anspruch, mit dem sich die Autoren Freiheiten zumessen, die dem Historiker verweigert werden. Wir können verfolgen, wie mit steigendem dichterischen Anspruch die geschichtliche Welt verlorengeht: Werner Hegemann fühlte sich vor allem als Publizist; er sah in seinen biographischen Werken primär den funktionalen Wert und verzichtete auf die von Ludwig und Zweig angestrebte ästhetische Kohärenz, der er einzig in seinem *Jugendbuch vom großen König* einige Zugeständnisse machte. Er belebt die dialogische Form als literarisches Streitgespräch und setzt sie als Mittel der Aufklärung ein, indem er dem Leser Argumentationshilfen anbietet und an seinen Intellekt appelliert. Inwieweit er damit allerdings ein »arrangierte[s] Räsonnement« bietet, das Habermas z. B. in der modernen Podiumsdiskussion angreift, weil diese nur zu oft die Funktion »eines quietiven Handlungsersatzes« erfülle, bedürfte einer gründlichen Nachprüfung. [7]

Ludwig zeichnete ebenfalls ein starkes politisches Engagement aus, aber zugleich auch ein hoher dichterischer Anspruch. [8] Er wählte sich zwar politische Gestalten zu Helden und teilweise gelang es ihm auch, die politische Emphase einfließen zu lassen – z. B. im *Wilhelm II.* –, aber meist läßt er sich von der dichterischen Gestaltungsabsicht zum harmonischen Porträt verleiten. Am eindeutigsten ist bei Stefan Zweig der Vorrang des Dichterischen, und das heißt für diese Art von Biographik: des Individuellen und Menschlichen, zu erkennen.

Um möglichen Mißverständnissen vorzubeugen: Dichtung und Geschichtlichkeit müssen sich keineswegs notwendigerweise ausschließen. Im Gegenteil, es kann eine sehr fruchtbare Spannung zwischen ihnen bestehen, wie wir in den abschließenden Kapiteln im Bogen von damaligen zeitgenössischen Biographien, wie Hermann Wendels *Danton*, bis zu gegenwärtigen Versuchen, wie z. B. Dieter Kühns Werken, noch sehen werden. Aber – das sei schon vorausgeschickt – die Biographie muß sich wieder die Welt erobern, die auch Peter Hacks in dem dieses Kapitel einleitenden *Versuch über das Theaterstück von morgen* fordert. Gerade im Interesse des Menschen liege die Welthaltigkeit:

> »Je mehr Welt das Kunstwerk enthält, desto mehr sagt es über ihn. Indem es ihn in große Zusammenhänge stellt, macht es ihn deutlich und unverwechselbar. So richtig es ist, daß der Mensch der vornehmste Gegenstand der Kunst sei, so richtig ist es, daß der Mensch nicht isoliert beschreibbar ist und auch, daß mit dem steigenden Grad seiner faktischen Isoliertheit in der Wirklichkeit der Grad seiner Kunstwürdigkeit abnimmt.« [9]

Biographen, wie Zweig und Ludwig, unterstreichen nur noch die Isolation ihrer Helden, indem sie diese einmal aus der Welt lösen, sie aber außerdem auch noch um den Konnex zu ihren Werken, z. B. den künstlerischen Produkten, betrügen und damit nichts mehr von der individuellen Größe erahnen lassen bzw. dem Leser keine Beispiele vorbildlicher Selbstverwirklichung vorführen können. Indem sie ihre ›Helden‹ als (scheinbar) autonome Wesen hinstellen, verfehlen sie die sich selbst gestellte Aufgabe, dem gegenwärtigen Leser aus seiner prekären individuellen Isolation herauszuhelfen. Sie bieten dem Leser ein Modell einer Selbstverwirklichung an, das sich zwar auf eine wünschenswerte Unabhängigkeit und Freiheit gründet, aber dem Leser, der in seiner Welt vor allem Einschränkungen und Widerstände bei der versuchten Selbstverwirklichung erfährt, wird keine Hilfe bei der Realisation solcher Ideale gewährt. Adorno hat in seiner *Glosse über Persönlichkeit* auch das Anachronistische solcher Modelle treffen wollen, wenn er den Persönlichkeitsbegriff aufgeben will, weil in ihm zuviel »Selbstherrlichkeit« mitschwinge und dafür die »Kraft des Ichs« aus dem »Bewußtsein«, der »Rationalität«, erstehen lassen will und vor allem eine »Realitätsprüfung« fordert:

> »Nur dadurch, daß der Einzelne die Objektivität in sich hineinnimmt und in gewissem Sinn, nämlich bewußt, ihr sich anpaßt, vermag er den Widerstand gegen sie auszubilden. Organ dessen, was einmal ohne Schande Persönlichkeit hieß, wurde das kritische Bewußtsein. Es durchdringt auch jene Selbstheit, die im Begriff der Persönlichkeit sich verstockt und verhärtet hatte.« [10]

Aber einen Beitrag zur Erzeugung des notwendigen kritischen Bewußtseins können die Biographien von Ludwig und Zweig wohl kaum leisten, weil sie sich allein – scheinbar in der Tradition bürgerlichen Humanitätsdenkens stehend – auf das ›Menschliche‹ konzentrieren, um damit eine Selbstfindung und -bestimmung ihrer Leser einleiten zu können. Daß die Konstituierung einer selbstbewußten Individualität nur über die Auseinandersetzung mit der Welt, d. h. mit dem Anderen und Fremden, geschehen kann, daß sich persönliche Identität nicht von der sozialen trennen läßt, daß für den individuellen sozialen Einordnungsversuch auch der Blick auf allgemeine gesellschaftliche Prozesse erforderlich ist, haben die Autoren nicht einsehen wollen. Indem sie vor allem Bekanntes, direkt Verständliches und leicht Eingängiges anstreben, täuschen sie ihre Leser über den Schwierigkeitsgrad des Selbstfindungsprozesses. Dazu paßt, daß sie sich traditioneller Erzählmuster bedienen, die einfache und klare Strukturen suggerieren und zur ästhetischen Harmonie verführen. Während z. B. der moderne Roman der Komplexität und verwirrenden Strukturbedingungen mit einem komplizierten Beziehungsgeflecht auch auf erzählerischer Ebene begegnet, um zu einer Bestimmung des Lebenssinnes zu gelangen, scheinen die Autoren der Biographien sich und ihre Leser in Sicherheit wiegen zu wollen. Welche Möglichkeiten die Diskussion um die ›Krise des Romans‹ für die Biographik eröffnet, werden wir im Blick auf die gegenwärtige literarische Biographie im letzten Kapitel darstellen.

Ludwig und Zweig wollen ihren Lesern das Recht auf eine nichtentfremdete und sich selbst bestimmende Individualität vor Augen halten und bieten doch allenfalls einen Tagtraum an: Sie erzeugen die Illusion eines freien Individuums nur noch durch eine weitere Konzentration auf die Individualperspektive, d. h. sie lenken den Blick einzig auf das historische Individuum, das damit als unabhängig erscheint, und sorgen mit einem erzählerischen Arrangement für Geschlossenheit und Einheit. In Wirklichkeit gelingt auch mit solchen Mitteln die Illusionsbildung nur noch unvollkommen, da die Autoren einer doppelten Gefahr erlegen sind: Zum einen scheinen sie die traditionelle Einstellung des 19. Jahrhunderts zu verstärken, daß Geschichte nur von Individuen bestimmt werde. Deshalb kann ein Historiker wie Hajo Holborn, der dem demokratischen Flügel zuzurechnen ist, auch enttäuscht anmerken: »Ich vermag in Emil Ludwig nur einen Vertreter wilhelminischer Zeit zu erkennen, mag er es sich auch heute angelegen sein lassen, der deutschen Republik in seinen Biographien eine Art von literarischer Siegesallee zu errichten.«[11] Schwingt hier auch die Benjaminsche Beurteilung des Historismus als einer Geschichtsbetrachtung aus der Sicht der Sieger mit, so gilt der Hauptvorwurf der Reproduktion individualgeschichtlicher Darstellung.

Dieser Eindruck konnte entstehen, weil die Autoren den historisch-politischen und sozial-ökonomischen Strukturen kaum Beachtung schenken und so zwangsläufig immer das Individuum im Handlungsmittelpunkt stehen muß. Damit erliegen die Biographen der gleichen Gefahr, wie sie Georg Lukács in seiner (in dieser Form wohl nicht berechtigten) Kritik an Heinrich Manns *Henri Quatre* konstatiert hat:

> »Diese Schwäche der biographischen Form des Romans läßt sich verallgemeinernd so aussprechen, daß die privatpersönlichen, rein psychologisch-biographischen Züge eine proportional unrichtige Breite, ein falsches Übergewicht erhalten. Dadurch kommen die großen historisch treibenden Kräfte zu kurz. Sie werden allzu summarisch, allzusehr nur in bezug auf die biographisch im Mittelpunkt stehende Persönlichkeit dargestellt. Und durch diese falsche Verteilung der Gewichte kann die große historische Wendung, die den eigentlichen zentralen Inhalt solcher Romane bildet, nicht so stark zur Geltung kommen, wie es ihr ihrer wirklichen Bedeutung nach zukommen würde.«[12]

Zum anderen haben die Autoren literarischer Biographien auch die Demontage der ›Heroen‹ betreiben wollen, indem sie die historischen Gestalten mit allgemein-menschlichen Zügen zeichnen. Damit wird nun die zweite Gefahr virulent: Wenn auch scheinbar durch die Individualitätszentrierung die ›Männer-machen-die-Geschichte‹-These bestätigt wird, so muß dem Leser die Zuordnung herausragender Taten zu solchen ›durchschnittlichen‹ Figuren schwerfallen. Dieses Problem gehört zu einer Biographik, die sich bisher unberücksichtigter – meist psychologischer – Züge annehmen will und damit in eine andere Einseitigkeit zu fallen droht. Daß davon nicht nur Ludwig und Zweig betroffen sind, beweist z. B. ein Blick in unsere Gegenwart. Hans Mayer hat in seiner Rezension in der *Frankfurter Allgemeinen Zeitung* (11. 9. 1976) über Peter Härtlings *Hölderlin* geschrieben: »Peter Härtling hat nicht die Geschichte eines Menschen erzählt, der das Werk Friedrich Hölderlins zu hinterlassen vermochte[...] Dadurch aber erfährt man im Grunde in diesem Roman nichts von Hölderlins Größe und von der Besonderheit seiner Imagination.«

Hat sich Härtling mit der Gattungsbezeichnung »Roman« noch exkulpiert, so erfordert der herausgestellte Wissenschaftsanspruch und die gewollte ›Belehrung‹ im Sinne einer politischen und sozialen Aufklärung bei Ludwig und Zweig eine schärfere Beurteilung. Die ›Kurzschlüsse‹ zwischen individualpsychologischen und allgemein-historischen Vorgängen lassen den Leser keine Antwort finden auf die existentielle Sinn- und die soziale Einordnungsfrage. Im Grunde genommen gilt für die Biographien auch, was in der modernen Diskussion um die Didaktik des Geschichtsunterrichtes problematisiert wird. (Womit wiederum deutlich wird, wie schwierig die Aufgabe der Literaten war und wie wenig von der Wissenschaft getan wurde und wird, um solche Unzulänglichkeiten bewußt zu machen.)

Klaus Bergmann hat 1972 ein erstaunliches Resümee über die herrschende Geschichtsdidaktik gegeben: Die moderne Theorie der Schülererziehung beruft sich nicht mehr allein auf die im 19. Jahrhundert übliche Vorbildfunktion, sondern argumentiert mit entwicklungspsychologischer Forschung, die eine Personalisierung für kindgemäß hält. »Schüler[...] könnten sich vor allem im personalisierenden Geschichtsunterricht in das seelische Erleben der Persönlichkeiten einfühlen, sich mit ihnen identifizieren, mit ihnen siegen, kämpfen, feiern, dulden.«[13] Bergmann weist eindringlich und mit guten Argumenten auf die Gefahr hin, wenn Kinder vom Märchen- über den Sagenhelden schließlich den ›Helden‹ in der Geschichte präsentiert erhalten:

> »so wird der Schüler konsequent Geschichte nur mehr als das Handlungsfeld autonomer Persönlichkeiten begreifen, die Geschichte ›machen‹, während andere Menschen als bewußtlose, willenlose und einflußlose Objekte großer Persönlichkeiten erscheinen und bedingende und zwingende gesellschaftliche und ökonomische Strukturen als Widerstände im Vollzug menschlichen Handelns überhaupt ausfallen.«[14]

Wenn die schulbezogene Forschung zudem feststellte, daß sich bis zum 10. Schuljahr, also dem Abschluß der Sekundarstufe I, bei den Schülern ein personenzentriertes Geschichtsdenken nachweisen läßt, dann haben wir hier einen der Hauptgründe für die Erfolge der individualisierenden Biographien: Kann die Oberstufe des Gymnasiums noch Korrekturen im Geschichtsbewußtsein vornehmen (ob sie es allerdings tut, scheint zweifelhaft), so werden die Haupt- und Realschulabgänger kaum noch solche Klarstellungen erfahren, sondern eher durch die herrschende Praxis der Personalisierung in den Massenmedien (besonders im Fernsehen) in ihren Einstellungen bestärkt und zu unkritischen Lesern der angebotenen Individualbiographien erzogen.[15] Wenn in der geschichtsdidaktischen Diskussion betont wird: »Die eigentliche Schwierigkeit des Geschichtsunterrichts ist die Elementarisierung der überindividuellen Gebilde der Geschichte, z. B. von Sachverhalten wie: Staat, Volk, Kunst, Kirche, Politik, Arbeiterbewegung, Liberalismus,

Jahrhundert, Zeitgeist, Wissenschaft, Lebensstil, Recht, System, Verfassung, Tradition usw.«[16], so haben wir damit zugleich die »eigentliche Schwierigkeit« der Biographien benannt.

Bei den Biographien von Zweig und Ludwig tritt nun noch – bedingt durch die Reduktion auf das ›Ewig-Menschliche‹ – eine Variante der Personalisierung hinzu, die allerdings die gleichen Folgen zeitigt: Indem die Autoren auch die ›großen‹ Individuen als abhängig und z. T. fremdbestimmt vorstellen, muß beim Leser eine Verunsicherung erzeugt werden, die seine empfundene Hilflosigkeit nur noch verstärken wird. Im Kapitel »Umwelt« ist schon festgestellt worden, daß die Vorstellung vom schicksalhaften Verlauf der Geschichte an die Stelle eines historischen Erklärungsversuches tritt und daß damit allenfalls Trost für den Leser angeboten wird, der sich und sein undurchschaubares ›Geschick‹ im Lebenslauf der historischen Gestalten widergespiegelt sieht. Hier wäre nun noch die in den Biographien immer wieder herausgestellte Tragik anzusprechen.

Golo Mann hat noch 1973 behauptet: »Zum Heldischen gehört das Tragische, das schön darzustellende Traurige.«[17] Tatsächlich läßt sich für die Biographik gerade des 20. Jahrhunderts jene Faszination durch die »tragische Schönheit« feststellen, von der auch André Maurois spricht; Maurois' Berufung auf Oscar Wildes Diktum, »ein Leben müßte, um schön zu sein, mit einem Zusammenbruch enden«[18], verrät allerdings viel über die Nähe zu einer bürgerlichen ›décadence‹, in der sich seit Ende des 19. Jahrhunderts ein Teil der europäischen Intelligenz gefällt.

Schauen wir Emil Ludwigs und Stefan Zweigs Biographien an, so finden wir eine vorherrschende tragische Weltsicht, die entweder offen ausgesprochen wird, wie bei Zweig, der in der Einleitung zu *Maria Stuart* eine »Tragödie antikischen Maßes« (S. 9) verspricht, oder in eine elegische Darstellung einfließt, die Ludwig das Schicksal seines Napoleon als eine »tragische Dichtung« (S. 530) empfinden läßt. »Denn für die Dichter«, lesen wir auch in Zweigs *Maria Stuart,* »ist Unglück nur neuer Adel« (S. 47). Siegfried Kracauer hat in seiner Kritik *Über Erfolgsbücher und ihr Publikum* unnachsichtig solche Verklärung auf ihre wahren Gründe zurückgeführt:

> »Das Individuum, das, die Idee bewährend, tragisch untergeht, ist auch Bestandstück idealistischer Weltanschauung, und so übernehmen die Favoriten begreiflicherweise den *Idealismus*. Nicht den echten, der vergangenen ist, wohl aber seine verschwommenen Nachbilder. [...] Das *Gefühl* ist alles, wenn alles andere fehlt. Es vermenschlicht die Tragik, ohne sie aufzuheben, und nebelt die Kritik ein, die der Konservierung überalteter Gehalte gefährlich werden könnte. [...] Die Natur mag tragisch sein oder dämonisch – gleichviel: sie ist ein sanftes Ruhekissen für alle, die nicht geweckt werden wollen.«[19]

Mit der Tragik wird also eine Verschleierung bewirkt, die als Korrelat empfundener Unsicherheit und Angst verstanden werden kann. Diese Konstellation muß beim Leser den ursprünglich gewünschten Selbstfindungsprozeß erschweren, da zwar einerseits Modelle möglicher Selbstverwirklichung vorgestellt werden sollen, diese aber andererseits nur tragische Lösungen offerieren. Solche Biographien können deshalb wohl kaum ihre Aufgabe erfüllen, *politische* Aufklärung und *soziales* Bewußtsein zu vermitteln, weil sie immer wieder aus der notwendigen rationalen Diskussion oder aus einer über die Ansprache der Gefühle erreichten Aufmerksamkeit für soziale und politische Fragen wegdrängen in einen Mythos. (Hier erweist sich zudem die Konsequenz einer ästhetischen

Konzentration, die eine geschlossene Form erzeugt und in der eben nur für eine Abfuhr der Affekte gesorgt wird.) Leo Löwenthal konnte deshalb in seiner Untersuchung *Biographische Mode* (1955) eine lange Zitatenreihung unter den Rubriken »Mythos-Register«, »Geheimnis-Liste«, »Schablonen von Einsamkeit und Tod« aus den erfolgreichsten Biographien der 20er und 30er Jahre zusammenstellen. [20]

Damit rückt die ›moderne‹ Biographie in die Nähe des George-Kreises, bietet sie doch die gleiche Ablenkung ins Unpolitisch-Allgemeine: Obwohl die Autoren sich bemühen, das Individuelle zu retten, den Menschen einer »fortschreitenden Entpersönlichung der Daseinsformen« zu entreißen und »seine einmalige, unwiederholbare Persönlichkeit« (Zweig) wiederherzustellen[21], verstärken sie mit ihren Biographien eher noch Unselbständigkeit und Unsicherheit. Da diese Biographien kaum Anreize für eine kritische Gegenwartsbetrachtung schaffen, die Welt zudem meist als untergangsreif und als unveränderbar oder fremden Mächten, dem Schicksal, unterworfen darstellen, tritt notwendigerweise die intendierte politische Didaktik in den Hintergrund. (Dieses pauschale Urteil würde in einer Rezeptionsanalyse, die sich der unterschiedlichen Lesergruppen annähme, sicherlich differenziert werden.) Wenn schon das in den Biographien dargestellte historische Individuum – über die Typik als Spiegelbild des gegenwärtigen Lesers konzipiert – die Welt meist nur noch tragisch erleben und sie mehr leidend als handelnd bestehen kann, wenn Schicksal und Dämonie im amor fati akzeptiert werden müssen, um das Leben erträglich werden zu lassen, dann kann der verunsicherte Leser (um ihn geht es hier vor allem) für sich nur wenig Hoffnung schöpfen und schon gar nicht Handlungsanreize aus den Biographien erhalten. Da weder das Glück noch eine ansteuerbare Zukunft sichtbar wird, können solche Biographien nicht die Art von Brücken zwischen Vergangenheit und Gegenwart oder auch zwischen Phantasie und Realität schlagen, wie sie Ernst Bloch im Begriff des ›Vorscheins‹ so treffend erfaßt hat, indem er die Antizipation in (literarischen) Wunschbildern als Dimensionen einer möglichen Zukunft versteht. Blochs »Traum nach vorwärts« haben die Autoren literarischer Biographien nicht mitgeträumt. Wo Bloch noch in die Welt der Illusionen Dynamik einbringt (»Kein Träumen darf stehenbleiben«)[22], da zaudern die Biographen und entsprechen damit einem schon vor dem 1. Weltkrieg zu beobachtenden Schwanken im Bürgertum zwischen Hochmut und kleinmütiger Resignation. Die bürgerliche Identitätskrise, die schon beim George-Kreis zugrunde gelegt wurde, betrifft auch die Autoren literarischer Biographien: Zweig hat in seiner Autobiographie *Die Welt von Gestern* das bitter-resignative Bekenntnis abgelegt: »Meine natürliche Haltung in allen gefährlichen Situationen ist immer die ausweichende gewesen«. [23]

Mit zunehmender politischer Spannung in der Weimarer Republik scheint sich der Optimismus, den die Autoren nach dem 1. Weltkrieg ausstrahlen, in Pessimismus bei Zweig und in eine Sehnsucht nach dem großen Helden bei Ludwig zu wandeln. Friderike Zweig berichtet, daß sich bei ihrem Mann eine pessimistische Grundstimmung ausbreitete, da »das Streben nach ethischer Gerechtigkeit, nach humaner Gestaltung der Zukunft im öffentlichen Leben zum Scheitern verurteilt sei«. [24] Biographien, wie die des politischen Opportunisten *Fouché* (1930), die als Charakterbild eines Charakterlosen angelegt und von Zweig als sein »Beitrag zur Typologie des politischen Menschen« (Vorwort, S. 13) verstanden wurde, oder die Leidensgeschichten der *Marie Antoinette* (1932) und *Maria*

Stuart (1935) und besonders die bekenntnishafte und mit stärksten autobiographischen Zügen ausgestattete *Erasmus*-Studie (1935) zeugen von der neuen pessimistischen Einstellung.

Wie wenig auch Emil Ludwig in seinen demokratischen Überzeugungen gefestigt war und wie sehr er sich in eine traditionelle Heldenverehrung rettete, läßt sein Buch *Mussolinis Gespräche mit Emil Ludwig* (1932) erkennen, das eine erschreckende Unkenntnis der politischen Vorgänge verrät; wozu sich Ludwig – im Jahre 1932 – auch noch stolz bekennt: »Tages- und Parteipolitik [...] sind mir fremd« (S. 15). Er vermißt bedeutende Männer in der modernen Demokratie und fühlt sich deshalb von den politischen Systemen in Moskau und Rom angesprochen, die er zudem undifferenziert gleichsetzt: »ich erkannte die konstruktive Seite dieser beiden Diktaturen« (S. 14). Da es ihm allein um die »künstlerische Betrachtung einer außerordentlichen Persönlichkeit« (S. 16) geht, erliegt Ludwig der Faszination Mussolinis und kann diesen mit seinem historischen Helden Napoleon, der für ihn vor allem ein Vorkämpfer für die europäische Idee war, identifizieren: »Sie könnten der erste Mann des Jahrhunderts werden!« (S. 148)

Es war sicherlich zu viel von den Literaten verlangt, sie sollten »selber wirklich in die Politik hinein«, wie es Eckart Kehr forderte, aber zu Recht bestand dessen Forderung nach einem »verantwortliche[n] politische[n] Handeln«, das sich schließlich gerade in einer Literatur zu erweisen hatte, die in politisch-didaktischer Absicht entstanden war. [25] Aber das »Vakuum politischer Pädagogik«, das nach 1918 gefüllt werden mußte: »Die Massen der Demokratie mußten geistig mit dem Staat verbunden werden« (Kehr) [26], hat die Literaten (aber nicht nur sie) überfordert. Der intendierte Beitrag zur Demokratisierung, den die Biographien leisten sollten, muß als gescheitert betrachtet werden.

Ludwig und Zweig haben mit ihren Biographien nicht nur die seit der zweiten Hälfte des 19. Jahrhunderts zu beobachtende Abwendung des Bürgertums von der Politik verstärkt, indem sie sich auf ›unpolitische‹ Seelengemälde beschränkten, sondern wahrscheinlich damit auch gefühlsmäßig-unterschwellige politische und gesellschaftliche Einstellungen unterstützt, die der Demokratie abträglich sein mußten. Dazu gehört die Reduktion auf einige handelnde Personen, die letztlich doch die Tradition des 19. Jahrhunderts fortführt, und dann vor allem die Dämonisierung und Mythisierung der politisch-sozialen Prozesse, die der eingetretenen »Entzauberung der Welt« (Max Weber) durch Flucht ins Irrational-Affektive entgehen wollen, wie wir auch beim George-Kreis und seinen Biographien festgestellt haben. Deshalb gelten hier auch für Zweig und Ludwig die dort gemachten Ausführungen, daß diese Biographien wenig von einem notwendigen bzw. wünschenswerten dynamisch-anspruchsvollen und utopisch-hoffnungsvollen Impetus vermitteln können, aber um so mehr über Abwehrhaltungen, Ängste und Kompensationsversuche verraten.

i) Überlegungen zum Erfolg der ›modernen‹ Biographien – Der kleinbürgerliche Leser

In dem einleitenden Kapitel zur ›modernen‹ Biographik haben wir zeitgenössische Stimmen kennengelernt, die die Biographen als »Exponenten einer Zeitströmung«

(W. Mommsen) bezeichneten. Die Leserschicht dieser Biographien ist ohne gründliche Rezeptionsforschung allerdings nicht exakt zu bestimmen, andererseits können wir mit Hilfe eines ›Indizienbeweises‹ Annäherungen erreichen. Einmal gelingt uns das, indem wir die Ergebnisse der bisherigen Kapitel auf mögliche Leserschichten in den 20er Jahren zu projizieren versuchen, zum anderen helfen uns die Autoren mit ihren Aussagen, die wir z. T. schon zitiert haben, über Absicht und Wirkung ihrer Werke, und nicht zuletzt unterstützen zeitgenössische Reaktionen unsere Vermutungen.

Von Adolf Waas ist uns das Ergebnis einer Untersuchung überliefert worden, das er 1931 auf der Versammlung des Verbandes deutscher Volksbibliothekare vorgetragen hat:

»Unserer Frankfurter Statistik zufolge lesen aber Emil Ludwig zu 76 % Leser bürgerlicher Schichten, und zwar ist am stärksten vertreten die Gruppe der männlichen Angestellten und Unterbeamten mit 30–35 %, während alle Arbeiterleser zusammen nur etwa 20 % ergeben. Die Jugend bürgerlicher und proletarischer Leser ist gar nur mit 7 % vertreten.« [1]

Wenn wir auch nicht wissen, auf welche Auswertungsbasis Waas sich stützt, so können wir seine Zahlen als Ausgangspunkt unserer Überlegungen akzeptieren, gibt es doch eine Reihe von Indizien, die Waas' Untersuchung bestätigen. Wilhelm Schüßler umreißt die Leserschicht der Ludwigschen Werke in seiner Einleitung zur *Historischen Belletristik*: »Alte Generäle am Stammtisch, Literaten im Café, Kränzchenfreundinnen jedes Alters, Geschäftsleute und Akademiker sind begeistert.« (S. 6) Wilhelm Mommsen bestätigt nicht nur, daß mancher altpreußische General zu Ludwigs begeisterten Lesern zählt, sondern führt uns an anderer Stelle auch auf die mögliche Motivation der Leser hin: »Die Tatsache ist unbestreitbar, daß auch sehr ernsthaft Bildung suchende und geschichtlich interessierte Laien historische Lektüre vorwiegend bei Ludwig und Hegemann suchen.« [2] Daß Biographien als »Mittel einer scheinhaften Erwachsenenbildung« fungieren, hat Leo Löwenthal bestätigt gefunden, als er den amerikanischen Zeitungs- und Zeitschriftenmarkt und die dort publizierten biographischen Arbeiten analysiert hat:

»Das Bedürfnis nach gesellschaftlichem Prestige, das schon während der Schulzeit in die Menschen eingepflanzt wird, treibt sie immerzu an, sich um die höheren Werte des Lebens und insbesondere um ein kompletteres Wissen zu bemühen. Aber die Biographien verfälschen dieses Bildungsstreben, indem sie dem Leser Erfahrungen anbieten, die zwar als Bildungsgüter deklariert sind, sich aber bei näherem Zusehen als unecht erweisen.« [3]

Diese Erkenntnis läßt sich ebenfalls auf die Biographien von Ludwig und Zweig übertragen, in denen zwar einmal eine Bildungs*absicht* bekundet wird, zum anderen eingestreute fremdsprachige Zitate, Sentenzen und Ausblicke in die europäische Kulturtradition eine Bildungs*vermittlung* suggerieren sollen, in denen aber letztlich alles ohne Funktion bleibt. Daß aber wahrscheinlich gerade diese Bildungsreminiszenzen – in verträglichen Portionen serviert – z. B. Zweig eine breite Leserschicht bis heute sichern, läßt Rückschlüsse auf die soziologische Schicht zu, die sich von solcher Biographik angesprochen fühlt. Neben der Psychologisierung, die als Belehrung über die Natur des Menschen gelten kann, wird anscheinend eine allgemeine Bildung angestrebt.

Die Biographen reagierten ohne Zweifel damit auf das in den 20er Jahren sich stark bemerkbar machende Verlangen nach Bildung und Wissen in breiten Bevölkerungsschichten, die sich zudem statt der Welt der Fiktionen eine der Authentizität wünschten. Diesem Verlangen entsprachen literarische Formen wie die Reportage und eine künstlerisch-literarische Bewegung wie die Neue Sachlichkeit. Der so heftig geführte Kampf um die Wissenschaftlichkeit der literarischen Biographien erweist sich so als Teil einer Überzeugungsstrategie, mit der die Autoren sich *der* Leser versichern wollten, die nach ›Wahrheit‹ sich sehnten, die sich durch die Geschichte eine Aufklärung erhofften und die in der Bildung eine Möglichkeit auch des sozialen Aufstiegs erblickten bzw. sie als Selbstbestätigung benötigten. (Eine moderne Analyse hat gerade bei den Aufstiegsorientierten die Vorliebe für die Biographie belegt.[4]) Damit tritt zwangsläufig wiederum jene Schicht, die wir schon im Zusammenhang mit dem George-Kreis kennengelernt haben: der sogenannte ›neue Mittelstand‹, in das Zentrum des Interesses, treffen doch auf ihn alle Vermutungen zu. Die schon bisher häufiger angesprochenen Übereinstimmungen zwischen den George-Kreis-Biographien und den ›modernen‹ Lebensschilderungen finden damit ebenfalls eine Erklärung.

Unterschiede und Gemeinsamkeiten in der Biographik der 20er Jahre werden verständlicher, wenn wir uns diesen ›Mittelstand‹ als keine homogene Gruppe, schon gar nicht als Klasse vorstellen, sondern als »eine äußerst heterogene Personenrubrik, deren wesentliche Gemeinsamkeit darin besteht, *nicht* in das unmittelbare Verhältnis von Lohnarbeit und Kapital (selbst oder als Angehörige) involviert zu sein« (Urs Jaeggi). Ein gemeinsames Bewußtsein zwischen dem kleinen Angestellten, dem selbständigen Händler und den freien Berufen konnte sich nur als eine negative Selbstbestimmung einstellen: »weder Bourgeois noch Arbeiter zu sein« (Jaeggi).[5] Wenn sich so unterschiedliche Gruppierungen und Interessen innerhalb der bürgerlichen Mittelschichten ergaben, so läßt sich doch eine Reihe von gemeinsamen Reaktionsweisen ausmachen, die für das Verständnis der Biographik wichtig ist.

Allen Gruppierungen ist jene gesellschaftliche Heimatlosigkeit eigen, verbunden mit dem Gefühl von Hilflosigkeit und Angst, die wir schon im Zusammenhang mit dem George-Kreis kennengelernt haben. Hatten sich die Georgeaner jedoch auf eine kleine homogene Gruppe konzentriert, in der sie hohe Bildung und Elitebewußtsein voraussetzten, so wollten Ludwig und Zweig, wie besonders im Kapitel über die Identifizierung aufgezeigt wurde, *alle* Gruppen ansprechen. Damit mußten sich zwar Art und Weise der Leseransprache verändern, aber nicht unbedingt auch die Einstellungen und Haltungen, wie die Analyse ergeben hat. Man muß keineswegs Adornos böses Wort, Zweig willfahre »dem gesellschaftlich präformierten Bedürfnis der Kundschaft« akzeptieren, weil sich darin soviel elitärer Bildungshochmut manifestiert, aber daß die Autoren doch mehr »heimatlich gebunden« waren »an die entschwundene Welt« als sie selbst wahrhaben wollten, wie Thomas Mann für Stefan Zweig gemeint hat, haben wir nur bestätigt gefunden.[6] Nüchterner ausgedrückt: Ludwig und Zweig haben sich nicht aus der bürgerlichen Mittelstandsideologie befreien können; ja, sie haben sie sogar entschieden mitgetragen und propagiert. Darin scheint der Grund für den ungewöhnlichen Erfolg zu liegen.

Dem widerspricht nicht, daß die Autoren sich als Opponenten fühlten: Gegen den Nationalismus setzten sie den Kosmopolitismus, gegen Militarismus den Pazifismus, gegen die Monarchie die Demokratie und über alles stellten sie die Humanität. Denn so achtbar solche Vorstellungen sind, so haben die Biographen wenig dazu beigetragen, sie zu verwirklichen. Ähnlich wie in den Biographien des George-Kreises verstockte alles im *Anspruch:* Statt gewünschter Aktivität stellte sich so Passivität, statt Öffentlichkeit Privatheit, statt Humanität Sentimentalität, statt Kritik Illusionen und statt Selbstbewußtsein schließlich Hilflosigkeit ein.

Daß solche Vorwürfe berechtigt sind, hat schon die Betrachtung der Biographien ergeben. Wir müssen nicht nur an den preußischen General als Leser denken – Westphal hat sogar einen Erfolg Ludwigs bei den Rechten belegt[7] –, um uns die mangelnde Umsetzung der Ideen in die literarische Praxis vor Augen zu führen, sondern vor allem an *die* Gruppe, die höchstwahrscheinlich die Hauptleserschaft darstellte: jene bürgerlichen Schichten, von denen Adolf Waas spricht und die er differenzierend als Angestellte und Unterbeamte bezeichnet. Damit haben wir den Teil der Mittelschicht erfaßt, für den Kracauers Feststellung gilt: »Die Mittelschichten sind heute zum großen Teil ökonomisch proletarisiert und in ideeller Hinsicht obdachlos.«[8] Bei der Entstehung des sogenannten ›neuen Mittelstandes‹ spielten gerade die Angestellten eine entscheidende Rolle, steigt doch in Deutschland ihre Zahl von 300.000 im Jahre 1882 auf 3,5 Millionen im Jahre 1925 an.[9] Über sie schreibt Walter Benjamin in seiner Rezension von Kracauers *Die Angestellten:* Das Kleinbürgertum »ist unendlich viel ärmer an Typen, Originalen, verschrobenen, aber versöhnlichen Menschenbildern als das verflossene. Dafür unendlich viel reicher an Illusionen und an Verdrängungen.«[10] Die Angestellten – dafür spricht vieles – haben ihre Illusionen und Verdrängungen auch mit Hilfe der literarischen Biographien verstärkt.

Übernehmen wir nun den von Benjamin eingeführten Begriff des ›Kleinbürgers‹, so stellt sich damit – ähnlich wie für ›Mittelstand‹ oder ›Mittelschicht‹ – die Schwierigkeit einer exakten Bestimmung ein, denn einmal gilt dieser Begriff als wertneutraler soziologischer Terminus – und selbst hierbei fällt die Bestimmung, *wer* Kleinbürger ist, unterschiedlich aus – und zum anderen ist er geprägt durch einen pejorativen Beigeschmack: »Keiner möchte dazu gehören; viele gehören dazu« (Jaeggi).[11] Kennzeichnend sind für den Kleinbürger nach allgemeiner Ansicht Deklassierungsfurcht und Enteignungsängste, wenn er sich in die Nähe des Proletariats gedrängt sieht; ihn beflügeln deshalb Aufstiegs- und Bewährungshoffnungen; die ihm eigene ambivalente Struktur – man hat für die Weimarer Republik auch von einer ›Zweifrontenschicht‹ gesprochen – läßt ihn zwischen Verzweiflung und Hoffnung, zwischen Unterordnung bzw. Anpassung und Auflehnung schwanken. Karl Marx' Bemerkung »Er ist der lebendige Widerspruch«[12] scheint bis heute eher bestätigt als widerlegt zu sein. Vergleichen wir nun die von den Soziologen und Politologen beschriebenen Haltungen und Reaktionen im Kleinbürgertum mit den Biographien von Ludwig und Zweig, so ergeben sich vielfältige Beziehungen, die auch den Erfolg zu erklären helfen. Es scheint, daß sich ambivalente Strukturen im Kleinbürgertum mit denen in den Biographien korrelieren lassen. Offensichtlich entsprachen die Biographien in vielfältiger Weise den besonderen Wünschen dieser Schicht und offensichtlich waren auch die meist adligen ›Helden‹ ideale Projektionsfiguren für den kleinbürgerlichen Leser. Unsere Vermutung geht dahin, daß gerade durch eine ambivalente Struktur der Lebensgeschichten selbst gegensätzliche Wünsche befriedigt werden konnten: Einmal reagierten die Biographien auf den weit verbreiteten Wunsch nach Wahrheit und

Aufklärung, zum anderen boten sie aber auch die erträumten Fluchträume und eine Welt der Fiktionen an.

In der herausgestellten Aufklärung und Bildungsintention treffen sich didaktische Absicht der Autoren und gewünschte Belehrung der Leser. Welche wichtige Funktion gerade die Bildung übernahm, hat Hans Speier in seiner Analyse der Situation der *Angestellten vor dem Nationalsozialismus* aufgewiesen:»Bildung sollte dazu dienen, die ökonomische Proletarisierung unverbindlich zu machen. Da ein gebildetes Proletariat nicht als Proletariat galt, war es leichter, ohne Folgen für Geltung und Prestige die eigene Lebensunsicherheit zuzugeben«.[13] Dabei entsprechen die Biographien mit ihrer vorgegebenen Objektivität und Wissenschaftlichkeit einem für die 20er Jahre schon erwähnten »Hunger nach Unmittelbarkeit, der ohne Zweifel die Folge der Unterernährung durch den deutschen Idealismus ist«, wie Kracauer den Erfolg der Reportage erklärt.[14] Konnte im George-Kreis die Bildung zum Stabilisator des Selbstbewußtseins werden, weil in den Biographien immerhin Bildung vermittelt wurde, die als Bildungsgut bzw. -besitz zum Surrogat für entgangenen materiellen Gewinn oder politische Teilhabe aufgewertet werden konnte, so können die aus Er- und Versatzstücken bürgerlicher Bildung entstandenen Biographien von Ludwig und besonders von Zweig allenfalls dem kleinbürgerlichen Streben nach Partizipation an bürgerlichen Idealen schmeicheln. Konnte der George-Kreis eine scheinhafte Sicherheit über die ›Orientierung nach hinten‹, in die Vergangenheit heroischer Epochen, sich erobern, so unterstützten die Autoren literarischer Biographien die kleinbürgerliche ›Orientierung nach oben‹, indem sie z. B. die Angst vor dem Proletariat als Verachtung der ›Masse‹ oder des ›Pöbels‹ in ihre Biographien einfließen ließen. (Wobei keine bewußte Absicht im Spiele sein mußte.) Statt das als »Leitklasse« (Jaeggi)[15] akzeptierte alte Bürgertum in seiner Fragwürdigkeit und Hinfälligkeit zu demaskieren, statt diese Faszination durch den Talmiglanz eines sich in Zersetzung befindenden Idealismus zu durchbrechen, haben die Autoren ihre Leser nur noch in dem illusionären Verhalten bestärkt.

Indem sie den Kleinbürger in seiner Aufstiegssehnsucht »durch Erinnerungs- und Wunschbilder aus dem Bürgertum« (Benjamin)[16] unterstützten, haben sie nicht nur die Chance vertan, neue Leitbilder zu entwerfen und damit eine soziale Selbstbestimmung einzuleiten, wie sie z. B. Bertolt Brecht oder auch Heinrich Mann mit ihrer Idee einer Solidarität mit dem ›Volk‹ bzw. der ›Masse‹ versucht haben, sondern für die Transmission abgelebter Begrifflichkeit und Ideologie ins Kleinbürgertum gesorgt. Emil Ludwig hat sich ausdrücklich zu diesen Lesern als Zielgruppe bekannt:»Der einfache Mann ist es aber grade, den ich seit Kriegsende suche.«[17]

Der berechtigten Sehnsucht nach sozialer Gleichstellung aller Menschen (die allerdings in der modernen Welt allzu häufig zum egoistischen Aufstiegsdrang denaturiert ist) haben die Autoren einmal mit ihren Selfmademan-Typen – Ludwigs *Goethe* und *Napoleon* – entsprochen und zum anderen durch ihre Typik, die eine Gleichheit aller Individuen nahegelegt. Doch anders als in der Antike und im Mittelalter, wo gerade mit der Typik die harmonische Verbindung von Individuum und Welt sich einstellte und eine anerkannte, weil von allen akzeptierte gemeinsame Weltsicht ermöglichte, trennt die moderne Typik den Leser von der Welt, indem sie ein falsches Bild entwirft: Die historischen Individuen verlieren ihre Singularität, demonstrieren kleinbürgerliche Verhaltensweisen.

Diese Darstellung leistet der Illusion von einer »nivellierten Mittelstandsgesellschaft« Vorschub, die uns auch ein moderner Soziologe wie Helmut Schelsky entworfen hat und wo alle Klassengegensätze eingeebnet scheinen.[18] Es kann hier dahingestellt bleiben, ob sich seit der Weimarer Republik wirklich soviel verändert hat, hier gilt es hervorzuheben, daß in den 20er Jahren mit diesem Modell die Festigung eines demokratischen Bewußtseins, das sich auch in der Fähigkeit zur Trennung und Konfrontation und vor allem im Verzicht auf falsche Harmonisierungen zu erweisen hat, erschwert werden mußte.

Anders als der neue künstlerische Verismus der 20er Jahre, der immerhin Teile der bürgerlichen Schichten in dem Bemühen um eine realistischere Weltsicht unterstützt hatte, wurden in den Biographien die Ansätze zur Aufklärung paralysiert durch falsche Harmonisierungen. Die ambivalente Struktur der ›historischen Belletristik‹ entsprach einmal dem Wunsch nach Wahrheit und Objektivität, nach Klarheit und Sicherheit, aber andererseits ging sie auch auf den Wunsch nach Tagträumen, nach Ablenkung von der realen Welt ein. Hätte darin dennoch die Chance bestanden, die Phantasie der Leser durch erzählerische Entwürfe und historische ›Gegenbilder‹ auf alternative Lebensverwirklichungen aufmerksam zu machen, so vereitelte gerade die Konzentration auf die Gegenwartsebene und auf vorschnelle Identifizierungen diese Funktion.

Die Typik in den Biographien beschränkt die Weltsicht auf den kleinbürgerlichen Blickwinkel und legt damit nahe, daß die historischen Vorgänge auf die Gegenwart übertragbar seien. Da aber in den Biographien ein irrationaler und sich schicksalhaft vollziehender Geschichtsverlauf vorherrscht, kann der Leser für seine Gegenwartsproblematik keine Hilfen erfahren und wird so in seiner Hilflosigkeit bestätigt. Diese Verunsicherung ist wiederum dafür verantwortlich, daß sich der Kleinbürger (hier undifferenziert als Idealtypus genommen) danach drängt, die Welt innerlich nach seinen Vorstellungen zu modeln, um sich in ihr ›heimisch‹ fühlen und so die verlorene Harmonie von Individuum und Welt wieder herstellen zu können. Einer immer schwieriger zu verstehenden Welt setzt er das (an sich berechtigte) Ideal von Überschaubarkeit und Gleichartigkeit entgegen. Gerade mit den Typisierungen kommen nun die Biographien dieser Sehnsucht entgegen, lassen sie doch die ›Identifizierung nach oben‹ als kleinbürgerliche Selbstbestätigung und das Bild der Menschheit als Spiegelbild der kleinbürgerlichen Welt geraten. Statt den Konformitätsdrang in dieser Schicht zu durchbrechen, weil er ein Zerrbild eines demokratischen Bewußtseins darstellt, erfährt er in den Biographien auch noch seine ›wissenschaftliche‹ Rechtfertigung.

»Mit Recht ist der ›Zwang zur Anpassung‹, dem der Kleinbürger unterliegt, unermüdlich und differenziert als Hindernis zur bewußten Subjektivität aufgezeigt worden.« *(Jaeggi)*[19] Aber auch die offensichtlichen Ansätze zur Differenzierung sind keine idealen Voraussetzungen zur Stabilisierung eines sozialen Selbstbewußtseins, steckt doch dahinter nur zu oft Mißgunst und Existenzangst: »Sie sind aufeinander angewiesen und möchten sich voneinander sondern«, beschreibt Kracauer die Situation der Angestellten.[20] Wie die Mode gegensätzliche soziale Grundtriebe zu befriedigen scheint, den »Drang zur Nachahmung und den zur Differenzierung«, wie Kracauer Georg Simmels Einsichten referiert[21], so gelingt den Biographien anscheinend Ähnliches, indem sie historisch singuläre Personen zur Identifizierung anbieten, diese aber wiederum jeweils nur als Varianten kleinbürgerlicher Lebensverwirklichung vorstellen. Damit wird dem herrschenden Mythos vom Individuum entsprochen, der scheinbar Differenzierung erlaubt, aber zugleich auch die durch den Kapitalismus bewirkte Entfremdung und Vereinzelung poetisch verklärt oder gar als naturhaft – gerade in ihrer tragischen Dimension – ausgewiesen. Die erwünschte Identifizierung gerät so zur Selbstbestätigung – die besten Beispiele sind Zweigs Porträts ›mittlerer Charaktere‹. Indem alles Fremde und Neue fehlt, wird eine mögliche Vorbildfunktion unterbunden. Wie in der Mode wird der Mensch angehalten, sich allenfalls mit Accessoires eine Eigenständigkeit und Individualität vorzugaukeln.

Vor allem aber wird die vorherrschende Passivität im Kleinbürgertum verstärkt, fehlen doch gerade handlungsanreizende Momente in den Biographien. Auch hiermit kommen die Biographen einem Wunsch des Kleinbürgers entgegen, der sich in eine private Welt flüchtet, wo er sich sicher glaubt vor den zutiefst empfundenen Pressionen einer ihm unverständlichen politischen und sozialen Welt. Der Verlust der Umwelt und die vorherrschende Psychologisierung sind als direkter Reflex der von den Mittelschichten vorgenommenen Trennung von öffentlichem und privatem Bewußtsein zu verstehen. Die Biographen haben nichts getan, um diese illusionäre Idee von einer Selbstfindung über den Ausschluß der Öffentlichkeit und einen Rückzug ins Private zu erschüttern. Im Gegenteil, indem sie vor allem die Welt der Gefühle in ihren Biographien vorführen, bestätigen sie jene falschen Sentiments, wie sie sich in der Liebes- und Heimideologie im Kleinbürgertum gebildet haben und die statt Selbstfindung nur die fortgeschrittene Selbstentfremdung beschreiben. Damit leisten die Biographien ihren Beitrag zur Ablenkung von der politischen und sozialen Welt und substituieren ›Öffentlichkeit‹ in Form emotionaler Teilhabe an einem personalistisch und irrationalistisch präsentierten gesellschaftlichen Prozeß. Herbert Marcuse hat in diesem Zusammenhang vom »affirmativen Charakter der Kultur« gesprochen und den Mythos des isolierten Individuums demaskiert:

> »Das Individuum, auf sich selbst zurückgeworfen, lernt seine Isolierung ertragen und in gewisser Weise lieben. Die faktische Einsamkeit wird zur metaphysischen Einsamkeit gesteigert und erhält als solche die ganze Weihe und Seligkeit der inneren Fülle bei äußerer Armut. Die affirmative Kultur reproduziert und verklärt in ihrer Idee der Persönlichkeit die gesellschaftliche Isolierung und Verarmung der Individuen.« [22]

Sowohl die Illusion einer hergestellten Öffentlichkeit über einzelne Personen und über die von diesen mitgeteilten privaten Zeugnissen als auch die Betonung des irrational-mythischen Geschichtsverlaufs haben den Nationalsozialisten geholfen, an die Macht zu kommen; diese haben die Einheit, nach der sich der Kleinbürger sehnte, gerade über die Ansprache der Affekte herzustellen versucht und so das Idealbild eines ›seelenvollen‹ und damit auch unpolitischen Deutschen entworfen. Wie man solche Einheit vorgaukeln konnte, hat in der Biographik der Prophet des 3. Reiches, Arthur Moeller van den Bruck, vorgeführt, dessen biographische Sammlung *Die Deutschen* (1904–1910) Politik und Geschichte durch anscheinend gesicherte menschliche Grundeigenschaften der Deutschen ersetzt. Über Charaktertypen wie »verirrte«, »führende«, »verschwärmte«, »entscheidende«, »gestaltende«, »scheiternde« und »lachende Deutsche« – so die Titel einzelner Bände – schafft er einerseits Differenzierung, aber andererseits auch die Einheit eines deutschen Wesens. [23] Während den Lesern eine Identifizierung und eine Selbstfin-

dung über die ›Seele‹ nahegelegt wird, bestätigen solche Biographien nur die Entfremdung des Einzelnen, verhindern sie doch gerade den notwendigen Konnex des Individuums mit der Gesellschaft. Damit wird jene »*dreifache Entzweiung* des modernen Ich mit
äußerer Natur, Gesellschaft und innerer Natur«, die Jürgen Habermas im Anschluß an
Hegel in seiner Überlegung *Können komplexe Gesellschaften eine vernünftige Identität
ausbilden?* benennt, nur noch festgeschrieben.[24] Im Blick auf die Illusionswelt der
Kleinbürger konnte deshalb Walter Benjamin in seiner Rezension der Kracauerschen
Angestellten behaupten: »Es gibt heute keine Klasse, deren Denken und Fühlen der konkreten Wirklichkeit ihres Alltags entfremdeter wäre als die Angestellten.«[25]

Was Jürgen Habermas in *Strukturwandel der Öffentlichkeit* gerade am Wandel der
psychologischen Literatur aufgewiesen hat, bestätigt die bisher gemachten Beobachtungen bei den literarischen Biographien. Seine Einsichten seien deshalb ausführlicher zitiert:

> »Die sozialisierten Muster der psychologischen Literatur des 18. Jahrhunderts, unter denen
> Sachverhalte des 20. für human interest und die biographische Note aufbereitet werden, übertragen
> einerseits die Illusion integrer Privatsphäre und intakter Privatautonomie auf Verhältnisse, die bei-
> dem die Basis längst entzogen haben. Andrerseits werden sie auch politischen Tatbeständen so weit
> übergestülpt, daß sich Öffentlichkeit selber im Bewußtsein des konsumierenden Publikums privati-
> siert; ja, Öffentlichkeit wird zur Sphäre der Veröffentlichung privater Lebensgeschichten, sei es, daß
> die zufälligen Schicksale des sogenannten kleinen Mannes oder die planmäßig aufgebauter Stars Pu-
> blizität erlangen, sei es, daß die öffentlich relevanten Entwicklungen und Entscheidungen ins private
> Kostüm gekleidet und durch Personalisierung bis zur Unkenntlichkeit entstellt werden. Sentimenta-
> lität gegenüber Personen und der entsprechende Zynismus gegenüber Institutionen, die sich mit so-
> zialpsychologischer Zwangsläufigkeit daraus ergeben, schränken dann natürlich die Fähigkeit kriti-
> schen Räsonnements gegenüber der öffentlichen Gewalt, wo es objektiv noch möglich wäre, subjek-
> tiv ein.«[26]

Wenn »die Ideologie der Angestellten eine einzigartige Überblendung der gegebenen
ökonomischen Wirklichkeit« ist, wie Walter Benjamin in Anlehnung an Siegfried Kracauer gemeint hat[27], dann hat die literarische Biographie ihren Teil zur Verschleierung
beigetragen, indem sie statt des kritischen Räsonnements die konsumierende Haltung
und damit letztlich Passivität gefördert hat. Statt die dem Kleinbürger durchaus eigene
›Nüchternheit‹ als Hebel für die »Entzauberung der Welt« (Max Weber) und damit für
eine kritische Weltsicht zu benutzten, haben die Autoren deren »Kehrseite« (Jaeggi), den
latenten Irrationalismus, angesprochen und damit nur noch die *Ohnmacht* verstärkt, die
Jaeggi als »Eskapismus« bezeichnet.[28] Damit wurde eine mögliche *Macht,* die diese
zahlenmäßig große Schicht darstellt, nicht freigesetzt. Der Nationalsozialismus hat dann
die ›richtige‹ politische Ansprache gefunden, um diese Verunsicherten für sich zu gewinnen. Daß politisches Handeln von dieser Schicht als Handeln einiger dafür Bestimmter
und Geeigneter verstanden wird, diese Einstellung haben auch die Biographien von Ludwig und Zweig nicht angegriffen, sondern eher noch unterstützt.

Solche Haltungen bedeuten aber gerade für ein noch unsicheres Demokratieverständnis eine große Gefahr. Der Historiker Michael Stürmer hat in seinem Essay *Suche nach
dem neuen Caesar,* der sich der Wandlung der Heldenverehrung am Beispiel des Caesar-
mythos annimmt, für die Weimarer Republik festgestellt:

»Der Parlamentarismus bleibt, wenn die Sonne scheint, die Normalverfassung. Aber im Hintergrund steht jetzt, ohne das Dekorum der Tradition, der omnipotente Ordnungsstifter, durch direkte Volkswahl zur Entscheidung berufen, Ersatzkaiser und Reichspräsident. Wenn die bösen Zeiten kommen, wird er sich auf Reichswehr, Ausnahmezustand und Reichsbürokratie stützen und dabei, gegen Parlament und Parteien, vom Caesar-Mythos des 19. Jahrhunderts zehren.« [29]

Wir brauchen uns nur an Emil Ludwigs Sehnsucht nach einem starken Mann auch für die Demokratie und an seine Heroenverschmelzung von Napoleon und Mussolini zu erinnern, um für Stürmers allgemeine Aussage ein individuelles Beispiel zu haben. Wobei jedoch die individuelle Einstellung durch den Massenerfolg des Autors Ludwig eine allgemeine Dimension erhält. (Ludwig hat in späteren Werken, z. B. in *Der Mord in Davos*, 1936, eine kritischere Haltung gezeigt.)

Wenn es gilt, daß zum Verändernwollen auch ein Bewußtsein über das Anzustrebende vorhanden sein muß, dann hat die mangelnde Distanz, die innige Liaison zwischen Zeitströmung, Autoren und Lesern eine aufklärende Funktion verhindert. Was Karl Marx im *Achtzehnten Brumaire* als Kritik an den politischen Repräsentanten der Kleinbürger niedergeschrieben hat, umreißt auch noch die Situation der Autoren der literarischen Biographien:

»Was sie zu Vertretern des Kleinbürgers macht, ist, daß sie im Kopfe nicht über die Schranken hinauskommen, worüber jener nicht im Leben hinauskommt, daß sie daher zu denselben Aufgaben und Lösungen theoretisch getrieben werden, wohin jenen das materielle Interesse und die gesellschaftliche Lage praktisch treiben. Dies ist überhaupt das Verhältnis der *politischen* und *literarischen* Vertreter einer Klasse zu der Klasse, die sie vertreten.« [30]

Die ›moderne‹ Biographie trägt in Wirklichkeit das Signum der Progressivität zu Unrecht, da sie eher – wie die Biographik des George-Kreises – eine Variante spätbürgerlichen ›Krisenmanagements‹ ist. Mit den alten bürgerlichen Chiffren des Glücks wurde eine melancholische Zufriedenheit oder besser: ein Sich-abfinden mit der gesellschaftlichen Situation für jene neubürgerlichen Schichten erzeugt, die ihre Selbstverwirklichung mit den abgetakelten Idealen des alten Bürgertums erreichen wollten. Die Biographien haben zwar einer verständlichen Sehnsucht nach menschlicher Wärme und Geborgenheit und einem Rückhalt im Privatleben entsprochen – gerade deshalb spielt die vita intima eine so entscheidende Rolle in ihnen –, aber dieses Glück blieb doch nur ein sentimentaler Tagtraum und ein scheinhaftes, das von der realen Welt des Lesers immer wieder zerstört werden mußte.

Deshalb konnte gerade die kleinbürgerliche Schicht dem nationalsozialistischen Werben mit der Idee eines neuen Glücks, das die Harmonie von Einzelnem und Ganzem verhieß, so rasch erliegen, weil sie sich damit die Aufhebung jener individuellen Isolation erhoffte, die in den Biographien ihre tragische Überhöhung erhalten hatte. [31] Der nach außen drängende Machtanspruch des Kleinbürgers im Nationalsozialismus ist ja nur die ›Kehrseite‹ jener Unsicherheit und Angst, aus der auch die Biographen – obwohl sie sich einem so starken sozialpolitischen Engagement verpflichtet fühlten – keinen Ausweg anbieten konnten, weil sie selbst von dieser Verunsicherung betroffen und deshalb außerstande waren, überzeugende Modelle einer modernen individuellen Selbstverwirklichung zu entwerfen.

Scheinbar so konträre literarische Erfolge am Ende der Weimarer Republik, wie der der ›modernen‹ Biographien und der der Kriegsromane, in denen männliches Heldentum seine Glorifizierung in der Tat erhält, lassen sich als sozialpsychologische Reaktionen des gleichen Mittelstandes erklären, den jene »merkwürdige Kombination von idealisierter Auflehnung und gehorsamer Unterwerfung« auszeichnet, die Erik H. Erikson in seiner psychoanalytischen Studie *Die Legende von Hitlers Kindheit* beschreibt: »Nach der Niederlage und der Revolution von 1918 wuchs dieser psychologische Konflikt in den deutschen Mittelklassen zur Katastrophe an.« [32]

Kann den ›modernen‹ Biographen auch nicht der Vorwurf gemacht werden, sie hätten dem Nationalsozialismus vorgearbeitet – ihre Verfemung ist ja nicht nur wegen ihres Judentums nach 1933 eingetreten –, so haben sie doch die herrschende Unzufriedenheit und Ratlosigkeit verstärkt, die einem demokratischen Bewußtsein abträglich sein mußten und die für jene ›Erlösungs‹sehnsucht verantwortlich sind, die an den Mittelschichten in der Weimarer Republik festgestellt worden ist. Was Hans Zehrer aus dem mittelständischen »Tat«-Kreis um 1930 als Wunsch und zugleich *allgemeine* Sehnsucht beschreibt, bekundet auch das Scheitern der politischen Didaktik der Biographen:

> »Die Sehnsucht nach diesem Einzelnen ist im Volk seit über einem Jahrzehnt vorhanden. Wir wollen uns doch nichts vormachen: wenn das erste scharfe, aber gerechte Kommandowort eines wirklich persönlichen Willens in das deutsche Volk hineinfahren würde, würde sich dieses Volk formieren und zusammenschließen . . . und es würde befreit aufatmen, weil es den Weg wieder wissen würde.« [33]

j) Ästhetische Harmonie

Wenn uns die soziologische und historisch-politische Forschung die Sehnsucht des Kleinbürgers nach Harmonie und Einheit, nach Innerlichkeit und Überschaubarkeit beschrieben hat, und wir im Anschluß daran feststellen konnten, daß die ›moderne‹ Biographie auf solche Wunschvorstellungen eingehen wollte, indem sie – wie es Habermas für den Prozeß der Identitätsbildung formuliert hat –»eine räumliche und zeitliche Segmentierung«, eine »Abschnürung« [1], vornahm und sich damit als Ergebnis der »Konsistenzforderung« erweist, so müssen wir aus literaturwissenschaftlicher Perspektive hinzufügen, daß vor allem auch literarische Techniken diese Illusionswelt erzeugen helfen.

Wiederum erweisen sich Siegfried Kracauers genaue Beobachtungsgabe und einprägsame Beschreibung als überaus hilfreich, um diesen Vorgang zu verstehen. In seinem Essay *Die Biographie als neubürgerliche Kunstform* korreliert Kracauer Erzählformen und ideologisches Bewußtsein der Autoren. Für die Vorkriegszeit stellt er fest: »Die Geschlossenheit der alten Romanform spiegelt die vermeintliche der Persönlichkeit wider, und seine Problematik ist stets eine individuelle.« (Das deckt sich mit Georg Lukács' Romantheorie.) [2] Mit Blick auf den modernen Roman beschreibt Kracauer dann die eingetretene Veränderung nach dem 1. Weltkrieg:

> »Das Vertrauen in die objektive Bedeutung irgendeines individuellen Bezugssystems ist dem Schaffenden ein für allemal verlorengegangen. Mit dem Schwinden dieses festen Koordinatennetzes haben aber auch alle darin eingetragenen Kurven ihre Bildgestalt eingebüßt. So wenig sich der

Schriftsteller noch auf sein Ich berufen kann, ebensowenig gewährt ihm die Welt einen Halt; denn beider Strukturen bedingen einander. Jenes ist relativiert, diese mit ihren Gehalten und Figuren in einen undurchsichtigen Umlauf gebracht. Nicht umsonst spricht man von der Krisis des Romans.« [3]

Wenn Kracauer für den modernen Roman meint, daß die »Verwirrung selber epische Form« gewinnen könne[4], so ist damit 1931 die Entwicklung des Romans angedeutet, die Kracauer im Blick auf z. B. Döblins *Berlin Alexanderplatz* (1929) oder auf den ersten Teil von Musils *Der Mann ohne Eigenschaften* (1930) oder auch auf Joyces *Ulysses* (1922, dt. 1927) und Prousts *A la recherche du temps perdu* (1913–27) erkennen konnte. Gilt für diese Werke: »Die unzähligen Facetten dieses Alltags wirken so, als ob sie dem Leser für seine Beobachtungen nur vorgeschlagen seien«, wie Wolfgang Iser für den *Ulysses* schreibt, so wird damit ein aktiver Leser vorausgesetzt: »Die angebotenen Perspektiven stoßen unvermittelt aneinander, überlagern sich, sind segmentiert und beginnen gerade durch ihre Dichte den Blick des Lesers zu überanstrengen. Dabei fehlt der helfende Wink des Autors.« (Iser) [5] Wird z. B. der Leser des *Ulysses* nach Iser »zu einer eigenen Konsistenzbildung« gezwungen – er muß versuchen, »die vielen Facetten zu ordnen« –, so gilt für die Biographien, daß sie einem Wunsch vieler Leser entsprechen, den Iser in Anlehnung an Reinhard Baumgart beschreibt: »Offensichtlich erwarten wir dann von Literatur eine von Widersprüchen gereinigte Welt.« [6] Während die Vertreter einer modernen Romantheorie und -praxis die Erkenntnisschwierigkeiten und die fehlende Sinnkohärenz des modernen Lebens anerkennen und darauf mit einem differenzierten Erzählgestus reagieren, der es vermeidet, »dem Leben, ihrem Gegenstand, eine Ordnung aufzuerlegen, die es selbst nicht bietet« (Erich Auerbach) [7], halten Biographen wie Ludwig und Zweig an den traditionellen Erzählmustern des 19. Jahrhunderts fest und suggerieren so die von Kracauer beschriebene Sicherheit und Einheit des Vorkriegsromans: »Nicht um des Heroenkultes willen werden diese [die Helden – H. S.] zum Gegenstand von Biographien«, heißt es überspitzt in Kracauers Essay, »sondern aus dem Bedürfnis nach einer rechtmäßigen literarischen Form.« [8]

Die Übernahme traditioneller Erzählmuster deckt die Sehnsucht nach einer bürgerlichen Kultur auf, die Harmonie und Sicherheit verheißt. Gerade die eingetretene Verunsicherung verstärkt in den Mittelschichten anscheinend den Wunsch nach überlieferten und legitimierten Formen: Die ›moderne‹ Biographie suggeriert ein »gültige[s] Bezugssystem« und übernimmt außerdem die »Garantie der Komposition« (Kracauer). Die Angst vor dem Neuen und Fremden erzwingt die Flucht in die verklärte Sekurität vergangener Zeiten, eine Flucht »ins bürgerliche Hinterland« (Kracauer). [9] Da ein Sinnzusammenhang jedoch von den Biographen nicht geboten werden kann, wie die vorhergehenden Kapitel gezeigt haben, bleibt nur noch die formale Harmonisierung: Die ästhetisch erzeugte Kohärenz soll die Angst des Lesers vor dem ›Chaos‹ überblenden und ihm Sicherheitsgefühle vermitteln. Erforderlich ist dafür allerdings die Aufgabe einer kritisch-distanzierten Haltung und die Einstimmung auf einfühlende und identifizierende Lektüre: »Denn die Biographie macht dem Roman heute nur darum Konkurrenz, weil sie zum Unterschied von diesem, der frei schwebt, Stoffe verarbeitet, die ihre Form bedingen. Die Moral der Biographie ist: daß sie im Chaos der gegenwärtigen Kunstübungen die einzige scheinbar notwendige Prosaform darstellt.« (Kracauer) [10]

Nur scheinbar widerspricht die herausgestellte Wissenschaftlichkeit dieser These, denn damit wird bei den Autoren keineswegs der Dialog mit dem Leser gesucht, auch keine Deskription oder Analyse angestrebt, sondern sie ist vor allem Überzeugungsgeste, die den Leser auf Wahrheit und Plausibilität des Erzählten einstimmen will. (Daß die Biographien damit einem Wunsch breiter Leserschichten nach Authentizität entgegenkommen, wie er gerade in den 20 er Jahren bestand, ist schon zur Sprache gekommen.[11]) Bevor wir einige Elemente zur Erzeugung der ästhetischen Harmonie beschreiben, sei deshalb zunächst noch die Funktion der Wissenschaftsgebärde untersucht.

Einerseits scheinen sich die Autoren bereitwillig den strengen Anforderungen einer historischen Fachwissenschaft beugen zu wollen – »mühsam wie der Mosaikarbeiter von Venedig muß er die Steine zusammensetzen« (Ludwig)[12] –, andererseits haben sie gern auf die Kunst verwiesen, die eben nur dem Schriftsteller eigne. Damit ist zugleich eine Hierarchisierung eingeführt: der Wissenschaftler – in der Vorstellung von Ludwig und Zweig ist es meist der engstirnige Positivist – mag allenfalls »Kärrnerdienste« leisten, wie Ludwig zustimmend den Historiker von Below zitiert[13] und wie es schon Nietzsche in seiner Verachtung der »Kärrner« herausgestellt hat[14], aber erst im Dichter erfüllt sich die wissenschaftlich-künstlerische Aufgabe. Emil Ludwig hat in seinem Aufsatz *Historie und Dichtung* (1929) einen bildkräftigen Vergleich gezogen:

> »So oft sich Forscher und Künstler auf demselben Gebiete begegnen, gibt es Streit. Wenn nur der eine die Wahrheit suchte, der andere die Schönheit, entstände kein Problem; da jeder die Wahrheit in anderer Form sucht und einer gar die höhere zu kennen glaubt, wächst das Befremden. Es ist, als zögen zwei junge Leute aus, um Sträuße zu binden: der eine wählt sich ein gewisses Stück Wiese aus, pflückt alles, was darauf blüht, geht nach Hause, breitet sie aus und stellt mit Sorgfalt seine Blumen zusammen, daß möglichst viele Arten darin vereinigt sind; der andere überschaut mit dem ersten Blick das Feld, wählt im Wandern aus und hält bald in Händen den Strauß, frisch und bunt wie ein Abbild der Wiese.«[15]

Ohne Schwierigkeit ist hier die Gegenüberstellung des eifrigen und ohne Überschau sammelnden Positivisten – den natürlich auch Georg von Below meint – und des mit Inspiration und Intuition begabten Dichters zu erkennen.[16] Es fällt nicht schwer, bei Stefan Zweig ähnliche Haltungen zu belegen, spricht er doch vom Historiker als »Seher«, von der »Kunst des Erzählens« und der »Vision des Darstellers«.[17] Sehen wir einmal von dem (wissenschaftlichen) Problem ab, daß der Künstler, der sich einzig auf die bisher erarbeiteten Materialien und Darstellungen der »Kärrner« bezieht, allzuleicht in Abhängigkeit gerät, weil er sich der Auswahl und auch Perspektive der Quellenbearbeitung nur schwer entziehen kann, so deckt sich hier ein traditionelles Kunstverständnis auf, das im Streit zwischen Fachhistorikern und Schriftstellern sich immer wieder einstellt und das seit Aristoteles Unterscheidung im 9. Kapitel der *Poetik* zwischen »Dichter« und »Geschichtsschreiber« diskutiert wird.[18] (Wir werden diese Diskussion im Schlußkapitel im Zusammenhang mit der gegenwärtigen Biographik führen.)

Wir brauchen allerdings nicht nur die Biographien zu analysieren, um zu erfahren, welch eigenwilliges Wissenschaftsverständnis die Autoren hegten. Schon z. B. die Arbeitsweise der Autoren verrät sehr viel über ihre Einstellung. Emil Ludwig, der eifrigste Biographienschreiber, hat ein atemberaubendes Tempo vorgelegt. Ihm lag nicht daran, »neue Quellen zu finden«, er wollte nur »die in Philologenkühle vereisten wieder zum

Fließen bringen«. [19] Die Aufbereitung der Quellen ließ er z. T. durch von ihm bezahlte Fachhistoriker vornehmen[20]; bei der Lektüre der Quellen stenographierte er in ein »Studienheft« und schrieb die Biographien »im Tempo der Kreutzersonate«: »Napoleon, Bismarck, Lincoln, Wilhelm habe ich in je einem Sommer, von März bis November geschrieben und mein Tempo von einem Teil zum andern immer gesteigert«. [21] Dagegen haben Stefan Zweig und Werner Hegemann mehr Zeit auf das Studium verwendet. Hegemann hat sich im Gegensatz zu Ludwig, der offen bekannt hat, er habe kaum wissenschaftliche Literatur gelesen[22], sehr gründlich mit der vorhandenen wissenschaftlichen Forschung auseinandergesetzt. In einem reichhaltigen Anmerkungsteil hat er zudem seine Lesefrüchte belegt. Stefan Zweig hat ebenfalls gern seine wissenschaftliche Leistung vorgewiesen. So spricht er im Nachwort zu *Marie Antoinette* von Archivstudien im Wiener Staatsarchiv und an anderer Stelle von handschriftlichen Berichten, die er für *Maria Stuart* im Britischen Museum eingesehen habe. [23]

Tatsächlich demonstrieren die Biographen (in unterschiedlicher Intensität) gern die Ergebnisse ihrer Lektüre: Werner Hegemanns Werke leben eigentlich nur von der Zitatenkonfrontation. Welche Geschicklichkeit er allerdings in dieser Zitatencollage beweist, wird dem Leser besonders deutlich, wenn er z. B. dagegen die *Wilhelm I.*-Biographie Paul Wieglers (1927) hält, wo eine ungeordnete Masse von Zitaten durch schmale epische Brücken verbunden wird. (Wieglers 1920 herausgegebene *Wallenstein*-Biographie ist da ehrlicher und eindeutiger: Nach einem knappen Vorwort reiht Wiegler nur noch Quellen aneinander.) Aber auch Emil Ludwig ist der Vorwurf gemacht worden, er sei ein »kompilatorischer Konfektionär« und »dreister Zitaterich«. [24] Eckart Kehr teilt die Empörung seiner Fachkollegen und sieht eine Art Ausbeutungsverhältnis zwischen Künstlern und Wissenschaftlern: »Weil den Belletristen die Fähigkeit zu eigener solider Arbeit abgeht, tritt an die Stelle des eigenen Bemühens die Arbeit anderer.« [25]

Eckart Kehr ist damit der Selbstdarstellung der Biographen aufgesessen, denn – wie schon mehrfach betont wurde – dient die Wissenschaft vor allem dazu, den Leser zu gewinnen, ihn auf die Sicht des Autors zu verpflichten und eine Vertrauensbindung zwischen Leser und Autor herzustellen. Mit der demonstrativen Authentizitätsversicherung stellt sich der Autor als Wissender vor und verpflichtet den Leser auf Zustimmung. Darüber hinaus – und das ist besonders wichtig – erscheint der Autor auch als Lebenshelfer, indem er immer wieder den Gegenwarts- und Lebensbezug betont. (Zweigs häufige Sentenzen sind solche Signale der Selbstsicherheit und Selbstgewißheit.) Deshalb erfolgt auch eine eindeutige Distanzierung vom historischen Roman, den Zweig als »plumpe Geschichtsfälschung unserer Großväterzeit« verspottet. [26] Spekuliert wird damit wahrscheinlich auf die Faktengläubigkeit vieler Leser, die heute z. B. den Medien (vor allem dem Fernsehen) entgegengebracht wird. Emil Ludwig hat deshalb ebenso wie Zweig reagiert und mit scheinbarer Selbstverständlichkeit seine Trennung vom historischen Roman und damit von der fiktionalen Literatur erklärt:

»Der historische Roman ist das exakte Gegenteil der Biographie; dem Autor des historischen Romans ist das geradezu aufgetragen, was dem Biographen verboten ist: aus den Anregungen der Dokumente über ihre Ränder hinwegzuschweifen, zu erfinden. Es wird ein schlechter Roman, der nicht viel erfindet, es wird eine schändliche Biographie, die es ein einziges Mal tut; man möchte Strafen für den fordern, der unter dem Vorwand historischer Wahrheit erfindet, und dies gilt, wie in der

Eidesformel, vom Zusetzen so gut wie vom Verschweigen. Der Biograph, der ein einziges wesentliches Dokument auslieſe, versetzte oder frei ergänzte, müſte wegen Gefährdung der öffentlichen Sicherheit mit Entziehung der venia scribendi bestraft werden.« [27]

In Wirklichkeit stecken in dieser großsprecherischen Maxime mehr Pathos und allenfalls gute Vorsätze, aber sie gibt keineswegs die literarische Praxis der Biographien wieder – und wahrscheinlich noch nicht einmal die Einstellung Ludwigs! Vor allem ist dieses Bekenntnis wiederum eine Legitimierungsgeste gegenüber dem Leser, auf dessen Wissenschaftsgläubigkeit Ludwig spekuliert und dessen latente Abneigung gegen die Fachwissenschaft er zugleich mobilisiert, indem er die harmonische Verbindung von Kunst und Wissenschaft für sich in Anspruch nimmt.

In den Biographien selbst sind die wissenschaftlichen Signale – Harald Weinrich hat die glückliche Wortprägung »Authentizitätssignal« eingeführt [28] – bei näherem Hinsehen durchaus als absichtsvoll und äußerlich zu erkennen: Vor allem sollen die eingestreuten Zitate – zuweilen zitiert Zweig sogar in der Fremdsprache – Objektivität und Wahrheit suggerieren. Allerdings herrschen hier die Belege aus den von Ludwig als »Urquellen« bezeichneten Dokumenten vor: »Bilder, Gespräche, Tagebücher, Briefe und Werke«. [29] Daß solche Quellen gerade für eine psychologische Erschließung der historischen Figuren wichtig sind, hat schon Dilthey hervorgehoben [30] und wird auch in der Geschichtswissenschaft nicht geleugnet, allerdings sind sie kritisch zu benutzen, ist doch nicht selten auch hier Absicht und Tendenz zu vermuten. [31] Ist solche fehlende Quellenkritik verantwortlich für manche der Einseitigkeiten in den Biographien, so erfüllen diese »Urquellen« wahrscheinlich doch ihre Aufgabe bei der Leserbeeinflussung, indem sie einmal die Emotionen mobilisieren – über die Identifizierung – und zum anderen auch Wissenschaftlichkeit vorgeben und so im Sinne der Autoren Kunst und Wissenschaft zum harmonischen Ausgleich bringen. Das hat der Rezensent des Ludwigschen Bismarck, Wilhelm Mommsen, schon gesehen: »Freilich ist die Öffentlichkeit viel tatsachengläubiger, als sie im allgemeinen wahrhaben will; sie glaubt, wenn viel zitiert wird, [...] daß dann alles richtig sein müsse und fragt nicht, wie zitiert wird.« [32]

Den Eindruck wissenschaftlichen Vorgehens und gründlichen Studiums sollen z. B. auch angehängte Sach- und Personenregister, Zeittafeln, geographische Karten, Literaturangaben oder Anmerkungen verstärken. Vor allem aber übernehmen die Vor- bzw. Nachworte die Funktion einer wissenschaftlichen Legitimierung. Da wird gern die »historische Treue« beschworen (Ludwig, Napoleon), da stellt sich der Autor als »Historiker« vor (Ludwig, Wilhelm II.) oder deckt sein wissenschaftliches Verfahren auf, wie Zweig im Vorwort zu Maria Stuart: »In dem vorliegenden Versuche ist darum strenge das Prinzip gewahrt, alle jene Aussagen überhaupt nicht zu verwerten, die auf der Folter oder sonst durch Angst oder Zwang abgerungen wurden: erpreßte Geständnisse darf ein wirklicher Wahrheitssucher nie als voll und gültig nehmen.« (S. 9) Daß auch in den Biographien selbst Wissenschaftlichkeit und angestrebte Objektivität demonstrativ herausgestellt werden – eben als »Authentizitätssignale« (Weinrich) –, haben wir schon am Beispiel des Zweigschen Spiels in Marie Antoinette mit der Frage, ob Axel von Fersen der Liebhaber der Königin gewesen sei (»War er es, war er es nicht?«, S. 552), gezeigt. Obwohl gerade in Marie Antoinette wiederholt Quellenkritik und Urteilsfindung dem Leser vorgeführt werden, so ist dennoch – wie schon am Fall der Typisierung gezeigt wurde – die Geschichtlichkeit verlorengegangen.

Sehen wir uns nun die Bemühungen von Ludwig und Zweig um die *Kunst* der Geschichtsschreibung an, so werden wir unsere Zweifel an der behaupteten Wissenschaftlichkeit nur noch verstärken können. Trotz der harschen Wendung gegen den historischen Roman bzw. die biographie romancée ist nicht zu übersehen, daß sich gerade mit dieser Gattung die deutlichsten Übereinstimmungen ergeben. Wichtig ist für die folgende Darstellung, die nur einige wenige Aspekte der ästhetischen Harmonisierung herausgreift, die für die geistesgeschichtliche Biographik schon beschriebene Kompositionstechnik. (Eingehendere Studien würden im wesentlichen die von der Forschung zum historischen Roman gemachten Beobachtungen bestätigen.)

Wir hatten die scheinbaren tektonischen ›Brüche‹ in der geistes- und kulturgeschichtlichen Biographik, d. h. das Abschweifen von der personalen Entwicklung, als formales Analogon zur intendierten Studiensituation erklären können. Dennoch – und das ist in diesem Zusammenhang wieder wichtig – konnten wir die von Jauß in Anlehnung an Droysen beschriebenen Illusionstechniken in der historischen Darstellung anwenden: jene Illusion des »vollständigen Verlaufs«, »des ersten Anfangs und definiten Endes« und »eines objektiven Bildes der Vergangenheit«. [33] Damit ist eine besondere Art der »Verführung narrativer Harmonisierung« (Szondi) und der »ästhetischen Kohärenz der Darstellung« (Croce) beschrieben worden. [34] Wir hatten in dem Zusammenhang darauf hingewiesen, daß wir noch nicht den Vergleich mit der dramatischen Aufbautechnik, wie sie z. B. für den historischen Roman Scotts festgestellt worden ist [35], vornehmen konnten. Hier ist nun die Gelegenheit, dies zu tun. Denn es ist offensichtlich, daß Ludwig und Zweig sich entschieden von der ruhigen und ausladenden, arabesken und assoziativen Technik der geistesgeschichtlichen Biographik abwenden. Wenn Walter Schiffels für den historischen Roman des 19. Jahrhunderts festgestellt hat, daß in ihm »die dramatisch verkürzte Darstellung der Geschichte« vorherrsche [36], so trifft das voll und ganz auch für Ludwigs und Zweigs Biographien zu.

Damit ist die formale Tradition der ›modernen‹ Biographie nicht so sehr an der geistesgeschichtlichen Biographik, sondern mehr an den Erzählmustern des Romans im 19. Jahrhundert festgemacht. Diese traditionelle Technik kann das leisten, was zu Beginn als Ziel der Biographen genannt worden ist, nämlich jene Erzeugung von (scheinbarer) Sicherheit und Harmonie, Wahrheit und Plausibilität. Die ästhetisch hergestellte Kohärenz erweist sich so als formales Korsett, das die fehlende Sinneinheit vergessen machen soll. Eine Reihe von literarischen Illusionstechniken übernehmen eindeutig diese Funktion.

Daß die ›moderne‹ Biographie eine neue erzählerische Dynamik demonstriert, ist schon von zeitgenössischen Rezensenten festgestellt und als Erklärung für den Erfolg ausgegeben worden. Wilhelm Mommsen vergleicht in seiner *Bismarck*-Kritik die Verdrängung des Theaters durch den Film mit dem Übergang von der »ernsthafte[n] populäre[n] Darstellung von Fachhistorikern« zur »Literatur á la L[udwig]«:

> »L.s Darstellung gibt aneinandergereiht Einzelbilder, die schnell und flüchtig vorüberrauschen. Es kommt dabei nicht darauf an, ob man erst in der Mitte anfängt; wie im Kino wird ein Scheinbild vorgetäuscht, das lebenswahr scheint und es doch nicht ist. Auch bei L. ist für die Wirkung entschei-

dend nicht die Einheitlichkeit der Auffassung, sondern der Glanz der einzelnen Bilder, die wie die Perlen einer Kette aneinander gereiht werden und wo der Laie die echten von den falschen ebenso schwer zu unterscheiden vermag wie bei wirklichen Perlen.«[37]

Sehen wir einmal von dem kulturkonservativen Grundton dieser Aussage ab, so hat Mommsen einen einprägsamen bildlichen Vergleich gefunden: Tatsächlich liegt den Biographen vor allem daran, eine erzählerische Spannung zu erzeugen. Einen ›mitreißenden‹ Erzählfluß schaffen die Autoren, indem sie sich auf den Höhen der Ereignisse bewegen – diese sind die ›Perlen‹ der Erzählung. Allerdings sind es nicht so sehr die historischen, sondern die privaten Ereignisse, die die Handlung vorantreiben. Handlungsarme Perioden im Leben ihrer Helden müssen die Autoren schrecken. »Nichts ist aussichtsloser zu schildern als Leere, nichts schwerer zu veranschaulichen als Monotonie«, heißt es zu Beginn des 19. Kapitels in Zweigs *Maria Stuart*. Das Kapitel trägt die bezeichnende Überschrift: »Die Jahre im Schatten. 1569–1584«. Daß es den sonst so begeisterten »Psychologe[n] aus Leidenschaft«[38] Zweig nicht reizt, die seelische Verfassung seiner Heldin gerade in einer solchen ungewöhnlichen Situation eingehend nachzuzeichnen, beweist nur die Vormacht der Handlung und die starke Ausrichtung auf ein spannendes Lesevergnügen: »Die Gefangenschaft Maria Stuarts ist ein solches Nichtgeschehen«, fährt Zweig fort, »eine solche öde, sternenlose Nacht. Mit dem Urteilsspruch ist der große, heiße Rhythmus in ihrem Leben endgültig gebrochen.« (S. 261 f.) Vor allem aber, so müssen wir aus erzähltheoretischer Sicht urteilen, ist damit der »große, heiße Rhythmus« der Erzählung gefährdet! Um diese Dynamik durchzuhalten, muß der Autor eine strenge Kompositionstechnik anwenden: »Nur ein Buch, das ständig, Blatt für Blatt, die Höhe hält und bis zur letzten Seite in einem Zug atemlos mitreißt, gibt mir einen vollkommenen Genuß« (Zweig).[39] Wie sehr die Autoren an Spannungselementen interessiert sind, zeigt die gelegentlich – z. B. in Ludwigs *Napoleon* – verwandte Dialogtechnik, d. h. die Überführung von Quellenzeugnissen in die direkte Rede. Allerdings wurden solche für die demonstrative Authentizität ›gefährlichen‹ literarischen Mittel nach Möglichkeit vermieden. Die Fixierung auf Höhepunkte, die besonders bei Zweig vorherrscht, führt konsequent zu dessen berühmten »zwölf historische[n] Miniaturen«, wie der Untertitel der *Sternstunden der Menschheit* lautet (1927). Hier wird die Biographie z. B. Napoleons zusammengedrängt auf *Die Weltminute von Waterloo* (Titel des Essays).

Die literarische Kohäsion wird vor allem durch einen gradlinigen Handlungsverlauf erzeugt; hier scheint das chronologische Prinzip die notwendige literarische Technik zu erzwingen. Der gern benutzte Einsatz des Präsens soll dem Leser die Illusion vermitteln, unmittelbar am Geschehen teilzunehmen, und zugleich einen chronikartigen Charakter und eine scheinbar logisch notwendige historische Sukzession erzeugen. Robert Musil hat die Bedeutung und Wirkung solchen Erzählens in *Der Mann ohne Eigenschaften* beschrieben: »Wohl dem, der sagen kann ›als‹, ›ehe‹ und ›nachdem‹! Es mag ihm Schlechtes widerfahren sein, oder er mag sich in Schmerzen gewunden haben: sobald er imstande ist, die Ergebnisse in der Reihenfolge ihres zeitlichen Ablaufes wiederzugeben, wird ihm wohl, als schiene ihm die Sonne auf den Magen.«[40] Scheinbar stehen Erzähler und Leser auf der gleichen (Beobachtungs-) Stufe, während in Wirklichkeit vielfältige Signale die Allmacht des Erzählers verraten: Neben der sicheren und apodiktischen Einordnungsgeste, z. B. als Wertung (»diese tragische Herrscherin, der einzige große Monarch des österreichischen Hauses«) ist es besonders die Vorausschau, die seine erzählerische Macht beweist (»Doch wie weit ist noch diese trübe und verschattete Zeit!«). [41] Vor allem aber in der Raffungstechnik erkennen wir die ordnende Hand des Erzählers: »Und wieder rinnt Zeit in die Zeit, Blut über Blut, die Revolution erlischt im Konsulat, Bonaparte kommt, bald heißt er Napoleon, Kaiser Napoleon und holt sich eine andere Erzherzogin aus dem Hause Habsburg zu neu verhängnisvoller Hochzeit.« (*Marie Antoinette*, S. 751)

Diese Raffungstechnik ist einmal ein notwendiger Vorgang der Auswahl und Komprimierung, wenn der Geschichtsschreiber nicht in der Faktenflut ertrinken will, aber schon für Ranke hat Jauß darauf verwiesen, daß »die Kontingenz der Begebenheiten in eine reine Diachronie herausgehobener bedeutsamer Momente« gebracht werde. (Golo Mann hat 370 Seiten in seinem *Wallenstein* den »nur knapp 40« bei Ranke konfrontiert.) [42] Die ›moderne‹ Biographie kann durchaus episch breit werden, aber bezeichnenderweise wird sie das meist bei Schilderung der Personalgeschichte. Die Vertreter der ›modernen‹ Biographie setzen die Raffungstechnik vor allem bei den sogenannten ›trokkenen‹ geschichtlichen Vorgängen an. Sie entziehen sich damit zugleich der Pflicht, historische Erklärungen zu geben. So verrät die Raffungstechnik nicht zuletzt sehr viel über ihr historisches Selbstverständnis. Gradliniger Handlungsverlauf, überschaubares Figurenensemble und Beschränkung auf einige wichtige Handlungsschauplätze sind eigentlich eine »narrative Organisation«, belastet »mit einem unausrottbaren subjektiven Faktor« (A. C. Danto) [43], und werden doch von Autoren wie Zweig als objektive Vorgaben ausgewiesen, indem sie der Geschichte selbst die von ihnen ästhetisch erzeugte Komposition zusprechen. Es ist deshalb eben mehr als nur eine ästhetisierende Beschreibung der Geschichte, sondern zugleich auch eine folgenschwere Festlegung, wenn Zweig die Geschichte selbst für dramatisch erklärt (»vollwichtiges Drama«, »dramatisch kondensierte Epochen«). [44] Während er vorgibt, nur als Medium zu dienen und die »Geschichte als Dichterin« und »Meisterin des Erfindens« zum Zuge kommen lassen will, verklärt er in Wirklichkeit sein subjektives ästhetisches Arrangement der Geschichte. [45] Vor allem aber ist nun Geschichte keineswegs mehr ein komplizierter, widersprüchlicher und schwer deutbarer Prozeß, der eventuell einer differenzierteren literarischen Technik bedarf, sondern sie wird als sinnvoll und deutbar hingestellt. (Wobei ›Sinn‹ für Zweig sich auch, wie in den vorhergehenden Kapiteln gezeigt wurde, über Schicksal und Tragik einstellen kann.) Geschichte und narratives Arrangement stützen sich gegenseitig. Geschichte *ist* Kunstwerk:

> »ein volles Kunstwerk muß, um spannend zu sein, auch Gegenspannung einsetzen, jede Gestalt muß ihren großen Gegenspieler haben, denn jede Kraft braucht, um sich voll zu entwickeln und ihr wahres Maß zu offenbaren, den schöpferischen Widerstand. Ebenso aber braucht die Geschichte, um wirklich dichterisch erregend zu wirken, immer mehrere große Gestalten zugleich, und ihre wahrhaft erregenden Momente sind immer erst die kataraktischen, wo riesige Kräfte gegen das Schicksal stoßen, wie das Wasser gegen den Felsen.« (Zweig) [46]

Es scheint, daß die moderne Welt, die dem Einzelnen nur noch wenige Gelegenheiten zu Abenteuer und Handlung bietet, den Wunsch nach literarischer Spannung und Dramatik verstärkt hat und die Biographen dem entgegenkommen, indem sie jene »vitale[n] Epochen der Menschheit, wie die Renaissance, die Reformation, die Französische Revolution« (Zweig), mit ihren großen Figuren wiederbeleben.[47] (Schon bei einer oberflächlichen Durchsicht der heute auf dem Markt sich befindenden Popularbiographien wird man das bestätigt finden.) Daß es ihnen vor allem um eine Dramatisierung geht, läßt sich auch mit theoretischen Äußerungen belegen.

Emil Ludwig teilt seine Biographien in drei oder fünf Akte auf und zieht wie selbstverständlich den Vergleich zum Dramatiker: »Ohne zwanzigjährige dramatische Übungen wären jene Lebensbilder unmöglich«.[48] Stefan Zweig unterstreicht schon äußerlich diesen Eindruck, wenn er seiner *Maria Stuart* ein Verzeichnis der »Dramatis personae« voranstellt und sich im Vorwort dann zu einer »komprimierten Form des inneren Lebenslaufs« bekennt (S. 10). Die Bemühung um Spannung − »die eigentliche Arbeit« ist für Zweig »die des Kondensierens und Komponierens«: »ein ständiges Verdichten und Klären der inneren Architektur«[49] − muß den Autor notwendigerweise dazu drängen, alle den Erzählfluß störenden Elemente zu meiden, um so die Illusion von Geschlossenheit und vor allem auch von Wahrscheinlichkeit zu erzeugen. Die ästhetische Kohärenz wird nicht zuletzt entscheidend dadurch gefördert, daß Perspektivenwechsel, Reflexionen − am deutlichsten sind sie in den knappen Sentenzen bei Zweig faßbar − und damit Erzählereinschaltung nach Möglichkeit vermieden werden. Emil Ludwig hat ausdrücklich darauf hingewiesen, daß er z. B. historische »Zahlen und Daten« als störend empfindet.[50] (Andererseits können diese aber auch gerade als »Authentizitätssignale« ihren Beitrag leisten zur Illusion, daß ein »objektives Bild der Vergangenheit« (Droysen) gezeichnet wird.)

Während der moderne avantgardistische Romanautor sich durch die zunehmende Komplexität der Welt und durch die damit verbundene Schwierigkeit der Weltsicht und Sinnbestimmung herausgefordert fühlt und darauf mit literarischen Techniken reagiert, die die Erkenntnis- und Sinnsuche unterstützen können, verharren Autoren wie Ludwig und Zweig in scheinhafter Sicherheit. Wird der moderne Roman durch Diskontinuität und ›Entfabelung‹, durch gleichzeitige Verwendung von wissenschaftlich-deskriptiver und künstlerisch-anschaulicher Schreibweise gekennzeichnet und fühlt sich der Romanautor zum »Polyhistorismus« im Roman (Hermann Broch) gezwungen[51], um eine Vielfalt von Ansichten und Annäherungen bieten zu können, so schlagen die Verfasser der ›modernen‹ Biographie gerade die entgegengesetzte Richtung ein: Statt einer »perspektivische[n] Variabilität im Dienste einer empirischen Wirklichkeitserkenntnis« (Robert Weimann)[52], wie sie dem modernen Roman eignet und wie wir sie auch bei Heinrich Manns *Zola* beobachtet haben, suchen sie einen sicheren und ruhigen, einen statischen Erzählerstandpunkt, täuschen damit Sicherheit und Selbstgewißheit vor und merken nicht, daß eine Fülle notwendiger ergänzender Perspektiven verlorengehen. Sie streben eine epische Totalität an und merken nicht das Anachronistische ihres Unterfangens. Droysens im Kapitel zur geistesgeschichtlichen Biographik schon zitierte Warnung, daß Kunst dazu neige, »eine Totalität, eine Welt in sich« zu erzeugen[53], gilt auch gerade für die Biographien von Ludwig und Zweig. Eine − sicherlich ungewollte − Allianz stellt sich ein mit jenen Historikern, denen Droysen vorhält:

»Die Kunst des Historikers überhebt den Leser, an solche Nebendinge zu denken« – damit meint Droysen den »Ernst der schwer arbeitenden Wirklichkeiten, die Verantwortlichkeit des unausweichlichen Entschlusses, die Opfer, die auch der Sieg fordert, das Mißlingen, daß auch die gerechte Sache unter die Füße wirft« – »sie erfüllt seine Phantasie mit Vorstellungen und Anschauungen, die von der breiten, harten, zäh langsamen Wirklichkeit nur die glänzend beleuchteten Spitzen zusammenfassen; sie überzeugt ihn, daß diese die Summe der Einzelheiten und das Wahre der Wirklichkeiten sind.« [54]

Gerade diese geschlossene Welt erzeugen Ludwig und Zweig über die ästhetische Harmonie, und darüber hinaus gerät ihnen diese Welt, wie wir gesehen haben, auch noch zum Spiegelbild der kleinbürgerlichen Misere. Damit tritt das gleiche ein, was Habermas für die moderne »Integration der erst getrennten Bereiche von Publizistik und Literatur, nämlich Information und Räsonnement auf der einen, Belletristik auf der anderen Seite«, beschreibt: »Auf dem gemeinsamen Nenner des sogenannten human interest entsteht ein mixtum compositum eines angenehmen und zugleich annehmlichen Unterhaltungsstoffes, der tendenziell Realitätsgerechtigkeit durch Konsumreife ersetzt und eher zum unpersönlichen Verbrauch von Entspannungsreizen ver-, als zum öffentlichen Gebrauch der Vernunft anleitet.« [55] Gerade auch die literarische Technik verhindert die von den Autoren eigentlich gewünschte Aufklärung und läßt ihren intendierten Beitrag zur Mündigkeit des Lesers scheitern. Denn alles läuft auf eine affektiv-emotionale Anteilnahme, auf ein ›einfühlendes Lesen‹, hinaus und schafft so allenfalls jene in Anlehnung an Walter Benjamin schon zitierte »Abfuhr der Affekte durch Einfühlung in das bewegende Geschick des Helden«. [56]

So wichtig und wertvoll eine literarische Technik ist, die den Leser fesselt, so wichtig und wertvoll es ist, wissenschaftliche Probleme in eine sinnliche, phantasievolle, bildhafte und damit anschauliche Darstellung zu ›übersetzen‹, ebenso wichtig ist aber auch die ›Botschaft‹, die dieses literarische Medium transportiert. Hier schließt sich nun der Kreis unserer Betrachtung zur ›modernen‹ Biographie: Ludwig und Zweig haben zwar viele Leser erreicht, aber vermittelt haben sie diesen allenfalls Trost, aber kaum Hoffnung auf Überwindung der gegenwärtigen Unsicherheit – was eigentlich ihr erklärtes Ziel war. Damit ist nichts gegen das von ihnen gewährte Lesevergnügen gesagt, aber alles gegen die von ihnen gewünschte Funktion ihrer Biographik.

k) Gegenmodelle: Von der Individual- zur Sozialbiographie

Hat das letzte Kapitel zur ›modernen‹ Biographie die »Verführung narrativer Harmonisierung« (Szondi) [1] aufgewiesen, so sollen in diesem Kapitel noch skizzenartig die Veränderungen in der Biographik bis zur Gegenwart verfolgt werden, um im Anschluß daran die zeitgenössische Biographik vorzustellen. Um jedoch möglichen Mißverständnissen vorzubeugen, muß betont werden, daß die Kapitelüberschrift keine historische Ablösung bzw. einen generellen Wechsel von der Individual- zur Sozialbiographie behauptet: Der literarische Markt wird auch heute noch vom Typus der Ludwigschen oder Zweigschen Biographik beherrscht. (Der Erfolg der Biographiereihe im Heyne-Verlag ist dafür nur ein besonders deutliches Zeichen.) Es bedürfte zwar einer eingehenden politischen und soziologischen Analyse, um für die Konstanz bzw. das Wiederaufleben solcher

Biographik eine überzeugende Erklärung geben zu können, wir dürfen aber vermuten, daß die meisten Aspekte, die für den Erfolg der sogenannten ›modernen‹ Biographie von Ludwig und Zweig aufgezeigt wurden, auch heute noch ihren heuristischen Wert haben.

Andererseits ist nicht zu übersehen, daß sich eine neue Art von Biographik entwickelt hat. Damit ist nicht die fachhistorische Biographik gemeint, in der eine relative Konstanz der Darstellungstechnik vorzuherrschen scheint, sondern eine literarische Biographik, die sich ihrer Literarizität wieder bewußt geworden ist und die auf den unglücklichen Kunst-Wissenschaft-Streit verzichtet und gerade deshalb zu einer verblüffenden neuen Verbindung beider Bereiche fähig ist. Dieses neue Selbstverständnis entwickelte sich schon in den späten 20er Jahren als Reaktion auf die sich als Individualgeschichte verstehende Biographik der ›modernen‹ Autoren. Kritischeren Zeitgenossen, wie z. B. Siegfried Kracauer, wurde rasch klar, daß mit Ludwigs und Zweigs Ansatz eben doch keine *moderne* Biographik entstanden war, sondern ein literarischer Wechselbalg, der aus verschiedenen traditionellen Mustern seine Lebenskraft bezog. Vor allem richtete sich die Kritik gegen die Psychologisierung und Individualisierung. »Geschichte ist nicht die vita intima der handelnden Personen«, schreibt Eckart Kehr 1930 in seiner Kritik an dieser Biographik, »sie ist ein kollektives Geschehen«. [2] Daß diese Kritik im wesentlichen ungehört blieb, lag nicht zuletzt daran, daß auch die Fachwissenschaft der Individualgeschichtsschreibung den Vorzug gab und Kehrs Forderung zudem den Makel marxistischer Provenienz trug. Autoren wie Ludwig und Zweig wurde damit eine scheinhafte Sicherheit ermöglicht, die Selbstkritik verhinderte.

Überblicken wir die Biographik der Weimarer Republik, so finden wir kaum Werke, die den von Kehr geforderten Ansatz verwirklichen. Wenn wir richtig sehen, ist es allenfalls ein einziges Werk: Hermann Wendels *Danton.* Daß diese Biographie, die 1930 immerhin im renommierten Rowohlt-Verlag erschien – wie Ludwigs Biographien auch –, heute kaum noch bekannt ist, liegt keineswegs an ihrer mangelnden literarischen Qualität, auch nicht allein an der durch das 3. Reich verursachten Unterbrechung mancher literarischer Entwicklungen, sondern vor allem an der immer noch starken Ausrichtung der Leser auf den Typus der Ludwigschen und Zweigschen Individualbiographie. Andererseits entspricht Wendels *Danton* auch nicht der heute von z. B. Hans Magnus Enzensberger, Günter de Bruyn oder Dieter Kühn vertretenen Biographik. Der *Danton* stellt für die moderne Geschichte der Biographik eine aufschlußreiche Übergangsform dar. [3]

Hermann Wendel hat viele der im letzten Kapitel beschriebenen literarischen Techniken verwandt und sich auch zu einer ästhetischen Komposition bekannt. Aber anders als die modernsten Autoren, die gerade ihr Selbstverständnis auf die Literarizität gründen und daraus auch Selbstbewußtsein gegenüber der historischen Fachwissenschaft ziehen können, glaubte sich Wendel noch zu der demonstrativen Wissenschaftsgeste verpflichtet, wie wir sie von Ludwig und Zweig kennen: »Es gibt gestaltete Geschichte«, schreibt er im »Geleitwort« zum *Danton,* »die sich, ohne die Mittel des Künstlers zu verschmähen, streng an die Regeln des Historikers hält.« Die »Mittel des Künstlers« sind leicht auszumachen: Der Erzähler unterwirft seine Figuren einer starken Lenkung und demonstriert gern Urteilssicherheit (»Danton war kein Marat«, S. 158), wagt gelegentlich sogar einen Blick ins Innere der Helden (»Unfromme Gedanken bestürmen ihn«, S. 381 f.), streift manchmal auch die Kolportage (»Tränen feuchten die Wimpern ihrer schönen

braunen Augen«, S. 39), strebt aber vor allem Spannung und Dramatik an. Der *Danton*
ist wie bei Ludwig und Zweig schon äußerlich über die Fünfteilung und die Kapitelüberschriften als eine bewußte Ausrichtung am Drama zu erkennen: I. Anstieg, II. Sammlung und Durchbruch, III. Höhe, IV. Verstrickung und Sturz, V. Ende. Tempuswechsel (Präteritum – Präsens), erlebte Rede (»Teufel auch, war es ihnen übel ergangen!«,
S. 202) und vor allem die erzählerische Komprimierung sorgen für einen vorwärtsdrängenden, abwechslungsreichen Prosarhythmus. Aber ist es schon aufschlußreich, daß die
Raffungstechnik bei Wendel gerade für die vita intima seines Helden angewandt wird
(z. B. S. 219–222), so wird der Unterschied zur Ludwigschen und Zweigschen Biographik besonders in der erweiterten Weltsicht deutlich. Der Leser wird z. B. über die Funk-
tion der Pariser Distikte (S. 53 ff.), die Rolle der Kirche, Justiz und Armee informiert
(S. 90 ff.). Fehlt z. B. in Stefan Zweigs *Marie Antoinette* die Welt der Revolution, so hat
Wendel seinerseits nicht darauf verzichtet, auch den Königshof dem Leser vor Augen zu
rücken, um damit polare Kräfte im politischen Machtkampf aufzeigen zu können
(S. 112 ff.). Die Revolution beherrscht jedoch die Biographie und nicht selten verläßt der
Erzähler seinen Helden und wendet sich Einzelaspekten zu, z. B. den Verfassungsorga-
nen (S. 184 ff.), der politischen Parteienbildung (S. 194 ff.), der Außenpolitik (S. 274 ff.)
oder auch ökonomischen Fragen (S. 286 ff.). Dennoch ist Wendel der Faszination und
Suggestion seines ›Helden‹ erlegen und neigt aus diesem Grunde auch zur Überhöhung.
Zwar weiß der Autor um die Macht der Verhältnisse: »Kein Einzelner, sei er noch so wil-
lensgewaltig, schafft die Ereignisse« (S. 129), doch paralysieren Begeisterung und Sympathie solche Einsichten: »Ein Bildhauer vor einem Klumpen nassen Lehms [...] so stand
Danton vor dem Staat« (S. 69). Hier erweist sich wiederum die verführerische Kraft des
narrativen Arrangements, die selbst Autoren in Abhängigkeiten geraten läßt, die sich dieser Suggestivkraft bewußt sind. Auf solche Gefahren aufmerksam gemacht zu haben, ist
das Verdienst von Sergej Tretjakov.

1930 erschien in der UdSSR von Tretjakov, der im gleichen Jahr *Den Schi-Chua. Die
Geschichte eines chinesischen Revolutionärs* als »Bio-Interview« herausgab, ein Essay
Die Biographie des Dings, in der Tretjakov auch im Blick auf seine Biographie gemeint
hat:

> »Man muß die ganze Zeit aufpassen, um nicht auf das gewohnte Gleis des biographischen Psy-
> chologismus abzugleiten, und die faktischen Ziffern und Anmerkungen bewegen sich an der Grenze
> von ästhetischen Metaphern und Hyperbeln.
> Ungeachtet der Tatsache, daß in die Erzählung in bedeutendem Maß Dinge und Produktionspro-
> zesse eingeführt wurden, schwillt die Figur des Helden an, und anstatt daß sie durch diese Dinge und
> deren Einfluß bestimmt wird, beginnt sie selbst diese zu bestimmen.« [4]

Da Tretjakov selbst mit seiner neuen biographischen Technik – er rekonstruiert die
Lebensgeschichte seines Helden Den Schi-Chua im Gespräch und bietet sie dann ohne die
Fragen als fortlaufende Ich-Erzählung an [5] – nicht zufrieden war, forderte er statt der
Biographie eines Menschen die »Biographie des Dings«. Beherrscht von der Macht der
Fakten – er selbst hat sich als »Faktograph« bezeichnet – stellt er sich eine neue Komposi-
tionstechnik vor, die einem Fließband gleichen soll, auf dem die Dinge in wechselnde Be-
ziehung zu den am Rande des Bandes stehenden Menschen treten und so »Etappen des

Produktionsprozesses« sichtbar werden lassen. Tretjakov wünscht sich deshalb »solche Bücher wie ›Der Wald‹, ›Das Brot‹, ›Die Kohle‹, ›Das Eisen‹, ›Der Flachs‹, ›Die Baumwolle‹, ›Das Papier‹, ›Die Lokomotive‹, ›Der Betrieb‹«. [6]

Tretjakovs Faktographie stellt den Versuch dar, eine realistische Schreibweise zu erobern, die sich gegen die ästhetische Harmonisierung sperrt, da diese »der beste Weg ist, um die Konterbande des Idealismus einzuschmuggeln« (Tretjakov). [7] Es kann hier aber nicht die Diskussion darüber erfolgen, ob Tretjakovs Ansatz richtig war [8], sondern nur die Verbindung zur Biographik hergestellt werden. Dabei müssen wir feststellen, daß die Kritik am Idealismus und die Ausrichtung an einem materialistischen Geschichtsverständnis in der Biographik der Vorkriegszeit keine starke Wirkung gezeitigt hat. Mit nur zwei Autoren, die in biographischen Versuchen den neuen Ansatz zu verwirklichen trachteten, sei deshalb die Brücke zur Gegenwart beschritten: Mit Walter Benjamin und Siegfried Kracauer.

Von Walter Benjamin, der sich in *Der Autor als Produzent* auch mit Tretjakov beschäftigt hat, liegt uns heute ein Fragment vor: *Charles Baudelaire. Ein Lyriker im Zeitalter des Hochkapitalismus,* das aus drei Teilen besteht und 1937–39 entstanden ist. [9] Siegfried Kracauer, den wir immer wieder in dieser Untersuchung als Kritiker der zeitgenössischen Biographik kennengelernt haben, hat 1937 einen eigenen Versuch vorgelegt: *Jacques Offenbach und das Paris seiner Zeit.*

Beide Schriftsteller haben sich für eine Biographik entschieden, die eine Lebensgeschichte als Teil des gesamtgesellschaftlichen Prozesses sieht; beide haben jeweils eine Fülle von Material aufgearbeitet, um in der individuellen Entwicklung ihrer Helden immer zugleich auch die allgemeine des Second Empire in Frankreich zu erfassen. (Es wäre eine reizvolle wissenschaftliche Aufgabe, die jeweiligen Ansichten und Beurteilungen zu vergleichen.) Wie sehr Benjamin dabei die Fakten schätzt, wissen wir von Th. W. Adorno, der berichtet: »Zur Krönung seines Antisubjektivismus sollte das Hauptwerk nur aus Zitaten bestehen.« [10] Auch Kracauer bekennt sich zu einem sehr breiten historisch-politischen und sozial-ökonomischen Ansatz. Er will vor allem eine »Gesellschaftsbiographie« schreiben:

> »Eine Gesellschaftsbiographie in dem Sinne, daß es mit der Figur Offenbachs die der Gesellschaft erstehen läßt, die er bewegte und von der er bewegt wurde, und dabei einen besonderen Nachdruck auf die Beziehungen zwischen der Gesellschaft und Offenbach legt. [...] Dieses Buch ist auch als eine Stadtbiographie aufzufassen. Es stellt den Versuch einer Lebensbeschreibung von Paris dar, die mit der Zeit Louis-Philippes beginnt und sich bis zu den Anfängen der Dritten Republik erstreckt; wobei die Periode Napoleons III. besonders scharf auskonstruiert wird.« [11]

Bei einem solchen biographischen Verfahren besteht allerdings die Gefahr, daß die individuelle Leistung von den gesamtgesellschaftlichen Vorgängen erdrückt wird. Im Bestreben, die Einflüsse der Gesellschaft zu zeigen, geraten die Individuen nicht selten zu bloßen Spiegelbildern dieser Gesellschaft: »er gehorchte dem Wink der Aktualität«, heißt es über Offenbach, »er reagierte so fein auf gesellschaftliche Veränderungen, daß sich seine jeweilige Position durchaus nach der Art dieser Veränderungen richtete.« Konsequent bezieht Kracauer diesen Ansatz auch auf Offenbachs künstlerisches Schaffen: »Die Operette konnte entstehen, weil die Gesellschaft, in der sie entstand, operettenhaft war.«[12] Für Benjamins *Baudelaire,* d. h. für den ersten Teil »Das Paris des Second Empire bei Baudelaire«, hat Rolf Tiedemann die Gefahren einer solchen Einstellung beschrieben:

> »Die Untersuchung bringt Gestalt und œuvre Baudelaires gleichsam in die Sozialgeschichte ein; ohne viel Rücksicht auf spezifisch ästhetische Gehalte wird die Kunst als eines unter anderen faits sociaux behandelt. Resultiert daraus ein treues Bild des Baudelaireschen Sozialcharakters, so doch um den Preis, daß die Dichtung Baudelaires zum bloßen Beleg für die Sozialgeschichte gemacht, deren Fakten mit literarischen Formen nur per analogiam zusammengeschlossen werden.«[13]

Mit Benjamins und Kracauers Ansatz ist die neue Form der Sozialbiographik erstmals in Deutschland konsequent angewendet worden. Daß sich ihr wissenschaftlicher Optimismus, eine individuelle Lebensverwirklichung durch Besinnung auf allgemeine, gesellschaftliche Vorgänge zu erfassen, als zu groß erwiesen hat, schmälert nicht den Wert dieser Pionierleistungen. Denn die wirklich moderne Biographik ist heute immer auch zugleich Sozialbiographie oder »Umweltsbiographie«, wie sie Friedrich Sengle nennt.[14] Daneben können wir aber auch eine neue Verbindung von Kunst und Wissenschaft erkennen, die im folgenden am Beispiel der gegenwärtigen Biographik beobachtet werden soll.

3. Kunst und Wissenschaft. Die literarische Biographie der Gegenwart[1]

Daß die »grundlegenden Darstellungsmethoden von Wissenschaft und Kunst« sich ausschließen, wie Georg Lukács es 1932 so apodiktisch festgelegt hat[2], scheint sich bis heute eher bestätigt zu haben, kann doch 1958 Theodor W. Adorno sagen: »Die Trennung von Wissenschaft und Kunst ist irreversibel.«[3] Doch ist es zulässig, von mißlungenen Versuchen auf eine generelle Unvereinbarkeit zu schließen?

Georg Lukács hat den Reportageroman mit seinem Verdikt treffen wollen, aber ebenso hätte er gegen die ›historische Belletristik‹ den Bannstrahl lenken können. Denn Kunst und Wissenschaft in harmonischer Verbindung geboten zu haben, gehörte zur Grundüberzeugung der ›historischen Belletristen‹. Im Blick auf die Vergangenheit und – was wesentlich wichtiger ist – auf die ihnen bekannte Geschichtsschreibung des 19. und 20. Jahrhunderts hatten die Autoren einige gute Argumente für die anstrebenswerte Verbindung von Kunst und Wissenschaft, war doch selbst ein so renommierter Vertreter der Fachwissenschaft wie Friedrich Meinecke ein Kronzeuge für diese Auffassung.[4]

Zwar wird seit Aristoteles' bekannter Sonderung des Dichters vom Geschichtsschreiber (»der eine erzählt, was geschehen ist, der andere, was geschehen könnte«)[5] immer wieder die Diskussion um Verbindung oder Trennung beider Bereiche geführt, doch scheinen ›poeta et historicus‹, wie Petrarca 1341 bei seiner Dichterkrönung genannt wurde, bis ins 18. Jahrhundert sich durchaus fruchtbar ergänzt, ja selbst in Personalunion harmoniert zu haben, wie ein Blick auch zu Schiller zu beweisen scheint. Und doch gilt gerade für Schiller, daß er unter den unterschiedlichen Ansprüchen von Kunst und Wissenschaft, unter der Trennung von ›Sinn‹ und ›Geist‹, von ›intuitivem‹ und ›spekulativem Verstand‹, gelitten hat.[6] Sichtbar wird hier schon die Umbruchsituation, die dann im 19. Jahrhundert deutlicher auszumachen ist: Waren im 18. Jahrhundert Kunst und Wissenschaft – die ›schönen Künste und Wissenschaften‹ wurden gern in einem Atemzug genannt[7] – eng verbunden, trugen beide zur Konstituierung eines bürgerlichen Selbstbewußtseins bei und wurde ihnen gleichermaßen Erkenntnisvermögen und Wahrheitsvermittlung zugesprochen, so wird im 19. Jahrhundert diese Harmonie zerstört. Schon die forcierte Einheitsbeteuerung der Romantiker signalisiert Bedrohung; mit Hegels Behauptung vom Ende der Kunst ist dann der Hegemonieanspruch der Wissenschaft gestellt, der unmißverständlich den Weg von »der Poesie der Vorstellung« zur »Prosa des Denkens« weist.[8]

Die erkennbare Entfremdung vonKunst und Wissenschaft – beide neigen nun zum Autonomieanspruch und zur Überhöhung – ist vor allem eine Folge der mißglückten bürgerlichen Selbstverwirklichung und jener »Vergegenständlichung der Welt im Verlauf fortschreitender Entmythologisierung«, von der Adorno spricht. Otto Westphals leider wenig bekannte Darlegung dieser Vorgänge zeichnet gerade für die Zeit nach 1848 einen Trennungsprozeß nach. Flüchtet die Kunst ins Reich der Ideale und wird Bildung als Surrogat verstanden, die Entschädigung verheißt für eine nicht erreichte politische Teilhabe, so richtet sich die Wissenschaft auf ein technizistisch-naturwissenschaftliches Verständnis aus. Wo sich Kunst und Wissenschaft dennoch ihrer ursprünglichen öffentlichen Funktion erinnern, geraten sie meist in den Sog der herrschenden preußisch-nationalen Staatsideologie.[9]

Für die Geschichtsschreibung und vor allem für die Biographie wird das Verhältnis von Kunst und Wissenschaft allerdings nicht so sehr durch Konfrontation, sondern durch den wechselnden Anspruch von Wissenschaftlern und Künstlern bestimmt, jeweils in ihren Werken beides zum harmonischen Ausgleich gebracht zu haben. Historiker können dabei von der freiwilligen Fluchtbewegung der Kunst profitieren, wird doch der Kunst nur noch eine eingeschränkte Erkenntnisfähigkeit zugebilligt. Wolf Lepenies hat darauf verwiesen, daß seit der ersten Hälfte des 19. Jahrhunderts »die Literatur für die Wissenschaft zu einem Kompensationsbereich geworden« sei: »bestenfalls werden ihr anregende und entlastende Funktionen zugestanden.«[10] So ist es nicht verwunderlich, daß sich der Schriftsteller, der den alten Wahrheitsanspruch der Kunst aufrechterhalten will, demonstrativer Wissenschaftsbeteuerungen befleißigt und sich entweder auf den Konnex zur Soziologie und zu den Naturwissenschaften beruft, wie die Naturalisten, oder sich in den »Dienst der Geschichte« (Hermann Kurz) stellt, wie es die Verfasser historischer Romane taten. Überall spüren wir das Bemühen, mit solchen wissenschaftlichen Legitimierungsgesten den Leser zu gewinnen und teilzuhaben an der Aura der angeblich Wahrheit stiftenden Wissenschaft.[11]

Wenn Friedrich Nietzsche gegen den Allmachtsanspruch der Wissenschaft der Kunst erneut eine hohe Bedeutung beimißt, weil sie allein mit dem Leben verbunden sei, so hat sich bei Wilhelm Dilthey, wie wir gesehen haben, eine Versöhnung von Kunst und Wissenschaft angebahnt, die besonders bei der Biographie wirksam wird, da Dilthey hier sowohl die Kunstleistung als auch die wissenschaftliche Forschung (»Zeitgeschichte«) zu würdigen weiß. Hat Dilthey damit der Kunst eine *Erkenntnis*funktion zurückerobert, so wird diese Position einmal gefährdet durch den wissenschaftlichen Purismus und seine »Allergie gegen die Formen« (Adorno)[12], wo das Lob des Stils zugleich die wissen-

schaftliche Disqualifikation bedeutet; zum anderen durch die unter Historikern verbrei-
tete Ansicht, daß es sich bei der Kunst nur um eine *Darstellungsweise,* also um Ornament
handele.[13] Diese unscharfe Trennung ist dafür verantwortlich, daß sich dann im
20. Jahrhundert so viele Mißverständnisse in dem Streit um die ›historische Belletristik‹
einstellen konnten. Dieser mit viel Überheblichkeit und Empfindlichkeit geführte Kampf
zwischen Historikern und Literaten am Ende der Weimarer Republik konnte kaum zur
Aufhellung des Phänomens ›Biographie‹ führen, weil sich die Kontrahenten nicht klar
darüber wurden, wie sehr sich ihre Argumentation aus dem gleichen geisteswissenschaftlichen Selbstverständnis speiste. Sowohl Historiker als auch Belletristen bedienten sich
im wesentlichen weiterhin der traditionellen Erzähltechniken des 19. Jahrhunderts, die
Sicherheit des Urteils und Plausibilität des Dargestellten nicht über den rationalen Diskurs anstrebten, sondern mit Hilfe eines ästhetischen (narrativen) Arrangements für eine
Faktenintegration sorgten. »Alle diese Kunstgriffe und Techniken«, schreibt Siegfried
Kracauer, »verfolgen eine Harmonisierungstendenz«.[14]

Der Vorteil der Biographie gegenüber jeder anderen Form von Geschichtsschreibung
liegt vor allem darin, daß sie jener von Max Weber beschriebenen Rationalisierung und
Entemotionalisierung in der modernen Welt gegensteuern kann und so die notwendige
Verbindung von kognitiven und affektiven Ebenen, von Rationalität und Emotionalität,
von Intellekt und Phantasie herzustellen vermag. Aber gerade darin liegt auch die größte
Gefährdung der Biographie, neigen doch ihre Verfasser meist dazu, einzig das Gemüt der
Leser zu erregen. Was eine wichtige Ergänzung der rationalen Weltaneignung darstellt,
verselbständigt sich und bleibt wirkungs- und funktionslos. Die Orientierung am Litera-
turverständnis des 19. Jahrhunderts hatte bei den ›historischen Belletristen‹ schwerwiegende Folgen, wie die bisherige Analyse aufzeigen konnte.

Der Kunst-Wissenschaft-Gegensatz, wie er besonders seit dem 19. Jahrhundert zu erkennen ist, wird verständlich vor allem auf dem Hintergrund der schon zitierten Ansicht,
der Kunst mangele es an der Fähigkeit, Erkenntnis zu fördern. Konnte Friedrich Schlegel
1797 nur verbittert die Verächter der Poesie zitieren, denen Kunst »nur Vorübung der
Wissenschaft, Hülle der Erkenntnis, eine überflüssige Zugabe des wesentlich Guten und
Nützlichen« sei[15], so lieferte sich im 20. Jahrhundert jene Gesinnung, die »Kunst als
Reservat von Irrationalität einhegt, Erkenntnis der organisierten Wissenschaft gleichsetzt und was jener Antithese nicht sich fügt als unrein ausscheiden möchte« (Adorno)[16], dem Ideologieverdacht aus. Die Künstler können wieder Selbstbewußtsein entwickeln, gibt es doch anscheinend nicht nur den Königsweg der wissenschaftlichen Weltaneignung. Im Blick auf die Krise des Historismus kann gerade der Schriftsteller, der sich
historischer Themen bemächtigt, erneut den alten Anspruch beleben, daß Kunst auf ihre
eigene und unvergleichbare Weise einen Beitrag zur Welterkenntnis leisten könne. Die
von Lukács eingangs zitierte harsche Trennung von Kunst und Wissenschaft wird nun
verständlich in ihrer Berechtigung, weil sie der Kunst statt der üblichen akzidentiellen
wiederum eine essentielle Funktion zusprechen will. Dahin zielt auch Siegfried Kracauers
Feststellung: »Folglich hat die Behauptung, daß Geschichte sowohl eine Wissenschaft
wie eine Kunst sei, nur Bedeutung, wenn sie auf Kunst nicht als äußeres Element, sondern
als innere Qualität verweist«.[17] Allerdings trennt Lukács und Kracauer eine unterschiedliche Vorstellung von der notwendigen Kunstform im 20. Jahrhundert. Während

Lukács immer wieder auf die großen Entwürfe der Romankunst des 19. Jahrhunderts verweist, weil er dort die »Gestaltung des Gesamtprozesses« und die »Gesinnung zur Totalität« sieht, will Kracauer gerade diese erzählerische Konsistenz zerstört wissen und kann deshalb die Bemühungen der modernen Romanautoren seiner Zeit hoch einschätzen. Der vielzitierten ›Krisis des Romans‹ kann er hoffnungsvolle Aspekte abgewinnen: »Denkbar wäre, daß er [der Roman – H. S.] in einer der verwirrten Welt angepaßten Form neu erstünde, daß die Verwirrung selber epische Form gewönne.« [18]

Im Blick auf den modernen Roman, wie er sich mit den Namen von James Joyce, John Dos Passos und Marcel Proust, von Hermann Broch, Alfred Döblin, Franz Kafka und Robert Musil verbindet, läßt sich Kracauers These stützen, gehört doch zu den Kennzeichen dieser Literatur vor allem die Zerstörung der ästhetischen Harmonie – Brecht hat für das Drama Ähnliches geleistet – und des Eingängig-Genußvollen. So sehr die Literatur einerseits zum Monologischen tendiert, so sehr wird doch andererseits eine neue dialogische Funktion zurückgewonnen. Denn an die Stelle des selbstsicheren tritt der verunsicherte Erzähler, der nicht mehr als Präzeptor seinem Leser sich überlegen fühlt, sondern diesen einlädt, an der Wahrheitssuche und am Erkenntnisprozeß teilzunehmen. Konsequent wird damit auch das erzählerische Korrelat der alten Selbstsicherheit – die ästhetische Harmonie und narrative Kohäsion – verworfen und durch eine diskontinuierliche Erzählweise ersetzt, die einer allmählichen, schrittweisen und widerspruchsvollen Vergewisserung ähnelt. Zu diesen Brüchen und ästhetischen Verfremdungen paßt eine »perspektivische Variabilität im Dienste einer empirischen Wirklichkeitserkenntnis« (R. Weimann) [19], die an die Stelle der auch bei Historikern beliebten ›Vogelperspektive‹ bzw. Monoperspektive tritt.

Während die ›historische Belletristik‹ der Ludwig und Zweig und im wesentlichen auch die Historiographie den traditionellen Erzählmustern zutrauten, die offensichtlichen Schwierigkeiten bei der Realitätserfassung zu meistern und die eingetretene Verunsicherung in der individuellen Sinn- und Wertbestimmung aufzufangen, reagierten die genannten Romanautoren auf die empfundene Identitätskrise nicht mit der Flucht in die erzählerische Sekurität vertrauter Muster, sondern bemühten sich um eine Differenzierung der Darstellung, die Ausdruck einer Bemühung um ein differenziertes Weltverständnis ist. Was Hermann Broch an James Joyce schätzt, beschreibt auch die Absicht der anderen genannten Autoren: »überall spürt man das Bestreben, die Unendlichkeit des Unerfaßlichen, in dem die Welt ruht und die ihre Realität ist, mit Symbolketten einzufangen und zu umranken«. [20] In unserem Zusammenhang ist es nicht wichtig, *ob* die Autoren eine bessere Realitätsaneignung erreicht haben, sondern nur, *daß* sie sich um andere Möglichkeiten der Erkenntnis bemüht und neue Methoden ausprobiert haben.

Dabei ist eine aufschlußreiche Beobachtung zu machen, die auch auf die modernste literarische Biographik anwendbar ist: Aus der Skepsis gegenüber der literarischen Tradition erfolgt einmal eine Besinnung auf eine neue Literarizität, die sich zugleich von jeder traditionellen Wissenschaftlichkeit geschieden sehen will. Dennoch wird ein Anspruch auf Realitätserfassung und -darstellung erhoben und ein neues Wissenschaftsverständnis ins Spiel gebracht.

Alfred Döblins Polemik aus den 30er Jahren gegen die »Mischgattung« der ›historischen Belletristik‹, die weder »Fisch noch Fleisch«, weder »ein sauber dokumentiertes

Geschichtsbild« noch ein historischer Roman sei, ist zunächst ein Bekenntnis zur Kunst des Romanschriftstellers, denn offensichtlich will sich Döblin den Streitereien zwischen Künstlern und Wissenschaftlern entziehen. Doch in Wirklichkeit erhebt er im gleichen Atemzug den Schriftsteller zu »eine[r] besondere[n] Art *Wissenschaftler*«: »Er ist in spezieller Legierung Psychologe, Philosoph, Gesellschaftsbeobachter.« Darin nur eine Variante der alten Wissenschaftsbeteuerungen des Schriftstellers zu vermuten, wäre unzureichend, denn offensichtlich handelt es sich um eine Mündigkeitserklärung des Schriftstellers, der sich aus der Umklammerung der Wissenschaften mit ihrem »wahnhaften Objektivitätsideal« (Döblin) löst.[21] Es kann hier nicht nachgezeichnet werden, wie sich ähnliche Haltungen bei anderen Autoren einstellen, doch soll noch der Hinweis auf Hermann Brochs Idee des ›polyhistorischen Romans‹ und auf Musils Technik des essayistischen Romans erfolgen, bahnt sich hier doch eine neue Verbindung von Kunst und Wissenschaft an, die zum Ziel hat, »Beiträge zur geistigen Bewältigung der Welt [zu] geben« (Musil).[22]

Die ›Krisis des Romans‹, die eigentliche ›Krisis‹ nur von einem normativen Gattungsverständnis aus genannt werden kann, und die Bemühung um ihre ›Bewältigung‹ gibt der Literatur einen Vorsprung vor denjenigen Wissenschaften, die sich eher der Tradition versicherten als dem Experiment öffneten. Vergleichbar ist die avancierte Form der Kunst allerdings mit den modernen Wissenschaftsdisziplinen, die sich gegen die traditionellen Wissenschaften erst durchsetzen mußten und daher nicht selten den Mut zum geistigen Wagnis hatten. Zu denken wäre da vor allem an die Psychologie und Psychoanalyse, die Sozialwissenschaft und die Soziologie.

In der Diskussion um die narrativen Strukturen in der Geschichtsschreibung ist der Verlust der erzählerischen Sicherheit auch des Historikers konstatiert worden. Es lag nahe, dabei die Parallele zum Romanautor zu ziehen und auf dessen Bemühungen um eine Neuorientierung zu verweisen. Christian Meier hat auch der Geschichtsschreibung eine »multiperspektivische Darstellung« empfohlen und auf Einsichten des Literaturwissenschaftlers Hans Robert Jauß verwiesen.[23] Im Zusammenhang mit der Biographie sei deshalb ein Vorschlag von Jauß zitiert, der sich für eine Änderung der Historiographie ausspricht:

> »so könnte sie dem Paradigma des modernen Romans folgen, der – programmatisch seit Flaubert
> – die Teleologie der epischen Fabel abgebaut und Erzähltechniken entwickelt hat, um den offenen
> Horizont der Zukunft in die vergangene Geschichte wieder einzuführen, den allwissenden Erzähler
> durch standortbezogene Perspektiven zu ersetzen und die Illusion der Vollständigkeit durch überra-
> schende, ›querlaufende‹ Details zu zerstören, die das uneinholbare Ganze der Geschichte am noch
> unerklärten Einzelnen bewußt machen.« [24]

In der literarischen Biographik sind diese Forderungen weitgehend verwirklicht. Allerdings ist dabei nicht an die immer noch sehr erfolgreiche ›historische Belletristik‹ gedacht, in der weiterhin die alten Muster benutzt werden[25], sondern an Werke wie die folgenden: Günter de Bruyn, *Das Leben des Jean Paul Friedrich Richter* (1975); Hans Magnus Enzensberger, *Der kurze Sommer der Anarchie. Buenaventura Durrutis Leben und Tod* (1972); Hans J. Fröhlich, *Schubert* (1978); Peter Härtling, *Hölderlin* (1976); Ludwig Harig, *Rousseau* (1978); Wolfgang Hildesheimer, *Mozart* (1977) und vor allem an die biographischen Arbeiten von Dieter Kühn *(N,* 1970; *Die Präsidentin,* 1973; *josephine,* 1976; *Ich Wolkenstein,* 1977). Obwohl diese literarischen Biographien bemerkenswerte Unterschiede auszeichnen, so sollen doch eher die Gemeinsamkeiten betrachtet werden, um zeigen zu können, wie sich Kunst und Wissenschaft annähern.

Auch hier können wir zunächst eine starke Betonung der *literarischen* Absichten feststellen, ist doch das erzählerische Moment vorherrschend und neigen die Autoren außerdem dazu, die Gattungsbezeichnung ›Roman‹ zu wählen. Dennoch zeigt sich gerade in der Gattungszuordnung schon das Problembewußtsein. Markiert Enzensbergers *Der kurze Sommer* die Kapitulation des Erzählers vor der Geschichte und wird der zugeordnete Gattungsbegriff ›Roman‹ – das hat zu erregten Debatten geführt – einzig durch das rezeptionsästhetische Moment gerettet, da der Leser aufgefordert wird, sich selbst aus dem angebotenen Faktenwust den Roman zu erzählen, so zeigen auf der anderen Seite Fröhlichs *Schubert,* Harigs *Rousseau* und Härtlings *Hölderlin* die ausgeprägtesten Erzählstrukturen. Während Harig sich dem modernen ›experimentellen‹ Roman verpflichtet fühlt und so eine Einheitlichkeit der Einzelteile schafft, ist z. B. Härtlings *Hölderlin* durch unterschiedliche Erzählhaltungen geprägt. Gleich auf der ersten Seite heißt es: »ich schreibe keine Biographie. Ich schreibe eine Annäherung.« Da mit ›Annäherung‹ zwar ein erkenntnistheoretisches Bewußtsein sich aufdeckt, aber keine Gattungswahl erfolgt ist, kann es dann im Klappentext heißen: »Dieses Buch ist ein Roman, und ein spannender dazu. Aber ebenso ist es Bericht und Biographie – hier werden die traditionellen Formen gemischt zu etwas Neuem: dem Versuch, Literatur als Leben wiederzugeben.« Also doch eine ›unsaubere‹ Mischung von künstlerischem und wissenschaftlichem Verfahren? Bevor diese Frage beantwortet wird, sei zunächst noch die Gattungsbezeichnung bei den literarischen Biographien untersucht, lassen sich doch darin die Probleme einer Kunst-Wissenschaft-Beziehung aufweisen.

Härtlings Distanz zur ›Biographie‹ deckt eine Veränderung im Gattungsverständnis auf, die das Pendel stärker zur Wissenschaftlichkeit ausschlagen läßt. Das ist erstaunlich, war doch die Biographie vor allem auf das Individuell-Psychologische festgelegt, wie die bisherige historische Darstellung zeigen konnte. Daß Härtling nicht allein steht, beweist die Vorsicht der anderen Autoren im Umgang mit dem Begriff ›Biographie‹: Erst Dieter Kühn hat in seiner jüngsten Publikation *Ich Wolkenstein* (1977) sich uneingeschränkt dazu bekannt; seine *josephine* (1976) demonstriert schon eine Annäherung, stellt sie sich doch mit dem Untertitel *Aus der öffentlichen Biografie der Josephine Baker* vor. Wenn nicht die Gattungsbezeichnung ›Roman‹ gewählt wurde, wie bei Enzensberger, Harig, Härtling oder bei Dieter Kühns *Die Präsidentin,* dann lassen die Autoren die Neigung erkennen, sich einer Festlegung zu entziehen. De Bruyn, Hildesheimer und Fröhlich verzichten auf jede demonstrative Gattungszuordnung. Fröhlich kann sich noch selbst als ›Biograph‹ bezeichnen, während Hildesheimer immer wieder den nichtssagend-neutralen Terminus »Buch« wählt (hier stimmt auch der Klappentext mit den Vorstellungen des Autors überein) und de Bruyn sich sowohl vom Roman als auch von einer wissenschaftlichen Arbeit absetzt. Generell kann deshalb festgestellt werden, daß die Autoren sich entschlossen haben, »alle Biographie, ja alle Geschichtsschreibung, mit jener Skepsis zu betrachten, die sich im Lauf der Jahrhunderte als angemessen erwiesen hat.« (Hildesheimer) [26]

Und doch haben diese Bedenken die Autoren nicht gehindert, wissenschaftlich zu arbeiten, wenn sie auch anscheinend sich einem besonderen Wissenschaftsverständnis verpflichtet fühlen. (Das wohl zunächst in einer Abgrenzung gegenüber jener »organisierten Wissenschaft« sich konstituiert, von der Adorno spricht.[27]) Die Autoren entsprechen einer Realitätsforderung, wie sie sich im 20. Jahrhundert für die moderne Literatur herausgebildet hat. Werden die Dichter zu »Anwälte[n] der Wirklichkeit« (Brecht) und ist die Kunst »aus dem Reich des ›schönen Scheins‹ entwichen« (Benjamin), dann kann dem nur eine tiefe Skepsis gegenüber der Erfindungs-Literatur folgen[28], die sich »als Leistung eines individuellen Bewußtseins, das aus eigener Imagination stellvertretende Welt, also Figuren und Handlungen entwirft«, präsentiert (R. Baumgart).[29] Ein moderner Romanautor und Literaturtheoretiker wie Helmut Heißenbüttel kann deshalb 1972 für die Literatur den Vorrang des Materials vor der Einbildungskraft behaupten.[30]

Tatsächlich haben alle hier angesprochenen Biographen viel Material aufgearbeitet und angeboten, wenn sie auch recht unterschiedliche Verarbeitungsweisen gewählt haben. Die ungewöhnlichste Faktenaufbereitung bietet Hans Magnus Enzensbergers Durruti-Biographie *Der kurze Sommer der Anarchie*: Hier werden kommentarlos Quellen aneinandergereiht, unterbrochen nur durch einige einleitende »Glossen«, die den jeweiligen Problemzusammenhang der folgenden Zitate herstellen. Verblüffend ist vor allem, daß Enzensberger auch sich widersprechende Aussagen unkommentiert nebeneinander stehen läßt. Diese Faktenpräsentation erinnert an die im vorhergehenden Kapitel geschilderten Bemühungen Benjamins um einen Antisubjektivismus und an Tretjakovs Programm einer ›Faktographie‹. Nach dem 2. Weltkrieg hat dann der materialversessene Arno Schmidt in seinem *Fouqué* (1958) nochmals extensiv das direkte Zitat eingesetzt. Die große Hoffnung, die dem authentischen Zitat galt, hat jedoch in der Gegenwart ihre Realativierung erfahren, wie die Diskussion um die Dokumentarliteratur beweist. Einsichten, die in der historischen Fachwissenschaft gewonnen wurden – »Jedes historisch eruierte und dargebotene Ereignis lebt von der Fiktion des Faktischen, die Wirklichkeit selber ist vergangen« (Koselleck)[31] –, sind auch den Literaten nicht verborgen geblieben. Zwar bauen sie weiterhin auf die Überzeugungskraft der Fakten, haben aber ihr Urvertrauen in die alleinige Macht der Authentizität verloren. Die »Fragwürdigkeit der Quellen« läßt z. B. Enzensberger in seiner ersten »Glosse«, die die bezeichnende Überschrift »Über die Geschichte als kollektive Fiktion« trägt, warnen:

»Das einfachste wäre es, sich dumm zu stellen und zu behaupten, jede Zeile dieses Buches sei ein Dokument. Aber das ist ein leeres Wort. Kaum sehen wir genauer hin, so zerrinnt die Autorität unter den Fingern, die das ›Dokument‹ zu leihen scheint. Wer spricht? Zu welchem Zweck? In wessen Interesse? Was will er verbergen? Wovon will er uns überzeugen? Und wieviel weiß er überhaupt? Wieviel Jahre sind vergangen zwischen dem erzählten Augenblick und dem des Erzählens? Was hat der Erzähler vergessen? Und woher weiß er, was er sagt? Erzählt er, was er gesehen hat, oder was er glaubt gesehen zu haben? Erzählt er, was ein anderer ihm erzählt hat? Das sind Fragen, die weit führen, zu weit«.[32]

Manifestiert sich hier ein quellenkritisches Bewußtsein, dem jeder Historiker zustimmen kann, so zieht Enzensberger jedoch Konsequenzen daraus, die, würden sie absolut gesetzt, das Ende der Geschichtsschreibung bedeuteten. In Anlehnung an rezeptionstheoretische Modelle fordert er den Leser zur eigenen Konsistenzbildung auf (»Die Rekonstruktion gleicht einem Puzzle«[33]) und läßt so die Biographie als Akt einer ›kollektiven Fiktion‹ entstehen. Nicht alle Biographen ziehen jedoch den gleichen radikalen (und resignativen) Schluß aus dem erkannten Dilemma der Faktenerschließung und -präsentation. Wolfgang Hildesheimer weist im Vorwort zum *Mozart* auf die Vermittlungsschwierigkeiten des Autors hin:

> »Denn der Leser will die Vermittlung, nicht den Vermittler. Doch auch hier wird er stets nur etwas über das Objekt in der subjektiven Sicht des Darstellenden erfahren, den zu akzeptieren oder abzulehnen ihm allerdings frei steht. Wir sollten ihn aber gerade dort akzeptieren, wo er seiner Subjektivität eingedenk bleibt, wir sollten daher Autorität der Überzeugung als Qualität und als Disziplin anerkennen.« (S. 10)

Bei Hildesheimer wird eine kritische Selbsteinschätzung erkennbar, die sich der hermeneutischen Grunderfahrung bewußt ist, die aber zugleich versucht, Subjektivität und Objektivität in Beziehung zu setzen. Wie der Historiker glaubt auch Hildesheimer an die Überzeugungskraft von Argumenten; Quellen und Ereignisse sind ihm keineswegs unendlich ausdeutbar. Er würde einer Aussage wie der folgenden von Reinhart Koselleck wahrscheinlich zustimmen. Im Anschluß an die oben zitierte Bemerkung zur »Fiktion des Faktischen« fährt Koselleck fort: »Damit wird ein geschichtliches Ereignis aber nicht beliebig oder willkürlich setzbar. Denn die Quellenkontrolle schließt aus, was nicht gesagt werden darf. Nicht aber schreibt sie vor, was gesagt werden kann.«[34] Eröffnet ist damit ein (notwendiger) Freiraum der Interpretation, den auch der literarische Biograph zu nutzen weiß. Er stellt sich und seine Leistung allerdings den gleichen Beurteilungskriterien wie der Wissenschaftler, wenn es um die Frage von Wahrheit und Plausibilität geht. Daß er jedoch einige Möglichkeiten mehr zur Verfügung hat als der Wissenschaftler, macht seine besondere Stellung aus: Als Schriftsteller darf (und soll) er seine Imaginationskraft ins Spiel bringen und kann den Versuch wagen, bildlich-sinnliche Vergegenwärtigung zu schaffen. Darin wird das Element der Subjektivität, von der Hildesheimer spricht, faßbar. Auch andere Biographen haben sich zu einem subjektiven Zugriff bekannt: »Meinungen und Urteile auch sehr subjektiver Art zu unterdrücken habe ich mich nicht bemüht. Nicht Lehrmeinungen zu illustrieren oder literaturwissenschaftliche Thesen zu verfechten war meine Absicht.« (de Bruyn)[35]

Es wäre falsch, aus diesen Bekenntnissen voreilig auf Unwissenschaftlichkeit zu schließen. Denn schon in de Bruyns demonstrativem Eingeständnis wird deutlich, wie sich seine Meinung in der kritischen Auseinandersetzung mit anderen Urteilen bildet. Es gibt also kein freies Ausfabulieren mehr wie beim historischen Roman! Diese eingestandene Subjektivität ist allerdings streng zu trennen von jener herausgekehrten Subjektivität der ›historischen Belletristen‹ der 20er Jahre, die letztlich nur damit den Anspruch verbanden, eine freie und sich jeder Überprüfung entziehende Darstellung bieten zu können. (Wobei ihr Hinweis auf die auch unter Historikern herrschende Subjektivität nicht unberechtigt war.) Aus einem solchen Verständnis heraus resultiert die unbeschwerte erzählerische Geschlossenheit, die den Leser vor eine radikale Alternative stellt: Entweder wird der Gesamtentwurf akzeptiert oder abgelehnt; wegen der starken Kohäsion ist eine Detailkritik kaum möglich.

Dagegen bedeutet Subjektivität bei den hier besprochenen Biographien zunächst einmal Ehrlichkeit, wird sie doch dem Leser nicht verheimlicht und ist zugleich als Angebot zum Dialog zu verstehen: Dem Leser steht es frei, sich den Meinungen, Spekulationen und Argumenten anzuschließen oder sich ihnen zu verweigern. Deshalb ist Härtlings schon zitiertes Eingeständnis, er versuche eine ›Annäherung‹, nicht nur ein Bescheidenheitstopos, sondern gibt eine generelle Haltung der Biographen, ja der modernen Literatur wieder. Man könnte die moderne Literatur mit dem Titel der Prosasammlung von Hans-Joachim Schädlich treffend charakterisieren: *Versuchte Nähe* (1977). Fruchtbar ist dieser Vergleich auch deshalb, weil mit ihm der in der modernen Literatur deutlich auszumachende *Versuchs*charakter getroffen wird. Wenn Arno Schmidt 1958 seine überaus umfangreiche *Fouqué*-Studie *Biographischer Versuch* untertitelt, so liegt das in einer Ebene mit dem modernen Roman, der gern als ›Roman d'essai‹ bezeichnet wird, weil er, wie Alfred Andersch Peter Weiss' imposantes Prosawerk *Ästhetik des Widerstands* gekennzeichnet hat, ein »Roman des diskursiven Denkens« ist. [36] Wie sehr das essayistische Element den Roman und die literarische Biographie prägt, wird deutlich, wenn wir uns z. B. Theodor W. Adornos Beschreibung des Essays ansehen: »Unbewußt und theoriefern meldet im Essay als Form das Bedürfnis sich an, die theoretisch überholten Ansprüche der Vollständigkeit und Kontinuität auch in der konkreten Verfahrensweise des Geistes zu annulieren. Sträubt er sich ästhetisch gegen die engherzige Methode, die nur ja nichts auslassen will, so gehorcht er einem erkenntniskritischen Motiv.« [37]

Auch die Biographen haben eingesehen, daß Vollständigkeit und Endgültigkeit allenfalls anstrebenswerte Ziele, aber letztlich nicht zu verwirklichen sind. Das muß keineswegs Resignation zur Folge haben, sondern zunächst nur Bescheidenheit, wie sie Dieter Wellershoff, selbst Verfasser von Romanen, die sich um ›Annäherungen‹ bemühen, beschreibt: »Die komplexen Wirkungszusammenhänge der modernen Gesellschaft haben den Einzelnen längst überwachsen, und auch der Schriftsteller verantwortet nur noch seinen Erfahrungsbereich. Das bedeutet nicht, daß er seine isolierte Subjektivität als epische Quellmasse rhetorisch ausbreiten soll, sondern daß er ihm zugängliche Ausschnitte des Gesamtzusammenhangs erforscht, sich dabei selbst einsetzend als Erfahrungsquelle und -instrument.« [38] Sowohl in Adornos Zusammenfügung von ästhetischem Widerstand und erkenntniskritischem Ansatz als auch in Wellershoffs Verbindung von forschendem Interesse und Besinnung auf eigene Erfahrungen nähern sich Kunst und Wissenschaft einander. Tatsächlich lassen sich beide Verfahrensweisen in den Biographien ausmachen.

Die meisten Biographien – eine Ausnahme bildet Harigs *Rousseau* – tragen deutlich äußere Merkmale wissenschaftlicher Arbeit. Sie kennen Fußnoten, Personen- und Sachregister, Literaturverzeichnis und bieten im Text Quellenkritik oder Auseinandersetzung mit der bisherigen Forschung. Wenn man dem Urteil der rezensierenden Fachleute trauen darf, dann genügen sie durchaus wissenschaftlichen Ansprüchen. Anders als in der ›historischen Belletristik‹, wo ähnliche »Authentizitätssignale« (H. Weinrich) [39] gegeben werden, die jedoch meist nur zur Steigerung der Authentizitätsillusion herhalten müssen, findet in den modernen Biographien ein wissenschaftlicher Diskurs statt: Hildesheimer treibt Textphilologie und bietet Interpretationsvarianten am Beispiel der Mozartschen Briefe; Fröhlich versucht neue Deutungen der Schubertschen Lyrik; Härtling wägt unterschiedliche Angaben zum Hölderlinschen Leben ab; Kühn bemängelt in *Die Präsidentin* die Unzulänglichkeit bisheriger Biographien, bezweifelt in der *josephine* manche der angebotenen biographischen Details und setzt sich in *Ich Wolkenstein* eingehend auch mit der Forschungsliteratur zu diesem spätmittelalterlichen Lieddichter auseinander; de Bruyn polemisiert gegen die herrschende Ansicht, Jean Paul sei ein Poet gewesen, »der das Glück im Winkel verherrlicht« habe. [40] Es ließen sich noch viele Beispiele anführen, die immer nur bewiesen, daß die Autoren eingehende wissenschaftliche Studien getrieben haben und eine kritische Auseinandersetzung nicht scheuen. (Emil Ludwig war hingegen stolz darauf, kaum Sekundärliteratur gelesen zu haben. [41])

In allen Biographien fällt es nicht schwer, die Meinung des Autors zu erkennen. Stellt der Verfasser der ›historischen Belletristik‹ allenfalls im Vor- bzw. Nachwort seine Absicht heraus, bemüht sich aber im Text, jeden Spannungsbruch durch Erzählereinschaltung zu vermeiden, so gehört es geradezu zum Prinzip der hier behandelten Autoren, sich selbst immer wieder zu Wort zu melden. Solche Erzählereinschaltungen geben der biographischen Darstellung eine dialogische Funktion zurück, die sie im Laufe des 19. Jahrhunderts durch die Präzeptorenmentalität der Biographen verloren hat, und lassen den Leser sich ernst genommen fühlen. Vielfältige Signale und Appelle werden an ihn gerichtet: Hildesheimer begibt sich im Vorwort »bewußt in Abhängigkeit vom Leser, nicht nur in seinem Vorstellungsvermögen, sondern auch in seinem Vorstellungswillen«. Im Text spüren wir dann, wie der Autor um sinnlich-anschauliche Verdeutlichung bemüht ist. Oft erfolgt auch ein direkter Appell wie bei Fröhlich: »Man muß nur versuchen, sich in ihre Lage zu versetzen.« [42] Die häufigste Ansprache erfolgt jedoch über Analogiebeziehungen, wobei diese Technik am ausgeprägtesten bei Dieter Kühn zu beobachten ist, der gern Beispiele aus der Gegenwart wählt, um die Vorstellung von der Vergangenheit zu konturieren. Für den Typus der Finanzspekulantin Marthe Hanau findet er ein ›Modell‹ in einer »Leiterin einer Werbeagentur«, für das Verständnis der Finanzgeschäfte informiert er sich und die Leser »über die Praktiken, die in der gegenwärtigen Wirtschafts- und Gesellschaftsform üblich sind« und leitet »davon mögliche Praktiken der Madame Hanau ab«. [43] Wie Dieter Kühn die Bindung an seinen ›Helden‹ Wolkenstein nicht leugnet – »hier ist ein Wechselspiel zwischen Abrücken und Annähern« – und sie schon in einem Titel wie »Ich Wolkenstein« mitschwingen läßt [44], so bringt auch Peter Härtling sich selbst und die Gegenwart immer wieder in die Vergangenheit ein. Er zieht eigene Lebenserfahrungen heran, um den Erfahrungen seines ›Helden‹ auf die Spur zu kommen. Allerdings werden bei Kühn und Härtling solche Verfahren eindeutig dem Leser als Spiel mit Möglichkeiten signalisiert: »Ich bemühe mich, auf Wirklichkeiten zu stoßen. Ich weiß, es sind eher meine als seine.« (Härtling) [45] Die enge und gefährliche Klammer zwischen erzählter Biographie und Autobiographie des Verfassers ist erkannt und dem Leser vorgestellt; so verliert sie viel von ihrer verführerischen Identifizierungsmacht, die sie in der ›historischen Belletristik‹ hat.

Die Biographen haben das Problem der individuellen Anteilnahme und die damit verbundene mögliche Identifizierung, die wir im Zusammenhang mit der ›historischen Belletristik‹ nachzuzeichnen versucht haben, erkannt und ihren Lesern nicht verheimlicht. Aus Dieter Kühns *Ich Wolkenstein* sei eine längere Passage zitiert, da sie eindrucksvoll das Selbstverständnis der Biographen belegt:

»Diese Identifikationsversuche setzen voraus, daß es Gemeinsames gibt, zumindest einige Berührungspunkte, und an diesen Stellen setzt so etwas wie Osmose ein bei fortgesetzter Beschäftigung, schreibend oder lesend: ein wiederholtes Hineindenken in die andere Person, ein wiederholtes Sichhineinversetzen. Das ist natürlich kein geradlinig fortschreitender Prozeß, hier ist ein Wechselspiel zwischen Abrücken und Annähern: kein Verständnis für manche Verhaltensweisen, Aktionen und wiederum Gemeinsames, das verbindet, sonst gäbe es keinen Anlaß, sich mit einer anderen Person, noch dazu mit einer längst verstorbenen Person zu beschäftigen, ausführlich und eindringlich. Schreibend und lesend erfahren, mitvollziehen, was ein anderer in einer anderen Situation, in einer anderen Zeit gedacht, erlebt, getan hat, und dabei Möglichkeiten kennenlernen, die man selbst nicht verwirklicht und zugleich Wirklichkeiten erkennen, wiedererkennen, wie man sie selbst erfahren hat, und wiederum das Andere, Fremde, das sich nicht aneignen, nicht einverleiben läßt: Herausforderungen, Konfrontationen. Ich in deiner Lage, an deiner Stelle, ich in deiner Haut und insgesamt: wenn ich du wäre, wie wären dann meine Lebensformen, Bewußtseinsformen?«[46]

Bedenken, wie wir sie gegen die ›Einfühlung‹ bei der geisteswissenschaftlichen Biographie und auch bei der ›historischen Belletristik‹ vorgebracht haben, sind anscheinend bei den hier behandelten Autoren nicht berechtigt, da diese sich über die Gefahren bewußt sind. So vorteilhaft es ist, wenn der Biograph seine Affekte zu ›bändigen‹ weiß, wie es sich Sigmund Freud wünscht [47], wichtiger ist noch, daß diese Affekte erkannt und dem Leser mitgeteilt werden. Ludwig Harig hat dieses Problem bewußt sprachspielerisch seinen Lesern ins Gedächtnis gerufen: »Der vom Schreibenden Beschriebene erscheint im Geschriebenen, wie der Schreibende selbst im geschriebenen Beschriebenen erscheint, das Porträt wird so zum Doppelporträt.« [48] Diese Offenheit gegenüber dem Leser zeichnet alle hier behandelten Biographien aus; dem Leser wird eine aktive Funktion bei der Rekonstruktion des Lebenslaufes und der Vergangenheit zugeordnet. Über die fiktive Biographie der Marthe Hanau heißt es in Kühns *Die Präsidentin*: »Im bisherigen Buchentwurf herrscht die Ich-Perspektive eines Autors vor, der den Leser am Auswählen und Auswerten von Material teilnehmen läßt; auch kann ihm der Leser beim Schreiben zuschauen, sozusagen über die Schulter.« (Der Zusammenhang mit der modernen Romantheorie und -praxis ist unverkennbar.[49])

Das Zusammenspiel von herausgestellter Subjektivität und gleichzeitiger Ansprache des Lesers beschreibt den Abstand zur ›historischen Belletristik‹, die keineswegs von der Mündigkeit des Lesers ausgeht, sondern alles daran setzt, durch eine Ansprache der Affekte einen einfühlenden, mitreißenden Leseprozeß in Gang zu setzen. Sichert ihr das eine ungleich höhere Leserzahl, weil sie die Unterhaltungswünsche und Entspannungsbedürfnisse der Leser in Rechnung setzt, so birgt diese Präsentation die Gefahr in sich, keine Erfahrungsbereicherung zu bieten und so die beabsichtigte Aufklärung zu verfehlen. Robert Musil hat in *Der Mann ohne Eigenschaften* eine Erklärung für den Lesererfolg zu geben versucht: »Die meisten Menschen sind im Grundverhältnis zu sich selbst Erzähler. [...] sie lieben das ordentliche Nacheinander von Tatsachen, weil es einer Notwendigkeit gleichsieht, und fühlen sich durch den Eindruck, daß ihr Leben einen ›Lauf‹ habe, irgendwie im Chaos geborgen.« [50] Zwar verachten die zeitgenössischen Biographen keineswegs den literarischen Erfolg, sie weigern sich aber wie Robert Musil, ihn über die traditionelle Schreibweise und durch jene »psychologischen Erleichterungen« anzustreben, die Jürgen Habermas im *Strukturwandel der Öffentlichkeit* beschrieben hat. Gerade weil Autoren wie Dieter Kühn sich auch zu einem didaktischen Engagement bekennen, das mit der Gattungswahl der Biographie schon immer eng verbunden war, und einen Denkprozeß einleiten wollen, der über die Lektüre hinausreicht, betreiben sie die Zerstörung der traditionellen Erzählweise und fordern dem Leser Aufmerksamkeit und Anstrengung ab.[51] Daß sie mit ihren Werken dennoch einen relativ guten Absatz finden, beweist die zunehmende Fähigkeit der Leser, sich auf solche Erzählweisen einzustellen.

Die Chronologie eines Lebens, wohl dokumentiert und vor allem abgeschlossen, verführt geradezu zu einer konsistenten, d. h. planvollen und sich einem Gesamtentwurf einfügenden Darstellung. Ein Leben vom Tode her betrachtet gewinnt seine Ausstrahlung besonders durch die erreichte Identität des Individuums. Eine solche Determination vom Ende bzw. vom Höhepunkt aus erzeugt beinahe notwendigerweise eine erzählerische Konsistenz, die ihre scheinbare Entsprechung in der Chronologie des Lebens erhält: Ästhetische Kohärenz und individuelle Lebenseinheit stützen sich nun wechselseitig. Die Lebensentfaltung erscheint in jeder Stufe als sinnvoll und auf ein Ziel gerichtet. Vergessen wird dabei allzuleicht, daß es sich hier um eine erzählerische Illusion handelt, die zudem die wichtige Einsicht verhindert, daß historische Situationen offen sind für mehrere Möglichkeiten. Damit nicht der Eindruck eines sich natur- bzw. gar schicksalhaft vollziehenden Prozesses entsteht, muß der Biograph bemüht sein, »die *ex eventu* sich immer wieder aufdrängende Eindeutigkeit des Ablaufsinnes wieder zurückzuwandeln in die Vielheit der Möglichkeiten« (C. Meier).[52] Statt demonstrativer Sicherheit und vorgegebener Objektivität muß das Bewußtsein der Unzulänglichkeit und der nur angenäherten Wahrheitserschließung vorhanden sein.

Es gehört zu den überzeugenden Leistungen der modernen literarischen Biographen, daß sie sich der aufdrängenden finalen Struktur der Biographie verweigert haben: Enzensberger verzichtet auf jede Zusammenschau, allenfalls übernehmen die ›Glossen‹ eine ähnliche Funktion, und beharrt auf dem Vorläufigen und Unabgeschlossenen in der bloßen Faktenreihung; Kühn demonstriert ebenfalls ein offenes Verfahren, neigt er doch dazu, nicht nur den Entstehungsprozeß in der Biographie mitzureflektieren, sondern auch noch Möglichkeitsformen biographischer Abläufe auszuspielen. De Bruyn, Harig und Härtling bekennen sich zu einem gewissen chronologischen Ablauf, zerstören aber die gefährliche Kohäsion durch jene »überraschende[n], querlaufende[n] Details«, von denen Jauß gesprochen hat: eingestreute Reflexionen, Leseransprachen, Vermutungen, Fragen und – bei Harig – absichtsvolle sprachspielerische Unterbrechungen sorgen dafür, daß sich die Lebenstotalität allenfalls aus biographischen Partialitäten zusammensetzen läßt. Der sich dabei aufdrängende Vergleich zur Montage- bzw. Collagetechnik, die für die moderne Kunst des 20. Jahrhunderts so wichtig ist und die auch für die Biographik Benjamin und Tretjakov vorschwebte[53], ist durchaus berechtigt. Enzensberger hat darauf selbst hingewiesen:

»Der Roman als Collage nimmt in sich Reportagen und Reden, Interviews und Proklamationen auf; er speist sich aus Briefen, Reisebeschreibungen, Anekdoten, Flugblättern, Polemiken, Zeitungsnotizen, Autobiographien, Plakaten und Propagandabroschüren. Die Widersprüchlichkeit der Formen kündigt aber nur die Risse an, die sich durch das Material selber ziehen. Die Rekonstruktion gleicht einem Puzzle, dessen Stücke nicht nahtlos ineinander sich fügen lassen. Gerade auf den Fugen des Bildes ist zu beharren. Vielleicht steckt in ihnen die Wahrheit, um derentwillen, ohne daß die Erzähler es wüßten, erzählt wird.«[54]

Diese Collagetechnik findet ihr Pendant im literarischen Verfahren selbst, werden doch unterschiedliche Techniken erkennbar, die alle dazu beitragen sollen, eine bessere Erkenntnisleistung zu ermöglichen. Hildesheimer hat sogar ein antichronologisches Verfahren gewählt, um der Sogkraft eines scheinbar logischen Ablaufes sich entziehen zu können. Er plädiert dafür, »der freien Assoziation zu folgen, ohne Bindung an formalen Aufbau.« [55] Es seien hier, ohne Belege anzuführen, nur stichwortartig einige Beobachtungen zur literarischen Technik benannt, die an den einzelnen Biographien überprüft werden müßten: Wir sehen häufig eine assoziative Verknüpfungstechnik, in der jeweils ein reiches Beziehungsgeflecht aufscheint; bewußte Variationsversuche, die sich um Präzisierung und unterschiedliche Annäherung bemühen (bei Harig geht das bis in die sprachliche Variation einzelner Begriffe); eine Art literarisches Einkreisen des Gegenstandes, verbunden mit Analyse und Ansätzen zur Synthese, wobei eine Vielfalt von Aspekten – vom Individuell-Psychologischen über Sozialhistorisches zum Philosophischen – angesprochen werden kann. Wechselnde Perspektiven, veränderte Distanzen und eingeschaltete Reflexionen sorgen für die gewünschte Diskontinuität und ›Entfabelung‹, inszenieren ein Spiel von Nähe und Distanz, das beim Leser Anteilnahme oder Verweigerung wachrufen mag. In jedem Fall wird dem Leser das Bewußtsein gegeben, daß hier spielerische Annäherungen erfolgen, die jedoch auch ihren tieferen Sinn haben, da sie »als Entwurf neuer Realitätszusammenhänge« (Heißenbüttel) zu verstehen sind. Damit wird eine besondere Möglichkeit von Literatur angesprochen, die in der Biographik wieder belebt wird. [56]

Wenn Christian Meier gegen die sich aufdrängende historische Linearität, gegen eine teleologisch aufgefaßte Geschichtsentwicklung, die Besinnung auf die »Vielheit der Möglichkeiten« fordert, so hat die literarische Biographie – in unterschiedlicher Ausprägung bei den einzelnen Autoren – diese Forderung bereits verwirklicht. Das hängt natürlich einmal mit dem alten Selbstverständnis des Schriftstellers zusammen, zu erzählen, »was geschehen könnte« (Aristoteles), und mit der besonders in der Aufklärungspoetik propagierten Vorstellung vom Dichter als Schöpfer vieler Welten; aber andererseits entspricht die Besinnung auf Möglichkeitsdimensionen in der Geschichte auch dem kritischen Selbstverständnis des modernen Schriftstellers, der sich jeder voreiligen Eindeutigkeit zu entziehen trachtet. Hier konvergiert die Literatur wiederum mit der Wissenschaft: Entsprachen der Leibnizschen Annahme, daß von vielen Möglichkeiten sich schließlich nur eine durchzusetzen vermag oder der Rankeschen Vorstellung von einer geschichtsimmanenten Sinnstruktur eine erzählerische Kohäsion und eine klare erzählerische Sukzession, so mußte der Preisgabe dieser geheimnisvollen historischen Sinnimmanenz eine Verunsicherung auch auf der erzählerischen Ebene folgen. In der modernen Geschichtstheorie glaubt Hans-Walter Hedinger mit der Einführung des Begriffes ›Situationsdominante‹, mit dem er das Wechselspiel von entscheidungsoffenen Situationen und bestimmten sich durchsetzenden Konstanten beschreibt, einer »inneren Sendung« der biographischen Entwicklung entgehen zu können. Doch indem Hedinger die Abfolge von Situationen, die er jeweils als »Einheit von Ich und Welt« fassen will, optimistisch in einem »einzig möglichen Leitfaden« bündeln zu können glaubt, schlägt gegen seinen Willen etwas von der traditionellen linearen Geschichtskonstruktion durch. [57] Lucien Sève bemüht sich in seinem marxistisch orientierten Versuch zur *Theorie der Persönlichkeit* ebenfalls um die Aufdeckung der Sinnstrukturen und des biographischen Entwicklungsprozesses, versucht aber der Gefahr einer sich aufdrängenden Dynamik durch die Annahme einer »Juxtastruktur-Position« der Persönlichkeit zur Gesellschaft zu begegnen (»sie ist dem Wesen nach von ihr abhängig, behält dabei aber im Vergleich zu ihr eine grundsätzliche Eigenart«). Um das dialektische Verhältnis von Freiheit und Notwendigkeit zu sichern, fordert er:

> »Allgemein gesehen, ist die Kopplung der aufeinander folgenden Entwicklungsphasen zu erhellen; ohne die fortdauernde Auswirkung früherer Phasen auf die folgenden zu verkennen, müssen dabei der spezifische Beitrag dieser folgenden Phasen und ihr Vermögen, von ihrem spezifischen Wesen her alle früheren Gegebenheiten unter sich zu subsumieren, noch stärker berücksichtigt werden.« [58]

Auch die moderne Wissenschaftsforschung verweigert sich voreiligen Kausalkonstruktionen, indem sie die Frage aufwirft, »warum aus verschiedenen Theorieangeboten zu einer bestimmten Zeit *eine* Alternative ausgewählt und institutionalisiert wurde.« Wenn es in diesem Zusammenhang bei Lepenies heißt: »Das rekonstruierende Interesse richtet sich dann auf jene Zweigstellen und Knotenpunkte, an denen bestimmte wissenschaftliche Alternativen ausgewählt, andere verworfen wurden« [59], so beschreibt das auch ein Verfahren, das Dieter Kühn in seiner ›Napoleon‹-Biographie versucht hat. Gehört es doch zum Prinzip in Kühns *N* (1970), biographische Möglichkeiten – Varianten zum tatsächlichen Lebenslauf – auszuspielen. An bestimmten Knotenpunkten des Lebens, in historisch wichtigen Entscheidungssituationen, gewährt Kühn seiner Phantasie Raum für biographische Entwürfe, die z. B. ausmalen, was geschehen wäre, wenn Napoleon nicht Artillerieoffizier, sondern Landwirt oder Schriftsteller geworden wäre. (Das sind jedoch keine willkürlichen Setzungen, sondern immer biographisch ›nahe‹ Alternativen.) Daß bei Kühn die Gefahr besteht, zuviel als Zufall erscheinen zu lassen, ist in unserem Zusammenhang weniger wichtig als die Tatsache, daß mit diesem konjunktivischen Schreiben der Blick von der Teleologie zur Möglichkeitsform in der Geschichtsschreibung gelenkt und damit der Gefahr, einzelne Situationen »zugunsten des Gesamtleben [zu] ›mediatisieren‹« (Hedinger) [60], gegengesteuert wird.

Kühns Verfahren muß jedoch nicht so sehr an die skizzierten wissenschaftstheoretischen Überlegungen festgemacht werden, sondern leitet sich wahrscheinlich von seinen Studien zu Robert Musil ab, über den er eine Dissertation mit dem sprechenden Titel *Analogie und Variation* (1965) verfaßt hat. Wenn wir in den Biographien häufiger formelhafte Wendungen wie die folgenden finden: ich »fingiere dazu ein Gespräch«, »Wäre da nicht beispielsweise ein Vorgang folgender Art denkbar?«, »So kann es angefangen haben«, »Ich stelle ihn mir vor als [...]«, so entspricht das einer Möglichkeitsdimension, die sich schon in Musils *Der Mann ohne Eigenschaften* beobachten läßt. [61] Daß die »Potentialität in der Dichtung« zu einem Grundzug der modernen Literatur gehört, darauf hat Jürgen H. Petersen in einer Analyse von Max Frischs *Mein Name sei Gantenbein* – hier wird schon im Titel die konjunktivische Absicht signalisiert – hingewiesen. [62]

Dieses erzählerische »Spiel mit offenen Möglichkeiten«, zu dem sich z. B. auch Christa Wolf bekennt, scheint ein Ausdruck eines zunehmenden »Bewußtsein[s] der Fragwürdigkeit« zu sein, das Jürgen Habermas für die moderne Zeit konstatiert und das für die

Wissenschaft den Verlust eines absoluten Wahrheitsanspruches zur Folge hat: »Inzwischen haben wir uns auf dem schwankenden Boden der Sozial- und Verhaltenswissenschaften an den höchst ambivalenten Umgang mit hypothetischem Wissen gewöhnt«. Wenn Habermas dann eine im »Umgang mit Ungewißheiten bewährte Autonomie des Ichs« fordert[63], so kann gerade die Biographie als Einübung in solche Verhaltensweisen verstanden werden. Fröhlichs Feststellung in seinem *Schubert*: »Hypothetisches Denken macht kritisch«[64], entspricht vortrefflich dieser Absicht. Wissenschaftliche Hypothese und erzählerische Fiktion werden plötzlich vergleichbar, da beide als Erkenntnismittel fungieren, die helfen sollen, die Brücke vom Erkannten und Endlichen zum (Noch-) Nichterkannten und Unendlichen zu schlagen. Einbildungskraft und Phantasie sind die wichtigsten Stützen eines Erkenntnisaktes, der aus der Gewißheit und dem Absoluten in die Region des Möglichen, Ungewissen und Offenen strebt.

Wichtig ist jedoch für das Verhältnis von Kunst und Wissenschaft, daß die Autoren ihre Leser nicht im Unklaren lassen, wann das hypothetische Spiel beginnt. (Fröhlich macht da zuweilen eine Ausnahme.) Auch hier lassen sich die Bezüge zur modernen Literatur herstellen, ist es doch in einer besonderen Ausformung der Dokumentarliteratur üblich geworden, Kombinationen von Fakten und Fiktionen anzubieten; aus dem Amerikanischen wird zuweilen der Begriff ›faction‹ dafür übernommen. Kennt diese Literatur vielfältige Mischformen und sind in ihr nicht immer eindeutig Fakten und Fiktionen zu trennen, so bemühen sich die modernen Biographen um deutliche Zäsuren: »Am 12. Februar 1829 äußerte Eckermann im Laufe eines Gespräches mit Goethe die Hoffnung, daß der ›Faust‹ eines Tages eine ihm adäquate Musik erhalte. Wir hätten uns Goethes Antwort etwa folgendermaßen vorgestellt«.[65] Solche angekündigten Fiktionsversuche sind jedoch zugleich als eine Zerstörung der (traditionellen) epischen Illusionswelt zu verstehen, zerreißen sie doch immer wieder den selbst gewebten Illusionsschleier. Härtling hat in den *Hölderlin* eine Reihe epischer Versuche eingelagert, die ausdrücklich jeweils als »Geschichten« bezeichnet werden und die die Aufgabe übernehmen sollen, bestimmte Situationen oder Strukturen, für die der historische Überlieferungszusammenhang abgebrochen ist, zu erschließen, vorstellbar werden zu lassen und damit eine sinnliche Vergegenwärtigung zu erreichen. Das Bewußtsein des Fingierten soll dem Leser aber immer erhalten bleiben; so lautet noch der letzte Satz im *Hölderlin*: »So kann es gewesen sein; hier kann es enden.«

Einzig in diesen subjektiven epischen Entwürfen, die mit erzählerischer Ausschmückung (»Früh am betauten, blauen Morgen stand der angehende Student schon unter der Haustür«[66]) ebenso operieren wie mit erfundenen Dialogen, wäre eine Vergleichsebene mit dem historischen Roman oder der ›historischen Belletristik‹ der Ludwig und Zweig gegeben. Doch schon ein Vergleich des subjektiven Erzählens zerstört die Ähnlichkeit: Erzeugt im historischen Roman die subjektive epische Kraft eine narrative Einheit, so sorgt in der modernen Biographik die Subjektivität gerade für Brüche und Diskontinuität, die wiederum, wie oben schon gezeigt wurde, wichtige Voraussetzungen für einen optimalen Erkenntnisprozeß sind. Robert Weimann konnte im Blick auf den Roman feststellen: »denn die gesteigerte Subjektivität des Erzählers widerspricht nicht der umfassenden Objektivität des gestalteten Weltausschnittes, sondern bildet [...] ihre perspektivische Voraussetzung. Beide Aspekte ergänzen sich komplementär; ihr Zusammenfall konstituiert eine dem Roman spezifische Form der Einheit des Allgemeinen und des Besonderen, des Gesellschaftlichen und des Individuellen.« [67] Es fällt nicht schwer, solche Einsichten auch auf die Biographien zu übertragen.

Denn die eingestandene Subjektivität und Unsicherheit führen zur Einsicht, nur Annäherungen erreichen zu können und machen den Biographen anscheinend wieder Mut, die Verbindung des Individuellen mit dem Allgemeinen, genauer: des Individuums mit der Welt, zu suchen. Die vielen Fragen in allen Biographien, die keineswegs immer eine bündige Antwort erhalten, sorgen für eine Perspektivenaufsplitterung, die die ›historische Belletristik‹ fürchten muß, weil damit die selbstsichere Rolle des Autors und die Geschlossenheit der Darstellung in Gefahr geraten. Fehlen in der ›historischen Belletristik‹ fast immer die historisch-politischen und sozial-ökonomischen Bezüge, weil sie einmal eine diffizile Forschung erfordert und zum anderen den epischen Spannungsbogen zerbrochen hätten, so kann ein diskontinuierliches, essayistisches Schreiben eine Vielzahl heterogener Elemente an die Person herantragen und dabei sogar mit Vermutungen und Hypothesen operieren.

Wenn auch keineswegs in allen Biographien der Weg von einer psychologisierenden Individual- zur Sozialbiographie in gleicher Weise beschritten wird – Hildesheimer und Fröhlich sind vor allem an der Psychologie interessiert, Harig will einen »Roman vom Ursprung der Natur im Gehirn« (wie der Untertitel lautet) erzählen –, so gilt für alle Arbeiten doch die Aussage von Hans Magnus Enzensberger in *Der kurze Sommer der Anarchie*: Das »Erzählfeld reicht über das Gesicht einer Person hinaus. Es bezieht die Umgebung ein, den Austausch mit konkreten Situationen, ohne den diese Person unvorstellbar ist.« [68] Schon mit dieser Erweiterung des Gesichtskreises wird die Gefahr der Heroisierung vermieden, der Biographien leicht erliegen. Selbst Autoren wie Ludwig und Zweig, denen es um eine Entmythologisierung ging, haben durch die Reduktion auf das Individuell-Psychische und die erzählerische Zentrierung auf eine Person letztlich für eine Belebung des Personenkultes gesorgt, werden doch alle Handlungen einzig aus individuellen Anlässen erklärbar.

Es würde hier zu weit führen, alle Biographien auf die Spannweite der eingearbeiteten Umweltbezüge zu befragen, doch seien einige Beispiele gegeben. Bei Hildesheimer, Harich und Fröhlich – hier gegen die erklärte Absicht des Autors, der eigentlich den sozialen »Hintergrund« aufarbeiten wollte [69] – sind die Außenbezüge relativ knapp gehalten, aber dafür die Werke jeweils eingehender gewürdigt, was in der ›historischen Belletristik‹ auch nicht üblich war. In Härtlings *Hölderlin* erfahren die historisch-politischen Vorgänge der Revolutionszeit ihre subjektive Spiegelung im Hölderlinschen Leben. Den weitesten Schritt zur Sozialbiographie haben de Bruyn, Enzensberger und Dieter Kühn getan. Das sei nur am Beispiel von de Bruyns *Jean Paul* verdeutlicht, wo wir sowohl das Individuum als auch die Zeit kennenlernen. De Bruyn läßt es als überzeugend erscheinen, daß diese Figur nur aus ihrer Zeit heraus richtig zu verstehen ist. Scheint es zunächst unnötig zu sein, daß wir über hygienische Zustände (7f.), Volksschulen (14f.), adlige Grundbesitzer (19), die Zahl der Schriftsteller (68f.), den Soldatenhandel (74ff.), über Bier und Kaffee (228f.) und die Zensurpraxis (262ff.) informiert werden, während uns die Berücksichtigung der Französischen Revolution und ihrer Wirkung in Deutschland (104ff.), der Rolle Preußens (212ff.) und des Lebens in Weimar (150ff.) als die notwendigen historisch-kulturellen Koordinaten eher einleuchtet, so erhält es doch seinen Sinn, wenn de Bruyn dann das Allgemeine mit dem Besonderen verbindet und z. B. behauptet: »Diese und andere, nicht weniger schrecklichen Zustände der Zeit muß man vor Augen haben, will man die Aggressivität der Richterischen Satiren recht begreifen.« [70]

An diesem Beispiel müßte auch deutlich werden, daß die traditionellen Unterscheidungskriterien von Kunst und Wissenschaft: ›Erzählen‹ und ›Beschreiben‹ kaum taugliche Mittel sind, um die literarische Biographik der Gegenwart zu charakterisieren, die eine eigenwillige Mischung von Deskription und Erzählung auszeichnet. Gilt schon für die Geschichtsschreibung: »in der Praxis läßt sich eine Grenze zwischen Erzählung und Beschreibung nicht einhalten« (Koselleck) [71], wieviel mehr trifft das dann für Autoren zu, die bewußt im Grenzraum von Kunst und Wissenschaft sich bewegen? Trotz der eindeutigen Zäsur zwischen den darstellenden und fiktionalisierenden Partien, die wir immer wieder beobachten können, verzichten die Autoren keineswegs in den mehr deskriptiven Teilen auf einen persönlichen Darstellungsgestus, der ihre Anteilnahme und Betroffenheit ebenso wiedergibt wie ihr subjektiv literarisches Engagement. Am eigenwilligsten ist dabei Harig vorgegangen: Sprachliche Reihungen und Variationen, dem Rousseauschen Stil nachempfundene Exklamationen (»Oh, das glückliche einfache Leben allein!« [72]) und ein assoziativ-fragmentarisches Verfahren verleihen der ganzen Biographie einen unverwechselbaren Darstellungscharakter, der den auch in anderen Werken zu beobachtenden Individualstil des Schriftstellers Harig ausmacht.

So sehr in dieser subjektiven literarischen Verarbeitung das schriftstellerische Engagement überwiegt, so nahe kommt die Darstellungstechnik doch einem wissenschaftlichen Schreibprozeß. Wenn Droysen in der *Historik* meint: »Denn der beste Teil aller wissenschaftlichen Erkenntnis ist die Arbeit des Erkennens« [73], erinnert das an Lessings bekannten Ausspruch, er wolle Gott lieber um das Streben nach Wahrheit bitten als um die Wahrheit selbst. Diesem Vorrang des Erkenntnis*prozesses* und der Darlegung des jeweiligen subjektiven Erkenntnisvorgangs entspricht die literarische Gestaltung in den Biographien, die wir als eine Art prozessuales Schreiben bezeichnen können. Kennzeichnet diese Technik den Essay ebenso wie den modernen Roman, so leistet sie in der modernen Biographik auch das gleiche: Der Leser nimmt teil an der Entwicklung eines Gedankenganges und wird zur geistigen Anteilnahme aufgefordert. Die Rekonstruktion eines Lebens soll als konstruktive Leistung von Autor *und* Leser erfolgen. Um dem Leser den Zugang zur geschichtlichen Situation zu erleichtern, neigen die Schriftsteller stärker als die Wissenschaftler zu Analogiebeziehungen und Gegenwartsbezügen. Erschließt sich die Vergangenheit dadurch in einem sinnlich-bildhaften Vorstellungsrahmen, so kann in einer extremen Aktualisierung das geschichtliche Moment sogar beiseite gedrängt werden. Geschichte gerinnt zum Exempel: »mir geht es auch gar nicht darum, historische Vorgänge zu beschreiben«, gesteht Dieter Kühn in *Die Präsidentin*, »sondern: ich will Aktionsweisen zeigen, die bereits in den zwanziger Jahren möglich waren und die heute noch möglich sind.« [74]

Deckt sich hier auch ein generalisierendes und typisierendes Verfahren auf, so fügt es sich doch in eine Tradition der didaktischen Geschichtsschreibung ein, die »die ganze Fülle der Vergangenheit zur Aufklärung unserer Gegenwart und zu deren tieferem Verständnis« (Droysen) heranziehen will. [75] Wenn Jörn Rüsen 1975 meint, »daß die Geschichtswissenschaft im Kern eine didaktische Aufgabe hat, nämlich die Aufgabe, zu politischem Handeln zu disponieren« [76[, so lassen sich nicht alle literarischen Biographien unter die gleiche Intention subsumieren. Allerdings gilt für sie ganz besonders, was Hans Robert Jauß für die Wirkung von Literatur festgestellt hat: »Die gesellschaftliche Funktion der Literatur wird erst dort in ihrer genuinen Möglichkeit manifest, wo die literarische Erfahrung des Lesers in den Erwartungshorizont seiner Lebenspraxis eintritt, sein Weltverständnis präformiert und damit auch auf sein gesellschaftliches Verhalten zurückwirkt.« [77]

Es wird immer wieder offenbar, daß Kunst und Wissenschaft in ihrem Erkenntnisinteresse und ihrer Erkenntnissicherung, in ihrer didaktischen Absicht und nicht zuletzt auch in ihrer Darstellungstechnik konvergieren können. Die auch von Jörn Rüsen beobachtete Diskontinuität der modernen Geschichtsschreibung (»eine wechselseitige Ergänzung von Erzählung und Strukturanalyse«) [78] entspricht dem hier beschriebenen Verfahren in den literarischen Biographien. Der traditionellen Konfrontation von Kunst und Wissenschaft, Ausdruck und Aussage, Fiktion und Reflexion, Affekt und Intellekt, Schönheit und Wahrheit, Subjektivität und Objektivität mangelt es an Trennschärfe für die Moderne. Deshalb verlieren auch Definitionen wie die folgende von Georg Lukács aus dem Jahre 1910 an Überzeugungskraft, beschreiben sie im Getrennten doch eher das Gemeinsame der modernen Literatur: »In der Wissenschaft wirken auf uns die Inhalte, in der Kunst die Formen; die Wissenschaft bietet uns Tatsachen und ihre Zusammenhänge, die Kunst aber Seelen und Schicksale.« [79]

In Wirklichkeit lassen sich Beschreibungskategorien für die Wissenschaftlichkeit – z. B. Faktenpräsentation und Quellenkritik, Reflexion und Analyse, Hypothese und Schlußverfahren – auch auf die moderne Biographie beziehen. Das muß keineswegs eine Vermischung von künstlerischem und wissenschaftlichem Verfahren bedeuten, sondern kann als fruchtbare wechselseitige Ergänzung und Annäherung verstanden werden. So paradox es klingen mag, aber gerade durch die Abwendung von einem traditionellen Wissenschaftsverständnis und die Besinnung auf die *literarische* Aufgabe erobert sich der Schriftsteller eine neue Wissenschaftlichkeit. Zwischen Kunst und Wissenschaft besteht keine Konkurrenzsituation mehr und es werden keine Prioritätsstreitereien ausgetragen, sondern beide werden als gleichberechtigte Weisen der Realitätsaneignung, als »parallel verlaufende[n] Tätigkeiten der menschlichen Aufklärung« (Heißenbüttel) [80] akzeptiert: Statt in einem subordinierenden stehen Kunst und Wissenschaft in einem koordinierenden Verhältnis zueinander. Von den literarischen Biographen werden beide Verfahrensweisen im Interesse einer besseren Erkenntnisleistung eingesetzt. Sie bekennen sich damit zu einer Symbiose von Kunst und Wissenschaft, von Poesie und Intellekt, von Phantasie und Reflexion, wie sie in der neueren Literatur auch bei anderen Autoren erkennbar ist und die Peter Rühmkorf mit dem Bestreben verbunden hat, die ›Wiedergeburt der Unschuld aus dem Geiste der Reflexion‹ zu versuchen.

So wichtig einerseits diese ergänzende Funktion ist, so stellt sich andererseits zugleich eine generelle – und vor allem eine neue – wissenschaftliche Dimension ein. Wolf Lepenies hat uns aufgefordert, »die Literatur als einen möglichen Speicher wissenschaflicher Alternativen [zu] betrachten« und dabei als Beispiel auf das 19. Jahrhundert und die literarische Verarbeitung der von der psychologischen Fachwissenschaft vernachlässigten

Themen des Unterbewußten und Anormalen verwiesen. [81] In diesem Sinne können wir die moderne literarische Biographik auch als eine »Para-Disziplin« (Lepenies) ansehen, in der eine von der historischen Fachwissenschaft vernachlässigte Form der Geschichtsschreibung betrieben, für diese zugleich aber auch eine neue Annäherung- und Darstellungstechnik erprobt wird, von der die Fachwissenschaft lernen könnte. Indem die Biographen in den Grenzraum zwischen Kunst und Wissenschaft eingerückt sind und an beiden Disziplinen partizipieren, sind sie auch fähig, auf beide Einfluß zu nehmen. Auffällig ist in allen Biographien die Verbindung von Einbildungskraft und Realitätssinn. Phantasie ist den Autoren nicht ein Mittel zur Flucht in die Welt der Irrationalität und der Träume, sondern sie ist im Sinne Hegels »schaffend«, d. h. sie trägt zur besseren Erkenntnis bei. Die von Hegel gewünschte »wache Besonnenheit des Verstandes, andererseits die Tiefe des Gemüts und der beseelenden Empfindung« [82] charakterisiert auch noch treffend die modernen Biographen in ihrem Bemühen um Ästhetik und Ethik, formale Gestaltung und Didaktik und um Distanz und Nähe zu ihren ›Helden‹. Die Fiktion soll helfen, der Wahrheit auf die Spur zu kommen; die Phantasie soll sich im Dienste der Wirklichkeitsauffassung bewähren: Es soll eine kombinatorische, beinahe detektivische Art der Rekonstruktion von Wirklichkeit ermöglicht werden.

Wie die Hauptfigur Ulrich in Robert Musils *Der Mann ohne Eigenschaften* akzeptieren die Biographen eine Zwischenexistenz, die sowohl auf die vorgegebene Sicherheit der wissenschaftlichen als auch auf die ewige Werte verheißende künstlerische ›Geistesverfassung‹ verzichtet. Wird der Mensch bei Musil als »Inbegriff seiner Möglichkeiten« zu erfassen versucht [83], dann scheint darin wieder etwas von der verlorengegangenen individuellen Freiheit, der Fähigkeit zur Selbstbestimmung und von Ernst Blochs ›konkreter Utopie‹ auf:

> »Wo der prospektive Horizont durchgehends mitvisiert wird, erscheint das Wirkliche als das, was es in concreto ist: als Weggeflecht von dialektischen Prozessen, die in einer unfertigen Welt geschehen, in einer Welt, die überhaupt nicht veränderbar wäre ohne die riesige Zukunft: reale Möglichkeit in ihr.« [84]

In einer solchen Welt muß das Individuum, wenn es sich um Erkenntnis und Identitätsbestimmung bemüht, die traditionellen Bahnen verlassen, den Mut zum Risiko fassen und neue Standorte wählen. So mögen die literarischen Biographien als eine Antwort auf jene selbstquälerische Frage verstanden werden, die sich Musils ›Held‹ Ulrich stellt: »Ein Mann, der die Wahrheit will, wird Gelehrter; ein Mann, der seine Subjektivität spielen lassen will, wird vielleicht Schriftsteller; was aber soll ein Mann tun, der etwas will, das dazwischen liegt?« [85]

ANMERKUNGEN

Abgekürzt zitierte Werke sind im Literaturverzeichnis zu finden.

I. Zur Forschungssituation

1. Untersuchungen und Überlegungen zur Biographik

1 Georg *Misch*, Geschichte der Autobiographie. 4 Bde. Bd. 1. Bern 1949/50; Bd. 2–4. Frankfurt/M. 1955–1969; Klaus-Detlef *Müller*, Autobiographie und Roman. Studien zur literarischen Autobiographie der Goethezeit. Tübingen 1976; Bernd *Neumann*, Identität und Rollenzwang. Zur Theorie der Autobiographie. Frankfurt/M. 1970; Günter *Niggl*, Geschichte der deutschen Autobiographie im 18. Jahrhundert. Theoretische Grundlegung und literarische Entfaltung. Stuttgart 1977; Ralph-Rainer *Wuthenow*, Das erinnerte Ich. Europäische Autobiographie und Selbstdarstellung im 18. Jahrhundert. München 1974.
2 S. dazu die im Literaturverzeichnis genannten Arbeiten von K.-G. *Faber,* Theorie der Geschichtswissenschaft; H.-W. *Hedinger,* Subjektivität und Geschichtswissenschaft; Theodor *Schieder,* Geschichte als Wissenschaft; Geschichte heute, hg. von G. *Schulz;* S. auch den Sammelband von M. *Bosch* (Hg.), Persönlichkeit und Struktur. Darin besonders der Beitrag: D. *Riesenberger,* Biographie als historiographisches Problem. Die Vorträge auf dem Moskauer Historikertag sind veröffentlicht in: Meždunarodnyj komitet istoričeskich nauk. XIII meždunarodnyj kongress istoričeskich nauk. Moskva, 16–23 avgusta 1970 goda. Doklady kongressa. Izdany nacional'nym komitetom istorikov SSSR pri finansovoj podderžke Akademii nau SSSR i JuNESKO. Tom I, čast' vtoraja. Moskva 1973. (Internationales Komitee der historischen Wissenschaft. XIII. Internationaler Kongreß der historischen Wissenschaften. Moskau, 16–23. August 1970. Kongreßreferate. Herausgegeben vom Nationalen Komitee der Historiker der UdSSR unter finanzieller Unterstützung der Akademie der Wissenschaft der UdSSR und der UNESCO. Bd. 1, 2. T., Moskau 1973.) Es handelt sich um folgende Referate: H. L. *Mikoletzky,* H. *Lutz,* F. *Engel-Janosi,* Biographie und Geschichtswissenschaft (S. 221 ff.); A. *Wilson,* Biography as History (S. 234 ff.); W. *Hubatsch,* Biographie und Autobiographie – das Problem von Quelle und Darstellung (S. 248 ff.); L. de *Jong,* The Historian and the Interview (S. 265 ff.).

2. Gegenwartsinteresse und Didaktik

1 E. *Kehr,* Der neue Plutarch, S. 182.
2 *Troeltsch,* Der Historismus und seine Probleme. In: E. T., Ges. Schriften. Bd. 3. Tübingen 1922, S. 174 (auch als Nachdruck: Aalen 1961): »Der empirische Historiker wird in der Erkenntnis und Darstellung dieser Einzelentwicklungen jeweils seine Leistung sehen [...] er wird, je weiter er Horizont und Darstellung ausdehnt, nicht umhin können, seine eigene Gegenwart und Zukunft in diese Zusammenhänge einzustellen und hinter und unter den dünnen empirischen Zusammenhängen eine tiefere Bewegung zu erkennen«. S. auch: *Kracauer,* Geschichte – Vor den

letzten Dingen, S. 281. »Verständnis der Gegenwart«: *Troeltsch,* Die Bedeutung des Protestantismus für die Entstehung der modernen Welt. In HZ 97 (1906), S. 2.

3 *Kracauer,* Geschichte – Vor den letzten Dingen, S. 80: »Ohne die bedingende Macht der Welt des Historikers zu vernachlässigen, richten sie besonderes Augenmerk auf sein Bedürfnis nach moralischem und sonstigem Engagement für Probleme seiner Zeit.« Zu Croces ›Zeitgeschichte‹ s. auch: Th. *Schieder,* Geschichte als Wissenschaft, S. 28.

4 *Kracauer,* Geschichte – Vor den letzten Dingen, S. 80 u. S. 81.

5 J.*Rüsen,* Werturteilsstreit und Erkenntnisfortschritt. Skizzen zur Typologie des Objektivitätsproblems in der Geschichtswissenschaft. In: J. R. (Hg.), Historische Objektivität, S. 68–101, Zitat: S. 87.

6 Reinhard *Wittram,* Das Interesse an der Geschichte. 12 Vorlesungen über Fragen des zeitgenössischen Geschichtsverständnisses. 3. Aufl. Göttingen 1968 (KL. Vandenhoeck-Reihe 59–61), S. 8.

7 H.-U. *Wehler,* Geschichte und Psychoanalyse. In: H.-U. W., Geschichte als Historische Sozialwissenschaft, S. 96.

8 Nach: *Wehler,* ebda.

9 J. *Rüsen,* Didaktische Bezüge heutiger Geschichtstheorie. In: U. *Gerber*/M. *Bosch* (Hg.), Geschichte als Überlieferung und Konstruktion. In: Loccumer Kolloquien 4. Loccum 1976 (Typoskript), S. 148.

10 E.*Ludwig,* Historie und Dichtung (1929), S. 364.

11 S. z. B. Wilhelm *Schüßler* in seiner Einleitung zu: Historische Belletristik (1928), S. 7: »weil, wie gesagt, die politische Tendenz aller dieser Werke völlig eindeutig ist.«

12 *Westphal,* Feinde Bismarcks, S. 20.

13 S. z. B. die Arbeiten von K.-G. Faber, Jörn Rüsen, H.-U. Wehler.

14 K.-G. *Faber,* Theorie der Geschichtswissenschaft, S. 174.

15 *Kracauer,* Geschichte – Vor den letzten Dingen, S. 86; s. auch S. 143: »Und natürlich lassen die gegebenen Fakten, dehnbar wie sie sind, selten einen Historiker im Stich, der auf der Suche nach Evidenz für seine Vermutungen ist. Im übrigen ist historische Realität so reich an mannigfachen Daten, daß Evidenz aus ihnen für fast alles anzuführen ist, was man beweisen will.«

16 *Plutarch,* Lebensbeschreibungen, Bd. 6, S. 63.

17 André *Jolles,* Einfache Formen. 5. Aufl. Tübingen 1974, S. 36.

18 Hier zitiert nach: G. *Boccaccio,* Die neun Bücher vom Glück und Unglück berühmter Männer und Frauen. München 1968 (dtv 536), S. 31.

19 *La Bruyère,* Les Caractères. Paris: Garnier 1965, S. 77.

20 *Romein,* Die Biographie, S. 28.

21 G. *Blöcker,* Biographie – Kunst oder Wissenschaft?, S. 82. Zur Funktion der Biographik in Krisenzeiten vgl. das Zitat von Lulu von Strauß und Torney im Kap. IV, 2 (»Die ›moderne‹ Biographie«), Anm. 24; s. auch bei: A. *Döblin,* Der historische Roman und wir, S. 185; Georg *Lukács,* Der historische Roman, S. 381; W. *Richter,* Über das Schreiben von Biographien, S. 483; Fr. *Gundolf,* Dichter und Helden, S. 31; St. *Zweig,* Fouché, S. 12; V. *Marcu,* Biographie und Biographen, S. 13.

22 *Sengle,* Zum Problem der modernen Dichterbiographie, S. 111.

II. Biographik im 18. Jahrhundert

1. Die Erziehung des Menschengeschlechts

1 S. dazu: *Srbik,* Geist und Geschichte; Kohn, Die Idee des Nationalismus; *Hettner,* Geschichte der deutschen Literatur im 18. Jahrhundert. 3. Teil. 2. Bd. 6. Aufl. Braunschweig 1913; Aufklärung. Erläuterungen zur deutschen Literatur. Berlin (DDR) 1971.

2 S. bei: *Srbik,* Geist und Geschichte, Bd. 1, S. 59; H. *Scheuer,* Ulrich von Hutten. Kaisertum und

deutsche Nation. In: Daphnis. Zt. f. Mittlere Dt. Lit., Bd. 2 (1973), H. 2, S. 133–157.

3 S. dazu: *Haym,* Herder, Bd. 2, S. 535 (für Klopstock und Herder); s. auch: *Kohn,* Die Idee des Nationalismus, S. 398 (für Klopstock); s. auch: Georg *Forster,* Erklärung der zwölf Bildnisse. In: Erinnerungen aus dem Jahr 1790. (Der erste Vergleich: Joseph II. und Leopold II.)

4 *Herder,* Sämtliche Werke *(Suphan),* Bd. 18, S. 381f.

5 *Burckhardt,* Kultur der Renaissance, S. 123.

6 Text und Übersetzung nach Friedrich *Torberg,* Süßkind von Trimberg. Frankfurt/M. 1972 (auch: Fischer Tb. 1821).

7 Erich *Trunz,* Der deutsche Späthumanismus um 1600 als Standeskultur. In : Deutsche Barock-forschung. Hg. von R. *Alewyn.* Köln u. Berlin 1965, S. 147–181, Zitat: S. 150.

8 Volksbücher vom sterbenden Rittertum. Hg. von H. *Kindermann.* Darmstadt 1974 (DLE Reihe Volks- und Schwankbücher, Bd. 1), S. XXIV; Ulrichi *Hutteni* Opera. Hg. von E. *Böcking.* Bd. 4, S. 365, Z. 23.

9 S. dazu die vorzügliche Arbeit von Peter *Seibert,* Aufstandsbewegungen in Deutschland 1476–1517 in der zeitgenössischen Reimliteratur. Heidelberg 1978 (Reihe Siegen 11).

10 Aufklärung. Erläuterungen (Anm. 1), S. 682.

11 Fr. C. *Moser,* Der Herr und der Diener. Frankfurt/M. 1759, S. 13 f. Hier zitiert nach: J. *Schulte-Sasse,* Autonomie als Wert, S. 104.

12 J. M. von *Loen,* Der Adel. Ulm 1752, S. 3. Hier zitiert nach: J. *Schulte-Sasse,* Literarische Struktur und historisch-sozialer Kontext. Zum Beispiel Lessings »Emilia Galotti«. Paderborn 1975, S. 23.

13 Aufklärung, Erläuterungen (Anm. 1), S. 682.

14 Die moderne Sozialpsychologie faßt die Ich-Identität in einer wechselseitigen Beziehung als »ein dauerndes inneres Sich-Selbst-Gleichsein wie ein dauerndes Teilhaben an bestimmten gruppenspezifischen Charakterzügen« (Erikson). E. H. *Erikson,* Identität und Lebenszyklus. Drei Aufsätze. 2. Aufl. Frankfurt/M. 1974 (suhrkamp taschenbuch wissenschaft 16), S. 124.

15 *Koselleck,* Kritik und Krise, S. 41.

16 *Habermas,* Strukturwandel, S. 44.

17 Ebda, S. 46.

18 Ebda, S. 43.

19 *Niggl,* Autobiographie, S. 55 und 56. Belege für Herder: Werke *(Suphan),* Bd. 18, S. 359–376, Zitate: S. 366 und 375.

19 a *Herder,* Werke, Bd. 17, S. 19.

20 *Niggl,* Autobiographie, S. 50 f.

21 Zu Merck s.: J. K. *Wezel,* Herrmann und Ulrike. Ein komischer Roman. Faksimiledruck nach der Ausgabe von 1780. Stuttgart 1971, S. 7* (Nachwort von Eva D. *Becker*). Zum Verhältnis von Roman und Autobiographie s.: K.-D. *Müller,* Autobiographie und Roman. Studien zur literarischen Autobiographie der Goethezeit. Tübingen 1976; s. auch: J. *Fürnkäs,* Der Ursprung des psychologischen Romans. Karl Philipp Moritz' »Anton Reiser«. Stuttgart 1977. F. arbeitet im Vergleich der Auffassungen von Blanckenburg und Moritz die Veränderung im Biographieverständnis heraus. Für Blanckenburg ist der Biograph Realist (»zeichnet auf, was er sieht und weiß«) und kann deshalb eben nicht wie der Romanautor »Schöpfer« genannt werden. Bei Moritz fehlt diese strenge Scheidung. Überwunden wird damit auch die von Aristoteles vorgenommene Trennung von ›Dichter‹ und ›Geschichtsschreiber‹ (»Poetik«, 9. Kap.). Zu Blanckenburg s.: Fr. von *Blanckenburg.* Versuch über den Roman. Faksimiledruck der Orginalausgabe von 1774. Stuttgart 1965, S. 379.

21 a *Romein,* Biographie, S. 37 f.; *Niggl,* Autobiographie, S. 28–32; *Wuthenow,* Das erinnerte Ich, S. 41.

22 *Niggl,* Autobiographie, S. 51. Schubart, Leben und Gesinnungen. T. 1 (1791), S. 120. Darauf wird auch Moritz spekuliert haben (s. Anm. 21). Bei *Sengle,* Biedermeierzeit II, S. 309, findet sich ein Beleg, daß auch J. J. Eschenburg in seinem »Entwurf einer Theorie und Literatur der schönen Redekünste« (1805) die Biographie »interessanter« findet als einen »idealischen Roman«.

22a *Herder,* Werke, Bd. 8, S. 441. Zur Winckelmann-Rezeption s.: A. E. *Berger,* Der junge Herder und Winckelmann. Halle 1903.

23 *Herder,* Werke, Bd. 2, S. 255; vgl. auch: *Misch,* Autobiographie, Bd. 4, 2, S. 659.

24 *Herder,* Werke, Bd. 17, S. 20 und 19. E. *Trunz* hat in seinem Kommentar zu *Goethes* »Dichtung · und Wahrheit« (Hamburger Goethe-Ausgabe, Bd. 9, S. 600–603) die Situation der Biographik skizziert, in der vor allem »ein trockener Wust von Lebensdaten und Büchertiteln« herrschte (S. 600). Trunz berichtet außerdem über Goethes Verachtung der Nekrologliteratur, die dieser am 29. Mai 1801 gegenüber Zelter bekundet habe.

25 Ebda, Bd. 11, S. 86. Hier nach: *Niggl,* Autobiographie, S. 51.

26 *Misch,* Autobiographie, Bd. 4, S. 658.

27 In: W. *Dilthey,* Ges. Schriften. Bd. 2. 8. Aufl. Göttingen 1969.

28 *Niggl,* Autobiographie, S. 50.

29 *Herder,* Werke, Bd. 17, S. 19.

30 Ebda.

31 *Burckhardt,* Die Kultur der Renaissance, S. 139.

32 *Trunz,* Späthumanismus (Anm. 7), S. 158 u. 172.

33 *Niggl,* Autobiographie, S. 22; *Misch,* Autobiographie, Bd. 4, 2, S. 659; H. Küntzel, Essay und Aufklärung, S. 82. Gemeint sind z. B. Christian Heinrich Schmid, Biographie der Dichter (1769), August Küttner, Charaktere teutscher Dichter und Prosaisten (1781), Leonard Meister, Charakteristik deutscher Dichter (1784). Literaturwissenschaft und Sozialwissenschaft 2. Germanistik und deutsche Nation 1806–1848. Hg. v. J. J. *Müller,* Stuttgart 1974, S. 199–202. Paul *Mistelli,* Das ›Denkmahl‹ in der deutsch-schweizerischen Literatur; Joyce *Schober,* Die deutsche Spätaufklärung (1770–1790). Bern u. Frankfurt/M. 1975, S. 96 f. (im Zusammenhang mit der Hinwendung zu Gestalten des 16. Jahrhunderts).

34 Vgl. Arnold *Hauser,* Sozialgeschichte der Kunst und Literatur. München 1969 (Sonderausgabe), S. 272.

35 *Burckhardt,* Die Kultur der Renaissance, S. 138.

36 *Misch,* Autobiographie, Bd. 4, 2, S. 611; *Trunz,* Späthumanismus (Anm. 7), S. 158.

37 *Romein,* Biographie, S. 35.

38 *Herder,* Werke, Bd. 2, S. 262 (Th. Abbt).

39 *Niggl,* Autobiographie, S. 23.

40 *Herder,* Werke, Bd. 17, S. 122.

41 Ebda, Bd. 8, S. 181.

42 Ebda, S. 184.

43 Nach: *Habermas,* Strukturwandel, S. 130.

44 *Herder,* Werke, Bd. 8, S. 230.

45 Ebda, Bd. 8, S. 207.

46 Ebda. Vgl. auch: G. *Kaiser,* »Denken« und »Empfinden«: ein Beitrag zur Sprache und Poetik Klopstocks. In: DVjs 1961, S. 321–343.

47 *Habermas,* Strukturwandel, S. 127.

48 *Herder,* Werke, Bd. 2, S. 257 u. 259. Vorausgegangen war dieser Würdigung Abbts und den theoretischen Überlegungen zur Biographik der »Entwurf zu einer Denkschrift auf A. G. Baumgarten, J. D. Heilmann und Th. Abbt« (Werke, Bd. 32, S. 175–178), der teilweise wörtlich in den Vorspann zum Abbt-»Torso« übernommen wurde. S. dazu auch die Darstellung bei R. *Haym,* Herder, Bd. 1, S. 193 ff.

49 *Niggl,* Autobiographie, S. 51; Herder, Werke, Bd. 11, S. 88.

50 *Herder,* Werke, Bd. 2, S. 261.

51 Ebda, S. 259.

52 Ebda, S. 255 und Bd. 8, S. 183.

53 Im »Entwurf zu einer Denkschrift« (Anm. 48): »Wäre ich nun ein *Franzose:* so würde ich freilich zuerst nach dem Ton eines *Thomas* streben, und meine Helden durch schreiende *Elogen* erheben. – Als *Britte* würde ich geradezu nach ihren Werken greifen, sie in einer prächtigen Ausgabe in die Welt einführen, durch einen Kommentar verjüngen und die Biographie des Autors bis

auf jedes Jahr und jeden Umstand berichtigen. Als ein *Welscher* würde ich in musikalischen Tönen Elegien weinen, und ihren Ruhm in spitzige lapidarische Aufschriften einpassen. Jetzt bin ich ein Deutscher: Elegien und Biographien und Elogen sind nicht in meiner Gewalt: was bleibt mir übrig? Nichts! als daß ich mich an ihr Grab schleiche, und mit einem Buche in der Hand ihr Andenken in der Stille feire! Ich nehme ihre Schriften und lese!« (S. 176) Der von Herder angesprochenen englischen Biographik entspricht wohl am besten *Boswells* »Life of Samuel Johnson« (1791). Zum »Biographen der Seele« s. die »Einleitung« zum »Thomas Abbt« (Werke, Bd. 2, S. 259). Vgl. dazu auch: R. *Haym,* Herder, Bd. 1, S. 194. Zur »Denkart« s. z. B. »Von Baumgartens Denkart in seinen Schriften« (Werke, Bd. 32, S. 178 ff.) oder die »Vorrede« zum »Abbt« (Werke, Bd. 2, S. 253): »Das beste Geschenk, das ein merkwürdiger Mann noch nach seinem Tode der Welt mittheilet, ist, wenn er einen Freund findet, der sein Leben aufzeichnet, harmonisch mit seiner Denkart und Thaten.«

54 Ebda, Bd. 2, S. 265.
55 *Plutarch,* Lebensbeschreibungen, Bd. 4, S. 374 (Einleitung zu »Alexandros«).
56 Nach: *Niggl,* Autobiographie, S. 41.
57 Ebda, S. 42.
   Zum französischen Porträt vgl. die bei Niggl nicht genannte Diss. von Erich *Werner,* Das literarische Porträt in Frankreich im 18. Jahrhundert. Leipzig 1935 (II. A.: Das ›starre Porträt‹, S. 40–46).
58 *Niggl,* Autobiographie, S. 43.
59 Emil *Ludwig,* Der Künstler, S. 210.
60 *Niggl,* Autobiographie, S. 43.
61 J. *Möser,* Sämtliche Werke. Hist.-krit. Ausgabe in 14 Bänden. Bd. 4, S. 297–300, Zitat: S. 297.
62 *Hettner,* Gesch. der dt. Lit. (Anm. 1), S. 357.
63 *Herder,* Werke, Bd. 18, S. 382.
64 Ebda, Bd. 17, S. 121. Vgl. dazu: *Habermas,* Strukturwandel, S. 126 u. 323 (Anm. 53). S. auch *Wielands* »Gespräche unter vier Augen«.
65 S. dazu: M. *Fuhrmann,* Winckelmann, ein deutsches Symbol.
66 *Herder,* Werke, Bd. 18, S. 5.
67 H. R. *Jauß,* Schlegels und Schillers Replik auf die »Querelles des Anciens et des Modernes«. In: H. R. J., Literaturgeschichte als Provokation. 2. Aufl. Frankfurt/M. 1970 (edition suhrkamp 418), S. 67–106, Zitate: S. 72 u. 71.
68 *Fuhrmann,* Winckelmann, ein deutsches Symbol, S. 270.
69 *Herder,* Werke, Bd. 8, S. 443.
70 Ebda, Bd. 15, S. 49.
71 Ebda, Bd. 17, S. 314.
72 Ebda, S. 317.
73 W. *Muschg,* Dichterporträt, S. 299.

2. Herders biographische Essayistik

1 *Herder,* Werke, Bd. 9, S. 505–521.
2 So *Wieland* in: An die Leser des Teutschen Merkurs. In: Wielands Ges. Schriften. Hg. v. d. Dt. Komm. d. Preuß. Ak. d. Wiss., 1. Abt., 21. Bd. (Kleine Schriften I). Berlin 1939, S. 197 f. W. hat z. B. über Sebastian Brant, Johann Geiler von Kaisersberg, Johann Fischart, Willibald Pirkheimer, Paracelsus, Agrippa von Nettesheim, Thomas Morus berichtet. Abdruck: s. Bd. 21; in der Hempelschen Ausgabe im 35. Teil.
3 *Herder,* Werke, Bd. 15, S. 36; Winckelmann: S. 36–50; Lessing: S. 486–512; Sulzer: S. 51–55.
4 Ebda, Bd. 18; Homer, ein Günstling der Zeit: S. 420–446; Homer und Ossian: S. 446–464; Seneka, Philosoph und Minister: S. 391–401; Boileau und Horaz: S. 401–403; Luther: Bd. 17, S. 87–92; Bd. 18, S. 509–513 (»Luther, ein Lehrer der Deutschen Nation«); Bd. 32,

S. 529–331 (»Welchen Einfluß hat die Reformation Luthers auf die politische Lage der verschiedenen Staaten Europa's und auf die Fortschritte der Aufklärung gehabt?«); Kant: Bd. 18, S. 324–327; Franklin: Bd. 17, S. 7–18; Bd. 18, S. 503–508. Vgl. auch die lyrischen Verarbeitungen: Bd. 29, S. 543–547 (Reuchlin, 1777); S. 646 (Auf Luthers Bild.)); S. 426 (Kolumbus), S. 427 (Huttens Bild im T. M.; Auf Kopernikus Bild); Shakespear: Bd. 5, S. 208–231. S. auch die moderne Ausgabe: J. G. *Herder,* Denkmale und Rettungen. Hg. von R. *Otto.* Weimar und Berlin 1978.

5 *Herder,* Werke, Bd. 8, S. 440 (Variante zu 9).

6 *Haym,* Herder, Bd. 2, S. 98. Ein Vergleich beider Winckelmann-Lobschriften ist möglich: Die Kasseler Lobschriften auf Winckelmann. Einführung und Erläuterungen von Arthur Schulz. Berlin (DDR) 1963 (Jahresgabe 1963 der Winckelmann-Gesellschaft Stendal). Ein kleiner Textvergleich kann die Behauptung leicht beweisen. Es geht in den folgenden Passagen jeweils um Winckelmanns Hauptwerk, seine »Geschichte der Kunst des Altertums«.

   1. Christian Gottlob Heyne: »Eben die classische Gelehrsamkeit, welche Winkelmann so sehr unter anderen Antiquariern auszeichnete, machten ihn fähig sein Hauptwerk, seine Geschichte der Kunst zu schreiben. Er irrte zwar lange herum, ehe er die Idee recht fahste; nur durch viele Versuche ward er erst darauf geleitet. Schon aus seinen Briefen wird dies deutlich. Er entwarf eine Schrifft vom Geschmack der griechischen Künstler, dann wollte er von den Galerien in Rom und in Italien, dann von den Statuen im Belvedere, wiederum vom verderbten Geschmack in der Kunst, von Ergänzung der Statuen, eine Erklärung schwerer Punkte in der Mythologie schreiben. Alle diese Entwürfe führten zu seiner Geschichte der Kunst [...] (S. 22)

   2 Johann Gottfried Herder: »Endlich komme ich zu Winckelmanns Hauptwerke, zu welchem alles Bisherige nur Vorbereitung scheinet, zu seiner *Kunstgeschichte.* Es gehörte Winkelmanns erhabener, kühner, kleine Mängel und Fehler völlig verachtender Genius dazu, an solch ein Werk nur denken, geschweige als Fremdling, nach dem Fleiß einiger wenigen Jahre daran Hand legen zu wollen, und siehe, gewißermaasse hat ers *vollendet.* In dem Walde von vielleicht 70,000 Statuen und Büsten, die man in Rom zählet, in dem noch verwachsenen Walde betrüglicher Fußtapfen, voll schreiender Stimmen rathender Deuter, täuschender Künstler und unwißender Antiquare durch ziemlich lange Zeiten hinunter, endlich in der schrecklichen Einöde alter Nachrichten und Geschichte, da *Plinius* und *Pausanias,* wie ein paar abgerißne Ufer dastehn, auf denen man weder schwimmen, noch ernten kann; in einer solchen Lage der Sachen ringsumher an eine Geschichte der Kunst des Alterthums denken, die zugleich Lehrgebäude, keine Trümmer, sondern ein lebendiges Volksreiches Thebe von sieben Pforten sei, durch deren jede Hunderte ziehen; gewiß das konnte kein Kleinigkeitskrämer, kein Krittler an einem Zeh im Staube.« (S. 46)

7 *Herder,* Werke, Bd. 18, S. 421.

8 *Ebda,* Bd. 2, S. 252. Vgl. auch die gleiche Wendung im »Entwurf zu einer Denkschrift auf A. G. *Baumgarten,* J. B. *Heilmann* und Th. *Abbt*« (Werke, Bd. 32, S. 175).

9 Ebda, Bd. 8, S. 441.

10 Ebda, Bd. 2, S. 256 u. 254. Vgl. den »Entwurf« (Anm. 8), wo ebenfalls im emphatischen Ton der Leser zur Mitarbeit (»wenn ich dich auf den Pfade risse, den sie gegangen sind«, S. 176) und sogar zu eigenständiger Werkarbeit aufgefordert wird: Der »Geist der Männer« soll »als eine lebendige Werkstätte« verstanden werden, »daß Andere in ihm arbeiten« (S. 177).

11 K. G. *Just,* Der Essay (Dt. Phil. im Aufriß II, 2), Sp. 1917 f.

12 Sieh Belege dafür bei *Rohner,* Der dt. Essay, S. 78–80. Im »Sulzer«-Essay heißt es »Versuch« (Bd. 15, S. 51).

13 *Herder,* Werke, Bd. 18, S. 506.

14 Ebda, S. 509.

15 Ebda, Bd. 9, S. 507 u. 505.

16 Ebda, Bd. 15, S. 496.

17 Ebda, Bd. 17, S. 8.

18 Ebda, Bd. 18, S. 326.

19 Ebda, Bd. 15, S. 494.

20 Ebda, Bd. 18, S. 326.
21 Ebda, Bd. 9, S. 516 u. 515.
22 Ebda, Bd. 15, S. 496 u. 508.
23 Ebda, Bd. 8, S. 443 u. 444.
24 Ebda, Bd. 17, S. 8.
25 Ebda, Bd. 9, S. 516.
26 Heinz u. Hannelore *Schlaffer,* Studien zum ästhetischen Historismus, S. 29.
27 *Herder,* Werke, Bd. 17, S. 8.
28 Heinz u. Hannelore *Schlaffer,* Studien, S. 29.
29 *Herder,* Werke, Bd. 18, S. 505 (»Franklins Fragen«).
30 H. u. H. *Schlaffer,* Studien, S. 12 f.
31 Thomas *Nipperdey,* Die anthropologische Dimension der Geschichtswissenschaft, S. 234.
32 Ebda, S. 233.
33 Herder an Scheffner vom Sommer 1768. In: J. G. von Herder's Lebensbild. Hg. von seinem
    Sohne E. G. von *Herder.* Bd. 1, T. 2. Erlangen 1846, S. 361. Hier nach: Hans-Günther *Thal-*
    heim, Bauernkrieg und frühbürgerliche Revolution beim jungen Herder und Goethe. In: Wei-
    marer Beiträge 1975, H. 10, S. 24–47, Zitat: S. 27.
34 *Thalheim* (Anm. 33); Claus *Träger,* Geschichte und Literaturgeschichte. Johann Gottfried Her-
    der und die Krise des historischen Denkens. Phil. Habil. Greifswald 1964.
35 *Herder,* Werke, Bd. 9, S. 493, 494 u. 476.
36 Ebda, S. 476.
37 Ebda, s. z. B. das Zitat im vorhergehenden Kapitel aus »Haben wir noch das Vaterland der Al-
    ten?«, *Herder,* Werke, Bd. 17, S. 317.
38 *Herder,* Werke, Bd. 9, S. 491.
39 Ebda, Bd. 18, S. 509 (»Luther«); Bd. 9, S. 518 (»Savonarola«).
40 Ebda, Bd. 9, S. 482.
41 Ebda, S. 519.
42 Ebda, S. 491 f.
43 Ebda, S. 478.
44 S. dazu: R. *Haym,* Herder, Bd. 2, S. 536 f.
45 *Herder,* Werke, Bd. 17, S. 87 (18. Humanitätsbrief, 2. Slg., 1793).
46 In: Wielands Ges. Schriften, Bd. 21 (Anm. 2), S. 203.
47 *Herder,* Werke, Bd. 17, S. 87.
48 Ebda, Bd. 15, S. 510.
49 Ebda, S. 487.
50 Ebda, Bd. 17, S. 21.
51 Ebda, Bd. 15, S. 503.
52 Ebda, Bd. 18, S. 509–513. Suphan merkt an (S. 543), daß Herder gerade bei Luther vorgehabt
    habe, »durch fremde Zungen und Organe zu sprechen«. S. auch Herders Wendung an Luther im
    3. Teil (»Luthers Fabel vom Löwen und Esel«), S. 512. »Verzeihe, edler Schatten, daß ich Deine
    Gestalt hinauf bemühet, und zum Theil auch harte, obwohl lebendige Worte aus Deinem Munde
    und Deinen Schriften entlehnt habe. Ich entlehne sie zu einem guten Zweck, des gährenden Gei-
    stes meiner Zeit halben«.
53 Ebda, S. 510.
54 S. dazu Suphans Kommentar, Bd. 18, S. 542–44. Er zitiert G. *Müller:* »Die Geschichte Luthers
    zu schreiben, war einer von Herders Lieblingswünschen«. Vgl. auch *Haym,* Herder, Bd. 2,
    S. 536 f.
55 *Herder,* Werke, Bd. 17, S. 87–92.
56 Ebda, S. 89.
57 Ebda, Bd. 18, S. 544; *Haym,* Herder, Bd. 2, S. 537: »Luther, der Politiker, mit seinem Freimut,
    seiner Deutschheit und Derbheit war nur um so mehr sein Mann.«
58 *Herder,* Werke, Bd. 32, S. 529.
59 Ebda, Bd. 9, S. 476–496. Im folgenden werden die Zitatbelege in Klammern im Text gegeben.

60 Die 2. Fassung von 1793: *Herder,* Werke, Bd. 16, S. 273–294, (»Denkmal Ulrichs von Hutten«); *Thalheim (Anm. 33); s. auch: Heinz Stolpe,* Humanität, Französische Revolution und Fortschritte der Geschichte. Eine Analyse der ›Humanitätsbriefe‹ J. G. Herders. In: Weimarer Beiträge 10 (1964), S. 199–218, S. 545–576.

61 *Herder,* Werke, Bd. 16, S. 133 u. 134.

62 Abgedruckt als Anhang zu Herders »Hutten«; Bd. 9, S. 496f., Zitat: S. 497.

63 Vgl. die beiden Fassungen: *Herder,* Werke, Bd. 9, S. 481f. und Bd. 16, S. 279. 1793 fehlt die ganze Passage: »Darüber lachen, sich im Busen freuen, sich gar ein tödtliches Geschwür auffreuen, einige recht treffende Briefe auswendig lernen, das konnte der furchtsame Erasmus wohl, der immer auf Land und Waßer zugleich lebte. Aber, da ers reiflicher überdachte, fand er selbst, als Leser, schon so viel Mißlichkeiten und furchtsame *Abers,* daß er ja auch, für lauter leidiger Furcht – nicht sein Gewand befleckte, sondern – was ärgers! – den *divus Ortuinus* selbst hernach höchlich lobte, der hier als Haupt der Theologaster, Pfefferkorne und Magister das Fähnlein trug. Erasmus diese Briefe zuzuschreiben, ist so viel, als ihn für einen Märtyrer und Fischfreßer zu schelten; zu beidem, sagte er, habe er keine Gaben. Fische konnte der schwächliche Kritiker ohne Ohnmacht nicht riechen und an standhaft Bekennen ohn Ohnmacht nicht denken: geschweige *epistolas obsc. viror.* schreiben. Er hat sie ja nachher gnug bejammert. –«

64 *Herder,* Werke, Bd. 9, S. 493 – Bd. 16, S. 291. 1793 fehlt: »und was man sich weiter für elende, ausgebrauchte Schlupfwinkel eines Kritikers und klaßischen Schöngeistes denken kann.«

65 *Herder,* Werke, Bd. 16, S. 277. Hier hat Herder sogar eine Verstärkung vorgenommen, indem er »lebt« und »geschrieben« gesperrt gedruckt hat. Vgl. dagegen Bd. 9, S. 479.

66 *Herder,* Werke, Bd. 9, S. 482 – Bd. 16, S. 280.

67 Ebda, Bd. 9, S. 490 – Bd. 16, S. 287.

68 Ebda, Bd. 9, S. 482–84 – Bd. 16, S. 279f.

69 Ebda, Bd. 9, S. 486 – Bd. 16, S. 282.

70 S. z. B. die Eingangspassage von 1776 (Bd. 9, S. 476f.), wo den möglichen Skeptikern der Wind aus den Segeln genommen wird und die Herder dann – wie schon zu Beginn des Vergleichs gezeigt wurde – durch geringfügige Änderungen abgeschwächt hat (Bd. 16, S. 273f.).

71 *Herder,* Werke, Bd. 18, S. 313.

72 Ebda, S. 314. H. *Stolpe*; (Anm. 60) behauptet, daß Herder »unbeirrt bis zu seinem Tode« die »Hauptmaximen der Revolution« verteidigt habe (S. 562).

73 *Jochen Schulte-Sasse,* Autonomie als Wert, S. 104.

74 Abgedruckt als Anhang zum »Hutten«, Bd. 9, S. 496f.

75 *Wielands* Ges. Schriften (Anm. 2), S. 215–222. (In der Hempelschen Ausgabe, 35. Teil, S. 285–292).

76 Ebda, S. 216f.

77 Ebda, S. 222.

78 Heinz und Hannelore *Schlaffer,* Studien zum ästhetischen Historismus, S. 8.

79 C. *Träger,* Geschichte und Literaturgeschichte (Anm. 34), S. 49. T. will Herder den Bürgerlichen entreißen und mahnt dann: »Die in Herders geschichtlicher Betrachtungsweise verborgenen dialektisch-materialistischen Elemente sind der Hebel, der, konsequent angewendet, letzten Endes die spätbürgerlichen Geschichtsillusionen zerbricht.« T. weist dann noch auf die fortschreitende »Selbstentfremdung der Herderschen Gedanken« durch die bürgerliche Rezeption hin.

80 R. *Haym,* Herder, Bd. 2, S. 32. Für den »Hutten« hat Haym knapp eine Seite übrig (S. 31 f.), für die Winckelmann-Lobschrift dagegen ca. 10 (S. 96–105), mehr auch für den »Lessing« (S. 177–182).

81 *Herder,* Werke, Bd. 8, S. 461.

82 Ebda, Bd. 9, S. 518 u. 519.

83 H. und H. *Schlaffer,* Studien zum ästhetischen Historismus, S. 29.

84 *Srbik,* Geist und Geschichte, Bd. 1, S. 144.

85 Hans *Kohn,* Die Idee des Nationalismus, S. 422.

86 *Herder,* Werke, Bd. 18, S. 509 (»Luther«); Bd. 9, S. 477 (»Hutten«, 1776); Bd. 16, S. 274 (»Hutten«, 1793).

87 Zu Abbt vgl. H. *Kohn,* Die Idee des Nationalismus, S. 342 f.: »Nichts lag dem Verfasser ferner als die Erweckung eines Nationalgefühles.« (S. 343).

88 *Schiller,* Nationalausgabe, Bd. 17, S. 367.

89 *Herder,* Werke, Bd. 17, S. 312 und 319 (In: »Haben wir noch das Vaterland der Alten?«)

90 *Lepenies,* Melancholie, S. 79.

91 W. *Krauss,* Zur Konstellation der deutschen Aufklärung, In: W. K., Perspektiven und Probleme. Neuwied u. Berlin 1965, S. 149. Hier nach: Gerhard *Voigt,* Forster, Lichtenberg und die Revolution. In: Das Argument AS 3 (Sonderband), 1976, S. 163.

92 S. dazu C. Trägers Habilitationsschrift (Anm. 34).

93 Joyce *Schober,* Die deutsche Spätaufklärung (1770–1790). Bern u. Frankfurt/M. 1975, S. 96–108: »Gründergestalten« (z. B. über Luther, Kopernikus, Reuchlin, Hutten, Paracelsus).

94 Ebda, S. 100 f.

95 Ebda, S. 96: Schober weist auch auf das Luther-Bild bei Möser und Schröckh hin (Anm. 200).

96 Gerhard *Steiner,* Georg Forster (1977), S. 34 u. 87.

3. *Georg Forsters »Cook der Entdecker« (1787)*

1 1789 nahm Forster den Essay dann auch in den 1. Band seiner »Kleinen Schriften« auf. S. dazu das Nachwort von Klaus-Georg *Popp.* In: Cook der Entdecker. Schriften über James Cook von Georg Forster und Georg Christoph Lichtenberg. Frankfurt/M. 1976, S. 201–229. Zur Abfassung und Drucklegung: S. 219 f. Auch abgedruckt in: Georg Forster. Werke in vier Bänden. Hg. von G. *Steiner.* Frankfurt/M. 1967–71, Bd. 2, S. 103–224.

2 S. Anm. 1. Der vollständige Titel findet sich im Literaturverzeichnis. Zur Literatur über Forster vgl. Gerhard *Steiner,* Georg Forster (1977).

3 Zu »Wilhelm Dodd« vgl. *Steiner,* Forster, S. 23 f. G. *Forster,* Erinnerungen aus dem Jahr 1970. S. dazu im Literaturverzeichnis: *Forster,* Erklärung der zwölf Bildnisse. Zu dieser Schrift s.: Hans Jürgen *Geerdts,* Ironie und revolutionärer Enthusiasmus. In: Weimarer Beiträge, 1975, S. 296–312.

4 In: *Popp,* Nachwort (Anm. 1), S. 219.

5 Zitiert wird nach der Ausgabe »Cook der Entdecker«, hg. von Klaus-Georg *Popp* (Anm. 1).

6 Siehe S. 34 (»standhaften Mut«), S. 46 (»erfahrenem Mut«), S. 84 (»Erfahrung und Kühnheit«). Daß Forster den Mut mit Erfahrung paart bzw. ihn dadurch steigert, charakterisiert auch die neue bürgerliche Einstellung.

7 Auf Carl von *Mosers* »Lebensbilder deutscher Fürsten und verdienter Staatsdiener« weist Joyce *Schober* hin: Die deutsche Spätaufklärung (1770–1790). Bern und Frankfurt/M. 1975, S. 97. Sie sind erschienen in *Mosers* »Patriotischem Archiv für Deutschland«, 6 Bde. Frankfurt und Leipzig 1784–86.

8 Cook der Entdecker (Anm. 1), S. 221.

8 a Den Hinweis gibt *Popp.* Ebda, S. 221.

9 S. dazu *Popp.* Ebda, S. 227. Vgl. auch: Uwe *Japp,* Aufgeklärtes Europa und natürliche Südsee. Georg Forsters ›Reise um die Welt‹. In: H. J. *Piechotta* (Hg.), Reise und Utopie. Zur Literatur der Spätaufklärung. Frankfurt/M. 1976 (edition suhrkamp 776), S. 10–56; zur Auseinandersetzung mit Kant, wie sie im »Cook« stattfindet s.: Steiner, Forster, S. 42–46.

10 *Herder,* Werke (Suphan), Bd. 15, S. 511: »voll männlichen, vesten Gefühls«; S. 496: »vielseitigem männlichen Verstande«.

11 Belege: S. 46, 88, 130.

12 *Herder,* Werke, Bd. 17, S. 9.

13 Forster Werke, Bd. 8 (Berlin 1974), S. 309–316.

14 Ebda, S. 312.

15 Ebda, S. 311: »Seine Abneigung gegen Alles, was Blut kostet, lag dieser Überzeugung zum

Grunde; denn es war in seinem Verstande klar entwickelt, daß Vernunft und Tugend allein, *auch ohne Blut,* dereinst die Unabhängigkeit errungen hätten.«

16 Nach *Popp.* In: Cook der Entdecker (Anm. 1), S. 201.

17 Vgl. Joachim *Moebus,* Zur Figur des bürgerlichen Heros. M. analysiert – oft allerdings in einer schwierigen Terminologie – die Wirkung zweier jüngerer ›Entdecker‹: Stanley und Livingstone, und entwickelt daran die Grundzüge eines Heroenkultes. In den umfänglichen Anmerkungen weist M. auch auf Herder und Forster hin.

18 Joachim *Streisand,* Geschichtl. Denken von der deutschen Frühaufklärung bis zur Klassik. 2. Aufl. Berlin (DDR) 1976, S. 94; Walter *Grab,* Die deutschen Jakobiner. Stuttgart 1971, S. 28. Hier zitiert nach: Gerhard *Voigt,* Forster, Lichtenberg und die Revolution. Eine These zum Verhalten der literarischen bürgerlichen Intelligenz in Deutschland gegenüber der Entwicklung der Französischen Revolution. In: Das Argument AS 3 (Sonderband), 1976, S. 162–176, Zitate: S. 162. S. 162. S. besonders: I. *Stephan,* Literarischer Jakobinismus in Deutschland (1789–1806). Stuttgart 1976 (Slg. Metzler 150).

4. Goethes » Winckelmann« (1805). Ein Harmoniemodell

1 Zitiert wird hier nach: *Goethe,* Berliner Ausgabe, Bd. 19. Berlin (DDR) und Weimar 1973, S. 471–520.

2 Goethes »Skizzen« sind Teil einer größeren Publikation »Winckelmann und sein Jahrhundert«, die Helmut Holtzhauer 1969 (Leipzig) wieder herausgegeben hat. Darin: *Goethe,* Widmung, Vorrede; Winckelmanns Briefe an einen Landsmann, Schulfreund und Hausgenossen (d. i. Hieronymus Dietrich Berendis); Johann Heinrich *Meyer,* Entwurf einer Kunstgeschichte des 18. Jahrhunderts; *Goethe,* Skizzen zu einer Schilderung Winckelmanns; *Meyer,* Winckelmann als Kunsthistoriker; Friedrich August *Wolf,* Winckelmann als Philologe. Über Goethes »Winckelmann« haben wir von literarhistorischer Seite kaum Untersuchungen vorliegen: Heinz *Nicolai,* Lucifer Goethe. Zwei unveröffentlichte Briefe über Goethes ›Winckelmann‹. In: Festgruß für Hans Pyritz. Heidelberg 1955 (Euphorion Sonderheft), S. 31–36; Emil *Staiger,* Ein Satz aus Goethes Winckelmannschrift. In: E. St., Spätzeit. Zürich u. München 1973, S. 13–30 (Es geht dabei um folgende Passage aus dem Kap. »Antikes«, der insgesamt 12 Zeilen umfaßt: »Wenn die gesunde Natur des Menschen als ein Ganzes wirkt, wenn er sich in der Welt als in einem großen, schönen, würdigen und werten Ganzen fühlt [...] wenn sich nicht zuletzt ein glücklicher Mensch unbewußt seines Daseins erfreut?«); Christoph *Michel,* Goethes Winckelmann-Schrift und Delphi. In: Arcadia 11 (1976), S. 73–81; Horst *Althaus,* Goethes »Winckelmann«. In: H. A., Ästhetik, Ökonomie und Gesellschaft. Bern u. München 1971, S. 163–181. S. auch die Einleitungen von Ernst Howald (Erlenbach-Zürich 1943) und von Helmut Holtzhauer in der schon genannten Ausgabe (Leipzig 1969).

3 H. *Holtzhauer,* Einleitung, S. 29.

4 Winckelmann und Goethe. Ausstellung zum 200. Todestag Johann Joachim Winckelmanns. Hg. von den Nationalen Forschungs- und Gedenkstätten, Weimar. Katalog: Hedwig *Weilguny.* Berlin (DDR) u. Weimar o. J. (1968), s. 97.

5 *Goethe,* Hamburger Ausgabe, Bd. 12, S. 586.

6 *Holtzhauer,* Einleitung (Anm. 2), S. 28.

7 *Goethe,* Berliner Ausgabe, Bd. 21, S. 509.

8 *Goethe,* Hamburger Ausgabe, Bd. 9, S. 139. Vgl. dazu: Bernd *Neumann,* Identität und Rollenzwang, S. 139.

9 *Neumann,* ebda. S. 140.

10 S. dazu die Hinweise im Kap. III. 4. c. »Biographie als Entwurf einer ›höheren Welt‹«, (Anm. 52).

11 *Goethe,* Berliner Ausgabe, Bd. 21, S. 511.

12 So in der »Einleitung« zu: Materialien zur Geschichte der Farbenlehre. In: Hamburger Goe-

the-Ausgabe, Bd. 14, S. 7. Vgl. dazu auch die Belege zur Goetheschen Geschichtsvorstellung bei: Kurt *Rossmann* (Hg.), Deutsche Geschichtsphilosophie von Lessing bis Jaspers. Bremen o. J. (Slg. Dietrich 174), S. 110–143.

13 *Goethe,* Berliner Ausgabe, Bd. 21, S. 522.
14 M. *Fuhrmann,* Winckelmann, ein deutsches Symbol, S. 273.
15 Ebda, S. 266.
16 *Goethe,* Berliner Ausgabe, Bd. 19, S. 675.
17 S. dazu: Christa *Bürger,* Der Ursprung der bürgerlichen Institution Kunst, S. 148.
18 Ebda, S. 59.
19 B. *Neumann,* Identität und Rollenzwang, S. 141.
20 Horst *Althaus,* Goethes »Winckelmann« (Anm. 2), S. 176.
21 *Herder,* Werke, Bd. 17, S. 20 f. (5. Humanitätsbrief, 1. Slg., 1793).
22 *Niggl,* Autobiographie, S. 43.
23 Ch. *Bürger,* Der Ursprung der bürgerlichen Institution Kunst, S. 108.
24 Tatsächlich hat sich diese Ansicht ja auch erst völlig mit Heideggers Vorstellung durchgesetzt, wie er sie in seinem Aufsatz »Der Ursprung des Kunstwerkes« (1936) formuliert hat: »Gerade in der großen Kunst . . . bleibt der Künstler gegenüber dem Werk etwas Gleichgültiges, fast wie ein im Schaffen sich selbst vernichtender Durchgang für den Hervorgang des Werkes.« Hier zitiert nach: *Sengle,* Zum Problem der modernen Dichterbiographie (DVjs 1952), S. 103.
25 Ch. *Bürger,* Der Ursprung der bürgerlichen Institution Kunst, S. 85.
26 Schon M. *Fuhrmann,* Winckelmann, ein deutsches Symbol, S. 272, weist auf den »Monument«-Charakter des Goetheschen »Winckelmann« hin.
27 S. dazu: B. *Neumann,* Identität und Rollenzwang, S. 139 ff.
28 *Herder,* Werke (Suphan), Bd. 15, S. 43.
29 H. *Holtzhauer,* Einleitung (Anm. 2), S. 9; Ebda, S. 31, über die Wendung gegen die Romantiker. Meyers Vorwurf ist enthalten in seiner Rezension von 1805. S. dazu: Hamburger Goethe-Ausgabe, Bd. 12, S. 597 f.
30 H. *Althaus,* Goethes »Winckelmann« (Anm. 2), S. 172.
31 Ch. *Bürger,* Der Ursprung der bürgerlichen Institution Kunst, S. 82.
32 Walter *Benjamin,* Angelus Novus, S. 499.
33 Ch. *Bürger,* Ursprung, S. 83.
34 *Schiller,* Über die ästh. Erziehung des Menschen (23. Brief). In: Nationalausgabe, Bd. 20, S. 383–388, Zitat: S. 383.
35 In: Schiller, Was kann eine gute stehende Schaubühne eigentlich wirken? (1784). In: Nationalausgabe, Bd. 20, S. 88. Den Hinweis verdanke ich Christa *Bürger,* Ursprung, S. 131.
36 J. *Rüsen,* Ästhetik und Geschichte, S. 20.
37 J. *Schulte-Sasse,* Autonomie als Wert.
38 S. dazu: Bernd *Peschken,* Versuch einer germanistischen Ideologiekritik. Stuttgart 1972 (Texte Metzler 23), S. 136. S. auch: K. R. *Mandelkow* (Hg.), Goethe im Urteil seiner Kritiker. Dokumente zur Wirkungsgeschichte Goethes in Deutschland. Teil II 1832–1870. München 1977.
39 M. *Fuhrmann,* Winckelmann, ein deutsches Symbol, S. 266.
40 *Lessing,* Sämtl. Schriften. Hg. von K. *Lachmann.* 3. Aufl. besorgt durch F. *Muncker.* Bd. 13. Leipzig 1897, S. 434 f.

III. Biographik im 19. Jahrhundert

1. Einleitung

1 Hier zitiert nach: *Sengle*, Biedermeierzeit, Bd. 2, S. 306.
2 O. *Westphal*, Feinde Bismarcks, S. 95.
3 S. dazu auch: B. *Peschken*, Versuch einer germanistischen Ideologiekritik. Goethe, Lessing, Novalis, Tieck, Hölderlin, Heine in Wilhelm Diltheys und Julian Schmidts Vorstellungen. Stuttgart 1972 (Texte Metzler 23).
4 G. *List*, Historische Theorie und nationale Geschichte zwischen Frühliberalismus und Reichsgründung. In: B. *Faulenbach* (Hg.), Geschichtswissenschaft in Deutschland, S. 35–53, Zitat: S. 46.
5 Jörn *Rüsen*, Ästhetik und Geschichte, S. 90.
6 *Lepenies*, Melancholie, S. 201.

2. Bürgerliche Heldenporträts – Friedrich Schlegels und Georg Gottfried Gervinus' »Georg Forster«. Ein Vergleich

1 Zitiert wird im folgenden nach den beiden Textausgaben: G. G. *Gervinus*, Schriften zur Literatur. Berlin (DDR) 1962, S. 317–407. S. auch Gervinus' Forster-Porträt in: G. G. *Gervinus*, Geschichte der Deutschen Dichtung. Bd. 5, 4. verb. Aufl. 1853, S. 356–358. Friedrich *Schlegel*, Schriften zur Literatur. Hg. von Wolfdietrich *Rasch*. München 1972, S. 193–214 (Forster), S. 215–249 (Lessing). Auch in: Kritische Friedrich Schlegel-Ausgabe (Neuausgabe). Hg. v. H. *Eichner*. Bd. 2. München u. a. 1967, S. 78–99; Fr. *Schlegel*, Kritische Schriften. Hg. v. W. *Rasch*. München: Hanser (1956), S. 202–224.
2 Zu Gervinus: Lothar *Gall*, G. G. Gervinus. In: Dt. Historiker V. Hg. von H.-U. *Wehler*. Göttingen 1972 (Kl. Vandenhoeck-Reihe 349–51), S. 7–26; Gotthard *Erler*, Einführung. In: G. G. *Gervinus*, Schriften zur Literatur (Anm. 1), S. V–LXXIV; Heinrich *Scheel*, Das Bild der Mainzer Republik im Wandel der Zeiten. In: G. *Mattenklott* und Klaus *Scherpe*, Demokratisch-revolutionäre Literatur in Deutschland: Jakobinismus. Kronberg/Ts. 1975, S. 11–60 (bes. S. 27 f.); Jörn *Rüsen*, Der Historiker als »Parteimann des Schicksals«. Georg Gottfried Gervinus und das Konzept der objektiven Parteilichkeit im deutschen Historismus. In: R. *Koselleck*, W. *Mommsen*, J. *Rüsen* (Hg.), Objektivität und Parteilichkeit in der Geschichtswissenschaft. München 1977 (dtv WR 4281), S. 77–124; R. P. *Carl*, Prinzipien der Literaturbetrachtung bei Georg Gottfried Gervinus. Bonn 1969. Zu Schlegels »Forster«: Christa *Krüger*, Georg Forsters und Friedrich Schlegels Beurteilung der Französischen Revolution als Ausdruck des Problems einer Einheit von Theorie und Praxis. Göppingen 1974, S. 217–221 (»Schlegels Charakteristik ›Georg Forster‹«); Hannelore *Schlaffer*, Friedrich Schlegel über Georg Forster. Zur gesellschaftlichen Problematik des Schriftstellers im nachrevolutionären Bürgertum. In: J. *Bark* (Hg.), Literatursoziologie. II. Beiträge zur Praxis. Stuttgart u. a. 1974, S. 118–138.
3 S. auch das Kap. über Goethes »Winckelmann«. Zitat: *Goethe*, Berliner Ausgabe, Bd. 19, S. 481.
4 Georg Gottfried Gervinus' Leben. Von ihm selbst. (1890). Hg. von J. *Keller*. Leipzig 1893, S. 47. Hier nach: G. G. *Gervinus*, Schriften zur Literatur (Anm. 1), S. LIV.
5 H. *Schlaffer*, Friedrich Schlegel (Anm. 2), S. 124.
6 Klaus *Peter*, Idealismus als Kritik. Friedrich Schlegels Philosophie der unvollendeten Welt. Stuttgart u. a. 1973. Vgl. Bernd *Bräutigam*, Eine schöne Republik. Friedrich Schlegels Republikanismus im Spiegel des Studium-Aufsatzes. In: Euphorion 70 (1976), H. 4, S. 315–339; Ingrid *Oesterle*, Der »glückliche Anstoß« ästhetischer Revolution und die Anstößigkeit politischer Revolution. Ein Denk- und Belegversuch zum Zusammenhang von politischer Formveränderung und kultureller Revolution im »Studium«-Aufsatz Friedrich Schlegels. In: Literaturwissenschaft

und Sozialwissenschaft 8: Zur Modernität der Romantik. Hg. von D. *Bänsch*. Stuttgart 1977, S. 167–216.

7 S. dazu das Kap. über Forster. Vgl. auch: Gerhard *Steiner*, Georg Forster.

8 G. *Forster*, Cook der Entdecker, S. 7 und 107; vgl. auch S. 118: »Die Extreme einer zu heftigen Erschöpfung und einer gänzlichen Befreiung von aller Mühe ersticken beide die Tätigkeit und machen nicht glücklich.«

9 G. *Forster*, Cook der Entdecker, S. 119 u. 129.

10 Ebda, S. 74.

11 Fr. *Schlegel*, Über Lessing. In: Fr. *Schlegel*, Schriften zur Literatur (Anm. 1), S. 215–249.

12 S. dazu das Kap. über Herders biographische Essayistik. Herder über Lessing (1881): »Wahrheitssucher, Wahrheitskenner, Wahrheitsverfechter«. In: *Herder*, Werke *(Suphan), Bd. 15, S. 510.*

13 *S. dazu: J. Schulte-Sasse,* Autonomie als Wert.

14 Tadel an Goethe: *Gervinus*, Geschichte der poetischen Nationalliteratur der Deutschen. (Hist. Schriften, Bd. 2–6). 5 Bde. Leipzig 1835–1842, Bd. 5, S. 638. Bekenntnis zu Schiller: G. G. Gervinus' Leben (Anm. 4), S. 266. Beides nach: G. G. *Gervinus*, Schriften zur Literatur (Anm. 1), S. LXIII und XX.

15 S. dazu: G. G. *Gervinus*, Schriften zur Literatur (Anm. 1), S. LVIII.

16 Vgl. G. G. *Gervinus*, Schriften zur Literatur (Anm. 1), S. 307, wo für Forster das gleiche gesagt wird. (Es handelt sich um die Schlußbetrachtungen der »Geschichte der poetischen Nationalliteratur« (Anm. 14), Bd. 5, S. 729–735).

17 S. dazu das Kap. über Forster. Zitate: *Forster*, Cook der Entdecker, S. 132, 130 u. 135.

18 G. *Forster*, Ansichten vom Niederrhein, von Brabant, Flandern, Holland, England und Frankreich, im April, Mai und Junius 1790 (2 Bde.) In: G. Forsters Werke. Bd. 9. Berlin (DDR) 1958. S. dazu: G. *Steiner*, Georg Forster (1977), S. 56 ff.

19 Georg Christoph *Lichtenberg*, Einige Lebensumstände von Captain James Cook.

20 *Forster*, Cook der Entdecker, S. 121.

21 S. dazu G. *Erler*, Einleitung zu: G. G. *Gervinus*, Schriften zur Literatur (Anm. 1), S. LXXII. Vgl. auch Herman *Grimms* Nachruf auf Gervinus von 1871. In: H. G., 15 Essays. 1. Folge, S. 375–381. Grimm hat wenig Verständnis für Gervinus' »gewaltsam heftige Opposition gegen das jetzt unter dem Jubel des gesammten Volkes sich vollziehende Werk der Vereinigung. Ein tragisches Schicksal [...]« (S. 376).

22 *Gervinus*, Schriften zur Literatur (Anm. 1), S. VIII (Es handelt sich um den Schlußgedanken der Literaturgeschichte).

23 S. dazu auch: J. A. *Garraty*, The Nature of Biography (1958).

3. Macht und Geist – Die politische Biographik im Dienste Preußens

1 *Muschg*, Das Dichterporträt, S. 287. Für dieses Kap. vergl. auch die Diss. von E. Jander und den Aufsatz von J. Oelkers.

2 In: G. G. *Gervinus*, Schriften zur Literatur. Berlin (DDR) 1962, S. 307.

3 Ebda, S. 314.

4 Hier nach: E. *Jander*, Untersuchungen zu Theorie und Praxis, S. 108.

5 G. *List*, Historische Theorie und nationale Geschichte zwischen Frühliberalismus und Reichsgründung. In: *Faulenbach* (Hg.) Geschichtswissenschaft in Deutschland, S. 47.

6 *Oelkers*, Biographik, S. 301.

7 J. *Rüsen*, Johann Gustav Droysen. In: Deutsche Historiker II. Hrsg. von H.-U. *Wehler*. Göttingen 1971, S. 10.

8 Macaulays Essay hat keineswegs ungeteilte Zustimmung erfahren, wie Ludwig Häussers Rezension in der »HZ« (1859) beweist. Zu Macaulay s.: Alexander von *Hase*, Einleitung zu: Th. B. *Macaulay*, Friedrich der Große. Berlin 1971; A. *Fischer*, Studien zum historischen Essay. Fischer bietet eine gründliche und abwägende Interpretation.

9 O. *Westphal,* Feinde Bismarcks, S. 94.

10 Zu Treitschke s.: G. *Iggers,* Heinrich von Treitschke. In: Deutsche Historiker II (Anm. 7), S. 66–80; W. J. *Mommsen,* Objektivität und Parteilichkeit im historiographischen Werk Sybels und Treitschkes. In: Objektivität und Parteilichkeit. Hg. von R. *Koselleck,* W. J. *Mommsen,* J. *Rüsen.* München 1977 (dtv WR 4281), S. 134–158. Mommsen nennt auch weitere Literatur.

11 Nach: G. *List,* Historische Theorie (Anm. 5), S. 47.

12 G. *Lukács,* Die Zerstörung der Vernunft. Neuwied und Berlin (1962) (G. L., Werke, Bd. 9). Hier nach: *Iggers,* Deutsche Geschichtswissenschaft, S. 29.

13 In Klammern wird jeweils die Bandzahl der »Aufsätze« und die Seitenzahl genannt. Genaue Angabe s. Literaturverzeichnis.

14 Zu Treitschke s. Anm. 10.

15 Zum Freiheitsbegriff bei Treitschke s. besonders Bd. 3 der »Aufsätze« (»Freiheit und Königtum«) und in Bd. 4 den Essay »Die Grundlagen der englischen Freiheit«. S. auch: *Iggers,* Heinrich von Treitschke (Anm. 10).

16 E. *Marcks,* Heinrich von Treitschke, In: E. M., Biographische Essays, S. 61 f.

• 17 G. *Iggers,* Heinrich von Treitschke (Anm. 10), S. 71.

18 S. in *Treitschkes* »Geschichte der deutschen Literatur von Friedrich dem Großen bis zur Märzrevolution.« Hg. von H. *Spiero,* Berlin 1927, S. 18: »Und die neue Dichtung war deutsch von Grund auf.« Zu Hamann, Herder, Winckelmann s. H. von *Treitschke,* Charakterbilder, S. 58.

19 W. *Zorn,* Wirtschaftliche und sozialgeschichtliche Zusammenhänge der deutschen Reichsgründungszeit (1850–1879). In: H.-U. *Wehler* (Hg.), Moderne deutsche Sozialgeschichte. 3. Aufl. Köln und Berlin 1970, S. 269.

20 W. J. *Mommsen,* Objektivität und Parteilichkeit (Anm. 10), S. 150.

21 E. *Marcks,* Heinrich von Treitschke (Anm. 16), S. 66.

22 J. *Schulte-Sasse,* Literarische Struktur und historisch-sozialer Kontext. Zum Beispiel »Emilia Galotti«. Paderborn 1975, S. 25; s. auch: J. *Schulte-Sasse,* Autonomie als Wert.

23 H. von *Treitschke,* Charakterbilder, S. 46, S. 52, S. 40.

24 .Nach: *Iggers,* Heinrich von Treitschke (Anm. 10), S. 68; Leopold von *Ranke,* Politisches Gespräch (1936). In: L. v. R., Die großen Mächte. Politisches Gespräch. Hg. von Th. *Schieder.* Göttingen 1963, S. 71 (Staat sei »lebendiges Dasein«); W. von *Humboldt,* Über die Aufgaben des Geschichtschreibers. Leipzig o. J. (Insel-Bücherei 269), S. 40 (Nation sei »Individuum«). Auch in: W. v. *Humboldt,* Werke. Hg. von A. *Leitzmann.* Bd. 4. Berlin 1905, S. 54.

25 *Ranke,* Politisches Gespräch, S. 71.

26 Vgl. auch Friedrich *Engels* Beurteilung in seinem ungedruckten Ms. über »Die Rolle der Gewalt in der Geschichte«. Hier zitiert nach: G. G. *Gervinus,* Schriften (Anm. 2), S. XXX: »Und je mehr der Zollverein sich ausbreitete und die Kleinstaaten in diesen innern Markt aufnahm, desto mehr gewöhnten sich die angehenden Bourgeois dieser Staaten, nach Preußen zu blicken als ihrer ökonomischen und dereinst politischen Vormacht. Und wie die Bourgeois sangen, so pfiffen die Professoren.« (*Marx-Engels-Lenin-Stalin,* Zur deutschen Geschichte. Berlin 1953/54, Bd. 2, 2. Halbband, S. 1066.)

27 E. *Marcks,* Männer und Zeiten, S. 103.

28 Richard *Heinze,* Von Geist des Römertums. Leipzig und Berlin 1938, S. 24.

29 H. von *Treitschke,* Charakterbilder, S. 61.

30 E. *Marcks,* Männer und Zeiten, S. 98.

31 H. von *Treitschke,* Charakterbilder, S. 49.

32 J. *Burckhardt,* Kultur der Renaissance, S. 9.

33 O. *Gildemeister,* Aus den Tagen Bismarcks. Politische Essays. Leipzig 1909, S. 88, S. 89, S. 90.

34 H. von *Treitschke,* Charakterbilder, S. 35, S. 15.

35 Ebda, S. 58.

36 (Julius *Langbehn*), Rembrandt als Erzieher. Von einer Deutschen. 77.–84. Aufl. Leipzig o. J. (zuerst: 1890), S. 224 u. 225.

37 E. *Marcks,* Männer und Zeiten, S. 100.

38 H. von *Treitschke,* Deutsche Kämpfe. Neue Folge. Leipzig 1896. Hier nach: G. *Iggers,* Heinrich

von Treitschke (Anm. 10), S. 77.

39 H. von *Treitschke*, Aufsätze III, S. 71. Hier nach: G. *Iggers*, Heinrich von Treitschke (Anm. 10), S. 71.

40 S. dazu: J. *Rüsen*, Droysen (Anm. 7), S. 18.

41 G. G. Gervinus' Leben. Von ihm selbst. Hg. von J. *Keller*. Leipzig 1893, S. 396. Hier nach: G. G. *Gervinus*, Schriften (Anm. 2), S. XXV.

42 F. *Mehring*, Gesammelte Schriften. Bd. 5. Berlin (DDR) 1975, S. 253.

4. Geistes- und kulturgeschichtliche Biographik

1 Vgl. W. Grimms Brief vom 16. Jan. 1844 an Gervinus und dessen Antwort vom 27. Febr. In: Briefwechsel zwischen Jacob und Wilhelm Grimm, Dahlmann und Gervinus. 2 Bde. Berlin 1885–86, Bd. 2, S. 64 u. 68. Hier nach: G. G. *Gervinus*, Schriften zur Literatur. Berlin (DDR) 1962, S. 515 f.

2 In: Schiller – Zeitgenosse aller Epochen. Hg. von N. *Oellers*. Frankfurt/M. 1970, S. 440. Hier nach: J. *Schulte-Sasse*, Autonomie als Wert, S. 111.

3 *Schulte-Sasse*, ebda, S. 112.

4 Michael *Naumann*, Bildung und Gehorsam. Zur ästhetischen Ideologie des Bildungsbürgertums. In: Klaus *Vondung* (Hg.), Das wilhelminische Bildungsbürgertum (1976), S. 34–52, Zitate: S. 36 u. 44.

5 In: W. *Kaegi*, Jakob Burckhardt – Eine Biographie. 3 Bde. Basel 1947–56, Bd. 3, S. 548. Hier nach: Johannes *Wenzel*, Jakob Burckhardt in der Krise seiner Zeit. Berlin (DDR) 1967, S. 153. Zu Burckhardt s. jetzt auch: Wolfgang *Hardtwig*, Geschichtsschreibung zwischen Alteuropa und moderner Welt. Jacob Burckhardt in seiner Zeit. Göttingen 1974 (Schriftenreihe der Hist. Komm. bei der Bayr. Ak. d. Wiss. 11). Es liegt nahe, dabei an *Schiller*s »Das Ideal und das Leben« zu denken, wo es heißt: »Fliehet aus dem engen dumpfen Leben / In des Ideales Reich!« und »Aber in den heitern Regionen, / Wo die reinen Formen wohnen, / Rauscht des Jammers trüber Sturm nicht mehr.« Siehe zu Schillers Position: Christa *Bürger*, Der Ursprung der bürgerlichen Institution Kunst, S. 136.

6 J. *Burckhardt*, Weltgeschichtliche Betrachtungen. In: J. B. Gesamtausgabe, Bd. 7, S. 168 (Kap. 5). Hier nach: J. *Wenzel*, J. Burckhardt (Anm. 5), S. 154.

a) Die biographische Essayistik

1 S. dazu: Andreas *Fischer*, Studien zum historischen Essay, S. 205, der auch die Schwierigkeiten benennt, unterschiedliche Autoren unter dem Begriff ›Essayist‹ zusammenzufassen. Zu den benutzten Werken der genannten Autoren s. das Literaturverzeichnis.

2 O. *Gildemeister*, Macaulay (1860). In: O. G., Essays, Bd. 2, S. 46–85, Zitat: S. 54.

3 Ebda, S. 66.

4 Hier nach: Alexander von *Hase*, Einleitung zu: Th. B. *Macaulay*, Friedrich der Große. Ein historischer Essay. Berlin 1971, S. 13.

5 S. dazu z. B. die Essaysammlung: Aus den Tagen Bismarcks. Politische Essays von Otto Gildemeister. Hg. von der Lit. Gesellschaft des Künstlervereins in Bremen. Leipzig 1909.

6 *Gildemeister*, Macaulay (Anm. 2), S. 62 u. 60.

7 Ebda, S. 63.

8 In seinem biographischen Essay über Karl Mathy beklagt sich Treitschke 1868: »Es hat den Anschein, als wüchse uns ein Geschlecht von verständigen Politikern, tapferen Soldaten und guten Bürgern für den neuen Staat heran, und wir müssen es hinnehmen als eine nothwendige Grau-

samkeit der Natur, wenn in dieser jungen Generation die schöpferische Kraft in Kunst und Wissenschaft selten, unter ihren Staatsmännern die Zahl der eigenartigen Charaktere gering sein sollte.« In: H. v. *Treitschke,* Historische und politische Aufsätze I, S. 484.

9 L. *Speidel,* Persönlichkeiten, S. 2 (Luther), S. 35 (Voltaire), S. 219 (Strauß), S. 126 (Börne).
10 Ebda, S. 51 u. 54.
11 Die Porträts befinden sich in: K. *Hillebrand,* Geist und Gesellschaft im alten Europa.
12 Heinrich *Homberger,* Karl Hillebrand, S. 394.
13 Ebda, S. 399 u. 398.
14 W. *Burckhardt,* Gesamtausgabe, Bd. 7, S. 208. Hier nach: Jakob *Wenzel,* Jakob Burckhardt in der Krise seiner Zeit. Berlin (DDR) 1967, S. 117: »Er wollte – gleichsam im Theater sitzend – in intuitiver Anschauung das ›wunderbare Schauspiel‹ erleben, wie der ›Geist der Menschheit . . ., über all diesen Erscheinungen schwebend und doch mit allem verflochten, sich eine neue Wohnung baut.‹« Wenzel weist noch darauf hin, daß Wölfflin folgende Notiz zu Burckhardts Geschichtsauffassung hinterlassen hat: »Die Geschichte hat überhaupt keinen Zweck. Sie ist ein Schauspiel, ein Theater, wo alles bunt durcheinander geht.« In: J. B. und H. W.: Briefwechsel. Basel 1948, S. 23.
15 W. *Benjamin,* Charles Baudelaire, S. 57.
16 Hannelore *Schlaffer,* Friedrich Schlegel über Georg Forster. In: J. *Bark* (Hg.), Literatursoziologie. II. Beiträge zur Praxis. Stuttgart u. a. 1974, S. 118–138. Zitate: S. 123 u. 122.
17 S. dazu die Anm. 6 im Kap. »Bürgerliche Heldenporträts« (III, 2).
18 S. z. B.: Dieter *Bachmann,* Essay und Essayismus. Stuttgart u. a. 1969, S. 78; Heinrich *Homberger,* Hillebrand, S. 389 f.; Hermann *Uhde-Bernays,* Nachwort zu: Karl *Hillebrand,* Unbekannte Essays, S. 363.
19 A. *Fischer,* Studien zum historischen Essay, S. 201.
20 Ebda, S. 197.
21 Ebda, S. 202.
22 *Grimm,* 15 Essays, S. 437 u. S. 377.
23 Ralph Waldo *Emerson,* Goethe und Shakespeare. Hannover 1857, S. 10.
24 A. *Fischer,* Studien zum historischen Essay, S. 109.
25 H. *Grimm,* 15 Essays. 4. Folge. S. VIII. Hier nach: G. *Haas,* Essay (1969), S. 19.
26 Nach: Julius *Heyderhoff,* Einleitung zu: K. *Hillebrand,* Geist und Gesellschaft, S. 6.
27 H. *Homberger,* K. Hillebrand, S. 389.
28 F. *Hiebel,* Biographik und Essayistik, S. 109.
29 In: H. *Grimm,* 15 Essays, S. 106–138, Zitat: S. 136.
30 S. dazu Anm. 52 im Kap. III. 4. c. (Biographie als Entwurf einer ›höheren Welt‹).
31 J. *Burckhardt,* Gesamtausgabe, Bd. 7, S. 161. Hier nach: *Wenzel,* J. Burckhardt (Anm. 14), S. 145.

b) Zum Beispiel: Karl Hillebrand, Herder (1872)

1 K. *Hillebrand,* Herder. In: K. H., Unbekannte Essays (1955), S. 82–183. Im folgenden wird im Text nach dieser Ausgabe die Seitenzahl in Klammern gesetzt.
2 *Herder,* Werke, Bd. 2, S. 260: »ich betrachte also nur eine Seite seines Geistes, das *Gelehrte* Denken«.
3 Heinrich *Homberger,* Karl Hillebrand, S. 389; *Uhde-Bernays'* Behauptung befindet sich in seinem Nachwort zu: K. *Hillebrand,* Unbekannte Essays, S. 363.
4 K. *Hillebrand,* Petrarca. In: K. H., Geist und Gesellschaft, S. 15–22, s. besonders S. 18: »Das Heranreifen in der Fremde ist noch stets für Menschen, die ein lebhaftes Gefühl für Zusammengehörigkeit und ein tiefes Bedürfnis des Zusammenhanges haben, eine hohe Schule des Patriotismus gewesen.«
5 *Homberger,* Hillebrand, S. 393.

c) Biographie als Entwurf einer ›höheren Welt‹

1 S. dazu: H. R. *Jauß*, Geschichte der Kunst und Historie, S. 220.
2 *Grimm*, Goethe, S. 37.
3 *Justi*, Winckelmann, Bd. 2, S. 12 f.
4 Ebda, S. 11.
5 *Justi*, Michelangelo (1909), S. V.
6 *Grimm*, Goethe, S. 197.
7 Ebda, S. 487. Vgl. *Justi*, Winckelmann, Bd. 3, S. 491: »Der Spätkluge (wie er selbst sich gern nannte) war nun viel zu früh einem reichen vollen Leben und Wirken entrissen worden, in seinem einundfünfzigsten Jahre!«
8 *Haym*, Humboldt, S. IV.
9 *Fuhrmann*, Winckelmann, ein deutsche Symbol.
10 *Justi*, Winckelmann, Bd. 1, S. 500.
11 *Fuhrmann*, Winckelmann, ein deutsches Symbol, S. 274.
12 H. H.*Borcherdt*, Bildungsroman. In: *Merker/Stammler*, Reallexikon, 2. Aufl. Berlin 1958, S. 175–179.
13 S. Lothar *Köhns* Forschungsbericht: L. K., Entwicklungs- und Bildungsroman. In: DVjs 1968, H. 3, S. 427–473; H. 4, S. 590–632, Zitat: S. 435.
14 F. *Martini*, Der Bildungsroman. Zur Geschichte des Wortes und der Theorie. In: DVjs 1961, S. 44–63, Zitat: S. 59.
15 *Hegel*, Ästhetik, Bd. 1, S. 568. Hier zitiert nach: Georg *Lukács*, Schriften zur Literatursoziologie. 4. Aufl. Neuwied und Berlin 1970, S. 394. (Aus: G. L., Wilhelm Meisters Lehrjahre. In: G. L., Goethe und seine Zeit. Bern 1947.)
16 H. H.*Borcherdt*, Bildungsroman (Anm. 12), S. 177.
17 G. *Lukács*, Schriften zur Literatursoziologie (Anm. 15), S. 391 (»schöne Seele«); G. *Lukács*, Die Grablegung des alten Deutschland. Essays zur deutschen Literatur des 19. Jahrhunderts. Reinbek 1967 (rororo 276), S. 16.
18 *Dilthey*, Schleiermacher, S. 317.
19 *Dilthey*, Das Erlebnis und die Dichtung, S. 279 f.
20 Ebda, S. 284: »Aber wo die Begeisterung des Künstlers Schönheit erlebt, geht ihr das Wesen des Göttlichen auf.«
21 In: DVjs 1923, S. 339–358; »Weltbildroman«, S. 339.
22 S. dazu das Kap. »Herders biographische Essayistik«, Anm. 31.
23 *Ranke*, Geschichte Wallensteins, S. 31.
24 *Herder*, Werke (*Suphan*), Bd. 2, S. 265 (»Einleitung« zu »Th. Abbt«).
25 S. dazu das Kap. »Goethes ›Winckelmann‹«, Anm. 8.
26 *Goethe*, Weimarer Ausgabe, Bd. 28, S. 358.
27 *Plutarch*, Lebensbeschreibungen, Bd. 4, S. 374.
28 *Droysen*, Historik, S. 291.
29 Bei *Gutzkow* heißt es in der »Vorrede« (S. IX): »Gewöhnlich verlangt die Biographie [...] daß ihre Helden dem Bereiche der Begebenheiten entfernt stehen und sie recht viel Raum geben sollen für die kleine Detailentwicklung des Privaten-Charakters.« *Ranke*, Geschichte Wallensteins, S. 33.
30 *Dilthey*, Ges. Schriften, Bd. 7, S. 246 (Kap. IV: Die Biographie, S. 246–251).
31 Ebda, S. 251.
32 Ebda, S. 248.
33 Ebda.
34 *Dilthey*, Leben Schleiermachers, S. XV.
35 Vgl. dazu auch die Ausführungen im Kap. »Umwelt« (IV, 2. g.).
36 E. *Schmidt*, Charakteristiken (1886), S. 494 f. (Aus: E. S., Wege und Ziele der deutschen Literaturgeschichte.)
37 E. *Schmidt*, Die literarische Persönlichkeit. Rede zum Antritt des Rekorates der Kgl. Fried-

rich-Wilhelm-Universität zu Berlin. 15. Okt. 1909. Berlin 1909, S. 11. Vgl. auch Klaus *Laermanns* knappe, aber erhellende Beurteilung der positivistischen Biographik. L. weist darauf hin, daß in der Biographie eine ›Sinneinheit‹ erstrebt wird, die »die Gefahr eines Auseinanderfallens seiner Untersuchungen in atomistische Details« bannen soll. K. L., ›Was ist literaturwissenschaftlicher Positivismus?‹ In: V. *Žmegač* und Z. *Škreb,* Zur Kritik literaturwissenschaftlicher Methodologie. Frankfurt/M. 1973 (FAT 2026), S. 63 f.

38 Ebda, S. 15.
39 Ebda, S. 14.
40 Ebda, S. 15.
41 *Gundolf,* Goethe, S. 49.
42 H. *Kaufmann*, Probleme einer Geschichte der deutschen Literatur der ersten Hälfte des 20. Jahrhunderts. In: H. K., Analysen, Argumente, Anregungen. Berlin (DDR), S. 156–201, Zitat: S. 167.
43 *Justi,* Winckelmann, Bd. 1, S. 210.
44 Ebda, Bd. 2, S. 379.
45 Ebda, S. 14.
46 *Justi,* Winckelmann, Bd. 1, S. XXIX.
47 *Grimm,* Michelangelo, S. 327.
48 Ebda, S. 327 f.
49 Grimm an Emerson am 25. Okt. 1860. Hier nach: *Hiebel,* Biographik und Essayistik, S. 105.
50 S. dazu z. B. die Arbeiten von Jörn *Rüsen,* Ästhetik und Geschichte; Hannelore und Heinz *Schlaffer,* Studien zum ästhetischen Historismus.
51 *Grimm,* Michelangelo, S. 5.
52 Peter *Szondi,* Für eine nicht mehr narrative Historie. In: Geschichte – Ereignis und Erzählung, S. 540–542, Zitat: S. 542; S. auch die anderen Beiträge in diesem Band; S. *Kracauer,* Geschichte – Vor den letzten Dingen, S. 205. K. beruft sich auf B. *Croce.* »History: Its Theory and Practice« (New York 1960, S. 35); als wichtigstes und die Diskussion besonders belebendes Werk gilt: Arthur C. *Danto,* Analytische Philosophie der Geschichte (engl. 1965; dt. 1974). S. dazu auch die Arbeiten von Hans Michael *Baumgartner.* Hier sei die letzte genannt, die auch weitere Angaben vermitteln kann: H. M. B., Narrative Struktur und Objektivität. Wahrheitskriterien im historischen Wissen. In: Jörn *Rüsen* (Hg.), Historische Objektivität. Aufsätze zur Geschichtstheorie, S. 48–67; s. auch die schon erwähnte Arbeit von H. R. *Jauß,* Geschichte der Kunst und Historie, die sich auch mit Danto auseinandersetzt (S. 227 ff.). Als praktische Anwendung s. die Diss. von Hans Vilmar *Geppert,* Der ›andere‹ historische Roman (1976).
53 *Dilthey,* Ges. Schriften, Bd. 7, S. 250.
54 Ebda, Bd. *5,* S. 394, s. auch das Kap. »Die Kunst als erste Darstellung der menschlich-geschichtlichen Welt in ihrer Individuation«, Ebda, Bd. *5,* S. 273 ff.
55 *Dilthey,* Ges. Schriften, Bd. 5, S. 280.
56 L. v. *Ranke,* Einleitung zu einer Vorlesung über Universalhistorie. In: Historische Zeitschrift 178 (1954), S. 290–308. Hier nach: J. *Rüsen,* Ästhetik und Geschichte, S. 112. Zu Schiller und Humboldt s. die Einleitung von A. *Leitzmann* zu: Wilhelm von *Humboldt,* Über die Aufgaben des Geschichtschreibers. Leipzig o. J. (Insel-Bücherei 269), der Schiller zitiert: »Und doch muß der Geschichtschreiber ganz wie der Dichter verfahren: wenn er den Stoff in sich aufgenommen hat, muß er ihn wieder ganz neu aus sich schaffen.« Leitzmann weist noch auf Novalis und Schelling hin. Wir können bei Georg Lukács ähnliche Einstellungen wiederfinden. Helga Gallas faßt sie so zusammen: »der Schriftsteller müsse also das Wesen der Wirklichkeit in einer marxistischen Analyse zuerst *gedanklich aufdecken,* das so Erarbeitete aber sofort wieder *künstlerisch zudecken,* damit die Gedankenarbeit des Autors unbemerkt bleibe«. H. *Gallas,* Marxistische Literaturtheorie. Neuwied u. Berlin 1971 (Slg. Luchterhand 19), S. 165.
57 *Droysen,* Historik, S. 284 f.
58 *Jauß,* Geschichte der Kunst und Wissenschaft, S. 219.
59 Ebda, S. 219 f.
60 Ebda, S. 219. Jauß beruft sich auf *Droysen,* Historik, S. 144 u. 152.

61 W. *Waetzoldt,* Carl Justi. In: *Justi,* Winckelmann, Bd. 1, S. XXXI.

62 *Haym,* Humboldt, S. 629.

63 *Grimm,* Michelangelo, S. 290.

64 *Grimm,* Goethe, S. 425.

65 S. dazu: Helmut *Kreuzer,* Herman Grimms »Unüberwindliche Mächte«. Deutschland und die Vereinigten Staaten in einem Adelsroman des bürgerlichen Realismus. In: Amerika in der deutschen Literatur. Hg. von H. *Denkler* u. W. *Malsch,* Stuttgart 1975, S. 205–217. Kreuzer schildert, wie sich ein bürgerlicher »Neoaristokratismus« bei Grimm entwickelt hat. S. auch: H. *Grimm,* R. W. Emerson (1861). In: H. G., Fünfzehn Essays. 1. Folge, S. 426–448, wo G. die Selfmademan-Gesinnung über die geistigen Leistungen betont und ebenfalls zu einer Aristokratismusauffassung gelangt: »Mag sie [die Menschen an der Spitze – H.S.] nun Geburt, Geld, Gewandtheit, Uebermuth des Geistes dahin erhoben haben: sie stehen da, und keiner kann verneinen, daß sie die Aristokraten des Tages sind und ihren Platz in Wahrheit einnehmen.« (S. 436) Damit haben wir wiederum ein gutes Beispiel, wie sich – anders als im 18. Jahrhundert – über den Aristokratiebegriff eine Anpassung ›nach oben‹ vollzieht, die zugleich Distanz ›nach unten‹ herstellen will.

66 *Justi,* Winckelmann, Bd. 2, 2. Kap.: »Römische Gelehrtenrepublik«, S. 112–192.

67 *Grimm,* Michelangelo, S. 58. Diese Vorstellung findet sich auch, wie schon oben gezeigt wurde, bei Herder. S. das Kap. II. 1. (»Die Erziehung des Menschengeschlechts«), Anm. 30.

68 J. *Burckhardt,* Weltgeschichtliche Betrachtungen, S. 158.

69 Ebda, S. 161.

70 *Dilthey,* Ges. Schriften, Bd. 7, S. 250.

71 J. *Burckhardt,* Weltgeschichtliche Betrachtungen, S. 183.

d) *Ideal und Realität – Die Versöhnung mit der Gegenwart*

1 J. *Burckhardt,* Gesamtausgabe, Bd. 7, S. 426. Hier nach: J. *Wenzel,* Jakob Burckhardt in der Krise seiner Zeit. Berlin (DDR) 1967, S. 137.

2 J. G. *Droysen,* Polit. Schriften. Hg. v. F. *Gilbert.* München 1933, S. 324. Hier nach: J. *Rüsen,* J. G. Droysen. In: Deutsche Historiker II. Hg. v. H.-U. *Wehler.* Göttingen 1971 (Kl. Vandenhoeck-Reihe 334–36), S. 7–22, Zitat: S. 16; *Grimm,* Michelangelo, S. 1.

3 A. Schirokauer, Germanistische Studien. Hamburg 1957, S. 156. S. auch: Reinhard *Kühnl,* Formen bürgerlicher Herrschaft, S. 67, der schon für die Zeit um 1848 feststellt: »Doch das Bürgertum fürchtete inzwischen die von unten nachdrängenden Proletariermassen beinahe schon stärker als die feudale Reaktion.«

4 *Nietzsche,* Also sprach Zarathustra (III, 11). In: *Nietzsche,* Werke *(Schlechta),* Bd. 2, S. 449.

5 *Grimm,* Michelangelo, S. 58.

6 *Droysen,* Historik, S. 273 f; *Burckhardt,* Weltgeschichtliche Betrachtungen (J. B., Gesammelte Werke, Bd. 4), S. 50. Hier nach: Hannelore und Heinz *Schlaffer,* Studien zum ästhetischen Historismus. S. 13.

7 Fr. Th. *Vischer,* Ästhetik. Bd. 4. München 1922, S. 222. Hier nach: Michael *Naumann,* Bildung und Gehorsam. Zur ästhetischen Ideologie des Bildungsbürgertums. In: K. *Vondung* (Hg.), Das wilhelminische Bildungsbürgertum, S. 34–52, Zitat: S. 43.

8 *Grimm,* Goethe, S. 6 f.

9 *Grimm,* Fünfzehn Essays. 1. Folge, S. 359.

10 *Grimm,* Goethe, S. 442.

11 Wagner hier nach: Manifeste und Dokumente zur deutschen Literatur 1848–1880, Bd. 2. Hg. von Max *Bucher* u. a. Stuttgart 1975, S. 58; *Nietzsche,* Die Geburt der Tragödie. In: Nietzsche, Werke in zwei Bänden. München 1967, Bd. 1, S. 26.

12 Vgl. z. B. Ralph W. *Emerson,* Goethe und Shakespeare. Hannover 1857, S. 21, wo dieser Vorstellung am besten Ausdruck verliehen wird: »Unser Dasein umkleidet er mit Poesie«, heißt es über Goethe.

13 *Grimm,* Goethe, S. 380 f.
14 *Justi,* Winckelmann, Bd. 3, S. 270; *Grimm,* Goethe, S. 381.
15 *Grimm,* Goethe, S. 473.
16 Ebda, S. 474.
17 Karl-Erich *Born,* Der soziale und wirtschaftliche Strukturwandel Deutschlands am Ende des
    19. Jahrhunderts. In: H.-U. *Wehler* (Hg.), Moderne deutsche Sozialgeschichte. 3. Aufl. Köln u.
    Berlin 1970 (Neue Wiss. Bibliothek 10), S. 271–284, Zitat: S. 279.
18 Vgl. dazu auch: Jochen *Schulte-Sasse,* Autonomie als Wert, S. 113.
19 *Grimm,* Goethe, S. 484 f.
20 *Fuhrmann,* Winckelmann, ein deutsches Symbol, S. 277.
21 Schluß der Haymschen Rezension über *Diltheys* »Schleiermacher«. Zuerst in: Preußische Jahr-
    bücher 1870, S. 556–604; auch in: R. H., Gesammelte Aufsätze. Berlin 1903, S. 355–407; hier
    nach: *Dilthey,* Leben Schleiermachers (1922), S. XIII.
22 Nach: J. *Wenzel,* J. Burckhardt (Anm. 1), S. 97. (W. zitiert Carl Spitteler, der berichtet hat, daß
    B. sehr häufig von der bösen Welt gesprochen habe.) *Nietzsche,* Die Geburt der Tragödie. In:
    Nietzsche, Werke in zwei Bänden. München 1967, Bd. 1, S. 41. »Gegenbewegung«: *Nietzsche,*
    Der Wille zur Macht. In: *Nietzsche,* Musarion-Ausg., Bd. 19, S. 208.
23 Bernd *Peschken,* Versuch einer germanistischen Ideologiekritik. Goethe, Lessing, Novalis,
    Tieck, Hölderlin, Heine in Wilhelm Diltheys und Julian Schmidts Vorstellungen. Stuttgart 1972
    (Texte Metzler 23), S. 71.
24 Ebda, S. 134 (Reichsideologie) u. 133.
25 In: H. *Grimm,* Fünfzehn Essays. 1. Folge, S. 134 u. 137.
26 Ebda, S. 377.
27 In: *Hillebraand,* Geist und Gesellschaft, S. 23.
28 H. *Grimm,* Gervinus (1871). In: H. G., Fünfzehn Essays, S. 377.
29 In: *Hillebrand,* Geist und Gesellschaft, S. 46.
30 O. *Gildemeister,* Sozialisten und Jesuiten (17. Jan. 1877). In: O. *Gildemeister,* Aus den Tagen
    Bismarcks. Hg. von der Lit. Ges. des Künstlervereins in Bremen. Leipzig 1909, S. 159–162, Zi-
    tat: S. 160.
31 K. E. *Born,* Der soziale und wirtschaftliche Strukturwandel (Anm. 17), S. 283.
32 H. *Grimm,* Aufsätze zur Literatur. Hg. von R. *Steig.* Gütersloh 1915, S. 256.
33 H. *Grimm,* Fünfzehn Essays. 1. Folge, S. 376 (Gervinus, 1871). S. auch B. *Peschken,* Versuch
    einer germanistischen Ideologiekritik (Anm. 23), S. 119, der auf die bei Dilthey stattfindende
    »Identifizierung von geistigen Bewegungen Deutschlands mit einem Staat« verweist. Am unge-
    niertesten hat sich ein Mann wie Julius Langbehn zu solchen Ideen bekennen können, weil er,
    wie im Kap. III. 3. (»Macht und Geist«) schon gesagt wurde, keine Rücksicht auf bürgerliche
    Empfindlichkeiten nehmen mußte und wollte. S.: (Julius *Langbehn*), Rembrandt als Erzieher.
    Von einem Deutschen. 77.–84. Aufl. Leipzig 1922 (zuerst: 1890), S. 227 (Kap.: »Zur Politik des
    Geisteslebens«): »Kunst ist deutsch und Politik ist preußisch; Kunstpolitik ist deutschpreu-
    ßisch«.
34 F. *Stern,* Kulturpessimismus als politische Gefahr, S. 17.
35 *Grimm,* Michelangelo, S. 10.
36 Ebda.
37 O. *Gildemeister,* Moltke (26. Okt. 1890). In: O. *Gildemeister,* Aus den Tagen Bismarcks
    (Anm. 30), S. 197.
38 *Justi,* Winckelmann, Bd. 1, S. 222; *Haym,* Humboldt, S. 265; H. *Grimm,* Fünfzehn Essays.
    1. Folge, S. 440 (R. W. Emerson, 1861).
39 *Grimm,* Michelangelo, S. 58.
40 Th. W. *Adorno,* Fortschritt. In: Th. W. A., Stichworte. Kritische Modelle 2. Frankfurt/M. 1969
    (edition suhrkamp 347), S. 29–50, Zitat: S. 41.

IV. Biographik im 20. Jahrhundert

1. Biographie als Mythographie – Der George-Kreis

1 Hans *Rosenberg,* Wirtschaftskonjunktur, Gesellschaft und Politik in Mitteleuropa, 1873–1896. In: H.-U. *Wehler* (Hg.), Moderne deutsche Sozialgeschichte. 3. Aufl. Köln und Berlin 1970, S. 241: »vorwiegend mißtrauische, pessimistische oder gar angsterfüllte Einschätzung der Marktentwicklung«; Reinhard *Kühnl,* Formen bürgerlicher Herrschaft, S. 63: »Diffamierung von Vernunft und Fortschritt, die Verherrlichung von Intuition und Tradition«. S. auch: F. *Stern,* Kulturpessimismus als politische Gefahr (1963); Gerhard *Masur,* Propheten von Gestern. Zur europäischen Kultur 1890–1914. Frankfurt/M. 1965; Klaus *Vondung* (Hg.), Das wilhelminische Bildungsbürgertum (1976); Walter *Wiora,* »Die Kultur kann sterben« – Reflexionen zwischen 1880 und 1914. In: Roger *Bauer* u. a., Fin de Siècle. Zu Literatur und Kunst der Jahrhundertwende. Frankfurt/M. 1977, S. 50–72; Hans *Kaufmann,* Probleme einer Geschichte der deutschen Literatur der ersten Hälfte des 20. Jahrhunderts. In: H. K., Analysen, Argumente, Anregungen. Berlin (DDR) 1974, S. 156–201. S. aber vor allem: Georg *Lukács,* Die Zerstörung der Vernunft. Neuwied u. Berlin 1962 (G. L., Werke 9).
2 G. *Lukács,* Die Zerstörung der Vernunft (Anm. 1).
3 S. *Kracauer,* Aufruhr der Mittelschichten. Eine Auseinandersetzung mit dem ›Tat‹-Kreis. In: S. K., Das Ornament der Masse. S. 100.
4 Der jüngste Versuch, die Heldenverehrung im George-Kreis zu skizzieren und zu werten, stammt von K. *Landfried,* Stefan George. S. z. B. das Kap. »Heldenverehrung: Heroen, Führer, Täter«, S. 77 ff.
5 F. *Wolters,* Stefan George, S. 483 u. 488.
6 S. dazu: Michael *Winkler,* George-Kreis, S. 70 (Wolters), S. 93 ff.; Stefan George. 1868–1968. Der Dichter und sein Kreis. Eine Ausstellung des Deutschen Literaturarchivs im Schiller-Nationalmuseum Marbach a. N. Stuttgart 1968, S. 353 ff.
7 Gundolf an Hellingrath, 12. Dez. 1909. Nach: Ausstellungskatalog Marbach (Anm. 6), S. 231.
8 *Bertram,* Nietzsche, S. 86.
9 Ebda, S. 352 u. 353.
10 *Gundolf,* George, S. 23.
11 S. dazu: S. *Kracauer,* Georg Simmel. In: Das Ornament der Masse, S. 209–248, Zitat: S. 243.
12 Kurt *Hildebrandt,* Norm. Entartung und Verfall. Bezogen auf den Einzelnen / Die Rasse / Den Staat. Stuttgart 1939, S. 8 (Aus dem Vorwort zur neuen Ausgabe von 1934).
13 *Wolters,* George, S. 486.
14 Max *Weber,* Vom inneren Beruf zur Wissenschaft. In: M. W., Soziologie, S. 322.
15 Fr. *Gundolf,* Dichter und Helden, S. 25; B. *Vallentin,* Napoleon, S. 283.
16 *Wolters,* George, S. 488.
17 *Gundolf,* Dichter und Helden, S. 30.
18 Ebda, S. 47 f.
19 Ebda, S. 52.
20 Ebda, S. 47.
21 *Gundolf,* George, S. 22. Für George behauptet Gundolf: »er allein beherrscht heute die neue Ebene die Nietzsche zuerst wieder sah, die Ebene des ewigen Menschen, nicht die der modernen ›Menschheit‹.«
22 *Gundolf,* Goethe, S. 4; *Gundolf,* Dichter und Helden, S. 27.
23 *Bertram,* Nietzsche, S. 12.
24 *Vallentin,* Winckelmann, S. 85.
25 *Gundolf,* Dichter und Helden, S. 25.
26 *Gundolf,* Goethe, S. 6 u. 7.
27 *Nietzsche,* Vom Nutzen und Nachteil der Historie für das Leben. In: *Nietzsche,* Werke in zwei Bänden. München 1967, Bd. 1, S. 172.

28 *Bertram,* Nietzsche, S. 404. Das Zitat stammt aus einer Vorlesung Bertrams aus dem Jahre 1946 (»Aufgaben und Methoden deutscher Literaturgeschichte«), die im Nachwort ausführlich zitiert wird. Zu Bertrams Position vgl. auch: Robert *Weimann,* Gegenwart und Vergangenheit in der Literaturgeschichte. In: R. W., Literaturgeschichte und Mythologie. Berlin (DDR) und Weimar 1974, S. 24–27.

28 a E. *Kantorowicz,* »Mythenschau«. Eine Erwiderung. In: Historische Zeitschrift 141 (1930), S. 457–471, Zitat: S. 471.

29 *Wolters,* George, S. 305.

30 Fr. *Wolters,* Herrschaft und Dienst. 2. Aufl. Berlin 1920 (zuerst: 1909), S. 53.

31 *Gundolf,* Dichter und Helden, S. 44.

32 Ebda, S. 24.

33 S. *Kracauer,* Die Wartenden. In: S. K., Das Ornament der Masse, S. 106–119, Zitat: S. 112.

34 *Nietzsche,* Vom Nutzen (Anm. 27), S. 171 f.

35 *Gundolf,* Dichter und Helden, S. 46.

36 *Nietzsche,* Vom Nutzen (Anm. 27), S. 171.

37 *Bertram,* Nietzsche, S. 9.

38 *Gundolf,* Dichter und Helden, S. 49.
     Vgl. auch *Vallentin,* Napoleon, S. 53 ff. (»Geschichte und Gegenwart«), z. B. S. 56: »Die Geschichte ist keine Beispielsammlung zu unmittelbarer Nutzanwendung.«

39 Gundolf, Dichter und Helden, S. 33.

40 E. *Morwitz,* Kommentar zu den Werken Stefan Georges. München, Düsseldorf 1960, S. 69.

41 J. *Müller,* Dilthey und das Problem der historischen Biographie, S. 90 f. Das Dilthey-Zitat (»rätselhafte Individuation«): *Dilthey,* Ges. Schriften, Bd. 5, S. 273.

42 *Dilthey,* Ges. Schriften, Bd. 7, S. 209. S. auch: J. *Müller,* Dilthey und das Problem der historischen Biographie, S. 91.

43 *Vallentin,* Napoleon, S. 8. (Auch in: Ausstellungskatalog Marbach (Anm. 6), S. 381.)

44 S. z. B. *Bertram,* Nietzsche, S. 47, wo die Geschichtslosigkeit des ›Pöbels‹ mit Nietzsches Worten behauptet wird: »Wer vom Pöbel ist, dessen Gedanken geht zurück bis zum Großvater, – mit dem Großvater aber hört die Zeit auf«. (Aus: Also sprach Zarathustra, III, 11; in: *Nietzsche,* Werke (Anm. 27), Bd. 1, S. 686.) Vgl. *Gundolf,* Dichter und Helden, S. 25: »Weh denen die keine Ahnen haben«.

45 *Gundolf, Caesar.* Darmstadt 1968, *S. 9; Bertram*, Nietzsche, S. 213.

46 *Gundolf*, Dichter und Helden, S. 25 f.

47 J. *Burckhardt,* Die Kultur der Renaissance, S. 4 (s. auch S. 429), und J. B., Weltgeschichtliche Betrachtungen, S. 179. S. dazu auch: J. *Wenzel,* Jakob Burckhardt in der Krise seiner Zeit. Berlin (DDR) 1967, S. 147.

48 *Bertram,* Nietzsche, S. 19.

49 *Gundolf,* Dichter und Helden, S. 30.

50 Ebda, S. 55.

51 Ebda, S. 53.

52 Ebda.

53 In: Deutsche Literaturzeitung 51 (1930), Sp. 75–85. Wieder in: Friedrich *Baethgen,* Mediaevalia. Aufsätze, Nachrufe, Besprechungen. T. 2. Stuttgart 1960 (Schriften der Monumenta Germaniae historica 17/II), S. 542.

a) *›Täter‹: Kantorowicz' »Kaiser Friedrich der Zweite« (1927)*

 1 K[arl] *Hampe,* Das neueste Lebensbild Kaiser Friedrichs II. In: Historische Zeitschrift 146 (1932), S. 441–475, Zitat: S. 441. Zur Diskussion um »Friedrich II.« s. die Literaturangaben bei: M. *Winkler,* George-Kreis, S. 97. Ein wissenschaftlicher Disput wurde in der »Historischen

Zeitschrift« zwischen Albert Brackmann und Kantorowicz ausgetragen: A. B., Kaiser Friedrich II. in »mythischer Schau«. In: HZ 140 (1929), S. 534–549; E. K., »Mythenschau«. Eine Erwiderung. In: HZ 141 (1930), S. 457–471; ·A. B., Nachwort. In: HZ 141 (1930), S. 472–478. Zur Rolle Kantorowicz' innerhalb der Fachwissenschaft s. auch: Peter *Schumann,* Die deutschen Historikertage von 1893 bis 1937. Die Geschichte einer fachhistorischen Institution im Spiegel der Presse. Göttingen: Selbstverlag 1975 (Phil. Diss. Marburg 1974), S. 377 ff. u. 386 f.

2 Im folgenden wird zitiert nach dem 3. fotomechanischen Nachdruck von 1973 (Düsseldorf u. München).

3 Gustav *Freytag,* Die Technik des Dramas (II. 3). 9. Aufl. Leipzig 1901, S. 120.

4 *Gundolf,* Dichter und Helden, S. 28 f.

5 J. *Burckhardt,* Die Kultur der Renaissance, S. 5.

6 *Burckhardt,* Weltgeschichtliche Betrachtungen, S. 71 u. 182.

7 G. W. F. *Hegel,* Ästhetik, Bd. 1, S. 185 f. (1. T., 3 Kap., B II, 1 a: Die individuelle Selbständigkeit: Heroenzeit): »Heroen dagegen sind Individuen, welche aus der Selbständigkeit ihres Charakters und ihrer Willkür heraus das Ganze einer Handlung auf sich nehmen und vollbringen und bei denen es daher als individuelle Gesinnung erscheint, wenn sie das ausführen, was das Rechte und Sittliche ist.«

8 *Gundolf,* Dichter und Helden, S. 56.

9 Goethe im Gespräch mit Kanzler Müller, 6. 6. 1824: »Alles Tragische beruht auf einem unausgleichbaren Gegensatz. Sowie Ausgleichung eintritt oder möglich, schwindet das Tragische.«

10 *Gundolf,* Dichter und Helden, S. 57.

11 Ebda, S. 55.

12 So Friedrich *Baethgen* in seiner Rezension von »Friedrich II.«. In: Deutsche Literaturzeitung, Bd. 51 (1930), Sp. 75–85. Wieder in: F. B., Mediaevalia. Aufsätze. Nachrufe. Besprechungen. T. 2. Stuttgart 1960 (Schriften der Monumenta Germaniae historica 17/II), S. 545 f.

13 G. *Lukács,* Die Theorie des Romans. Neuwied u. Berlin 1971 (Slg. Luchterhand 36), S. 77.

14 F. *Baethgen* (Anm. 12), S. 546.

15 K. *Hampe* (Anm. 1), S. 471.

16 Ebda, S. 463. Zum Bild Friedrichs II. s. auch: Kaiser Friedrich II. Sein Leben in zeitgenössischen Berichten. Hg. v. K. J. *Heinisch.* München 1977 (dtv 2901).

17 Peter *Gay,* Die Republik der Außenseiter. Geist und Kultur in der Weimarer Zeit: 1918–1933. Frankfurt/M. 1970, S. 77 u. 75. Zum Erfolg: 1. Aufl.: 1927, 2. Aufl.: 1928, 3. Aufl.: 1931, 4. Aufl.: 1936, 1. fotomech. Nachdruck: 1963, 2. Nachdruck: 1964, 3. Nachdruck: 1973.

18 S. *Kracauer,* Aufruhr der Mittelschichten. Eine Auseinandersetzung mit dem »Tat«-Kreis. In: S. K., Das Ornament der Masse, S. 81–105, Zitat: S. 100.

19 So in seiner »Erwiderung« auf Brackmann (Anm. 1), S. 471.

20 *Hampe* (Anm. 1), S. 466. *Brackmann,* Nachwort (Anm. 1), S. 475.

21 Bertram, Nietzsche, S. 14.

22 *Gundolf,* Dichter und Helden, S. 24.

23 Fr. *Wolters,* Herrschaft und Dienst. 2. Aufl. Berlin 1920, S. 59.

24 *Burckhardt,* Weltgeschichtliche Betrachtungen, S. 171.

25 *Gundolf,* Dichter und Helden, S. 55.

26 *Hegel,* Ästhetik, Bd. 1, S. 193 (1. T., 3. Kap., B. II, 1 b): »Denn einerseits sind ihm die Zwecke gegeben und finden ihren Ursprung – statt in seiner Individualität – in Verhältnissen, welche außer dem Bezirk seiner Macht liegen; andererseits schafft er sich auch die Mittel zur Ausführung dieser Zwecke nicht durch sich selber; im Gegenteil, sie werden ihm verschafft, da sie ihm nicht unterworfen und im Gehorsam seiner Persönlichkeit sind«.

27 S. dazu: *Hampe* (Anm. 1), S. 463: »Vor allem sind es Haß […], Rachedurst und Überhebung nach Erfolgen, die ihm das Augenmaß getrübt und wiederholt das politische Konzept verdorben haben.«

28 *Hampe* (Anm. 1), S. 457.

29 S. *Kracauer,* Aufruhr der Mittelschichten (Anm. 18), S. 100.

30 *Hegel,* Ästhetik, Bd. 1, S. 188 (1. T., 3. Kap., II, 1 a): »Aber in der alten plastischen Totalität ist das Individuum nicht vereinzelt in sich, sondern Glied seiner Familie, seines Stammes.«

31 Zur Genossenschaftsidee s. die Arbeiten von Otto Gierke und Hugo Preuß. S. dazu: Peter *Gilg,* Die Erneuerung des demokratischen Denkens im Wilhelminischen Deutschland (1965), S. 93 ff. Zur Faszination durch den proletarischen Sozialismus s.: Karl *Prümm,* Die Literatur des Soldatischen Nationalismus der 20er Jahre (1918–1933). Kronberg/Ts. 1974, Bd. 1, S. 17 f.

32 Max *Weber,* Die drei reinen Typen der legitimen Herrschaft (1922). In: M. W., Soziologie, S. 159.

33 Ebda, S. 162.

34 *Bertram,* Nietzsche, S, 86.

35 *Gundolf,* Dichter und Helden, S. 52. Zum Terminus ›Volk‹ s. *Gundolf,* George, S. 34 f. G. beschreibt 4 Typen: 1) das Publikum 2) die Masse, 3) Volk »als eine politische und kulturelle Kollektiv-persönlichkeit«, 4) »endlich bezeichnet ›Volk‹ schlechthin die ›Volkheit‹ (nach Goethes Wort), den gesteigerten und verdichteten Geist der Nation, ihren Bildungsgenius«.

36 Zum Führerkult s.: Kurt *Sontheimer,* Antidemokratisches Denken in der Weimarer Republik. München 1962 (Teil II, Kap. 9: Der Ruf nach dem Führer).

37 Thomas *Mann,* Politische Schriften und Reden. Bd. 2. Frankfurt/M. 1968 (Fischer Bücherei MK 117), S. 190. Zur Warnung vor dem Irrationalismus s. auch: K. *Prümm,* Soldatischer Nationalismus (Anm. 31), Bd. 1, S. 69.

b) ›Seher‹: Friedrich Gundolfs »Goethe« (1916) und Ernst Bertrams »Nietzsche« (1918)

1 *Gundolf,* Tat und Wort im Krieg. In: Frankfurter Zeitung 11. Okt. 1914. Hier nach: M. *Winkler,* George-Kreis, S. 86. S. dazu auch: Ernst *Keller,* Nationalismus und Literatur. Bern u. München 1970, wo im Kap. »Langemarck« Walter Flex, Stefan George, Ernst Jünger und Ludwig Renn behandelt werden. S. dazu auch den informativen Artikel von Klaus *Vondung,* Deutsche Apokalypse 1914. In: K. V. (Hg.), Das wilhelminische Bildungsbürgertum, S. 153–171. Als neueste Arbeit: Eckart *Koester,* Literatur und Weltkriegsideologie. Kronberg/Ts. 1977.

2 Claude *David,* Stefan George. Sein dichterisches Werk. München 1967, S. 327.

3 S. dazu: M. *Winkler,* George-Kreis, S. 69, S. 96.

4 *Wolters,* George, S. 305.

5 E. *Bertram,* Nietzsche. Versuch einer Mythologie. 8. Aufl. Bonn 1965, S. 36. Im folgenden wird im Text nach dieser Aufgabe zitiert und die Seitenzahlen jeweils in Klammern gesetzt.

6 *Wolters,* George, S. 489; F. *Gundolf,* Dichter und Helden, S. 30.

7 Zu Hölderlin: Max *Kommerell,* Der Dichter als Führer in der deutschen Klassik. 2. Aufl. Frankfurt o. J., S. 428; zu Jean Paul: M. K., Jean Paul, Frankfurt/M. o. J. (1933), S. 17. S. auch: W. *Benjamin,* Der eingetunkte Zauberstab. Zu Max Kommerells »Jean Paul«, In: W. B., Angelus Novus, S. 494–502.

8 Leo *Löwenthal,* Literatur und Gesellschaft, S. 265.

9 G. *Lukács,* Die Theorie des Romans, Neuwied u. Berlin 1971 (Slg. Luchterhand 36), S. 26 u. S. 77. Vgl. auch: Heinz *Schlaffer,* Der Bürger als Held. Sozialgeschichtliche Auflösungen literarischer Widersprüche. Frankfurt/M. 1973 (edition suhrkamp 624), S. 37, wo im Zusammenhang mit Jean Pauls »Titan« auf die Melancholie hingewiesen wird, die dem Tatverzicht folgt.

10 *Schlaffer,* Der Bürger als Held (Anm. 9), S. 38 u. 18. S. auch: Wulf *Koepke,* Das Jean-Paul-Bild des George-Kreises. In: Jb f. intern. Germanistik. Reihe A. Bd. 2. H. 4. Hg. v. L. Forster u. H.-G. Roloff. Bern u. Frankfurt/M. 1976, S. 74–83.

11 In: S. *Kracauer,* Das Ornament der Masse, S. 64–74.

12 W. *Benjamin,* Angelus Novus, S. 431 u. 435 (Anm. 7).

13 *Vallentin,* Napoleon, S. 283.

14 Friedrich *Gundolf,* Goethe. 24.–30. Tds. Berlin 1922, S. 49 f. u. 408; vgl. S. 407 f. Im folgenden werden die Seitenangaben nach dieser Ausgabe in den Text eingefügt.
15 *Gundolf,* Dichter und Helden, S. 31 u. 42.
16 G. *Benn,* Ges. Werke in 8 Bänden. Hg. v. D. *Wellershoff.* Wiesbaden 1968, Bd. 7, S. 1707–1717, Zitat: S. 1715 (d. i. eine Besprechung von: Julius *Evola,* Erhebung wider die moderne Welt. Stuttgart 1935; s. dazu: Bd. 8, S. 2223).
17 Hier zitiert nach: *Bertram,* Nietzsche, S. 73.
18 So in einem Entwurf einer Vorrede zu »Dichtung und Wahrheit«. In: *Goethe,* Weimarer Ausgabe, Bd. 28, S. 358. Den Hinweis verdanke ich B. *Neumann,* Identität und Rollenzwang, S. 139 f. Die Aussage lautet im Zusammenhang: »Die Biographie sollte sich einen großen Vorrang vor der Geschichte erwerben, indem sie das Individuum lebendig darstellt und zugleich das Jahrhundert wie auch dieses lebendig auf jenes einwirkt. Die Lebensbeschreibung soll das Leben darstellen, wie es an und für sich und um sein selbst willen da ist. Dem Geschichtsschreiber ist nicht zu verargen, daß er sich nach Resultaten umsieht; aber darüber geht die einzelne That sowie der einzelne Mensch verloren.«
19 S. dazu auch Christa *Bürger,* Der Ursprung der bürgerlichen Institution Kunst, S. 110 ff. (»Exkurs zur Goethe-Rezeption um die Wende zum 20. Jahrhundert«). B. geht dabei auch auf *Gundolf*s »Goethe« ein und charakterisiert diesen als »Typus ästhetizistischer Literaturbetrachtung«, wobei eine Auratisierung der »Werk-Leben-Totalität« eintrete (S. 114).
20 M. *Fuhrmann,* Winckelmann, ein deutsches Symbol, S. 279, hat auch für *Vallentins* »Winckelmann« solche Kompositabbildung nachgewiesen.
21 C. *David,* Stefan George (Anm. 2), S. 308.
22 H. von *Hofmannsthal,* Prosa. Bd. 4. Frankfurt/M. 1955, S. 406.
23 Zitiert im Nachwort von Hartmut Buchner zu: *Bertram,* Nietzsche, S. 407 f.
24 *Vallentin,* Winckelmann, S. 85.
25 *Wolters,* George, S. 484.
26 W. *Benjamin,* Angelus Novus, S. 429.
27 Ebda, S. 475 u. 476 (aus: W. B., Rückblick auf Stefan George).
28 S. dazu: M. *Winkler,* George-Kreis, S. 60, 68, 73 f.
29 G. *Benn,* Ges. Werke (Anm. 16), Bd. 4, S. 1041.
30 Ebda, Bd. 1, S. 182.
31 Max *Weber,* Asketischer Protestanismus und kapitalistischer Geist. In: M. W., Soziologie, S. 378.
32 Ebda. Vgl. dazu auch Hannelore und Heinz *Schlaffer,* Studien zum ästhet. Historismus, S. 165, wo dieser melancholische Zug auch für die Essayistik, z B. bei Hofmannsthal, geschildert wird.
33 *Gundolf,* Dichter und Helden, S. 31.
34 Ebda.

c) Exkurs: Zweimal »Geist und Tat« – Friedrich Gundolfs »Hutten« (1916) und Heinrich Manns »Zola« (1915)

1 Die Pole werden am besten durch zwei Arbeiten erfaßt, in denen einmal fast nur das Formale den Autor interessiert und beim anderen mehr die Ideologie im Vordergrund steht: (1.) L. *Rohner,* Der deutsche Essay (1966), S. 240–258; 2.) Eckart *Koester,* Literatur und Weltkriegsideologie. Kronberg/Ts. 1977, S. 314–343.
Weitere Literatur zur Essayistik H. Manns s. die bibliographischen Angaben in: H. L. *Arnold* (Hg.), Heinrich Mann. München 1971 (Text und Kritik), S. 156 f.; S. jetzt aber vor allem: Renate *Werner,* Heinrich Mann. Eine Freundschaft. Gustave Flaubert und George Sand. Text, Materialien, Kommentar. München 1976 (Reihe Hanser 205). Dieser vorzüglichen Analyse verdankt die folgende Untersuchung viele Anregungen, da über den »Flaubert«-Essay hinaus bei

Werner sich sehr viel zur Essayistik Manns insgesamt findet. S. auch: Dieter *Bachmann*. Essay und Essayismus. Benjamin-Broch-Kassner–H. Mann-Musil-Rychner. Stuttgart u. a. 1965. Zur Essayistik H. Manns und der seiner Zeitgenossen vgl. auch: Helmut *Mörchen*, Schriftsteller in der Massengesellschaft. Zur politischen Essayistik und Publizistik Heinrich und Thomas Manns, Kurt Tucholskys und Ernst Jüngers während der Zwanziger Jahre. Stuttgart 1973. Aus linguistischer Sicht liegt uns eine Arbeit vor: Jacques *Verger*, Der Zola-Essay. Entwurf zu einer sprachwissenschaftlichen Analyse. In: Heinrich Mann am Wendepunkt der dt. Geschichte. Berlin (DDR) 1971, S. 58–67.

2 H. *Schlaffer*, Der kulturkonservative Essay im 20. Jahrhundert. In: Hannelore und Heinz *Schlaffer*, Studien zum ästhetischen Historismus, S. 140–173. Zitat: S. 145.

3 Zu Hutten siehe – außer der immer noch wichtigen Biographie von David Friedrich Strauß (1858–60) – die jüngere Monographie: Hajo *Holborn*, Ulrich von Hutten. Göttingen 1968 (Kleine Vandenhoeck-Reihe 266 S) (zuerst: 1929). Vgl. auch: Helmut *Scheuer*, Kaisertum und deutsche Nation. In: Daphnis. Zt. f. Mittlere Deutsche Literatur 2 (1973), H. 2, S. 133–157. (Das gesamte Heft ist Hutten gewidmet.) Siehe auch die bibliograph. Angaben zu Hutten in: B. *Könneker*, Die deutsche Literatur der Reformationszeit. München 1975, S. 235–37.

4 Zitiert wird nach: Friedrich *Gundolf*, Ulrich von Hutten. In: F. G., Hutten. Klopstock. Arndt. Drei Reden. Heidelberg 1924, S. 5–27; Heinrich *Mann*, Zola. In: H. *Mann*, Essays. Hamburg 1960, S. 154–240.

5 S. bei *Rohner*, Der deutsche Essay, S. 248.

6 S. dazu auch die entsprechenden Kap. bei Renate *Werner* (Anm. 1), z. B. II, 2: Stilistische und extratextuelle Aspekte.

7 Robert *Weimann*, Erzählsituation und Romantypus. Zu Theorie und Genesis realistischer Erzählformen. In: Sinn und Form, H. 1, 1966, S. 109–133. Wieder in: Kritik in der Zeit. Der Sozialismus – seine Literatur – ihre Entwicklung. Hg. von Klaus *Jarmatz* u. a. Halle (1970), S. 743–774, Zitat: S. 773.
   Zur ›Multi‹- bzw. ›Poly‹perspektive s. auch die Kapitel »Ästhetische Harmonie« (IV. 2. j.) und »Kunst und Wissenschaft« (IV. 3).

8 R. *Weimann*, Erzählsituation (Anm. 7), S. 774.

9 Ebda, S. 772.

10 R. *Werner* (Anm. 1), S. 113.

11 Ebda, S. 115.

12 S. dazu: Ebda, S. 113 f.

13 L. *Rohner*, Der deutsche Essay, S. 248.

14 Ebda.

15 S.: Klaus *Schröter*, Deutsche Germanisten als Gegner Heinrich Manns. Einige Aspekte seiner Wirkungsgeschichte. In: H. L. *Arnold*, Heinrich Mann (Anm. 1), S. 141–149. Vgl. jetzt die von Renate *Werner* zusammengestellten Dokumente: R. W. (Hg.), Heinrich Mann. Texte zu seiner Wirkungsgeschichte in Deutschland. Tübingen 1977 (deutsche texte, hg. von G. *Wunberg*).

16 Bruno *Berger*, Der Essay, S. 231.

17 In: Jb. f. d. geistige Bewegung. 3. Jg. (1912). (In der Einleitung, die von Gundolf und Wolters gemeinsam verfaßt worden ist.) Hier nach: Stefan *George* (Katalog der Marbacher Ausstellung 1968), S. 244.

18 H. *Mann*, Politische Essays. (Frankfurt) 1968 (Bibliothek Suhrkamp 209), S. 13.

19 *Herder*, Werke (Suphan), Bd. 9, S. 479.

20 Ebda, S. 476.

21 D. Fr. *Strauß*, Ulrich von Hutten. Leipzig 1938, S. 350 (zuerst: 1858–60).

22 S. dazu: E. *Koester*, Literatur und Weltkriegsideologie (Anm. 1), S. 339. K. weist auf die Arbeit von Verger (Anm. 1) hin, setzt sich aber zugleich kritisch mit ihr auseinander, indem er die Verwendung biblischer Sprache nicht als eine bloße stilistische Besonderheit, sondern als dem Verständnis Manns und der von ihm in »Zola« vertretenen geistigen Führerschaft entsprechend ansieht.

23 Ebda, S. 333. Den Vorwurf einer »naiv-liberale[n] Begeisterung für die bürgerliche Republik«

hat Geißler erhoben: K. *Geißler,* Die weltanschauliche und künstlerische Entwicklung Heinrich Manns während des 1. Weltkrieges. Diss. (masch.) Jena 1963. Hier nach: *Koester,* S. 329.

24 Ebda, S. 328. Auch *Geißler* (Anm. 23) hat sich eingehend mit dem ›Arbeits‹begriff auseinander-gesetzt (S. 209 ff.) Vgl. auch: Renate *Werner,* Skeptizismus, Ästhetizismus, Aktivismus. Der frühe Heinrich Mann. Düsseldorf 1972, S. 195 ff.

25 Zu Hiller s.: H. *Mörchen,* Schriftsteller in der Massengesellschaft (Anm. 1), S. 7 ff. R. *Hamann*/J. *Hermand,* Expressionismus (Fischer-Taschenbuch 6355).

26 E. *Bloch,* Geist der Utopie. Berlin 1923, S. 4 f. (Einleitenden Passage »Absicht«).

27 H. *Mann,* Politische Essays (Anm. 18), S. 11.

2. Die ›moderne‹ Biographie: Emil Ludwig und Stefan Zweig

1 *Kracauer,* Die Biographie als neubürgerliche Kunstform. In: S. K., Das Ornament der Masse, S. 75–80, Zitat: S. 75.

2 *Nitsche,* Biographie, S. 63.

3 Die Skizzen sind nach folgenden Werken entstanden: E. *Ludwig,* Geschenke des Lebens; Stefan *Zweig,* Die Welt von Gestern; Friderike *Zweig,* Stefan Zweig. Wie ich ihn erlebte. Berlin 1948; Friderike *Zweig,* Stefan Zweig. Eine Bildbiographie. München 1961; Hanns *Arens* (Hg.), Stefan Zweig. Sein Leben – Sein Werk. Esslingen 1949.

4 *Ludwig,* Geschenke des Lebens, S. 409 u. 125.

5 Ebda, S. 483.

6 *Zweig,* Die Welt von Gestern, S. 346 u. 211.

7 Ebda, S. 214.

8 Ebda, S. 258.

9 Ebda, S. 9.

10 *Ludwig,* Geschenke, S. 462.

11 Ebda, S. 302, 160 (Dehmel), 349 (George), 157.

12 Ebda, S. 351.

13 H. *Mann,* Politische Essays. (Frankfurt) 1968 (Bibliothek Suhrkamp 209), S. 14.

14 Karl *Prümm,* Die Literatur des Soldatischen Nationalismus der 20er Jahre (1918–1933). 2 Bde. Kronberg/Ts. 1974, Bd. 2, S. 270.

15 *Zweig,* Die Welt von Gestern, S. 346.

16 Nach: Friderike *Zweig,* Stefan Zweig (1948) (Anm. 3), S. 120.

17 O. *Westphal,* Feinde Bismarcks, S. 1 f. S. auch: Leo *Löwenthal,* Biographische Mode; *Ludwig,* Geschenke des Lebens, Anhang: Hier finden wir die Auflagen und Übersetzungen der Bücher Ludwigs von 1926–30. Daher bezieht wohl auch Westphal seine Zahlen. Für »Napoleon« gelten folgende Zahlen: 189.000 dt. Auflage, 636.000 fremdsprachige Aufl.; für Goethe: 45.000/34.000 (diese scheinbar geringe Auflagenhöhe ist durch die Jahresbegrenzungen 1926–30 bedingt. Von der 1920 zuerst erschienenen Biographie liegt 1931 jedenfalls die 100. Auflage vor.)

18 *Zweig,* Die Welt von Gestern, S. 373.

19 Ebda, S. 363 u. 366.

20 *Kracauer,* Über Erfolgsbücher und ihr Publikum. In: S. K., Das Ornament der Masse, S. 71. Robert *Neumann,* Historische Romane und Novellen. In: Die Literatur. Monatsschrift für Literaturfreunde 29 (1926/27), S. 700, fordert eine »spezielle Soziologie dieser Produktionsart und ihrer Produzenten.« Hier nach: Geschichte der dt. Literatur. 1917 bis 1945. Hg. von einem Autorenkollektiv unter Leitung von H. *Kaufmann.* Berlin 1973 (Gesch. d. dt. Lit. von den Anfängen bis zur Gegenwart 10), S. 326.

21 *Kracauer,* Über Erfolgsbücher (Anm. 20), S. 71.

22 Vgl. *Kracauer,* Die Biographie als neubürgerliche Kunstform. In: S. K., Das Ornament der Masse. S. 75–80.

23 *Westphal,* Feinde Bismarcks, S. 15; W. *Mommsen,* »Legitime« und »illegitime« Geschichts-
    schreibung, S. 4; Jakob *Overmans,* S. J., Die Mode biographischer Dichtung. In: Stimmen der
    Zeit. Monatsschrift für das Geistesleben der Gegenwart 118 (1930), S. 349–359, Zitat: S. 350.
24 Lulu von *Strauß und Torney,* Über Selbstbiographien. In: Die Tat 13 (1921/22), H. 8 (Nov.
    1921), S. 569–581, Zitat: S. 570. Vgl. auch L. v. St. u. T., Lebensläufe. In: Die Tat 15
    (1923/24), H. 10, S. 745–754: »Was wir alle brauchen, was jeder einzelne von uns nötig hat wie
    das liebe Brot, das sind innere Richtlinien und Wegweiser im Irrsal und Widerstreit unserer Tage
    [...] Anstatt der Wegweiser stellen wir Menschenbilder an unseren Weg, sie zu befragen über
    Weg und Richtung, die wir zu suchen haben. Und dieses ist letzter Sinn aller Biographie.«
    (S. 745).
    Vgl. Lulu v. St. u. T., Lebensdokumente. In: Die Tat 18, H. 9 (Dez. 1926), S. 675–679: »bleibt
    lebendig wirkend das in den Mitlebenden sich spiegelnde, von Geschlecht zu Geschlecht weiter-
    gespiegelte und durch die wachsende Ferne zuweilen bis zum Mythos hinaufverklärte *Sein* eines
    großen Menschen. Diese Spiegelung eines Ich im Andern, diese Wirkung des Seins ist, bewußt
    oder unbewußt, der innerste Sinn aller biographischer Überlieferung.« (S. 657).
24 a *Ludwig,* Geschenke, S. 828: »Als ich meine biographischen Schriften kürzlich mit Byrons Ge-
    sängen in dem Sinne vergleichen hörte, daß man sie verhaltene Parlamentsreden genannt hat,
    fühlte ich mich im Zentrum meiner Absichten getroffen.«
25 S. dazu z. B.: Georg *Lukács,* Der historische Roman; W. *Schiffels,* Formen historischen Erzäh-
    lens; Hans Vilmar *Geppert,* Der ›andere‹ historische Roman.
26 Vgl. A. *Döblin,* Der historische Roman und wir.
27 *Zweig,* Die Geschichte als Dichterin, S. 60.
28 *Döblin,* Der historische Roman und wir, S. 178.
29 Lion *Feuchtwanger,* Das Haus der Desdemona, S. 145: »Echte Dichter haben auch in ihren
    Schöpfungen, die Historie zum Gegenstand hatten, immer nur Zeitgenössisches aussagen wol-
    len, ihr Verhältnis zur eigenen Zeit, ihr erlebtes Erkennen, wieviel von der Vergangenheit in der
    eigenen Zeit atmet.«
30 W. *Benjamin,* Ein Jakobiner von Heute. Zu Werner Hegemanns »Das steinerne Berlin«. In:
    W. B., Angelus Novus, S. 444–449. Mir ist wenig Biographisches zu Hegemann bekannt ge-
    worden. Vgl. deshalb Klaus *Kratzschs* Artikel in der »Neuen Deutschen Biographie« und Her-
    mann *Kestens* Porträtskizze in: H. K., Meine Freunde die Poeten. München o. J., S. 135–140.
31 W. *Benjamin,* Briefe, Bd. 1, Frankfurt 1966, S. 396 (21. Juli 1925 an G. Scholem).
32 Vgl. dazu: H. *Kesten,* Meine Freunde die Poeten (Anm. 30), S. 139. K. berichtet, daß Hegemann
    es liebte, »Gegner und Widersacher zu versammeln und wie ideologische Kampfhähne im Streit-
    gespräch gegeneinanderzuhetzen«.
33 In: S. *Kracauer,* Das Ornament der Masse, S. 76.
34 S. die Neuauflagen der Biographien von Zweig im S. Fischer-Verlag. Ludwigs Werke sind z. T.
    ebenfalls neu aufgelegt worden und zwar im Herbig-Verlag (München u. Berlin): 1975: Bis-
    marck, 1976: Wilhelm II. (schon 1964 bei Rütten und Loening, München, hg. v. I. *Geiss*),
    1977: Napoelon.

a) *›Legitime‹ und ›illegitime‹ Geschichtsschreibung – Historiker und Literaten*

1 Peter *Schumann,* Die deutschen Historikertage von 1893 bis 1937. Die Geschichte einer fachhistorischen Institution im Spiegel der Presse. Göttingen: Selbstverlag 1975 (Phil. Diss. Marburg
   1974), S. 288.
2 W. *Mommsen,* in: Historische Zeitschrift (HZ) 138 (1928), S. 621 (Rezension über *Ludwigs*
   »Bismarck«).
3 P. *Schumann,* Die deutschen Historikertage (Anm. 1), S. 288.
4 Bisherige Behandlung dieses Streites: H. *Lethen,* Neue Sachlichkeit. Studien zur Literatur des
   ›Weißen Sozialismus‹. Stuttgart 1971, S. 100 f. (Die »biographische Mode«); P. *Schumann,* Die

deutschen Historikertage (Anm. 1), S. 280–289 (»Die historische Belletristik. Ein Exkurs«); Joachim *Streisand,* Progressive Tradition und reaktionäre Anachronismen in der deutschen Geschichtswissenschaft. In: ZfG 9 (1961), 5. 1774–1788; W. *Schiffels,* Formen historischen Erzählens in den 20er Jahren; M. *Kienzle,* Biographie als Ritual. Nach Abfassung dieser Arbeit erschien: B. *Neumann,* Utopie und Mimesis. Zum Verhältnis von Ästhetik, Gesellschaftsphilosophie und Politik in den Romanen Uwe Johnsons. Kronberg Ts. 1978, wo auf S. 94 ff. die Biographie-Debatte skizziert wird.

5 So W. *Mommsen* im Vorwort zu: W. M., »Legitime« und »illegitime« Geschichtsschreibung. S. 3.

6 Genaue Angaben s. im Literaturverzeichnis.

7 O. *Westphal,* Feinde Bismarcks. Dieses Buch trägt einen unglücklichen Titel, denn erst durch den Untertitel – »Geistige Grundlagen der deutschen Opposition 1848–1918« – wird deutlich, was in diesem Buch alles zur Sprache kommt. Emil Ludwig ist nur das erste Kapitel – »Der Fall ›Emil Ludwig‹«, S. 1–44 – gewidmet. Darüberhinaus bietet W. eine gute und kenntnisreiche Abhandlung über die Romantik (II. »Rückblick auf die klassisch-romantische Bildung«, S. 45–93) und über »Staat, Wissenschaft und Kunst in der deutschen Geschichte seit 1848« (Kap. III, S. 94–251), wo sowohl Richard Wagner als auch Jacob Burckhardt und Friedrich Nietzsche in ihrer ästhetischen Opposition – den Begriff verwendet W. selbst – vorgeführt und darüberhinaus auch Dilthey, Lamprecht und der Neuidealismus, der Expressionismus und Meinecke behandelt werden. Das 4. Kapitel (S. 252–296) »Über den Begriff einer politischen Geschichtsschreibung« versucht die jeweiligen Verbindungslinien zwischen Geschichte und Religion bzw. Kultur bzw. Politik nachzeichnen.

8 Niels *Hansen,* Der Fall Emil Ludwig. Oldenburg i. O. 1930. Dieses Buch ist wichtig, um die Stimmung einer nationalen bzw. national-sozialistischen Agitation gegen Ludwig kennenzulernen.

9 Alle Arbeiten sind im Literaturverzeichnis genannt. Die Vor- bzw. Nachworte werden jeweils in der Darstellung herangezogen.

10 Für Kracauer und Horkheimer (= Regius) s. ebenfalls das Literaturverzeichnis. W. *Benjamins* Beitrag gilt eigentlich Hegemanns »Das steinerne Berlin«, aber Benjamin geht dabei auch auf den Historiker Hegemann ein. In: W. B., Angelus Novus, S. 444–449.

11 Zitiert ist hier mit Seitenzahl nach der heute leichter als der Sonderdruck zugänglichen »Historischen Zeitschrift« 138 (1928).

12 W. *Mommsen,* »Legitime« und »illegitime« Geschichtsschreibung, S. 15.

13 A. *Waas,* »Historische Belletristik«, S. 184.

14 S. z. B. *Mommsen,* »Legitime« und »illegitime« Geschichtsschreibung, S. 11 f., wo auch M. sich – wenn auch zurückhaltend – zum »Vorgefühl« bekennt. Vgl. dazu auch: Hans *Schleier,* Die bürgerliche deutsche Geschichtsschreibung der Weimarer Republik. Berlin (DDR) 1975, S. 234 ff. (»Dilthey-Renaissance«). Zur Stellung der Historiker insgesamt zu Psychologie und Psychoanalyse s.: H.-U. *Wehler,* Geschichte und Psychoanalyse, In: H.-U. W., Geschichte als Historische Sozialwissenschaft, S. 85–123.

15 Valentins Ausspruch befindet sich in der »Frankfurter Zeitung« (FZ) vom 27. April 1927 (1. Morgenblatt). Zur Auseinandersetzung mit Hegemann s. die FZ: 27. April (1. und 2. Morgenblatt): »Der Kampf um Friedrich den Großen« (V. gibt hier eine Art Forschungsbericht mit Blick auf Koser, Fester, Meinecke, Th. Mann u. a.), wo V. eingehend auch Hegemann bespricht und dabei dessen Einseitigkeit rügt (»Hegemann will offenbar nicht gerecht sein«). V. plädiert für Größe, die auch »im Interesse der Demokratie und der Republik« liege, spricht sich aber zugleich eindeutig gegen die Monarchie aus. Am 1. Juni (1. Morgenblatt) reagiert W. Hegemann, am 29. Juni (1. Morgenblatt) antwortet dann wieder Valentin; am 30. Juli (1. Morgenblatt) reagiert Hegemann mit einer presserechtlichen Antwort (»Unwahr ist . . «, »Unzutreffend ist . . .«), auf die dann am 24. August (Abendblatt) Valentin ebenfalls presserechtlich reagiert. Die »Frankfurter Zeitung« dieses Jahrgangs ist nur schwer erhältlich. Ich habe einen Mikrofilm im Archiv des Bundespresseamtes in Bonn benutzt.

16 E. *Kehr,* Der neue Plutarch, S. 184.

17 Robert *Weimann,* Literaturgeschichte und Mythologie. Berlin (DDR) und Weimar 1974, S. 31.
18 Vgl. z. B. die Wärme und Menschlichkeit ausstrahlenden Porträts von: H. *Kesten,* Werner He-
     gemann, In: H. K., Meine Freunde die Poeten. München o. J., S. 135–140; Thomas *Mann,*
     Stefan Zweig zum zehnten Todestag. In: Th. *Mann,* Miszellen. Frankfurt/M. 1968 (Th. *Mann,*
     Werke) (Fischer Tb. MK 120), S. 226 f.: »Die Verbreitung des Guten war ihm Herzenssache«,
     »Aber Liebe wird dem Andenken dieses Sanften, Grundgütigen bleiben.«

b) Exkurs: Die Historiker in der Weimarer Republik

 1 B. *Faulenbach,* Deutsche Geschichtswissenschaft zwischen Kaiserreich und NS-Diktatur. In:
     B. F. (Hg.), Geschichtswissenschaft in Deutschland, S. 66–85. Vgl, auch: *Iggers,* Dt. Ge-
     schichtswissenschaft; P. *Schumann,* Die deutschen Historikertage von 1893 bis 1937. Göttin-
     gen: Selbstverlag 1975 (Phil. Diss. Marburg 1974); vor allem aber das umfangreiche (593 S.)
     und engagiert geschriebene Buch: Hans *Schleier*, Die bürgerliche deutsche Geschichtsschrei-
     bung der Weimarer Republik. I. Strömungen – Konzeptionen – Institutionen. II. Die linkslibe-
     ralen Historiker. Berlin (DDR) 1975.
 2 B. *Faulenbach* (Anm. 1), S. 77.
 3 Friedrich *Meinecke,* Politische Schriften und Reden. Darmstadt 1958 (F. M., Werke, Bd. 2),
     S. 281. Hier nach: *Faulenbach* (Anm. 1), S. 69.
 4 *Faulenbach* (Anm. 1), S. 68 f. S. auch die Porträts in H. *Schleier* (Anm. 1), S. 257–574 (Kap.:
     Die linksliberalen Historiker in der Weimarer Republik). Sch. stellt folgende Historiker vor:
     Hedwig Hintze, Ludwig Bergsträsser, Veit Valentin, Johannes Ziekursch, George W. F. Hall-
     garten, Eckart Kehr und Martin Hobohm.
 5 So *Meinecke* in: Kausalitäten und Werte in der Geschichte (1928). In: Geschichte und Ge-
     schichtsschreibung. Hg. v. F. *Stern,* S. 275–294, Zitat: S. 282. Auch in: F. *Meinecke,* Werke,
     Bd. 4. Stuttgart 1959, S. 61–89; zuerst in: Historische Zeitschrift 137 (1928), S. 1–27.
 6 Siehe: G. G. *Iggers,* Deutsche Geschichtswissenschaft, S. 305. I. zitiert E. Kehr, der 1933 ge-
     schrieben hat, daß die Sozialgeschichte eigentlich mit Schmollers Tod verschwunden sei
     (E. *Kehr,* Neuere deutsche Geschichtsschreibung. In: E. *Kehr,* Der Primat der Innenpolitik. Hg.
     v. H.-U. *Wehler.* Berlin 1965, S. 259.) Zur Methodologie vgl. auch: Hans *Schleier* (Anm. 1),
     Teil I, Kap. 5: »Geschichtstheoretische und methodologische Konzeptionen«, S. 215–256.

 7 S. dazu ebenfalls bei *Schleier* (Anm. 1), S. 197 ff. (»Bismarck-Konjunktur«, »Bismarck-Biogra-
     phie«). Vgl. auch: Peter *Schumann* (Anm. 1), der für einzelne Historikertage das Bismarck-In-
     teresse belegt.
 8 So charakterisiert G. G.*Iggers,* Deutsche Geschichtswissenschaft, S. 26, die Einstellung der Hi-
     storiker.
 9 Fr. *Meinecke* (Anm. 5), S. 281.
10 *Iggers,* Deutsche Geschichtswissenschaft, S. 40.
11 Nach: P. *Schumann* (Anm. 1), S. 297 (Klage über Verlust), S. 309 (Kaiser), S. 340 (Anschluß
     Österreichs), S. 367 (Bekenntnis zu völkischer Idee), S. 400 (Dienst am Volksganzen).
12 B. *Faulenbach* (Anm. 1), S. 71.
13 *Iggers,* Deutsche Geschichtswissenschaft, S. 368.
14 B. *Faulenbach* (Anm. 1), S. 67.
15 K. F.*Werner,* Die deutsche Historiographie unter Hitler. In: B. *Faulenbach* (Hg.), Geschichts-
     wissenschaft in Deutschland, S. 96.
     Vgl. auch *Faulenbach* (Anm. 1), S. 85. Vgl. auch Hans *Schleier* (Anm. 1), S. 98–110 (»Die Hal-
     tung der bürgerlichen Historiker zum Faschismus«).

c) Biographie als »Seelenkunde«

1 *Ludwig,* Historie und Dichtung, S. 377.
2 S. *Freud*/A. *Zweig,* Briefwechsel. Frankfurt/M. 1968 (15. Juli 1934 rät Freud Zweig ab, da ohne Kenntnisse der »Sexualkonditionen« eine Biographie Nietzsches nicht gelingen könne.) Hier nach: Joh. *Cremerius,* Einleitung zu: J. C. (Hg.), Neurose und Genialität, S. 17.
3 S. dazu: Norbert *Groeben,* Literaturpsychologie; Joh. *Cremerius,* Einleitung zu: J. C. (Hg.), Neurose und Genialität; Handbuch der Psychologie in 12 Bden. Hg. f. P. *Lersch,* F. *Sander,* H. *Thomae.* Bd. 4: Persönlichkeitsforschung und Persönlichkeitstheorie. Hg. von P. *Lersch* und H. *Thomae.* Göttingen 1960; H. *Thomae,* Das Individuum und seine Welt. Eine Persönlichkeitstheorie. Göttingen 1968; H. *Thomae,* Die biographische Methode in den antrophologischen Wissenschaften. In: Studium Generale 5 (1952), S. 163–177.
4 St. *Zweig,* Heilung durch den Geist, S. 442.
5 S. dazu die Literaturangaben in Anm. 3; besonders wichtig für diese Passage: Handbuch der Psychologie, Bd. 4, wo S. 11 ff. über die Entwicklung der Charakterologie und S. 169 ff. über die Typologie berichtet wird.
6 S. dazu: J. *Cremerius'* Einleitung zu: J. C. (Hg.), Neurose und Genialität; N. *Groeben,* Literaturpsychologie, S. 39 f. (Pathographien); s. auch R. *Hamann*/Jost *Hermand,* Naturalismus. 2. Aufl. Berlin (DDR) 1958 (Kap.: »Entlarvung des Genialen«) (jetzt auch: Fischer-Tb. 6352); Jens Malte *Fischer,* Dekadenz und Entartung. Max Nordau als Kritiker des Fin de siècle. In: Fin de siècle. Zu Literatur und Kunst der Jahrhundertwende. Hg. von R. *Bauer* u. a. Frankfurt/M. 1977, S. 93–111. Vgl. vor allem auch das immer noch wichtige Buch von Wilhelm *Lange-Eichbaum,* Genie. Irrsinn und Ruhm. 6. Aufl. München und Basel 1967. In *Cremerius* (Hg.), Neurose und Genialität, befindet sich ein »Verzeichnis der internationalen psychoanalytisch-biographischen Publikationen von 1907 bis 1960«, S. 275–289.
7 *Freud,* Leonardo. In: *Freud,* Studienausgabe, Bd. 10, S. 153.
8 *Cremerius* (Hg.), Neurose und Genialität, druckt auf S. 27–34 die Einleitung Freuds ab.
9 J. *Cremerius,* Neurose und Genialität; A. *Mitscherlich* (Hg.), Psycho-Pathographien I. Schriftsteller und Psychoanalyse. Frankfurt/M. 1972.
10 Erik H. *Erikson,* Der junge Mann Luther, ist 1958 zuerst in Amerika erschienen, 1970 als Tb. bei Rowohlt, dann 1977 bei Suhrkamp.
11 Ich bin sicher, daß dieses Zitat von Zweig stammt, habe es aber trotz intensiver Suche nicht mehr verifizieren können.
12 *Zweig,* Heilung durch den Geist, S. 26. Zu Zweigs Einstellung gegenüber Freud und der Psychoanalyse s. den überaus informativen Beitrag von J. *Cremerius,* Stefan Zweigs Beziehung zu Sigmund Freud, »Eine heroische Identifizierung« (Zugleich ein Beispiel für die Zufälligkeit der Rezeption der Psychoanalyse). In: Jb. der Psychoanalyse 8 (1975), S. 49–90. C. weist nach, daß Zweig »von Bewunderung, Verehrung und Zuneigung für die Person Freuds« erfüllt gewesen sei (S. 53), daß sich dennoch bei Zweig und auch bei Freud eine »Distanz« (S. 55) behauptet habe. Freud war anscheinend nicht nur über das Porträt in »Heilung durch den Geist« enttäuscht, sondern mehr noch über den eigenwilligen Umgang des Schriftstellers mit der wissenschaftlichen Psychoanalyse befremdet. Cremerius selbst weist mehrfach darauf hin, auf welch »schwankendem Boden der Kenntnisse« Zweig sich bewegt habe (S. 61). Darüber hinaus belegt Cremerius mit einigen Zitaten, z. T. aus noch unveröffentlichten Briefen, den stillen Vorbehalt Zweigs gegenüber der Psychoanalyse. In einem Brief hat der Nachlaßverwalter Zweigs, Richard Friedenthal, zudem Cremerius berichtet, »daß Zweig die medizinische Seite der Psychoanalyse weniger beschäftigt habe, ja, daß er hier beträchtliche Vorbehalte hatte.« (S. 61) In der Glorifizierung Freuds erkennt Cremerius bei Zweig die typischen Züge von »Feindseligkeiten«, wie sie der ›heroischen Identifizierung‹ eigen sind.
13 In: J. *Clifford,* Biography as an Art, S. 162–174. Vgl. auch Cremerius' Aufsatz über Zweig (Anm. 12, S. 65), wo es heißt: »Hier wurde keine neue Dimension für die Biographik gewonnen. Die Tiefen blieben unerkannt. Was Freud (1908, 1915), Abraham (1925), Alexander (1922),

Fenichel (1931), Ferenczi (1914, 1928), Glover (1925 u. 1926), Jones (1919), Reich (1933) und andere an Einsichten in die Charakterologie gewonnen hatten, fand hier keinen Niederschlag.«

14 *Kehr,* Der neue Plutarch, S. 187; vgl. *Waas,* »Historische Belletristik«, S. 185, der immerhin der Psychoanalyse für »eine Fülle neuer Erkenntnisse« dankt und Hanns Sachs' »Caligula« (1930) lobt. Zum Verhältnis der Fachwissenschaft zur Psychoanalyse s. jetzt: H.-U. *Wehler,* Geschichte und Psychanalyse. In: H.-U. W., Geschichte als Historische Sozialwissenschaft, S. 85–123 (W. bietet eine ungewöhnliche Fülle von Literaturhinweisen); s. auch: Th. *Nipperdey,* Die anthropologische Dimension der Geschichtswissenschaft, S. 247; *Oelkers,* Biographik, S. 305; *Garraty,* The Nature of Biography, S. 181.

15 A. *Maurois,* The Ethics of Biography (Anm. 13), S. 171.

16 *Zweig,* Der Kampf mit dem Dämon, S. 8; *Ludwig,* Historie und Dichtung, S. 367.

17 *Maurois,* The Ethics of Biography (Anm. 13), S. 169.

18 *Ludwig,* Geschenke des Lebens, S. 745.

19 *Dilthey,* Ges. Schriften, Bd. 7, S. 214.

20 *Maurois,* The Ethics of Biography (Anm. 13), S. 169.

21 *Dilthey,* Ges. Schriften, Bd. 7, S. 315.

22 Ebda, S. 247.

23 Ebda, S. 200 (»Intimität des Verstehens«). Zur notwendigen Wissenschaftlichkeit s. ebda., Bd. 7, S. 138: »Leben und Lebenserfahrung sind die immer frisch fließenden Quellen des Verständnisses der gesellschaftlich geschichtlichen Welt; das Verständnis dringt vom Leben aus in immer neue Tiefen; nur in der Rückwirkung auf Leben und Gesellschaft erlangen die Geisteswissenschaften ihre höchste Bedeutung [...] Aber der Weg zu dieser Wirkung muß durch die Objektivität der wissenschaftlichen Erkenntnis gehen.«

23 a *Droysen,* Historik, S. 291.

24 F. *Meinecke,* Kausalitäten und Werte in der Geschichte (1928). In: Geschichte und Geschichtsschreibung. Hg. v. F. *Stern,* S. 290. Zuerst in: Historische Zeitschrift 137 (1928), S. 1–27. Vgl. auch: Imanuel *Geiss,* Kritischer Rückblick auf Friedrich Meinecke. In: I. G., Studien über Geschichte und Geschichtswissenschaft. 2. Aufl. Frankfurt/M. 1974 (edition suhrkamp 569), S. 104, der dieses Zitat ebenfalls heraushebt und zum Anlaß der Kritik nimmt.

25 *Feuchtwanger,* Das Haus der Desdemona, S. 147.

26 *Ludwig,* Geschenke, S. 737; *Zweig,* Geschichte als Dichterin, S. 62.

27 *Zweig,* Die Welt von Gestern, S. 443. Vgl. Friderike *Zweig,* Stefan Zweig. Wie ich ihn erlebte. Berlin 1948, S. 213: »Werke wie ›Erasmus‹ und ›Castellio‹ sind eine Sublimierung eigener innerer Problematik auf der höheren Ebene künstlerischen Schaffens.«

28 *Ludwig,* Historie und Dichtung, S. 379.

29 S. *Kracauer,* Geschichte – Vor den letzten Dingen, S. 89 f.

30 *Herder,* Werke (*Suphan*), Bd. 2, S. 259. S. auch das Kap. II. 2. (»Herders biographische Essayistik«).

31 *Nicholson,* Die Kunst der Biographie, S. 18. Die doppelte Verneinung wird wohl ein Übersetzungsfehler sein.

32 *Droysen,* Historik, S. 291.

33 *Groeben,* Literaturpsychologie, S. 31.

34 In: J. *Cremerius* (Hg.), Neurose und Genialität, S. 30.

35 *Ludwig,* Geschenke, S. 757.

36 *Döblin,* Der historische Roman und wir, S. 178. D. sieht im Autor »*eine besondere Art Wissenschaftler.* Er ist in spezieller Legierung Psychologe, Philosoph, Gesellschaftsbeobachter.«

37 S. Anm. 23.

38 *Zweig,* Der Kampf mit dem Dämon, S. 8 u. 9.

39 *Bertram,* Nietzsche, S. 9.

40 Nach: P. *Schumann,* Die deutschen Historikertage von 1893 bis 1937. Göttingen: Selbstverlag 1975 (Phil. Diss. Marburg 1974), S. 390.

41 *Ranke,* Wallenstein, S. 307.

42 Dilthey setzt den Spruch vor das erste Buch mit der Angabe: Goethe an Lavater Oktober 1780.

Gemeint ist der nicht exakt zu datierende Brief, der »etwa 20. September 1780« geschrieben wurde. S.: *Goethe,* Hamburger Ausgabe. Briefe, Bd. 1, S. 323–25, Zitat: S. 325.

43 In: W. *Benjamin,* Wider ein Meisterwerk. Zu Max Kommerell »Der Dichter als Führer in der Deutschen Klassik«. In: W. B., Angelus Novus, S. 429–436, Zitat: S. 433. B. hebt Kommerells Buch sowohl von Gundolfs »Goethe« als auch besonders von Ludwigs Werken ab.

44 S. ebda.

45 H. H. *Reuter,* Fontane. München (1968), Bd. 2, S. 892.

46 *Dilthey,* Ges. Schriften, Bd. 1, S. 33.

47 *Herder,* Werke (*Suphan*), Bd. 2, S. 259.

48 *Ludwig,* Genie und Charakter, S. 12.

49 *Ludwig,* Geschenke des Lebens, S. 754.

50 Ebda, S. 734.

51 Lytton *Strachey,* Elisabeth und Essex. Eine tragische Historie. Berlin u. a.: Deutsche Buchgemeinschaft o. J., S. 17.

52 *Freud,* Leonardo. In: *Freud,* Studienausgabe, Bd. 10, S. 97.

53 Max *Lenz,* Rankes biographische Kunst, S. 15.

54 S. dazu: H.-U. *Wehler,* Geschichte und Psychoanalyse. In: H.-U. W., Geschichte als Historische Sozialwissenschaft, S. 85–123.

55 Ebda, S. 99. Zu Erikson s. auch bei *Faber,* Theorie der Geschichtswissenschaft, S. 134 u. 144, der ebenfalls positiv – wenn auch zurückhaltend – urteilt.

56 Werner *Richter,* Über das Schreiben von Biographien (1949), S. 485.

57 J. *Cremerius* (Hg.), Neurose und Genialität, S. 235.

58 *Zweig,* Die Heilung durch den Geist, S. 443.

59 *Ludwig,* Geschenke des Lebens, S. 92 u. 500.

60 *Zweig,* Castellio, S. 65.

61 Ebda, S. 106.

62 A. *Maurois,* Lytton Strachey. In: A. M., Träumer und Deuter. Zürich u. Leipzig o. J., S. 153–178, Zitat: S. 168.

63 N. *Groeben,* Literaturpsychologie, S. 33.

d) Singularität und Typik

1 S. dazu Kap. IV, 1 (»Biographie als Mythographie«), Anm. 43. Zum Problem dieses Kapitels aus fachhistorischer Sicht s.: K.-G. *Faber,* Theorie der Geschichtswissenschaft (bes. die Kap. »Das Individuelle und das Allgemeine in der Geschichte« und »Typus und Struktur«); Th. *Schieder,* Der Typus in der Geschichtswissenschaft. In: Studium Generale 5 (1952), S. 228–234. Wieder in: Th. *Schieder,* Staat und Gesellschaft im Wandel der Zeit. 2. Aufl. München 1970, S. 172–197.

2 *Ludwig,* Historie und Dichtung, S. 365.

3 Hier zitiert nach: G. M. *Mertens,* Stefan Zweig's biographical writings, S. 48.

4 Friderike *Zweig,* Stefan Zweig. Wie ich ihn erlebte. Berlin 1948, S. 146.

5 In: *Ludwig,* Geschenke des Lebens, S. 742.

6 Zweig am 2. Mai 1928 an Ludwig. Hier zitiert nach: Helmut *Kreuzer,* Europas Prominenz und ein Schriftsteller. In: Süddeutsche Zeitung 276 (17./18. November 1962). K. hat die Korrespondenz Ludwigs durchgesehen, die sich z. T. im Literaturarchiv des Schiller-Nationalmuseums in Marbach befindet. Vgl. dazu auch: K. *Kreuzer,* Von Bülow zu Bevin.

7 *Schiller,* Was heißt und zu welchem Ende studiert man Universalgeschichte? In: *Schiller,* Nationalausgabe, Bd. 17 (Hist. Schriften I), S. 373.

8 S. dazu: D. *Gutzen* u. a., Einführung in die neuere deutsche Literatur. Berlin 1976, S. 138.

9 *Droysen,* Historik, S. 159.

10 Hier nach: Th. *Schieder,* Geschichte als Wissenschaft, S. 100.

11 F. *Sengle*, Zum Problem der modernen Dichterbiographie, S. 111. Zu Mommsen s.: H.-U. *Wehler*, Geschichte als Historische Sozialwissenschaft, S. 90 f.
12 Ebda, S. 19.
13 *Schiller,* Universalgeschichte (Anm. 7), S. 373.
14 *Wehler,* Geschichte und Psychoanalyse. In: W., Geschichte als Historische Sozialwissenschaft, S. 93.
15 *Dilthey,* Ges. Schriften, Bd. 1, S. 32.
16 S. dazu: K. G. *Faber,* Theorie der Geschichtswissenschaft, S. 90.
17 S. dazu: Hans *Thomae,* Das Individuum und seine Welt. Eine Persönlichkeitstheorie. Göttingen 1968.
18 *Wehler* (Anm. 14), S. 89 f.
19 Th. *Nipperdey,* Die anthropologische Dimension der Geschichtswissenschaft, S. 232.
20 F. *Meinecke,* Schiller und der Individualitätsgedanke. Eine Studie zur Entstehungsgeschichte des Historismus. Leipzig 1937. (Den Hinweis verdanke ich: Friedrich *Burschell,* Schiller. Reinbek 1968, S. 298. Auf S. 297 f. geht B. auf Schillers Neigung zum generalisierenden Verfahren ein.)
21 In: H. v. *Treitschke,* Historische und politische Aufsätze, Bd. 1, S. 141. Den Hinweis verdanke ich: A. *Fischer,* Studien zum historischen Essay, S. 203.
22 *Dilthey,* Ges. Schriften, Bd. 1, S. 90 und 91.
23 *Ludwig,* Künstler, S. 89.
24 In: *Marx/Engels,* Über Kunst und Literatur. Bd. 1. Frankfurt u. Wien 1968, S. 157.
25 Zu Lukács' Typikbegriff s. *Lukács'* Vorwort zu »Balzac und der französische Realismus« und »Es geht um Realismus«; B. *Brecht,* Ges. Werke, Bd. 19 (werkausgabe edition suhrkamp), S. 531. S. zur Diskussion um den Typik-Begriff auch: Jochen *Schulte-Sasse,* Literarische Wertung. 2. Aufl. Stuttgart 1976 (Slg. Metzler 98), S. 149–153; Wilhelm *Voßkamp*, Methoden und Probleme der Romansoziologie. Über Möglichkeiten einer Romansoziologie als Gattungssoziologie. In: Internationales Archiv für Sozialgeschichte der deutschen Literatur 3 (1978), S. 1–37; Kulturpolitisches Wörterbuch. Berlin (DDR) 1970.
26 F. *Meinecke,* Aphorismen zur Entstehung des Historismus (Werke, Bd. 4, S. 226 f.). Hier nach: K.-G. *Faber,* Theorie der Geschichtswissenschaft, S. 91.
27 Hier zitiert nach: Geschichte und Geschichtsschreibung. Hg. v. F. *Stern,* S. 275–294. Auch in: F. *Meinecke,* Staat und Persönlichkeit. Berlin 1933, S. 29–53; auch in: F. M., Werke, Bd. 4; zuerst in: Historische Zeitschrift 137 (1928), S. 1–27.
28 F. *Nietzsche,* Vom Nutzen und Nachteil der Historie für das Leben. In: F. N., Werke in 2 Bänden. Hg. von J. *Frenzel.* München 1967, Bd. 1, S. 124.
29 *Wehler,* Geschichte als Historische Sozialwissenschaft, S. 100.
30 S. dazu: Th. *Schieder,* Geschichte als Wissenschaft, S. 217.
31 Zu diesem Problem s. auch: K.-G. *Faber,* Theorie der Geschichtswissenschaft, S. 53.
32 *Meinecke,* Kausalitäten und Werte in der Geschichte (1928) (Anm. 27), S. 287.
33 *Gundolf,* Dichter und Helden, S. 49.

e) Identifizierungsangebote

1 Elias *Canetti,* Der Ohrenzeuge. Fünfzig Charaktere. München 1974.
2 *Ludwig,* Geschenke des Lebens, S. 716 ff.; *Zweig,* Die Welt von Gestern, S. 247.
3 *Ludwig,* Geschenke, S. 738; s. dazu insgesamt: Ebda, S. 738 ff.
4 Ebda, S. 739 f.
5 Ebda, S. 741.
6 Ebda, S. 744.
7 *Droysen,* Historik, S. 63.
8 W. *Muschg,* Das Dichterporträt in der Literaturgeschichte, S. 307.

9 *Bertram*, Nietzsche, S. 237. *Romein*, Die Biographie, S. 152, weist auch auf Schnitzler hin und zitiert dessen Ausspruch: »Das Wesen eines Menschen läßt sich durch drei schlagkräftige Anekdoten aus seinem Leben vielleicht mit gleicher Bestimmtheit berechnen wie der Flächeninhalt eines Dreiecks aus dem Verhältnis dreier fixer Punkte zueinander«. (In: A. *Schnitzler*, Buch der Sprüche und Bedenken, 1927, S. 95.)

10 *Ludwig*, Geschenke des Lebens, S. 778 f.

11 Ebda, S. 743.

12 Michael *Kienzle*, Der Erfolgsroman. Zur Kritik seiner poetischen Ökonomie bei Gustav Freytag und Eugenie Marlitt. Stuttgart 1975, S. 94.

13 So in: Imprint. Literaturjournal 1 (1976), S. 14. Simmel antwortet auf die Frage: »Warum werden Ihre Bücher viel gelesen?«

14 *Freud*, Massenpsychologie und Ich-Analyse (1967), S. 46. Hier nach: *Kienzle*, Der Erfolgsroman (Anm. 12), S. 112.

15 *Freud*, Studienausgabe, Bd. 10, S. 163 f.

16 W. *Benjamin*, Wider ein Meisterwerk. In: W. B., Angelus Novus, S. 433; *Ludwig*, Geschenke des Lebens, S. 746.

17 W. *Benjamin*, ebda.

18 Th. W. *Adorno*, Der Essay als Form. In: Th. W. A., Noten zur Literatur I. Frankfurt/M. 1969, S. 15: »Der Abhub verstehender Psychologie wird fusioniert mit gängigen Kategorien aus der Weltanschauung des Bildungsphilisters«.

19 Leo *Löwenthal*, Biographische Mode, S. 367.

20 Wallenstein, Sein Leben erzählt von Golo *Mann*, S. 546 f.: »So wie die Epochen der Geschichte immer ähnlich sind, wenn man sich nur tief genug in sie eingräbt, so sind sich auch Menschen immer irgendwie ähnlich, und die Abnormen, die Herrscher, die Tyrannen mehr als nur irgendwie.« S. dazu: W. *Beutin*, Golo Manns ›Wallenstein‹, S. 56; W. *Berges*, Biographie und Autobiographie, S. 31.

21 *Ludwig*, Der Künstler, S. 205.

22 Zur ›negativen Identität‹ s.: Erik H. *Erikson*, Dimensionen einer neuen Identität. Frankfurt/M. 1975 (suhrkamp taschenbuch wissenschaft 100), S. 40: »Um einem neuen Selbst gemäß zu leben, braucht der Mensch etwas schlechthin Anderes, das am unteren Ende der sozialen Skala jene *negative Identität* repräsentiert, die jeder Mensch und jede Gruppe als Inbegriff all dessen in sich tragen, was sie nicht sein dürfen.« Zwar treffen nicht alle diese Festlegungen auf die Beziehung des Lesers zu Wilhelm II. zu, aber dennoch dürfen wir wohl von einer negativen Identität sprechen, die die politische Figur meint (Gegensatz zum Demokraten).

23 *Ludwig*, Historie und Dichtung, S. 365.

24 Ebda.

25 Hermann *Lübbe*, Was heißt: »Das kann man nur historisch erklären?« In: Geschichte – Ereignis und Erzählung, S. 542–554, Zitat: S. 552.

26 Erik H. *Erikson*, Dimensionen einer neuen Identität (Anm. 22), S. 29.

27 Ebda, S. 36.

28 Ebda.

29 *Habermas*, Können komplexe Gesellschaften eine vernünftige Identität ausbilden?, S. 26.

30 Ebda, S. 26 f.

31 S. z. B. Erik H. *Erikson*, Der junge Mann Luther, S. 280 (Nachwort): »Diese Identität soll sich aus der Tradition herleiten, aber auch an ihr mitwirken. Der einzelne sehnt sich nach der bestmöglichen Ichsynthese, Gesellschaften und Kulturen erstreben optimale Veränderungen. Dieses Wechselspiel zwischen individuellen und gesellschaftlichen Bestrebungen ist für das menschliche Leben unentbehrlich.«

32 H. *Lübbe* (Anm. 25), S. 553.

33 W. *Benjamin*, Was ist das epische Theater? In: W. B., Versuche über Brecht (1966), S. 25. Den Hinweis verdanke ich M. *Kienzle*, Der Erfolgsroman (Anm. 12), S. 115.

34 *Hegel*, Enzyklopädie § 430. Hier nach: *Habermas*, Können komplexe Gesellschaften eine vernünftige Identität ausbilden?, S. 29; vgl. auch: Erik H. *Erikson*, Dimensionen einer neuen Iden-

tität (Anm. 22). Zur Forschungslage s. Lothar *Krappmann*, Soziologische Dimensionen der Identität. Stuttgart ⁴1975.

f) Größe

1 Th. *Schieder*, Geschichte als Wissenschaft, S. 91.
2 B. *Faulenbach*, Deutsche Geschichtswissenschaft zwischen Kaiserreich und NS-Diktatur. In: B. F. (Hg.), Geschichtswissenschaft in Deutschland, S. 81. Zum Stand der Diskussion um die Sozialgeschichte s. die Publikation von Jürgen *Kocka*, Sozialgeschichte. Begriff. Entwicklung. Probleme. Göttingen 1977 (Kleine Vandenhoeck-Reihe 1434).
3 *Dilthey*, Ges. Schriften, Bd. 7, S. 250.
4 A. *Maurois*, Die Biographie als Kunstwerk. In: Die neue Rundschau 1929, S. 241.
5 *Burckhardt*, Weltgeschichtliche Betrachtungen, S. 184.
6 F. *Meinecke*, Kausalitäten und Werte in der Geschichte (1928). In: Geschichte und Geschichtsschreibung. Hg. von F. *Stern*, S. 287; zuerst in: Historische Zeitschrift 137 (1928), S. 1–27.
7 Ebda, S. 286 f.
8 S. dazu: Peter *Schumann*, Die deutschen Historikertage von 1893 bis 1937. Göttingen: Selbstverlag 1975 (Phil. Diss. Marburg 1974), S. 387 ff.
9 Nach:*Faulenbach* (Anm. 2), S. 89.
10 Ebda, S. 81 f.
11 *Zweig*, Geschichtsschreibung von morgen, S. 294.
12 *Burckhardt*, Weltgeschichtliche Betrachtungen, S. 155.
13 *Ludwig*, Der Künstler, S. 211.
14 *Ludwig*, Geschenke des Lebens, S. 475.
15 *Ludwig*, Historie und Dichtung, S. 279.
16 S. Anm. 11.
17 B. *Brecht*, Ges. Werke, Bd. 18 (werkausgabe edition suhrkamp), S. 51.
18 *Zweig*, Geschichtsschreibung von morgen, S. 293.
19 *Zweig*, Die Welt von Gestern, S. 290 u. 199.
20 *Adorno*, Glosse über Persönlichkeit, S. 53.
21 *Zweig*, Die Welt von Gestern, S. 194; vgl. J. *Cremerius*, Stefan Zweigs Beziehung zu Sigmund Freud, »Eine heroische Identifizierung«. In: Jb. für Psychoanalyse 8 (1975), S. 49–90. C. weist auf die starke Heroisierung Zweigs hin, wie sie in Bezug auf Freud, Nietzsche, Verhaeren stattfand.
22 W. *Benjamin*, Angelus Novus, S. 445. Daß für B. ›mißvergnügt‹ positiv ist, läßt sich aus seiner Rezension der *Kracauerschen* »Angestellten« ersehen, in der der Verfasser als »Mißvergnügter« gekennzeichnet wird und doch die Sympathie des Rezensenten hat. (S. im Anhang zu *Kracauers* »Die Angestellten« (suhrkamp tb. 13), S. 122; s. auch: W. B., Angelus Novus, S. 428.)
23 21. Juli 1925 an G. Scholem. W. B., Briefe. Bd. 1. Frankfurt/M. 1966, S. 396.
24 *Hegemann*, Das Jugendbuch vom großen König, S. XVI.
25 Ebda, S. XVIII.
26 *Gundolf*, Dichter und Helden, S. 27.
27 Jan *Romein*, Die Biographie, S. 59.
28 *Ludwig*, Geschenke des Lebens, S. 510. Zu Napoleon s. *Ludwig*, Napoleon, S. 676: »Was ein Mann durch Selbstgefühl und Mut, Leidenschaft und Phantasie, Fleiß und Willen erreichen kann: er hat's bewiesen.«
29 S. dazu: J. A. *Garraty*, The Nature of Biography (1968), S. 118.
30 So *Hegemann* im Vorwort zu: W. H., Entlarvte Geschichte (1934), Das Zitat: *Nietzsche*, Werke in 2 Bänden, Hg. von J. *Frenzel*. München 1967, Bd. 1, S. 129.

g) Die Umwelt

1 *Ludwig,* Historie und Dichtung, S. 365.
2 In: Historische Zeitschrift 138 (1928), S. 596 (Rezension über *Ludwigs* und *Hegemanns* »Napoleon«).
3 *Droysen,* Historik, S. 291 f.
4 S. dazu: D. *Riesenberger,* Biographie als historiographisches Problem, S. 33–35.
5 *Hegel,* Ästhetik (1. T., 3. Kap., B. II. 1. a: Die individuelle Selbständigkeit: Heroenzeit), Bd. 1, S. 185 f.
6 *Dilthey,* Ges. Schriften, Bd. 7, S. 246.
7 Ebda, S. 247.
8 Für alle Zitate: Ebda, S. 250 f.
9 *Ludwig,* Historie und Dichtung, S. 362.
10 M. *Lenz,* Rankes biographische Kunst, S. 15.
11 S. dazu: F. M. *Kircheisen,* Die Geschichte des literarischen Porträts in Deutschland.
12 *Ranke,* Geschichte Wallensteins, S. 74.
13 Ludwig *Marcuse,* Die Emil-Ludwig-Front. In: Das Tagebuch 12 (1931), H. 4, S. 143. Den Hinweis verdanke ich M. *Kienzle,* Biographie als Ritual, S. 238; *Kracauer,* Offenbach, S. 7: »Solche Biographien gleichen photographischen Porträts: die in ihnen porträtierte Gestalt erscheint vor einem verschwimmenden Hintergrund.«
14 In: *Clifford,* Biography as an Art, S. 164.
15 *Zweig,* Der Kampf mit dem Dämon, S. 15; *Ludwig,* Goethe (1920), S. X. Später – z. B. in der »Vorrede zur hundertsten Auflage« – hat L. diese Kennzeichnung allerdings nicht wiederholt.
16 *Ludwig,* Der Künstler, S. 206.
17 *Ludwig,* Juli 14, S. 232.
18 *Zweig,* Marie Antoinette, S. 676.

h) Personalisierung und politische Aufklärung

1 S. Klaus *Bergmann,* Personalisierung im Geschichtsunterricht.
2 W. *Schiffels,* Geschichte(n) Erzählen, S. 34.
3 P. *Hacks,* Versuch über das Theaterstück von morgen. In: P. H., Das Poetische. Frankfurt/M. 1972 (edition suhrkamp 544), S. 23–44, Zitat: S. 26 f.
4 Ebda, S. 27 f.
5 *Brecht,* Kleiner Rat, Dokumente anzufertigen. In: B. B., Ges. Werke, Bd. 18 (werksausgabe edition suhrkamp), S. 51: »Praktisch gesprochen: *Wünschenswert ist die Anfertigung von Dokumenten.* Darunter verstehe ich: Monographien bedeutender Männer, Aufrisse gesellschaftlicher Strukturen, exakte und sofort verwendbare Information über die menschliche Natur und heroische Darstellung des menschlichen Lebens, alles von typischen Gesichtspunkten aus, und durch die Form nicht, was die Verwendbarkeit betrifft, neutralisiert.«
6 G. *Lukács,* Der historische Roman, S. 374.
7 *Habermas,* Strukturwandel, S. 198.
8 S. dazu: *Ludwig,* Geschenke des Lebens, S. 349 (»So kann die Politik zur Schule des Dichters werden«), S. 828: Der Biograph sei »Bildner«: »und so wirkt er als Gestalter, indem er teilnimmt an der Gestaltung seiner Zeit. Heute zumindest kann der Künstler nichts Höheres erstreben als die Rolle des Erziehers«.
9 *Hacks* (Anm. 3), S. 26.
10 *Adorno,* Glosse über Persönlichkeit, S. 56.
11 H. *Holborn,* Protestantismus und politische Ideengeschichte. Kritische Bemerkungen aus Anlaß von Otto Westphal: ›Feinde Bismarcks‹. In: Historische Zeitschrift 144 (1931), S. 15–30, Zitat: S. 19. Hier nach: M. *Kienzle,* Biographie als Ritual, S. 235.

12 G. *Lukács*, Der historische Roman, S. 393.
13 *Bergmann*, Personalisierung im Geschichtsunterricht, S. 57.
14 Ebda, S. 55 f.
15 S. dazu bei *Bergmann*, ebda., S. 45 und 51: »Eine spätere Differenzierung des einmal erworbenen und bewußt geförderten personalisierenden Geschichtsverständnisses erscheint nach den gegenwärtigen Erkenntnissen der Psychologie nur schwer möglich«. S. dazu meinen Aufsatz »Personen« und Personalisierung. Zu ›biographischen‹ Sendeformen«. In: H. *Kreuzer*/K. *Prümm* (Hg.), Fernsehsendungen und ihre Formen. Stuttgart 1979.
16 *Bergmann*, Personalisierung, S. 46.
17 G. *Mann*, Geschichtsschreibung als Literatur, S. 115.
18 A. *Maurois*, Die Biographie als Kunstwerk, S. 235.
19 In: S. *Kracauer*, Das Ornament der Masse, S. 72 f.
20 Leo *Löwenthal*, Die biographische Mode, S. 380 ff.
21 Stefan *Zweig*, Freud. In: St. Z., Die Heilung durch den Geist, S. 442.
22 E. *Bloch*, Das Prinzip Hoffnung, Bd. 3 (suhrkamp taschenbuch wissenschaft 3), S. 1616 (»Traum nach vorwärts, Nüchternheit, Enthusiasmus und ihre Einheit«).
23 *Zweig*, Die Welt von Gestern, S. 264.
24 Friderike *Zweig*, Stefan Zweig. Wie ich ihn erlebte. Berlin 1948, S. 208. Vgl. jetzt auch: St. *Zweig*, Briefe an Freunde. Hg. von R. *Friedenthal*. Frankfurt/M. 1978, in denen immer wieder die Hilflosigkeit, aber auch Zweigs humanitäre Gesinnung erkennbar wird.
25 E. *Kehr*, Der neue Plutarch, S. 187.
26 Ebda, S. 184 u. 183.

i) *Überlegungen zum Erfolg der* ›*modernen*‹ *Biographie – Der kleinbürgerliche Leser*

1 *Waas*, »Historische Belletristik«, S. 183.
2 W. *Mommsen*, Historische Zeitschrift 138 (1928), S. 621 (Rezension über *Ludwigs* »Bismarck«); W. *Mommsen*, »Legitime« und »illegitime« Geschichtsschreibung, S. 4. (Der gleiche Satz steht auch in: HZ 138 (1928), S. 621.)
3 Leo *Löwenthal*, Literatur und Gesellschaft, S. 236.
4 Gerhard *Schmidtchen*, Lesen für den Beruf (1976). Hier zitiert nach einer umfänglichen Rezension in der »Frankfurter Rundschau« (22. IV. 1976, S. 7).
5 Urs *Jaeggi*, Zwischen den Mühlsteinen. Der Kleinbürger oder die Angst vor der Geschichte. In: Kursbuch 45 (1976), S. 151–168, Zitat: S. 160.
6 Th. W. *Adorno*, Noten zur Literatur I. Frankfurt/M. 1969, S. 15; Th. *Mann*, Miszellen. Frankfurt/M. 1968 (Th. *Mann*, Werke) (Fischer Tb. MK 120), S. 226 f.
7 *Westphal*, Feinde Bismarcks, S. 35.
8 S. *Kracauer*, Aufruhr der Mittelschichten. In: S. K., Das Ornament der Masse, S. 99.
9 *Kühnl*, Formen bürgerlicher Herrschaft, S. 83. Zur Situation der Angestellten und des Kleinbürgers liegt heute eine Reihe von Untersuchungen vor. Außer der schon genannten Arbeit von Jaeggi (Anm. 5) s. das ganze Heft 45 des »Kursbuches«, dessen Titel lautet: »Wir Kleinbürger«. S. aber auch: Hans *Speier*, Die Angestellten vor dem Nationalsozialismus. Ein Beitrag zum Verständnis der deutschen Sozialstruktur 1918–1933. Göttingen 1977. (Diese Arbeit, die zuerst Anfang der 30 er Jahre erschienen ist, ist überaus wichtig für unseren Zusammenhang, da sie z. B. auch die Bildungsvorstellungen der Angestellten wiedergibt.) Zu Hans Speier: K. *Scherpe*, Kommentar zum Aufsatz von Hans Speier »Die Soziologie der Intelligenz und die Intelligenz der Soziologie«. In: G. *Mattenklott*/ *Scherpe* (Hg.), Positionen der literarischen Intelligenz zwischen bürgerlicher Reaktion und Imperialismus. Kronberg/Ts. 1973, S. 25–38. Wichtig für dieses Kapitel sind auch die Beobachtungen, die S. *Kracauer* in einer Mischung von Reportagen und Analysen geliefert hat: S. K., Die Angestellten. Aus dem neuesten Deutschland (1930).

Frankfurt/M. 1974 (suhrkamp taschenbuch 13). S. auch: C. *Dreyfuß*, Beruf und Ideologie der Angestellten. München 1933; A. *Leppert-Fögen*, Die deklassierte Klasse, Studien zur Geschichte und Ideologie des Kleinbürgertums. Frankfurt/M. 1974; H. *Lebovics*, Social Conservatism and the Middle-Classes in Germany 1914–1933. Princeton 1969; H. A. *Winkler*, Mittelstand, Demokratie und Nationalsozialismus. Die politische Entwicklung von Handwerk und Kleinhandel in der Weimarer Republik. Köln 1972; K. D. *Bracher*, Die Auflösung der Weimarer Republik. Eine Studie zum Problem des Machtverfalles in der Demokratie. Villingen ⁵1971; H.-G. *Haupt* (Hg.), Bourgeois und Volk zugleich? Zur Geschichte des Kleinbürgertums im 19. und 20. Jahrhundert. Frankfurt/M. 1978.

10 In: W. *Benjamin*, Ges. Schriften, Bd. 3, Frankfurt/M. 1972, S. 227 (Rezension: S. 226–228.). Vgl. auch die 2. Rezension: Politisierung der Intelligenz. Zu S. Kracauers ›Die Angestellten‹. In: W. B., Angelus Novus, S. 422–428. (Auch in: S. *Kracauer*, Die Angestellten (Anm. 9), S. 116–123; in: W. B., Ges. Schriften, Bd. 3. Frankfurt/M. 1972, S. 219–225 als »Ein Außenseiter macht sich bemerkbar. Zu S. Kracauer, Die Angestellten«.)

11 *Jaeggi*, Zwischen den Mühlsteinen (Anm. 5), S. 165.

12 Brief an J. B. Schweitzer, Hier nach: *Jaeggi*, Zwischen den Mühlsteinen (Anm. 5), S. 153.

13 H. *Speier*, Die Angestellten (Anm. 9), S. 103.

14 *Kracauer*, Die Angestellten (Anm. 9), S. 15. Auch Hans *Speier*, Die Angestellten (Anm. 9), hat diesen Wunsch nach Bildung in seiner Untersuchung beschrieben.

15 *Jaeggi*, Zwischen den Mühlsteinen (Anm. 5), S. 151.

16 W. *Benjamin*, Politisierung der Intelligenz (Anm. 10), Zitat: W. B., Angelus Novus, S. 423 bzw. S. *Kracauer*, Die Angestellten, S. 117.

17 E. *Ludwig*, Geschenke des Lebens, S. 776.

18 H. *Schelsky*, Auf der Suche nach Wirklichkeit. Düsseldorf und Köln 1965. S. dazu auch: *Jaeggi*, Zwischen den Mühlsteinen (Anm. 5), S. 164.

19 *Jaeggi*, ebda.

20 *Kracauer*, Die Angestellten (Anm. 9), S. 83.

21 *Kracauer*, Georg Simmel. In: S. K., Das Ornament der Masse, S. 209–248, Zitat: S. 234.

22 H. *Marcuse*, Über den affirmativen Charakter der Kultur. In: H. M., Kultur und Gesellschaft I. Frankfurt/M. ⁹1970 (edition suhrkamp 101), S. 56–101, Zitat: S. 90.

23 Hier nach: F. *Stern*, Kulturpessimismus als politische Gefahr, S. 234.

24 In: *Habermas/Henrich*, Zwei Reden (suhrkamp taschenbuch 202), S. 42.

25 *Benjamin*, Politisierung der Intelligenz (Anm. 10). Zitat: W. B., Angelus Novus, S. 423 bzw. S. *Kracauer*, Die Angestellten (Anm. 9), S. 117.

26 *Habermas*, Strukturwandel, S. 206.

27 S. Anm. 25.

28 *Jaeggi*, Zwischen den Mühlsteinen (Anm. 5), S. 163.

29 In: Frankfurter Allgemeine Zeitung 179 (14. 8. 1976).

30 MEW 8, S. 141 f. Hier nach: Kursbuch 45 (Anm. 9), S. 37.

31 Zu dieser scheinbaren Harmonie von Einzelnem und Ganzem im Nationalsozialismus hat Klaus *Theweleit* in seiner Dissertation »Männerphantasien« (Bd. 1, Frankfurt/M. 1977) am Beispiel der Massenaufmärsche eindrucksvolle Beobachtungen gemacht (S. 548 ff.).

32 In: *Cremerius* (Hg.), Neurose und Genialität, S. 183–213. Zitate: S. 193 u. 194.

33 Nach: S. *Kracauer*, Das Ornament der Masse, S. 89.

j) Ästhetische Harmonie

1 *Habermas*, Können komplexe Gesellschaften eine vernünftige Identität ausbilden?, S. 26.

2 In: Das Ornament der Masse, S. 76. Zu *Lukács* s.: G. L., Die Theorie des Romans. Neuwied u. Berlin 1971 (Slg. Luchterhand 36), S. 66 f. L. spricht von der »Organik der Biographie«, die den

Roman auszeichnet: »In der biographischen Form wird das unerreichbare, sentimentalische Streben sowohl nach der unmittelbaren Lebenseinheit, wie nach der alles abschließenden Architektonik des Systems zur Ruhe und zum Gleichgewicht gebracht, zum Sein verwandelt.«

3 *Kracauer,* Ornament der Masse, S. 76.

4 Ebda.

5 W. *Iser,* Die Appellstruktur der Texte. Unbestimmtheit als Wirkungsbedingung literarischer Prosa. Konstanz 1971, S. 29.

6 Ebda, S. 29 u. 30.

7 Erich *Auerbach,* Mimesis. Dargestellte Wirklichkeit in der abendländischen Literatur. Bern 1946, S. 489. Hier nach: S. *Kracauer,* Geschichte – Vor den letzten Dingen, S. 209.

8 *Kracauer,* Das Ornament der Masse, S. 76 f.

9 Ebda, S. 77 u. 78.

10 Ebda, S. 77.

11 S. dazu das Kap. »Überlegungen zum Erfolg« (IV. 2. i.).

12 *Ludwig,* Historie und Dichtung, S. 370.

13 Ebda, S. 363.

14 S. in: *Nietzsche,* Vom Nutzen und Nachteil der Historie fürs Leben: »Die Kärrner haben unter sich einen Arbeitsvertrag gemacht und das Genie als überflüssig dekretiert«. In: F. N., Werke in zwei Bänden. Hg. von I. *Frenzel.* München 1967, Bd. 1, S. 151.

15 *Ludwig,* Historie und Dichtung, S. 358.

16 Vgl. *Ludwig,* Geschenke, S. 758: »Nur mein Studienheft liegt neben mir, wenn ich anfange, Vision und Material zur Niederschrift zu vereinigen.« Vgl. auch: L., Historie und Dichtung, S. 369, wo Ludwig den Historikern »Mangel an Intuition« vorwirft. Vgl. auch: Ebda, S. 380, wo beim Künstler »die Magie seines Wesens« gelobt wird.

17 *Zweig,* Die Geschichte als Dichterin, S. 62.

18 *Aristoteles,* Poetik, Kap. 9: »sie unterscheiden sich vielmehr darin, daß der eine erzählt, was geschehen ist, der andere, was geschehen könnte. Darin ist die Dichtung auch philosophischer und bedeutender als die Geschichtsschreibung.«

19 *Ludwig,* Geschenke des Lebens, S. 751 f.

20 Ebda, S. 805.

21 Ebda, S. 757 ff., Zitat S. 764.

22 Ebda, S. 750.

23 *Zweig,* Die Welt von Gestern, S. 433.

24 Albert Malte *Wagner,* Der Sieg des Literaten. In: Die Tat, 22. Jg. (1930/31), H. 2 (Mai 1930), S. 140–145, Zitate: S. 143 f.

25 E. *Kehr,* Der neue Plutarch, S. 187.

26 *Zweig,* Die Geschichte als Dichterin, S. 60.

27 *Ludwig,* Historie und Dichtung, S. 367 f.

28 H. *Weinrich,* Erzählte Philosophie oder Geschichte des Geistes. Linguistische Bemerkungen zu Descartes und Rousseau. In: Geschichte – Ereignis und Erzählung, S. 411–426, Zitat: S. 421.

29 *Ludwig,* Geschenke des Lebens, S. 752.

30 *Dilthey,* Ideen über eine beschreibende und zergliedernde Psychologie (1894). In: D., Ges. Schriften, Bd. 5 (s. z. B. S. 152, wo auf die Werke der Dichter und »die Reflexionen über das Leben« von großen Schriftstellern hingewiesen wird).

31 Vgl. dazu: V. *Marcu,* Biographie und Biographen, S. 18 f., der den vorsichtigen Umgang mit »Liebesbriefen« empfiehlt.

32 In: Historische Zeitschrift 138 (1928), S. 617.

33 S. dazu Kap. III. 4. c. (Biographie als Entwurf einer ›höheren Welt‹), Anm. 58 u. 59.

34 P. *Szondi,* Für eine nicht mehr narrative Historie. In: Geschichte – Ereignis und Erzählung, S. 540–542, Zitat: S. 542; B. *Croce,* History: Its Theory and Practice. New York 1960, S. 35. Hier nach: S. *Kracauer,* Geschichte – Vor den letzten Dingen, S. 205.
S. zu dem Problem der ästhetischen Kohärenz und narrativen Harmonisierung die Literaturangaben in Kap. III. 4. c. (Biographie als Entwurf einer ›höheren Welt‹), Anm. 52.

35 S. dazu z. B.: H. R. *Jauß,* Geschichte der Kunst und Historie, S. 221; vgl. auch: W. *Schiffels,* Geschichte(n) Erzählen, S. 38 f.

36 *Schiffels,* ebda, S. 38.

37 In: Historische Zeitschrift 138 (1928), S. 621.

38 *Zweig,* Der Kampf mit dem Dämon, S. 8.

39 *Zweig,* Die Welt von Gestern, S. 364. Vgl. z. B. auch: Werner *Richter,* Über das Schreiben von Biographien, S. 488: Die Biographie soll »die Spannkraft des Romans« ausüben.

40 R. *Musil,* Der Mann ohne Eigenschaften. Hamburg 1952, S. 650. Vgl. auch Anm. 50 im letzten Kapitel »Kunst und Wissenschaft« (IV. 3).

41 *Zweig,* Marie Antoinette, S. 355 u. Maria Stuart, S. 24.

42 *Jauß,* Geschichte der Kunst und Historie, S. 225; Golo *Mann,* Pro domo, S. 233.

43 *Danto,* Analytische Philosophie, S. 230 u. 231.

44 *Zweig,* Die Geschichte als Dichterin, S. 58. Vgl. auch das Vorwort zu »Sternstunden der Menschheit«: »Solche dramatisch geballten, solche schicksalträchtigen Stunden«.

45 Zitate: Einmal ist es der Titel seines Essays, das andere Mal: Ebda, S. 59.

46 *Zweig,* Die Geschichte als Dichterin, S. 56.

47 *Zweig,* Die Geschichte als Dichterin, S. 55.

48 *Ludwig,* Geschenke des Lebens, S. 738; vgl. auch: Ebda, S. 750; vgl. auch: L., Historie und Dichtung, S. 373: »Darum ist vielleicht niemand geeigneter, Geschichte unter den gedachten Voraussetzungen zu schreiben, als der Dramatiker.«

49 *Zweig,* Die Welt von Gestern, S. 365. Vgl. auch: *Ludwig,* Geschenke des Lebens, S. 750, wo L. seine Arbeit mit der des »Baumeister[s]« vergleicht. Vgl. auch Lytton *Strachey,* Eminent Victorians, wo in der Einleitung scharfe Attacken gegen die dickleibigen Geschichtswälzer (»those two fat volumes«) geritten werden. St. plädiert für Kürze (»brevity«).

50 *Ludwig,* Geschenke des Lebens, S. 756.

51 S. dazu: Hartmut *Steinecke,* Hermann Broch und der polyhistorische Roman. Bonn 1968. Vgl. auch: Theorie und Technik des Romans. Hg. von H. *Steinecke.* Tübingen 1972 (Deutsche Texte 20), S. 48 f.

52 R. *Weimann,* Erzählsituation und Romantypus. In: Sinn und Form, Nr. 1, 1966, S. 109–133. Auch in: Kritik in der Zeit. Der Sozialismus – seine Literatur – ihre Entwicklung. Hg. von K. *Jarmatz.* Halle o. J. (1970), S. 734–774, Zitat: S. 774.

53 *Droysen,* Historik, S. 420.

54 Ebda, S. 419.

55 *Habermas,* Strukturwandel, S. 205.

56 S. Kap. IV. 2. e. (Identifizierungsangebote), Anm. 33.

k) *Gegenmodelle: Von der Individual- zur Sozialbiographie*

1 *Szondi,* Für eine nicht mehr narrative Historie. In: Geschichte – Ereignis und Erzählung, S. 542.

2 E. *Kehr,* Der neue Plutarch, S. 188.

3 S. dazu mein Nachwort in der Neuauflage: H. *Wendel,* Danton. Königstein 1978 (Reihe Quellentexte zur Literatur- und Kulturgeschichte 6, hg. von H. *Kreuzer*), S. 423–443.

4 S. *Tretjakov,* Die Biographie des Dings, S. 83. T.'s Biographie ist heute leicht zugänglich: S. T., Den Schi-Chua. Die Geschichte eines chinesischen Revolutionärs. Darmstadt u. Neuwied 1974 (Slg. Luchterhand 145).

5 T. beschreibt seine Intention so: »Da ich dem Schriftstellerhirn, welches einen erdachten, aus den Beobachtungen an vielen Individuen entstandenen Typus schafft, nicht traute, war ich bemüht, ein solches Individuum ausfindig zu machen, das typisch für Epoche und Milieu wäre. Zum Thema meines Werkes wählte ich einen wirklichen Menschen, meinen Schüler, mit dem ich freundschaftliche Beziehungen unterhielt.
Ich zog alle meine Erfahrungen und Kenntnisse von China zu Hilfe und begann, auf diese ge-

stützt, meine ein halbes Jahr dauernde Unterhaltung mit einem Menschen, der zugleich Autor und handelnde Person war. So entstand mein Buch ›Denschichua‹. Die Ergebnisse fielen befriedigend aus. Seine Biographie kann als typisch für alle seine Zeitgenossen gelten. So entstand ein Werk, das nicht nur ein künstlerisches, sondern zugleich ein Forschungswerk ist.« In: S. T., Die Arbeit des Schriftstellers. Aufsätze, Reportagen, Porträts. Hg. von H. *Boehncke.* Reinbek b. Hamburg 1972 (dnb 3), S. 191 f.

6 Faktograph: Ebda, S. 79. Vgl. dazu auch das Nachwort von Heiner *Boehncke.* Zitat: Ebda, S. 84.

7 Ebda, S. 83.

8 S. dazu das Nachwort von Heiner *Boehncke,* in dem auch auf *Lukács'* Gegenposition verwiesen wird (S. 211), die dieser in seinem Aufsatz »Erzählen und Beschreiben?« einnimmt.

9 *Benjamin,* Der Autor als Produzent. In: W. B., Versuche über Brecht. Frankfurt/M. 1966. Auch in: W. B., Gesammelte Schriften. II. 2. Frankfurt/M. 1977, S. 683–701. S. auch das Nachwort von H. *Boehncke* zu Tretjakov. *Benjamins* »Charles Baudelaire« ist folgendermaßen gegliedert: 1. Teil: Das Paris des Second Empire bei Baudelaire. I. Die Bohème, II. Der Flaneur, III. Die Moderne. 2. Teil: Über einige Motive bei Baudelaire, 3. Teil: Zentralpark. Der 3. Teil ist nicht mehr ausgeführt, er ist nur noch bruchstückhaft erhalten.

10 *Adorno,* Über Walter Benjamin. Frankfurt/M. 1970, S. 26. Hier nach: *Benjamin,* Baudelaire, S. 198.

11 S. *Kracauer,* Jaques Offenbach, S. 7 f.

12 Ebda, S. 66 u. S. 185.

13 *Benjamin,* Baudelaire, S. 198.

14 F. *Sengle,* Zum Problem der modernen Dichterbiographie, S. 107.

3. Kunst und Wissenschaft. Die literarische Biographie der Gegenwart

1 Dieses Kapitel ist aus einer Untersuchung hervorgegangen, die ich für den Sammelband »Biographie und Geschichtswissenschaft«, den Grete *Klingenstein* u. a. 1979 herausgeben, verfaßt habe. Den Herausgebern danke ich für ihr Einverständnis, die Ausarbeitungen für das vorliegende Kapitel benutzen zu dürfen.

2 G. *Lukács,* Reportage oder Gestaltung? In: G. L., Literatursoziologie. Neuwied und Berlin ⁴1970 (G. L., Werkauswahl. Hg. von P. *Ludz*), S. 128.

3 Th. W. *Adorno,* Der Essay als Form. In: Th. W. A., Noten zur Literatur I. Frankfurt/M. 1958, S. 15 f.

4 S. dazu F. *Meineckes* schon mehrfach erwähnten Aufsatz »Kausalitäten und Werte in der Geschichte«. In: Historische Zeitschrift 37 (1928), S. 1–27. Zu Meineckes Kunst-Wissenschaftsverständnis s. auch: O. *Westphal,* Feinde Bismarcks, S. 240–251 (»Die Idee der Staatsräson und der Primat der Kunst über die Wissenschaft. Meinecke«); s. auch das Zitat im Kap. »Biographie als ›Seelenkunde‹« (IV. 2. c.), Anm. 24.

5 *Aristoteles,* Poetik, Kap. 9.

6 S. dazu den 6. Brief aus »Über die ästhetische Erziehung des Menschen«. Zur Kunst-Wissenschaft-Diskussion s.: *Westphal,* Feinde Bismarcks; H. *Schlaffer,* Kunst und Reflexion im deutschen Idealismus. In: Literaturmagazin 6. Hg. von N. *Born* und H. *Schlaffer.* Reinbek 1976 (dnb 77), S. 108–117; S. *Kracauer,* Geschichte – Vor den letzten Dingen; J. *Rüsen,* Ästhetik und Geschichte; H. *Heißenbüttel,* 13 Hypothesen über Literatur und Wissenschaft als vergleichbare Tätigkeiten. In: H. H., Über Literatur. Aufsätze. München 1970, S. 195–204; W. *Lepenies,* Der Wissenschaftler als Autor. Über konservierende Funktion der Literatur. In: Akzente. Zeitschrift für Literatur 2 (1978), S. 129–147; Silvio *Vietta,* Wissenschaft, Literatur und Dunkelfelder der Erkenntnis. In: Akzente 1979, H. 1/2, S. 90–97. Zur Einheitsthese s. auch: E. *Trunz,* Der deutsche Späthumanismus um 1600 als Standeskultur. In: Deutsche Ba-

rockforschung. Hg. von R. *Alewyn*. Köln und Berlin 1965, S. 147–181. Für die Zeit des Späthumanismus konstatiert Trunz »ein großes einheitliches System aller Wissenschaften und Künste« (S. 152). Über das Verhältnis von Dichtung und Geschichte ließe sich eine eigene große Abhandlung schreiben, hier sei nur auf das umfangreiche Kapitel »Literatur und Geschichte« im »Reallexikon der deutschen Literaturgeschichte« (2. Bd. 1965) verwiesen. Neuere Literatur und den neuesten Forschungsstand geben wieder: U. *Paul*, Vom Geschichtsdrama zur kritischen Diskussion. Über die Desintegration von Individuum und Geschichte bei G. *Büchner* und P. *Weiss*. München 1974; V. *Geppert,* Der ›andere‹ historische Roman; W. *Schiffels,* Geschichte[n] Erzählen.

7 S. dazu: G. *Kaiser,* »Denken« und »Empfinden«: ein Beitrag zur Sprache und Poetik Klopstocks. In: DVjs 1961, S. 321–343; zu Klopstocks Verbindung von Kunst und Wissenschaft,S. 332.

8 G. W. F. *Hegel,* Vorlesungen über die Ästhetik. Frankfurt/M. 1970 (G. W. F. *Hegel,* Werke, Bd. 13. Hg. von E. *Moldenhauer* und K. M. *Michel*), S. 123. Hier nach: H. *Schlaffer,* Kunst und Reflexion (Anm. 6), S. 109.

9 S. dazu: B. *Peschken*, Versuch einer germanistischen Ideologiekritik. Goethe, Lessing, Novalis, Tieck, Hölderlin, Heine in Wilhelm Diltheys und Julian Schmidts Vorstellungen. Stuttgart 1972; J. *Rüsen*, Ästhetik und Geschichte; Westphal, Feinde Bismarcks; s. dazu auch das Kap. »Ideal und Realität – Versöhnung mit der Gegenwart« (III. 4. d.); *Adorno*, Essay als Form (Anm. 3), S. 16.

10 *Lepenies*, Wissenschaftler als Autor (Anm. 6), S. 138. Vgl. ebda. S. 130: Kunst und Wissenschaft sollten sich verhalten »wie die Freizeit zur Arbeit«.

11 H. *Kurz*, Nachwort zu: Schiller's Heimathjahre I (1843), S. 395 f. Hier nach: H. *Steinecke,* Romantheorie und Romankritik in Deutschland. Bd. 1. Stuttgart 1975, S. 148.

12 W. *Dilthey*, Der Aufbau der geschichtlichen Welt in den Geisteswissenschaften. Göttingen ²1958 (W. D., Gesammelte Schriften, Bd. 7), S. 250 (Kap. IV: Die Biographie, S. 246–251); s. dazu auch das Kap. »Biographie als Entwurf einer ›höheren Welt‹« (III. 4. c); *Adorno*, Essay als Form (Anm. 3), S. 14.

13 Vgl. dazu: *Westphal*, Feinde Bismarcks; *Kracauer*, Geschichte; *Rüsen*, Ästhetik und Geschichte.

14 *Kracauer*, Geschichte, S. 208; vgl. auch: J. *Rüsen*, Der Historiker als »Parteimann des Schicksals«. Georg Gottfried Gervinus und das Konzept der objektiven Parteilichkeit im deutschen Historismus. In: R. *Koselleck*, W. *Mommsen*, J. *Rüsen* (Hg.), Objektivität und Parteilichkeit in der Geschichtswissenschaft. München 1977 (dtv WR 4281): »Die Objektivitätsgarantie der historischen Erklärung gelangt nicht über die Plausibilität einer Erzählung von tatsächlichen Ereignissen hinaus.« (S. 100) »Im Historismus wird also der Objektivitätsgrad historischer Darstellung daran gemessen, in welchem Umfang sie einen inneren Zusammenhang von Begebenheiten durch deren ästhetische Reproduktion zum Vorschein bringen können.« (S. 101)

15 F. *Schlegel,* Über das Studium der griechischen Poesie. In: F. S., Kritische Schriften. Hg. von W. *Rasch*. München 1964, S. 158. Hier nach: H. *Schlaffer,* Kunst und Reflexion (Anm. 6), S. 113.

16 *Adorno*, Essay als Form (Anm. 3), S. 9.

17 *Kracauer*, Geschichte, S. 204.

18 *Lukács*, Reportage (Anm. 2), S. 131; G. *Lukács*, Die Theorie des Romans. Neuwied und Berlin 1965, S. 53; *Kracauer*, Ornament der Masse, S. 76.

19 R. *Weimann*, Erzählsituation und Romantypus. Zu Theorie und Genesis realistischer Erzählformen. In: Sinn und Form 1 (1966), S. 109–133. Hier zitiert nach dem Wiederabdruck in: Kritik in der Zeit. Der Sozialismus – seine Literatur – ihre Entwicklung. Hg. von K. *Jarmatz*. Halle/Saale 1970, S. 743–774, Zitat: S. 774.

20 H. *Broch*, James Joyce und die Gegenwart. In: H. B., Gesammelte Werke. Bd. 6 (Essays. Bd. 1). Zürich 1955, S. 192. Auch in: Theorie und Technik des Romans im 20. Jahrhundert. Hg. von H. *Steinecke*. Tübingen 1972, S. 52.

21 A. *Döblin,* Der historische Roman und wir, S. 170, 178, 173.

22 In: R. *Musil,* Tagebücher, Aphorismen, Essays und Reden. Hamburg 1955, S. 788.

23 C. *Meier,* Narrativität, Geschichte und die Sorgen des Historikers. In: Geschichte – Ereignis und Erzählung, S. 584.

24 *Jauß,* Geschichte der Kunst und Historie, S. 230.

25 Stellvertretend sei hier nur auf die anscheinend sehr erfolgreiche Taschenbuchreihe »Heyne Biographien« verwiesen. Stefan Zweigs Werke sind heute ungleich erfolgreicher als diejenigen Emil Ludwigs.

26 W. *Hildesheimer,* Mozart, S. 16.

27 S. Anm. 16.

28 B. *Brecht,* Notizen über realistische Schreibweise. In: B. B., Gesammelte Werke. Frankfurt/M. 1973 (werkausgabe edition suhrkamp), S. 364; W. *Benjamin,* Das Kunstwerk im Zeitalter seiner technischen Reproduzierbarkeit (Kap. IX). In: W. B., Illuminationen. Frankfurt/M. 1969, S. 163.

29 Ich habe hier Gedanken von W. Voßkamp übernommen. W. *Voßkamp,* Literatur als Geschichte. Überlegungen zu dokumentarischen Prosatexten von Alexander Kluge, Klaus Stiller und Dieter Kühn. In: Basis. Jahrbuch für deutsche Gegenwartsliteratur 4 (1973), S. 236. Voßkamp gibt auch das Baumgart-Zitat wieder: R. *Baumgart,* Aussichten des Romans oder Hat Literatur Zukunft? Neuwied 1968, S. 60.

30 H. *Heißenbüttel,* Zur Tradition der Moderne. Darmstadt und Neuwied 1972 (Slg. Luchterhand 51), z. B. S. 70–79.

31 In: Geschichte – Ereignis und Erzählung, S. 567.

32 H. M. *Enzensberger,* Der kurze Sommer, S. 14 f.

33 Ebda, S. 14.

34 In: Geschichte – Ereignis und Erzählung, S. 567.

35 de Bruyn, Jean Paul, S. 372.

36 In: Frankfurter Rundschau vom 20. IX. 1975. S. auch die Rezension von W. *Schütte* zum 2. Band, ebda, 23. XII. 1978.

37 *Adorno,* Essay als Form (Anm. 3), S. 35.

38 D. *Wellershoff,* Wiederherstellung der Fremdheit. In: Grenzverschiebung. Neue Tendenzen in der deutschen Literatur. Hg. von R. *Matthaei.* Köln ²1972, S. 14 f. (im eingeschobenen Teil »Theorie und Programm«); zuerst in: D. W., Literatur und Veränderung. Versuche zu einer Metakritik der Literatur. Köln und Berlin 1969.

39 H. *Weinrich,* Erzählte Philosophie oder Geschichte des Geistes. In: Geschichte – Ereignis und Erzählung, S. 421.

40 de Bruyn, Jean Paul, S. 119.

41 E. *Ludwig,* Geschenke des Lebens, S. 750: »Dies Studium der Dokumente erscheint mir als eine individuelle Arbeit, die man in keinem Seminar für historische Forschung lernen kann, nur aus dem Leben und der Menschenkunde. […] so kann man nur hoffen, ins Zentrum vorzudringen, wenn man alles beiseite schiebt, was andre über denselben Gegenstand geschrieben haben.«

42 Hildesheimer, Mozart, S. 15; *Fröhlich,* Schubert, S. 23.

43 *Kühn,* Die Präsidentin, S. 18 und 33.

44 *Kühn,* Ich Wolkenstein, S. 105. Die Formel »Ich Wolkenstein« bezieht sich vordergründig auf den Gebrauch durch Wolkenstein selbst (S. 163).

45 *Härtling,* Hölderlin, S. 7.

46 *Kühn,* Ich Wolkenstein, S. 105 f.

47 In der Einleitung zur Woodrow-Wilson-Studie. Abgedruckt in: *Cremerius,* Neurose und Genialität, S. 30. S. das Zitat in Kap. »Biographie als ›Seelenkunde‹« (IV. 2. c.), Anm. 34.

48 *Harig,* Rousseau, S. 18. Zum Problem der Biographie als verkappter Autobiographie s. das Kap. »Biographie als ›Seelenkunde‹« (IV. 2. c.).

49 *Kühn,* Präsidentin, S. 68. S. dazu auch H. *Brochs* »Joyce«-Aufsatz (Anm. 20), wo dafür plädiert wird, daß sich das »Darstellungssubjekt« ebenfalls ins Spiel bringen muß (S. 197). Vgl. auch Christa Wolf in einem Interview: »Mir kommt es so vor, als ob in der modernen Prosa der Autor verpflichtet ist, den Leser teilhaben zu lassen an der Entstehung der Fiktion und ihm nicht die Fiktion als zweite Wirklichkeit vor die Wirklichkeit zu stellen.« In: Gespräch mit Joachim *Walt-*

er (1972). In: J. W., Meinetwegen Schmetterlinge. Gespräche mit Schriftstellern. Berlin (DDR) 1973, S. 131. Als romanpraktisches Beispiel sei auf ein Buch verwiesen, das der Biographik so nahe steht, wie Bernd Neumann einleuchtend gezeigt hat: Uwe *Johnson,* Das dritte Buch über Achim. Frankfurt/M. 1961. Vgl. auch *Brechts* Verfahren in seinem »Caesar«-Roman, das Renate *Werner* in ihrem Aufsatz »Transparente Kommentare. Überlegungen zu historischen Romanen deutscher Exilautoren« beschrieben hat. In: Poetica 9 (1977), H. 3/4, S. 324–351.

50 R. *Musil,* Der Mann ohne Eigenschaften. Hamburg 1952, S. 650.

51 Das jeweilige didaktische Element müßte nicht nur aus den Biographien, sondern auch von den Autoren selbst erfragt werden. So hat z. B. *Enzensberger* in einem Gespräch mit Jost Nolte, das im »Zeitmagazin« 39 (1972) abgedruckt war, berichtet, daß es ihm vor allem um eine ›ausgleichende Parteilichkeit‹ gegangen sei: »Ich möchte erreichen, daß der Leser nicht ganz umhin kommt, sich die Frage vorzulegen, was er von der Geschichte hält. Was ich davon halte, ist an ihr das Uninteressante.« D. *Kühn* hat sich in »Die Präsidentin« zu einem eindeutigen Gegenwartsinteresse bekannt, s. das unten folgende Zitat (Anm. 74). Meist geht es den Biographen auch darum, ein überliefertes Bild ihres ›Helden‹ zu korrigieren und damit die traditionelle Heldenverehrung zu destruieren. S. dazu vor allem das Vorwort von *Hildesheimer* zu seinem »Mozart«.

52 In: Geschichte – Ereignis und Erzählung, S. 575. Vgl. zu dieser Einstellung auch *Dilthey* (W. D., Ges. Schriften, Bd. 7, S. 233): »Man müßte das Ende des Lebenslaufes abwarten und könnte in der Todesstunde erst das Ganze überschauen, von dem aus die Beziehung seiner Teile feststellbar wäre«. Hier zitiert nach: H.-W. *Hedinger,* Subjektivität, S. 340.

53 S. dazu das Kap. »Gegenmodelle: Von der Individual- zur Sozialbiographie« (IV. 2.k). Th. W. *Adorno* berichtet über Benjamins Absicht, im »Baudelaire« eine »schockhafte Montage des Materials« zu versuchen. In: *Benjamin,* Baudelaire, S. 198; s. *Tretjakovs* Einleitung zu »Menschen eines Scheiterhaufens«: »Die Montage ist die Art und Weise, Fakten so zu verketten, daß sie beginnen, soziale Energie und die in ihnen verborgene Wahrheit auszustrahlen.« In: S. T., Die Arbeit des Schriftstellers, S. 145.

54 *Enzensberger,* Der kurze Sommer, S. 14. In einer Rezension von Louis *Aragons* »Henri Matisse Roman« (dt. 1975) hat Fritz J. *Raddatz* diese Technik beschrieben: »Im herkömmlichen Sinne ist dies kein Roman, vielmehr eine kühne Collage aus verschiedensten Elementen: Erinnerungen an Matisse, an Gespräche, Atelierbesuche, Modellsitzungen; essayistische Interpretationen spezifischer Malprobleme bei Matisse; Katalogvorworte, Zeitungsartikel, der Nachruf gar aus der Humanité; Gedichte; besonders reizvolle Variante: zahllose Randbemerkungen, die Matisse zu den von ihm vorgelegten Manuskript-Teilen gemacht hat, Widerspruch, Korrektur, Zustimmung.« F. J. *Raddatz,* Botschaft Frankreichs. Louis Aragons Collage-Roman über den Maler Henri Matisse. In: Die Zeit, 12. III. 1976, S. 39.

55 *Hildesheimer,* Mozart, S. 34.

56 *Heißenbüttel,* 13 Hypothesen (Anm. 6), S. 201.

57 *Hedinger,* Subjektivität, S. 336 ff. Vgl. auch: *Rüsen,* Ästhetik und Geschichte, S. 113 ff.; D. *Riesenberger,* Biographie als historiographisches Problem.

58 L. *Sève,* Marxismus und Theorie der Persönlichkeit, S. 265 und 395.

59 *Lepenies,* Wissenschaftler als Autor (Anm. 6), S. 144.

60 *Hedinger,* Subjektivität, S. 340.

61 *Kühn,* Präsidentin, S. 68; *Kühn,* josephine, S. 58; *Härtling,* Hölderlin, S. 358; *Fröhlich,* Schubert, S. 252. Zu Musil: A. *Schöne,* Zum Gebrauch des Konjunktivs bei Robert Musil. In: Euphorion 55 (1961), S. 196–220.

62 J. H. *Petersen,* Wirklichkeit, Möglichkeit und Fiktion in Max Frischs Roman ›Mein Name sei Gantenbein‹. In: G. *Knapp* (Hg.), Max Frisch. Aspekte des Prosawerks. Bern u. a. 1978, S. 131–156.

63 J. *Habermas,* Wissenschafts- und Bildungssprache. (Beim Empfang des Sigmund-Freud-Preises) In: Süddeutsche Zeitung 247 (23./24. X. 1976), S. 91 f; Ch. *Wolf,* Lesen und Schreiben. Aufsätze und Prosastücke. Darmstadt und Neuwied 1972, S. 195.

64 *Fröhlich,* Schubert, S. 30. Dieses Bewußtsein des Hypothetischen findet sich auch schon in *Musils* »Der Mann ohne Eigenschaften« (Hamburg 1952): »die Gegenwart ist nichts als eine Hypo-

these, über die man noch nicht hinausgekommen ist.« (S. 250) Deshalb entschließt sich Ulrich »hypothetisch [zu] leben« (S. 249). Vgl. auch: *Heißenbüttel,* 13 Thesen (Anm. 6), S. 203, der für das »Offenbleibende« plädiert.

65 *Hildesheimer,* Mozart, S. 47. Zum Verhältnis von Fakten und Fiktionen s.: E. *Plessen,* Fakten und Erfindungen. Zeitgenössische Epik im Grenzgebiet von *fiction* und *nonfiction.* München 1971.

66 *de Bruyn,* Jean Paul, S. 46.

67 *Weimann,* Erzählsituation (Anm. 19), S. 774. Vgl. auch *Wellershoff,* Wiederherstellung der Fremdheit (Anm. 39): »Subjektivität bedeutet indessen durchaus keine eingeschränkte Geltung, sondern ist der Widerstand, an dem das Allgemeine konkret wird und zwar zugleich als Zeugnis und Kritik. Die große Attitüde der Deutung des Ganzen scheint mir allerdings überholt zu sein.« (S. 14)

68 *Enzensberger,* Der kurze Sommer, S. 13 f.

69 *Fröhlich,* Schubert, S. 21.

70 *de Bruyn,* Jean Paul, S. 77.

71 In: Geschichte – Ereignis und Erzählung, S. 560.

72 *Harig,* Rousseau, S. 30.

73 *Droysen,* Historik, S. 273.

74 *Kühn,* Präsidentin, S. 44.

75 *Droysen,* Historik, S. 275.

76 J. *Rüsen,* Didaktische Bezüge heutiger Geschichtstheorie. In: Geschichte als Überlieferung und Konstruktion. Hg. von U. *Gerber* und M. *Bosch* (Loccumer Kolloquien 4). Loccum (Typoskript) 1976, S. 148.

77 *Jauß,* Literaturgeschichte als Provokation, S. 199.

78 *Rüsen,* Ästhetik und Geschichte, S. 117.

79 G. *Lukács,* Über Wesen und Form des Essays. In: G. L., Die Seele und die Formen. Essays. Berlin 1911. Hier zitiert nach: Deutsche Essays I. Hg. von L. *Rohner.* Neuwied und Berlin 1968, S. 34.

80 H. *Heißenbüttel,* 13 Thesen (Anm. 6), S. 195 f.

81 *Lepenies,* Wissenschaftler als Autor (Anm. 6), S. 146 und 145.

82 G. W. F. *Hegel,* Ästhetik I, S. 275 und 276.

83 R. *Musil,* Der Mann ohne Eigenschaften. Hamburg 1952, S. 251.

84 E. *Bloch,* Das Prinzip Hoffnung. Frankfurt/M. 1959, S. 257.

85 R. *Musil,* Der Mann ohne Eigenschaften. Hamburg 1952, S. 254.

LITERATURVERZEICHNIS

1. Texte

Hier wird keine Bibliographie der Biographien angestrebt, sondern es werden nur die Texte genannt, die in dieser Untersuchung benutzt wurden.

Benjamin, Walter: Charles Baudelaire. Ein Lyriker im Zeitalter des Hochkapitalismus. Hg. von R. Tiedemann. Frankfurt/M. 1974 (suhrkamp taschenbuch wissenschaft 47).
Bertram, Ernst: Nietzsche. Versuch einer Mythologie. 8. um einen Anhang erweiterte Auflage. Bonn 1965 [zuerst: 1918].
Bruyn, Günter de: Das Leben des Jean Paul Friedrich Richter. Frankfurt/M. 1976.

Cremerius, Johannes (Hg.): Neurose und Genialität. Psychoanalytische Biographien. Frankfurt/M. 1971.

Dilthey, Wilhelm: Das Erlebnis und die Dichtung. Lessing. Goethe. Novalis. Hölderlin. 14. Aufl. Göttingen 1965 (Kleine Vandenhoeck-Reihe 191 S) [zuerst: 1906].
Ders.: Leben Schleiermachers. 1. Bd. 2. Aufl. Berlin u. Leipzig 1922 [zuerst: 1870; auch in: W. D., Gesammelte Schriften. Bd. 13, Bd. 14. Göttingen 1970].

Enzensberger, Hans Magnus: Der kurze Sommer der Anarchie. Buenaventura Durrutis Leben und Tod. Frankfurt/M. 1972.
Erikson, Erik H.: Der junge Mann Luther. Eine psychoanalytische und historische Studie. Frankfurt/M. 1975 (suhrkamp taschenbuch wissenschaft 117) [zuerst: amerik. 1958].

Forster, Georg: Cook der Entdecker. In: Cook der Entdecker. Schriften über James Cook von Georg Forster und Georg Christoph Lichtenberg. Hg. von Klaus-Georg Popp. Frankfurt/M. 1976 (Röderberg Tb. 47), S. 5–137. [Auch in: G. F., Werke in vier Bänden. Frankfurt/M. 1967–1971. Bd. 2, S. 103–224].
Ders.: Erklärung der zwölf Bildnisse. In: G. F., Erinnerungen aus dem Jahr 1790. In: Georg Forsters Werke. Hg. von der Akademie der Wiss. der DDR. Bd. 8. Berlin (DDR) 1974, S. 300–352. [Enthält: I. Joseph II u. Leopold II; II. Benjamin Franklin und John Howard; II. Gideon von Loudon und Gregor Potemkin, der Taurier; IV. Honoré Gabriel Mirabeau und Heinrich van der Noot; V. Katharina II. und Gustav III.; VI. Friedrich Ewald Graf von Hertzberg und William Pitt.]
Freud, Sigmund: Eine Kindheitserinnerung des Leonardo da Vinci. In: S. V., Studienausgabe. Bd. 10. Frankfurt/M. 1969, S. 87–159.
Fröhlich, Hans J.: Schubert. München 1978.

Gervinus, Georg Gottfried: Johann Georg Forster. In: Georg Forster, Sämtliche Schriften. Leipzig 1843, Bd. 7, S. 1–78. Wieder in: G. G. Gervinus, Schriften zur Literatur. Hg. von Gotthard Erler. Berlin (DDR) 1962, S. 317–403.
Gildemeister, Otto: Essays. Hg. von Freunden. Bd. 1: 3. Aufl. Berlin 1898; Bd. 2: 2. Aufl. Berlin 1897.

Goethe, Johann Wolfgang: Philipp Hackert. In: Goethe Berliner Ausgabe. Bd. 19. Berlin (DDR) und Weimar 1973, S. 523–721.

Ders.: Winckelmann und sein Jahrhundert. In: Goethe, Berliner Ausgabe. Bd. 19, S. 471–520.

Grimm, Herman: Fünfzehn Essays. 1. Folge. Berlin 1874. [Die 3. verb. u. verm. Aufl. Gütersloh 1884 ist in den ersten 15 Teilen seitengleich, bietet dann noch 5 weitere Essays.]

Ders.: Goethe. Vorlesungen gehalten an der Kgl. Universität zu Berlin. 4. Aufl. Berlin 1887 [zuerst: 1877].

Ders.: Das Leben Michelangelos. Leipzig 1940 (Slg. Dietrich 93) [zuerst: 1860–63].

Gundolf, Friedrich: Goethe. Berlin 1922 [zuerst: 1916].

Ders.: George. 2. Aufl. Berlin 1921 [zuerst: 1920].

Ders.: Hutten. Klopstock. Arndt. Drei Reden. Heidelberg 1924.

Ders.: Paracelsus. 2. Aufl. Berlin 1928 [zuerst: 1927].

Härtling, Peter: Hölderlin. Darmstadt u. Neuwied 1976.

Harig, Ludwig: Rousseau. Der Roman vom Ursprung der Natur im Gehirn. München 1978.

Haym, Rudolf: Herder. Nach seinem Leben und seinen Werken. 2 Bde. Berlin (DDR) 1958 [zuerst: 1880–85].

Ders.: Wilhelm von Humboldt. Lebensbild und Charakteristik. Osnabrück 1965 [zuerst: 1856].

Hegemann, Werner: Fridericus oder das Königsopfer. Hellerau 1925 [zuerst: Deutsche Schriften von Manfred Maria Ellis. Berlin 1924; 1926 ist eine neue veränd., erweit. Auflage erschienen].

Ders.: Das Jugendbuch vom großen König oder Kronprinz Friedrichs Kampf um die Freiheit. Hellerau 1930.

Ders.: Napoleon oder »Kniefall vor dem Heros«. Hellerau 1927.

Herder, Johann Gottfried: Ueber Thomas Abbts Schriften. Der Torso von einem Denkmaal, an seinem Grabe errichtet. In: J. G. H., Sämtliche Werke (Suphan), Bd. 2, S. 249–363.

Ders.: Hutten [1776]. In: J. G. Herder, Sämtliche Werke, Bd. 9, S. 476–497.

Ders.: Denkmal Ulrichs von Hutten [1793]. In: J. G. H., Sämtliche Werke, Bd. 16, S. 273–294.

Ders.: Etwas von Nikolaus Kopernikus Leben, zu seinem Bilde. In: J. G. H., Sämtliche Werke, Bd. 9, S. 505–512.

Ders.: Gotthold, Ephraim Leßing [1781]. In: J. G. H., Sämtliche Werke, Bd. 15, S. 486–512.

Ders.: Luther, ein Lehrer der Deutschen Nation. In: J. G. H., Sämtliche Werke, Bd. 18, S. 509–511.

Ders.: Zu Reuchlins Bilde. In: J. G. H., Sämtliche Werke, Bd. 9, S. 512–516.

Ders.: Zu Hieronymus Savonarola Bildniß. In: J. G. H., Sämtliche Werke, Bd. 9, S. 516–521.

Ders.: Shakespear. In: J. G. H., Sämtliche Werke, Bd. 5, S. 208–231.

Ders.: J. G. Sulzer [1781]. In: J. G. H., Sämtliche Werke, Bd. 15, S. 51–55.

Ders.: Denkmahl Johann Winkelmanns. [1778]. In: J. G. H., Sämtliche Werke, Bd. 8, S. 437–483.

Ders.: Johann Winckelmann. [1781]. In: J. G. H., Sämtliche Werke, Bd. 15, S. 36–50.

Ders.: Denkmale und Rettungen. Literarische Porträts. Hg. von Regine Otto. Berlin (DDR) und Weimar 1978.

Heyne, Christian Gottlob: Lobschrift auf Winkelmann. In: Die Kasseler Lobschriften auf Winckelmann. Hg. von Arthur Schulz. Berlin (DDR) 1963 (Jahresgabe 1963 der Winckelmann-Gesellschaft Stendal), S. 17–29.

Hillebrand, Karl: Geist und Gesellschaft im alten Europa. Literarische und politische Porträts aus fünf Jahrhunderten. 3. Aufl. Stuttgart 1954.

Ders.: Unbekannte Essays. Hg. v. Hermann Uhde-Bernays. Bern 1955. [Darin: Die Berliner Gesellschaft in den Jahren 1789 bis 1815; Herder; Otfried Müller; Ludwig Häusser; Bismarck; Nachwort: Joseph und Karl Hillebrand, Vater und Sohn.]

Homberger, Heinrich: Karl Hillebrand. In: Deutsche Essays. Bd. 4. Hg. von L. Rohner. Neuwied und Berlin 1968, S. 378–410.

Justi, Carl: Michelangelo. Beiträge zur Erklärung der Werke und des Menschen. 2. Aufl. Berlin 1922 [zuerst: 1900].

Ders.: Michelangelo. Neue Beiträge zur Erklärung seiner Werke. Berlin 1909.

Ders.: Diego Velazquez und sein Jahrhundert. Zürich 1933 [zuerst: 1888].
Ders.: Winckelmann und seine Zeitgenossen. 3 Bde. 5. Aufl. Köln 1956 [zuerst: 1866–72].

Kantorowicz, Ernst: Kaiser Friedrich der Zweite. Düsseldorf u. München 1973 [zuerst: 1927].
Kracauer, Siegfried: Jacques Offenbach und das Paris seiner Zeit. Zürich o. J. [Zuerst: Amsterdam 1937; jetzt: Frankfurt/M. 1976 (S. K., Schriften, Bd. 8.).]
Kühn, Dieter: josephine. Aus der öffentlichen Biographie der Josephine Baker. Frankfurt/M. 1976.
Ders.: N. Frankfurt/M. 1973 (suhrkamp taschenbuch 93) [zuerst: 1970].
Ders.: Die Präsidentin. Frankfurt/M. 1973.
Ders.: Ich Wolkenstein. Frankfurt/M. 1977.

Lichtenberg, Georg Christoph: Einige Lebensumstände von Captain James Cook, größtenteils aus schriftlichen Nachrichten einiger seiner Bekannten gezogen. In: Cook der Entdecker. Schriften über James Cook. Hg. von K.-G. Popp. Frankfurt/M. 1976 (Röderberg Tb. 47), S. 138–174. [Auch in: G. Chr. L., Schriften und Briefe. Bd. 3. Hg. v. W. Promies. München 1972, S. 35–62.]
Ludwig, Emil: Bismarck. Geschichte eines Kämpfers. Berlin 1927 [zuerst: 1926].
Ders.: Der entzauberte Freud. Zürich 1946 (E. L., Gesammelte Werke).
Ders.: Genie und Charakter. Zwanzig männliche Bildnisse. Berlin 1925 [zuerst: 1924].
Ders.: Goethe. Geschichte eines Menschen. Berlin u. a. 1931 [zuerst: 1920].
Ders.: Juli 14. Berlin 1929.
Ders.: Mussolinis Gespräche mit Emil Ludwig. Berlin u. a. 1932.
Ders.: Napoleon. Berlin 1928 [zuerst: 1925].
Ders.: Wilhelm der Zweite. Berlin 1925.

Mann, Heinrich: Stendhal. In: H. M., Essays. Hamburg 1960, S. 39–63.
Ders.: Zola, In: H. M., Essays, S. 154–240.
Marcks, Erich: Heinrich von Treitschke. In: H. v. Treitschke und Erich Marcks, Essays. Berlin o. J. (Biographische Essays. Erste Reihe. Deutsche Bücherei Bd. 29), S. 61–73.
Ders.: Männer und Zeiten. Aufsätze und Reden zur neueren Geschichte. Bd. 2. Leipzig 1911.

Plutarch: Lebensbeschreibungen. Mit Anmerkungen nach der Übersetzung von Kaltwasser bearb. von Hanns Floerke. 6 Bde. München u. Leipzig 1913.

Ranke, Leopold von: Geschichte Wallensteins. Hg. und eingel. von H. Diwald. Düsseldorf 1967 [zuerst: 1869].

Schlegel, Friedrich: Georg Forster. Fragment einer Charakteristik der deutschen Klassiker. In: F. S., Schriften zur Literatur. Hg. von Wolfdietrich Rasch. München 1972, S. 193–214 (dtv 6006). [Auch in: Kritische Friedrich Schlegel-Ausgabe (Neuausgabe). Bd. 2. Hg. von E. Eichner. München u. a. 1967, S. 78–99.]
Ders.: Über Lessing. In: F. S., Schriften zur Literatur, S. 215–249. [Auch in: Kritische Friedrich Schlegel-Ausgabe. Bd. 2, S. 100–125.]
Schmidt, Arno: Fouqué und einige seiner Zeitgenossen. Biographischer Versuch. Frankfurt/M. 1975. [Zuerst: 1958; 2. verb. Aufl. 1960.]
Schmidt, Erich: Charakteristiken. Berlin 1886.
Ders.: Lessing. Geschichte seines Lebens und seiner Schriften. 5. Aufl. Berlin 1909 [Zuerst: Bd. 1: 1884; Bd. 2: 1. Teil 1886, 2. Teil 1892.]
Schmidt, Julian: Portraits aus dem 19. Jahrhundert. Berlin 1878.
Speidel, Ludwig: Persönlichkeiten. Biographisch-literarische Essays. Berlin 1910 (L. Sp., Schriften, Bd. 1).

Treitschke, Heinrich von: Charakterbilder aus der deutschen Geschichte. Hg. von R. Sternfeld u. H. Spiero. Berlin o. J. [1927].

Ders.: Historische und Politische Aufsätze. Bd. 1: 4. verm. Aufl. Leipzig 1871; Bd. 4: Leipzig 1897.

Vallentin, Berthold: Napoleon. Berlin 1923.
Ders.: Winckelmann. Berlin 1931.

Wendel, Hermann: Danton. Berlin 1930 [jetzt auch: Königstein 1978].
Wiegler, Paul: Wilhelm der Erste. Sein Leben und seine Zeit. Hellerau bei Dresden 1927.
Wieland, Christoph Martin: Nachricht von Ulrich von Hutten. In: Wielands Werke. Bd. 21. Berlin 1939, S. 215–222.
Wolters, Friedrich: Stefan George und die Blätter für die Kunst. Deutsche Geistesgeschichte seit 1890. Berlin 1930.

Zweig, Stefan: Castellio gegen Calvin oder ein Gewissen gegen die Gewalt. Wien u. a. 1936.
Ders.: Drei Dichter ihres Lebens. Casanova. Stendhal. Tolstoi. Frankfurt/M. 1961 (Fischer Bücherei 420) [zuerst: 1928].
Ders.: Joseph Fouché. Bildnis eines politischen Menschen. Frankfurt/M. 1974 [zuerst: 1930].
Ders.: Die Heilung durch den Geist. Mesmer – Mary Baker-Eddy – Freud. Leipzig 1931.
Ders.: Magellan. Der Mann und seine Tat. Frankfurt/M. 1977 (Fischer 1830) [zuerst: 1938].
Ders.: Maria Stuart. Marie Antoinette. Bildnis eines mittleren Charakters. Frankfurt/M. 1968 [Maria Stuart zuerst: 1935; Marie Antoinette zuerst: 1932].
Ders.: Drei Meister. Balzac. Dickens. Dostojewski. Leipzig 1929 [zuerst: 1920].
Ders.: Der Kampf mit dem Dämon. Hölderlin. Kleist. Nietzsche. Leipzig 1925.
Ders.: Triumph und Tragik des Erasmus von Rotterdam. Frankfurt/M. 1977 [zuerst: 1935].

2. Darstellungen

Hier werden die Arbeiten genannt, die für die Untersuchung wichtig waren. Weitere Literatur zu Einzelproblemen ist jeweils in den Anmerkungen aufgeführt.

Adorno, Theodor W.: Glosse über Persönlichkeit. In: Th. W. A., Stichworte. Kritische Modelle 2. 3. Aufl. Frankfurt/M. 1970 (edition suhrkamp 347), S. 51–56.

Benjamin, Walter: Angelus Novus. Ausgewählte Schriften 2. Frankfurt/M. 1966.
Berger, Bruno: Der Essay. Form und Geschichte. Bern 1964 (Slg. Dalp 95).
Berges, Wilhelm: Biographie und Autobiographie heute. In: Aus Theorie und Praxis der Geschichtswissenschaft. Festschrift für Hans Herzfeld zum 80. Geburtstag. Hg. von D. Kurze. Berlin u. New York 1972, S. 27–48.
Bergmann, Klaus: Personalisierung im Geschichtsunterricht – Erziehung zu Demokratie? Stuttgart 1972 (2. erw. Aufl. 1977).
Berglar, Peter: Die Wiederkehr der Biographie. Vergangenheitsanschauung und geschichtliche Orientierung. In: Criticon. Konservative Zeitschrift 49 (1978), S. 231–233.
Beutin, Wolfgang: Golo Manns ›Wallenstein‹. Betrachtungen anläßlich der ›Geburt eines Klassikers‹. In: H. L. Arnold (Hg.), Deutsche Bestseller – Deutsche Ideologie. Ansätze zu einer Verbraucherpoetik. Stuttgart 1975 (LGW 15), S. 41–61.
Blöcker, Günter: Biographie – Kunst oder Wissenschaft? In: Adolf Frisé (Hg.), Definitionen. Essays zur Literatur. Frankfurt/M. 1963, S. 58–84.
Bosch, Michael (Hg.), Persönlichkeit und Struktur in der Geschichte. Historische Bestandsaufnahme und didaktische Implikationen. Düsseldorf 1977.
Böschenstein, Hermann: Der neue Mensch. Die Biographie im deutschen Nachkriegsroman. Heidelberg 1958.

Bürger, Christa: Der Ursprung der bürgerlichen Institution Kunst im höfischen Weimar. Literatur-soziologische Untersuchungen zum klassischen Goethe. Frankfurt/M. 1977.
Burckhardt, Jacob: Die Kultur der Renaissance in Italien. Ein Versuch. Leipzig o. J. (Kröner Ta-schenausgabe 53).
Ders.: Weltgeschichtliche Betrachtungen. Frankfurt/M. o. J. (Ullstein Buch 79).

Clifford, James L. (Hg.): Biography as an Art. Selected Criticism. 1560–1960. London u. a. 1962.

Danto, Arthur C.: Analytische Philosophie der Geschichte. Frankfurt/M. 1974 [zuerst: engl. 1965].
Dihle, Albrecht: Studien zur griechischen Biographie. Göttingen 1956.
Dilthey, Wilhelm: Gesammelte Schriften. Leipzig u. Berlin 1922 ff.
Döblin, Alfred: Der historische Roman und wir. In: A. D., Aufsätze zur Literatur. Olten u. Frei-burg/Br. 1963, S. 163–186.
Dresden, S[amuel]: De Structuur van de Biografie. Den Haag 1956.
Droysen, Johann Gustav: Historik. Vorlesungen über Enzyklopädie und Methodologie der Ge-schichte. Hg. v. R. Hübner. Darmstadt 1974.

Faber, Karl-Georg: Theorie der Geschichtswissenschaft. 3. Aufl. München 1974 (Beck'sche Schwarze Reihe 78).
Faulenbach, Bernd (Hg.): Geschichtswissenschaft in Deutschland. Traditionelle Positionen und ge-genwärtige Aufgaben. München 1974 (Beck'sche Schwarze Reihe 111).
Feuchtwanger, Lion: Das Haus der Desdemona oder Größe und Grenzen der historischen Dichtung. Rudolstadt 1961.
Fischer, Andreas: Studien zum historischen Essay und zur historischen Porträtskunst an ausgewähl-ten Beispielen. Berlin 1968.
Friedenthal, Richard: Zum Thema Biographie.In: Deutsche Akademie für Sprache und Dichtung Darmstadt. Jb. 1971. Heidelberg u. Darmstadt 1972, S. 99–102.
Fuhrmann, Manfred: Winckelmann, ein deutsches Symbol. In: Neue Rundschau 1972, S. 265–283.

Garraty, John A.: The Nature of Biography. London 1958.
George, Stefan: 1868–1968. Der Dichter und sein Kreis. Eine Ausstellung des Deutschen Literatur-archivs im Schiller-Nationalmuseum Marbach a. N. Katalog: Stuttgart 1968.
Geppert, Hans Vilmar: Der ›andere‹ historische Roman. Theorie und Strukturen einer diskontinu-ierlichen Gattung. Tübingen 1976 (Studien zur deutschen Literatur 42).
Geschichte – Ereignis und Erzählung. Hg. v. R. Koselleck und Wolf-Dieter Stempel. München 1973 (Poetik und Hermeneutik V).
Geschichte und Geschichtsschreibung. Möglichkeiten Aufgaben Methoden. Texte von Voltaire bis zur Gegenwart, Hg. und eingeleitet von Fritz Stern. München 1966 (piper paperback).
Geschichte heute. Positionen. Tendenzen. Probleme. Hg. von G. Schulz. Göttingen 1973.
Groeben, Norbert: Literaturpsychologie. Literaturwissenschaft zwischen Hermeneutik und Empi-rie. Stuttgart u. a. 1972.
Grunenberg, Antonia und Bodo Voigt: Das merkwürdige Interesse an Biographien. In: Berliner Hefte. Zeitschrift für Kultur und Politik 5 (1977), S. 28–37.
Gundolf, Friedrich: Dichter und Helden. In: F. G., Dichter und Helden. Heidelberg 1921, S. 23–58.

Haas, Gerhard: Essay. Stuttgart 1969 (Sgl. Metzler 83).
Habermas, Jürgen: Können komplexe Gesellschaften eine vernünftige Identität ausbilden? In: J. Habermas u. D. Henrich, Zwei Reden. Aus Anlaß des Hegel-Preises. Frankfurt/M. 1974 (suhrkamp taschenbuch 202), S. 23–84.
Ders.: Strukturwandel der Öffentlichkeit. Untersuchungen zu einer Kategorie der bürgerlichen Ge-sellschaft. 5. Aufl. Neuwied u. Berlin 1971 (Slg. Luchterhand 25).
Ders.: Über das Subjekt der Geschichte. In: Seminar: Geschichte und Theorie. Umrisse einer Histo-

rik. Hg. von H. M. Baumgartner u. Jörn Rüsen. Frankfurt/M. 1976 (suhrkamp taschenbuch wissenschaft 98), S. 388–396.

Hedinger, Hans-Walter: Subjektivität und Geschichtswissenschaft. Grundzüge einer Historik. Berlin 1969.

Hegel, Georg Wilhelm Friedrich: Ästhetik. 2 Bde. Hg. von F. Bassenge. Berlin (DDR) u. Weimar 1965.

Hegemann, Werner: Entlarvte Geschichte. Vollständige, umgearb. u. erweiterte Neuausgabe. (Prag) 1934.

Herder, Johann Gottfried: Sämtliche Werke. Hg. von B. Suphan. 33 Bde. Berlin 1877–1913.

Heuss, Theodor: Über Maßstäbe geschichtlicher Würdigung. In: Die großen Deutschen. Deutsche Biographie. Hg. von H. Hempel, Th. Heuss u. B. Reifenberg. Berlin 1956, Bd. 1, S. 9–17.

Hiebel, Friedrich: Biographik und Essayistik. Zur Geschichte der schönen Wissenschaften. Bern und München 1970.

Historische Belletristik. Ein kritischer Literaturbericht. Hg. von der Schriftleitung der Historischen Zeitschrift. München und Berlin 1928.

Holtzhauer, Helmut: Einleitung zu: Johann Wolfgang Goethe, Winckelmann und sein Jahrhundert. Leipzig 1969, S. 9–42.

Horkheimer, Max: s. Regius.

Iggers, Georg G.: Deutsche Geschichtswissenschaft. Eine Kritik der traditionellen Geschichtsauffassung von Herder bis zur Gegenwart: München 1971 (dtv 4059).

Jaeggi, Urs: Zwischen den Mühlsteinen. Der Kleinbürger oder die Angst vor der Geschichte. In: Kursbuch 45 (September 1976), S. 151–168.

Jander, Eckhart: Untersuchungen zu Theorie und Praxis der deutschen historischen Biographie im neunzehnten Jahrhundert. (Ist die Biographie eine mögliche Form legitimer Geschichtsschreibung?) Phil. Diss. Freiburg/Br. 1965.

Jauß, Hans Robert: Geschichte der Kunst und Historie. In: H. R. J., Literaturgeschichte als Provokation. Frankfurt/M. 1970 (edition suhrkamp 418), S. 208–251. Auch in: Geschichte – Ereignis und Erzählung, S. 175–209.

Just, Klaus Günther: Der Essay. In: Deutsche Philologie im Aufriß. Bd. II. 2. Aufl. Berlin 1960, Sp. 1897–1948.

Kehr, Eckart: Der neue Plutarch. Die »historische Belletristik«, die Universität und die Demokratie. In: Die Gesellschaft. Internationale Revue für Sozialismus und Politik. Hg. von R. Hilferding. Jg. 7 (1930), S. 180–188.

Kendall, Paul Murray: The Art of Biography. London 1965.

Kienzle, Michael: Biographie als Ritual. Am Fall Emil Ludwig. In: A. Rucktäschel u. H. D. Zimmermann (Hg.), Trivialliteratur. München 1976 (UTB 637), S. 230–248.

Kircheisen, Friedrich M.: Die Geschichte des literarischen Porträts in Deutschland. Bd. 1: Von den ältesten Zeiten bis zur Mitte des 12. Jahrhunderts. Leipzig 1904.

Kirn, Paul: Das Bild des Menschen in der Geschichtsschreibung von Polybios bis Ranke. Göttingen 1955.

Klingenstein, Grete, Heinrich Lutz und Gerald Stourzh (Hg.): Biographie und Geschichtswissenschaft. München 1979 (Wiener Beiträge zur Geschichte der Neuzeit 6).

Kohn, Hans: Die Idee des Nationalismus. Ursprung und Geschichte bis zur Französischen Revolution. Frankfurt/M. 1962 [zuerst: amerik. 1944].

Koselleck, Reinhart: Kritik und Krise. Eine Studie zur Pathogenese der bürgerlichen Welt. Frankfurt/M. 1973 (suhrkamp taschenbuch wissenschaft 36) [zuerst: 1959].

Kracauer, Siegfried: Die Biographie als neubürgerliche Kunstform. In: S. K., Das Ornament der Masse, S. 75–80 [zuerst: 1930].

Ders.: Geschichte – Vor den letzten Dingen. Frankfurt/M. 1973 (suhrkamp taschenbuch wissenschaft 11) [zuerst: amerik. 1969].

Ders.: Das Ornament der Masse. Essays. Frankfurt/M. 1977 (suhrkamp taschenbuch 371).

Kraft, Werner: Überlegungen zum Thema Biographie und Autobiographie. In: Deutsche Akademie für Sprache und Dichtung Darmstadt. Jb. 1971. Heidelberg u. Darmstadt 1972, S. 70–79.

Kreuzer, Helmut: Von Bülow zu Bevin. Briefe aus dem Nachlaß Emil Ludwigs. Houston 1969 (Rice University Studies, Vol. 55, No. 3).

Kühnl, Reinhard: Formen bürgerlicher Herrschaft. Liberalismus. Faschismus. Reinbek 1971 (rororo 1342 A).

Küntzel, Heinrich: Essay und Aufklärung. Zum Ursprung einer originellen deutschen Prosa im 18. Jahrhundert. München 1969.

Landfried, Klaus: Stefan George. Politik des Unpolitischen. Heidelberg 1975.

Lenz, Max: Rankes biographische Kunst und die Aufgabe des Biographen. Berlin 1912.

Leo, Friedrich: Die griechisch-römische Biographie nach ihrer literarischen Form. Hildesheim 1965 [zuerst: 1901].

Lepenies, Wolf: Melancholie und Gesellschaft. Frankfurt/M. 1972 (suhrkamp taschenbuch 63).

Löwenthal, Leo: Literatur und Gesellschaft. Neuwied und Berlin 1964.

Ders.: Die biographische Mode. In: Sociologica. Aufsätze, Max Horkheimer zum 60. Geburtstag gewidmet. (Frankfurt/M.): Europäische Verlagsanstalt (1955) (Frankfurter Beiträge zur Soziologie 1), S. 363–386.

Ludwig, Emil: Geschenke des Lebens. Ein Rückblick. Berlin 1931.

*Ders.:*Historie und Dichtung. In: Die neue Rundschau 40 (1929), S. 358–381.

Ders.: Der Künstler. Essays. Berlin 1914.

Lukács, Georg: Der historische Roman. In: G. L., Werke. Bd. 6. Neuwied u. Berlin 1965.

Mann, Golo: Geschichtsschreibung als Literatur. In: H. Rüdiger (Hg.), Literatur und Dichtung. Stuttgart u. a. 1973, S. 107–124.

Ders.: Pro domo sua oder Gedanken über Geschichtsschreibung. In: Die neue Rundschau 1972, S. 230–242.

Marcu, Valeriu: Biographie und Biographen. In: V. M., Männer und Mächte der Gegenwart. Berlin 1930, S. 9–23.

Maurois, André: Aspects de la biographie. In: A. M., Œuvres complètes, Tome VI. Paris o. J. (1951), S. 5–93.

Ders.: Die Biographie als Kunstwerk. In: Die neue Rundschau 1929, S. 232–248.

Ders.: The Ethics of Biography. In: English Institute Annual 1942 (1943), S. 5–28. Wieder in: J. L. Clifford, Biography as an Art (1962), S. 162–174.

Mehring, Franz: Etwas über »große Männer« [1887]. In: F. M., Gesammelte Schriften. Bd. 5. Berlin (DDR) 1975, S. 249–254.

Mendelssohn, Peter de: Einige Schwierigkeiten beim Schreiben von Biographien. In: Deutsche Akademie für Sprache und Dichtung Darmstadt. Jb. 1971. Heidelberg u. Darmstadt 1972, S. 80–98.

Mertens, Gerard M.: Stefan Zweig's biographical writings as studies of human types. Phil. Diss. Michigan 1950.

Misch, Georg: Geschichte der Autobiographie. 4 Bde. Bd. 1. Bern 1949/50; Bd. 2–4. Frankfurt/Main 1955–69.

Mistelli, Paul: Das ›Denkmahl‹ in der deutsch-schweizerischen Literatur des 18. Jahrhunderts. Phil. Diss. Zürich 1939.

Moebus, Joachim: Zur Figur des bürgerlichen Heros. in: Das Argument AS 3 (Sonderband), 1976, S. 215–243.

Mommsen, Wilhelm: »Legitime« und »illegitime« Geschichtsschreibung. Eine Auseinandersetzung mit Emil Ludwig. München u. Berlin 1930 [zuerst: Zeitwende, 5. Jg. (1929), S. 302–314].

Müller, Joachim: Dilthey und das Problem der historischen Biographie. In: Archiv für Kulturgeschichte 23 (1933), S. 89–108.

Müller, Klaus-Detlef: Autobiographie und Roman. Studien zur literarischen Autobiographie der Goethezeit. Tübingen 1976.

Muschg, Walter: Das Dichterporträt in der Literaturgeschichte. In: Emil Ermatinger, Philosophie der Literaturwissenschaft. Berlin 1930, S. 277–314.

Neumann, Bernd: Identität und Rollenzwang. Zur Theorie der Autobiographie. Frankfurt 1970.
Ders.: Die Biographie-Debatte in Deutschland. In: B. N., Utopie und Mimesis. Zum Verhältnis von Ästhetik, Gesellschaftsphilosophie und Politik in den Romanen Uwe Johnsons. Kronberg/Ts. 1978, S. 95–111.
Nicolson, Harold: Die Kunst der Biographie. Frankfurt/M. 1958 (Bibliothek Suhrkamp 48) [zuerst: 1954].
Niggl, Günter: Geschichte der deutschen Autobiographie im 18. Jahrhundert. Theoretische Grundlegung und literarische Entfaltung. Stuttgart 1977.
Nipperdey, Thomas: Die anthropologische Dimension der Geschichtswissenschaft. In: Geschichte heute. Positionen. Tendenzen. Probleme, S. 225–255.
Nitsche, Karl: Biographie und Kulturproblematik im gegenwärtigen Frankreich. Ein Beitrag zu dem Problem der Denkformen. Berlin 1932 (Romanische Studien 31).

Oelkers, Jürgen: Biographik – Überlegungen zu einer unschuldigen Gattung. In: Neue politische Literatur 19 (1974), S. 296–309.
Oppel, Horst: Grundfragen der literarhistorischen Biographie. In: Deutsche Vierteljahrsschrift für Literaturwissenschaft und Geistesgeschichte 18 (1940), S. 139–172.

Pascal, Roy: Die Autobiographie. Gehalt und Gestalt. Stuttgart u. a. 1965 [zuerst: engl. 1960].
Plechanow, G. W.: Über die Rolle der Persönlichkeit in der Geschichte. Frankfurt/M. 1976 (Marxistische Tb., Reihe »Sozialistische Klassiker« 44).

Regius, Heinrich (d. i. Max Horkheimer): Kategorien der Bestattung. In: H. R., Dämmerung. Notizen zu Deutschland. Zürich 1934, S. 35–39.
Richter, Werner: Über das Schreiben von Biographien. In: Deutsche Beiträge. Eine Zweimonatschrift. 3. Jg. (1949), H. 6, S. 479–488.
Riesenberger, Dieter: Biographie als historiographisches Problem. In: M. Bosch, Persönlichkeit und Struktur, S. 25–39.
Rohner, Ludwig: Der deutsche Essay. Materialien zur Geschichte und Ästhetik einer literarischen Gattung. Neuwied u. Berlin 1966.
Romein, Jan: Die Biographie. Einführung in ihre Geschichte und ihre Problematik. Bern 1948 (Slg. Dalp 59) [zuerst: holländisch 1946].
Rüsen, Jörn: Ästhetik und Geschichte. Geschichtstheoretische Untersuchungen zum Begründungszusammenhang von Kunst, Gesellschaft und Wissenschaft. Stuttgart 1976.
Ders.: (Hg.): Historische Objektivität. Aufsätze zur Geschichtstheorie. Göttingen 1975 (Kleine Vandenhoeck-Reihe 1416).

Scheuer, Helmut: Historische Belletristik am Ausgang der Weimarer Republik. Emil Ludwig und Stefan Zweig. In: H. G. Kirchhoff und W. van Kampen (Hg.), Geschichte in der Öffentlichkeit. Stuttgart 1979, S. 172–193.
Ders.: Kunst und Wissenschaft. Die moderne literarische Biographie. In: G. Klingenstein u. a. (Hg.), Biographie und Geschichtswissenschaft, S. 81–110.
Ders.: Personen und Personalisierung. Zu »biographischen« Sendeformen. In: H. Kreuzer und K. Prümm (Hg.), Fernsehsendungen und ihre Formen. Stuttgart 1979, S. 391–405.
Schieder, Theodor: Geschichte als Wissenschaft. Eine Einführung. 2. überarb. Aufl. München und Wien 1968.
Schiffels, Walter: Formen historischen Erzählens in den zwanziger Jahren. In: Die deutsche Literatur der Weimarer Republik. Hg. von W. Rothe. Stuttgart 1974, S. 195–211.
Ders.: Geschichte(n) Erzählen. Über Geschichte, Funktionen und Formen historischen Erzählens. Kronberg/Ts. 1975.

Schlaffer, Hannelore: Friedrich Schlegel über Georg Forster. Zur gesellschaftlichen Problematik des Schriftstellers im nachrevolutionären Bürgertum. In: J. Bark (Hg.), Literatursoziologie. II. Beiträge zur Praxis. Stuttgart u. a. 1974, S. 118–138.

Schlaffer, Hannelore u. Heinz Schlaffer: Studien zum ästhetischen Historismus. Frankfurt/M. 1975 (edition suhrkamp 756).

Schulte-Sasse, Jochen: Autonomie als Wert. Zur historischen und rezeptionsästhetischen Kritik eines ideologischen Begriffes. In: Literatur und Leser. Theorien und Modelle zur Rezeption literarischer Werke. Hg. von G. Grimm. Stuttgart 1975, S. 101–118.

Schulze, Hagen: Die Biographie in der »Krise der Geschichtswissenschaft«. In: Geschichte in Wissenschaft und Unterricht 29 (1978), S. 508–518.

Seminar: Geschichte und Theorie. Umrisse einer Historik. Hg. von H. M. Baumgartner u. Jörn Rüsen. Frankfurt 1976 (suhrkamp taschenbuch wissenschaft 98).

Sengle, Friedrich: Bemerkungen zu Technik und Geist der populären Biographie. Am Beispiel von Otto Heuscheles »Herzogin Anna Amalia«. In: Euphorion 46 (1952), S. 100–106.

Ders.: Zum Problem der modernen Dichterbiographie. In: Deutsche Vierteljahrsschrift für Literaturwissenschaft und Geistesgeschichte 26 (1952), S. 100–111.

Ders., Die Biographie. In: F. S., Biedermeierzeit. Deutsche Literatur im Spannungefeld zwischen Restauration und Revolution 1815–1848. Bd. 2. Stuttgart 1972, S. 306–321.

Sève, Lucien: Marxismus und Theorie der Persönlichkeit. 2. Aufl. Frankfurt 1973 [zuerst: französisch 1972].

Srbik, Heinrich von: Geist und Geschichte vom deutschen Humanismus bis zur Gegenwart. 2 Bde. München u. Salzburg 1950.

Steiner, Gerhard: Georg Forster. Stuttgart 1977 (Slg. Metzler 156).

Stern, Fritz: Kulturpessimismus als politische Gefahr. Eine Analyse nationaler Ideologie in Deutschland. Bern u. a. 1963.

Thomae, Hans: Die biographische Methode in den anthropologischen Wissenschaften. In: Studium Generale 5 (1952), S. 163–177.

Tretjakov, Sergej: Die Biographie des Dings [1929]. In: S. T., Die Arbeit des Schriftstellers. Aufsätze, Reportagen, Porträts. Hg. von H. Boehncke. Reinbek 1972 (rowohlt dnb 3), S. 81–85.

Vondung, Klaus (Hg.): Das wilhelminische Bildungsbürgertum. Zur Sozialgeschichte seiner Ideen. Göttingen 1976 (= Kleine Vandenhoeck-Reihe 1420).

Waas, Adolf: »Historische Belletristik«. Eine kritische Auseinandersetzung mit Emil Ludwig. In: Hefte für Büchereiwesen 1931, S. 177–189.

Weber, Max: Soziologie. Universalgeschichtliche Analysen. Politik. Stuttgart 1973 (Kröner 229).

Wehler, Hans-Ulrich: Geschichte als Historische Sozialwissenschaft. Frankfurt/M. 1973 (edition suhrkamp 650).

Werner, Erich: Das literarische Porträt in Frankreich im 18. Jahrhundert. Phil. Diss. Leipzig 1935.

Westphal, Otto: Feinde Bismarcks. Geistige Grundlagen der deutschen Opposition 1848–1918. München und Berlin 1930.

Winkler, Michael: George-Kreis. Stuttgart 1972 (Sgl. Metzler 110).

Wuthenow, Ralph-Rainer: Das erinnerte Ich. Europäische Autobiographie und Selbstdarstellung im 18. Jahrhundert. München 1974.

Zweig, Stefan: Die Geschichte als Dichterin. In: Erbe und Zukunft. 1. Wien 1946, S. 54–64. [Auch in: St. Z., Zeit und Welt. Ges. Aufsätze und Vorträge 1904–1940. Stockholm 1946, S. 337–360.]

Ders.: Geschichtsschreibungen von morgen. In: St. Z., Zeit und Welt. Ges. Aufsätze und Vorträge, S. 275–298.

Ders.: Die Welt von Gestern. Erinnerungen eines Europäers. o. O.: Suhrkamp 1947 [zuerst: Stockholm: Bermann-Fischer 1944; jetzt auch: Fischer Tb. 1152].

REGISTER

Das Register enthält alle Namen, die im Text genannt werden. Außerdem werden bei einzelnen Autoren die wichtigsten biographischen Werke angeführt.